# 短編ミステリの二百年 6

## レンデル、ブランド他



最終巻にはレ
たクライムストーリイ作家の
編市場の限定された英国で存在感を示した書き下ろしアンソロジー叢書〈ウィンターズ・クライム〉の優品、ノーマン、ブロックなどMWA短編賞作家の傑作、そして編者が20世紀最高の短編ミステリだとするブランド「ジェミニー・クリケット事件」アメリカ版とイギリス版の両方など、全12編を収録。評論の終章ではその米英ふたつのバージョンを精緻に比較・分析し、魅力の核心に迫る。短編ミステリの歴史をたどる前代未聞のアンソロジーにして評論書、ここに完結。

# 短編ミステリの二百年6

レンデル、ブランド他
小　森　収　編

創元推理文庫

# THE LONG HISTORY OF MYSTERY SHORT STORIES

volume 6

edited by

Osamu Komori

2021

# 目次

# 短編ミステリの二百年6

# 終《つい》のすみか

ジョイス・ハリントン

A Place of Her Own　一九七九年

ジョイス・ハリントンJoyce Harrington（一九三二―二〇一一）。アメリカの作家。一九七二年、雑誌〈エラリイ・クイーンズ・ミステリ・マガジン〉*Ellery Queen's Mystery Magazine* に掲載されたデビュー作「紫色の屍衣」でアメリカ探偵作家クラブ（ＭＷＡ）最優秀短編賞を受賞する快挙を達成する。本編の初出はＥＱＭＭ一九七九年九月号。

あの女が街の片隅に初めて現われたのはいつのことだったか、わたしにはわからない。気がついたときには〈カーヴェル〉（アイスクリーム・チェーン店）や〈ワルドバウム〉（スーパーマーケット・チェーン）と同じように、見慣れた景色のなかに溶けこんでいて、そこにいるのが当たり前になっていた。夏でも冬でも、晴れても降っても、石に刻んだ〝忍耐〟の像のように（シェイクスピア『十二夜』第二幕第四場より　小田島雄志訳）、歩道に座りこんでいる。天気のいい日には通りを渡って反対側の、街路樹と郵便ポストのあいだに移動することもある。だが、たいていは〈カーヴェル〉と銀行をへだてている、雨露をしのげる、浅い洞穴のような狭いスペースにうずくまっていた。そこが彼女の居場所だった。

銀行に出入りすればいやでも目につくところにいるというのに、どうして放っておかれているのか理解に苦しむ。言ってみれば、商売にさしつかえるだろう。支店長に意見してやろうかとも思ったが、あいにくこの銀行には口座を持っていなかった。

女はたまに姿を消した。最初、通りがけに姿が見えなかったとき、わたしは胸の内で快哉を叫んだ。〝ああ、よかった。どこかへ連れていかれたんだ。警察だか、精神科の病院だかに。どっちにしても、ありがたい。これでこの界隈も見場《みば》がよくなる〟

だが、翌日にはもどってきて、定位置にうずくまり、紙コップのコーヒーを飲みながら、狂気じみた目であたりをにらみつけていた。正直言って、あの目にいきなりにらみつけられたときには怖じ気をふるったが、わたしは何食わぬ顔をして歩きつづけた。これまで一度も欠勤したことはないし、遅刻だって、地下鉄のダイヤが乱れたときに限られている。地下鉄の駅に着いたときには動悸は収まり、頭にあったのは混んだ車内に身を押しこむことだけだった。

それからは、常に注意を怠らなかった。いるかどうかは一ブロック離れたところからでも確認できたから、そっぽを向いたまま、早足で通り過ぎるようにした。あるいは、道路の反対側を歩いてもよかった。だが、注意していようがいまいが、なぜか必ずそちらのほうに目が行った。顔をまともに見ることはないにしても、衣服の一部や、足の先や、頭のてっぺんなどに。わきを通り抜けるとき、きまって一瞥《いちべつ》をくれてしまった。

女は季節を問わず、いつもコートを着ていた。上から下まで全部ボタンをはめていることもあれば、雑誌のファッションモデルのように肩からはおっているだけのこともあった。コートの下にはセーターを何枚も着こんでいた。真夏の、気温が三十三度を超えて誰もがうだっているようなときですら、重ね着に変わりはなかった。そして、ぶかぶかの汚れたスラックス。見たところ、スラックスも二、三枚、重ねてはいているようだった。まるで巨大な古着の束。顔がついていなければ、回収のために持ちだされたゴミの山と見分けがつかないかもしれない。

八月、わたしは休暇をとり、結婚してオハイオに住む娘のエレンを訪ねた。こちらから会いにいく以外に手はなかった。娘のほうからは来ようとしないから。結婚するとき、娘はこう言い放った。「ママ、気を悪くしないでほしいんだけど、わたし、この薄汚い街を出たら、二度ともどってくるつもりはないから」

なに、べつに気を悪くしたりはしない。どうしてそんな必要がある？　娘のいまの住まいはきれいだ。緑の芝生と木立にまわりを囲まれた一戸建て。何もかもが清潔だ。娘には自由に乗りまわせる素敵な新車がある。子宝にも恵まれた。ふたりともすっかり大きくなったし、これまで病気らしい病気をしたこともない。ただ、ごくたまに訪ねていくだけのわたしは、ほとんど忘れられている。もうひとりの祖母は近所に住んでいる。いい人なのだろう、きっと。彼女からもらったプレゼントを孫たちはよく見せてくれる——姉弟《きょうだい》それぞれに十段変速の自転車、キャシーにはレコードプレーヤー、ティミーには地下室に置いてあるレーシングカーの模型セット。どれもこれも孫には素晴らしい贈り物だ。わたしだってプレゼントは用意した——飛行機で運べる小さなもの、ごくありふれた品物にすぎないけれど。

今回、エレンはわたしにこう言った。「ママ、あのデパートで働きはじめて、もう三十年以上になるわよね。いつでも好きなときにやめられるはずだわ。そろそろ引退して、わたしたちといっしょに暮らす気はない？」

娘はわかっていない。そんなに簡単にはいかないのだ。彼女の父親が亡くなったとき——彼の魂よ、安らかに——わたしは幸運にも、あのデパートに働き口を得た。エレンはまだ五歳だった。当時のことは何ひとつ憶えていないだろう。だがわたしの頭には、あの日、おっかなびっくり人事課のオフィスを訪ねたときの記憶が鮮明に残っている。アーティはいい夫だったが、生命保険とか、そういうものとは無縁だった。自分がそんなに早々と天に召されるとは予想もしていなかったのだろう。そんなわけで、わたしは急いで仕事を探す必要に迫られた。それまで勤めに出た経験は一度もなかったけれど。

レジの使い方を教わったあの日も、とても緊張した。それまでは食料品を買うのに必要な額のお金を手渡されるばかりで、家計の管理はアーティにまかせていた。だから、毎日、自分のものではない多額のお金を扱うのが怖くてならなかった。だが、そのうち慣れてきたし、家計のやりくりも上手になった。家賃にいくらいくら、生活必需品にいくらいくら、貯蓄にいくらいくら。一部を貯金にまわしておいて幸いだった。なぜなら、エレンは大きくなって大学へ行きたいと言いだし、そこで、いまの夫と知りあったのだから。結果として、すべてはうまくいった。あのデパートがなかったら、娘だって歯科医の夫や、ふたりのいい子とともに、あんなきれいな家に住めるようにはならなかった。そこのところは理解してしかるべきだ。

ときどき、娘はわたしを恥じているのではないかと思うことがある。前に泊まりにきたとき、午後、ご近所の人たちをお茶会に招いて、わたしをこう紹介したのだ。「母です。ニューヨークの大きなデパートでバイヤーをしてますの」まあ、たあいのない嘘にすぎないが、それでも顔が赤くなるのを覚えた。訂正はできなかった。そんなことをすれば、いよいよ気まずくなっただろう。そこで、ただ微笑して、わたしの仕事に興味を持って質問してくる人がいませんようにと祈った。そんな人はいなかった。真相を明かせば、わたしは婦人補正下着《ファンデーション》売場の販売員で、三十年以上そこを持ち場にしている。エレンがどうあれ、わたしは自分の仕事を恥じてはいない。

休暇が終わり、空港まで車でわたしを送っていくとき、娘がふたたび例の話を持ちだした。「ママはもういい歳なのよ。ピーターとも話したんだけど、こっちへ来てくれたら、みんな大歓迎するわ。あんな狭いぼろアパートメントにひとり暮らしなんて、心配でしょうがないのよ。それでなくても近頃は物騒なんだから。ここなら安全だわ」

正直に言えば、本音をぶちまけたいのを必死にこらえなければならなかった。娘の言う〝狭いぼろアパートメント〟がわが家になったのは、婦人補正下着売場で働きはじめるよりずっと前だ。若かりしころ、アーティといっしょに整えていった住まいで、歳をとったからといって離れるつもりはさらさらない。エレンの家でもあったのに、幸せに過ごしたときがあったことも、食卓には欠かさず栄養満点のおいしい料理が用意されていたことも思いだすつもりはないらしい。

口に出してはこう言った。「あんたの部屋の家具はまだとってあるわ。新品同様だし。キャシーがほしがるかもしれない。送ってやってもいいのよ」

娘は笑い声をあげた。「やだ、ママったら。さっさと処分しちゃってよ、救世軍にでも寄付して。ピンクのリボンやフリルでごてごて飾りたててたわよね？　あの部屋で映画スター気取りでいたなんて、とても信じられない。ええ、遠慮するわ。それと、こっちへ来るときには、あのがらくたの古い家具は全部処分してね。ママの部屋と、テレビだとかなんだとか必要なものは全部、うちのほうで用意するから。ピーターには、来年は庭にプールを造ってもいいって言われてるの」

わたしは帰りの飛行機のなかで、エレンに言われたことを考えてみた。そして、毎朝地下鉄に乗ってデパートまで出勤しなくてよくなったら、その先、自分はどうしたいのだろうと思案した。引退の日はいますぐではないにしても、遠からずやってくる。三年後というところか？キャシーとティミーが成人して結婚するまで、間近で見守るというのはたしかに心そそられる提案だ。だが、じつのところ、エレンをのぞけば、ティーンエイジャーと近しく接した機会はほとんどない。あの年頃の子どもは、図体ばかり大きくて騒々しい印象がある。それに、テレビならすでに持っている。小型だが、ちゃんと使える。デパートの特売で、しかも社員割引を利用したから、とてもお買い得だった。さらに言えば、わたしのようなおばあさんにプールがなんになるというのだろう？　泳ぎにいったのはエレンが十五歳のときが最後で、一週間、ニュージャージーの海岸に滞在したが、そのときだって膝まで水につかっただけだった。

空港からはタクシーを使った。出費がかさんだが、疲れていたし、翌日はもう月曜で、休暇は明ける。仕事にもどらなければならなかった。むしむしして、どんより曇ったいやな夕刻で、全世界が汚れた灰色に見えた。高速道路をおりたときには雨が降りはじめ、タクシーの運転手は、週末の混雑した道路で割り込みをかけて進もうとするドライバーなら誰でもするように、不機嫌な顔をして悪態をついた。一瞬、もしかするとエレンの言うことは正しくて、いますぐ荷物をまとめ、この街とはおさらばすべきなのかもしれないとの思いが頭をよぎった。

だが、ほどなく車は見慣れた通りにはいった。家まであとほんの数ブロックだ。身を乗りだして運転手に道を教えていると、雨粒が筋を作るフロントガラス越しに、あの女の姿が目にはいった。銀行のわきの、例の雨露をしのげる狭いスペースに座りこみ、ビニールシートで膝をくるんでいる。周囲にはひもで結わえた箱や買い物袋がいくつも転がり、片側には、何やらえたいの知れないがらくたが山と積まれた〈ワルドバウム〉のショッピングカートが置かれている。そうしたものにまわりを囲まれて、雨の街をにらみつけていた。タクシーが通り過ぎるとき、車のなかをのぞきこむようにしていたから、わたしの姿を認めたのは間違いない。何か叫んでいたようだったが、声は聞きとれなかった。

運転手が言った。「どっちです、奥さん?」そこでわたしは曲がるべき角を教え、一分もしないうちに料金を払っていた。建物の入口まで荷物を運んでくれたのでチップをはずんだ。車を出す前に、彼は訊いてきた。「この薄汚い街から出るにはどうすりゃいいんです?」そこで、道を教えてやり、荷物を引きずって屋内《なか》に入れた。

わが家。ロビーを見まわしてみても、いつもと変わりはない。だがどうしたわけか、昔は奥の壁ぎわに赤い革張りの長椅子と、数脚のひじ掛け椅子が並んでいたことが思いだされてきた。いまそこには何もない。いつ撤去されたかは憶えていない。そういえば、たしか長椅子の上の壁には一枚の絵が飾られていたはずだ。馬の絵か、それとも、ヨットだったか。とにかく何か野外活動《アウトドア》に関する絵だった。いまでは、すぐそばまで近づいて目を凝らさないと、絵の掛かっていた場所はまず見分けがつきそうになかった。なにしろ壁全体がひどく汚れて、すすけた薄緑色に変わっている。床も汚い。雨模様で、みなが濡れた靴で歩いていくから、というばかりではない。以前、雨の日には管理人がゴムマットを敷いてくれたものだが、あれはどうなったのだろう？　長いあいだに多くの変化があったらしいのに、わたしはいまのいままでまったく気がつかなかった。

エレベーターのボタンを押して待つあいだ、郵便受のほうに目をやった。わたしの留守中には、廊下の向かいに住むフィニイ夫人が郵便物を見てくれることになっていたから、わざわざ確認する必要はなかった。それでも、小さな金属の扉の一部が曲がったり、はずれかけたりしているのが目についた。わたしのではなくて、ほかの住人のものだが。いつからこんな状態だったのだろう？　それに、どうして管理人は修理を依頼しないのか？

郵便受の横の壁に、一枚の張り紙がテープで留めてあった。わたしの立っているところから読みとれるのは一番上の大きな活字だけだった。〝居住者のみなさまへ〟とあって、その下に細かい活字で何事かずらずらと記されている。近づいてよく見ようと思ったちょうどそのとき、エレベーターのドアが開いたので、わたしは荷物を引きずって箱に乗りこみ、六階のボタンを押した。

ひどく疲れていたせいなのか、芝生や木立に囲まれたエレンのきれいな家から帰ってきたばかりだからなのか、ついにありのままの現実が見えるようになったためなのか、とにかく理由ははっきりしないが、わが家に帰って明かりをつけたとたん、わたしは声をあげて泣きたくなった。部屋のなかは何ひとつ変わっていない。すべて出かけたときのままだ。ほこりが積もっていたり、いやなにおいがこもっていたりもしない。フィニイ夫人が郵便物を持ってきてくれたとき、ついでに窓を開けて部屋に風を通し、軽く掃除してくれるからだ。フィニイ夫人が留守にするときには、わたしが同じようにしてあげている。そう、問題は部屋のほうではない。わたしの心のなかで何かのスイッチがはいって、あらゆるものが古く、みすぼらしく目に映るようになったのだ。おんぼろ。エレンの言うとおり、がらくただ。

　居間の家具一式は結婚祝いにアーティの親族から贈られたお金で購入したものだが、夏のあいだはいつもそうするように、夏用のカバーが掛けてある。カバーは椅子本体ほど古くはない。数年ごとに勤務先で新しいのを買っているからだ。このカバーに取り替えたのは何年前だろう？　いずれにせよ穴がいくつもあいているし、生地が薄くなって下の茶色いビロード地が透けて見える。そう思ってみると、ソファのクッションのあちこちや、ひじ掛けの茶色いビロード地がすり切れて、てかてかしているのが気になりはじめた。たしかに古ぼけているかも。がらくた。

　同じことはじゅうたんや、コーヒーテーブルや、エレンの古い本が収められている本箱についても言える。さらには、窓のカーテンについてさえ。すべてが古く、みすぼらしく、色あせたり傷がついたりして、廃品回収業者に引き渡すのが似つかわしい。テレビでさえ〈アンクル・ミルティ〉や〈ハウディ・ドゥーディ〉が人気を博していた時代（主として一九五〇年代）に購入した、旧式の白黒だ。エレンにせがまれたのだ。

　エレンの部屋へ行った。どうして娘が出ていったときのまま手をつけずにおいたのかよくわからない。もしかすると、ああは言っても、そのうち訪ねてくる気になるかもしれないとの思いを断ち切れずにいたからかもしれない。この部屋の家具一式は高校入学のお祝いにわたしが贈ったものだ。もはや子どもではなく、若いレディであることを自覚してほしかったし、同性のお友だちを招けるようにしたかったのだ。娘が自分の部屋をどれほど誇りに思っていたか、わたしはよく憶えている。

今度は天井の明かりはつけずにおいた。居間が惨憺《さんたん》たるありさまに見えたのは、そのせいかもしれないからだ。部屋にはいって、化粧台のほうへ向かう。化粧台の上にはピンクのシェードのついた、小さなスタンドがふたつ置いてあり、その片方のスイッチを入れた。狭い部屋だった。それは認めざるをえない——エレンの家で、わたしが泊まっていた部屋より面積は小さいだろう。その大半を占めているのはベッドだった。デパートのトラックが届けにきて、運送屋がここまで運びあげ、組み立てまでしてくれたときの娘の顔は忘れようにも忘れられない。天蓋《てんがい》が取りつけられたときには小躍りして喜び、いつまでもはしゃぎつづけた。「ああ、ママ！　きれい！　なんて素敵なの！」あのとき、娘はまさにそう言った。変われば変わるものだ。

いま、化粧台の明かりの、ばら色の光のなかで見てみると、天蓋はたわみ、ピンクのキルト地のベッドカバーやダストラッフル（ベッドの脚の部分を覆う布）は着古した下着のような色合いに変わっていた。化粧台の脚の部分を覆う、ピンクのレースのカバーはわたしが縫ってやったものだが、張りを失い、すそがほつれている。ベッドの支柱やシフォローブ（引き出し付きの洋服ダンス）の白いペンキは薄汚れて、灰色がかっている。ごしごしこすったら、ひょっとして……。

玄関の呼び鈴が鳴った。わたしは笑みを浮かべようとした。いまここで誰かと会話を交わせば、自分がおんぼろのがらくたになったかのような憂鬱な気分を吹き飛ばせそうな気がして、とてもうれしかったからだ。だが、玄関に行き着く前に笑みは引っこめた。戸口に現われたのが、アパートメントの部屋をひとつひとつ訪ねて年配の女性を物色している変質者だったら大変なことになるからだ。いや、笑わないでほしい。実際に隣のブロックでそういう事件があったのだ。幸いにもこのアパートメントでは、家主のおかげで全部の玄関ドアにのぞき穴がついている。のぞき穴から確かめてみると、訪ねてきたのは向かいに住むフィニイ夫人だった。

彼女は室内《なか》にはいってくるなり言った。「何か食べた、リリアン？　デニッシュを持ってきたわ」

いかにもグレイス・フィニイらしい。他人《ひと》がお腹をすかせていないか、いつも気にかけてくれて。いい人だ。

「飛行機のなかで食事が出たけど、デニッシュならはいりそう。コーヒーを入れるわ」

彼女は台所までわたしのあとについてきた。またもや古びたところが目についた。リノリウムの床の、流しの前のすり減ったところ、戦火をくぐり抜けてきたかのような、傷だらけのテーブル。だが、そうしたことは全部わきへ置いて、エレンとその家族、彼らの幸せな暮らしぶりを話して聞かせた。彼女がデニッシュをテーブルに並べているあいだに、わたしはやかんに水をくみ、インスタントコーヒーを取りだした。

「郵便はもう見た？」彼女はたずねた。「ううん、間違いなくまだ見てないわね。ちょっと待ってて」

そして、小走りに居間へ向かい、郵便物が山積みになっているコーヒーテーブルのところへ行くと、一通の封筒をひらひらさせながらもどってきた。

「とにかく読んでみて。こっちはなんの手立てもとりようがないの。いまいましいったらありゃしない」

グレイス・フィニイが毒づくとは珍しい。常に淑女たらんと心がけ、土曜の朝には角のグウェンの店で髪をセットするのを欠かさない人なのだ。何かよほど悪い知らせにちがいない。

わたしは封筒をじっと見つめた。

「開けて。ほら早く」

郵便局から配達されてきたものではなかった。切手が貼られていないし、住所も書かれていない。ただ名前だけが〝ミセス・リリアン・カリー〟と大きな文字で黒々と記されている。

「わたしたち全員に届いたの。あなたが休暇で出かけてすぐのことよ。ひどい話でね。泣きたくなるくらい。とにかく読んでみて」

わたしは封筒を開けた。なかにはいっていたのは一枚の紙切れだった。引っぱりだすと、まず目にはいったのは、一番上の〝居住者のみなさまへ〟という一行だった。

「これなんなの?」わたしは言った。「階下《した》でも見たけど、ちゃんと読まなかったのよ」

「ほら、早く」彼女はせかした。「あなたも泣きたくなるわ。わたしの口から説明しようもんなら、腹が立って、自分でも何をしでかすかわからないから。2D号室のズコウスキ老なんて、読んだとたんに心臓発作を起こして、まだ入院中なの。無事退院できるかどうかもはっきりしないらしくて」

そこでわたしは目を通した。そして、やかんの火を止め、台所の椅子に腰をおろした。少々がたついている椅子だ。気分が滅入っていたところへ追い打ちをかけられて、笑ったらいいのか泣いたらいいのかわからなかった。茫然としていたというのが当たっているかもしれない。なぜなら、頭がくらくらして文字がぼやけ、自分の理解が正しいのかどうか、もう一度読み返して確かめたくても確かめられなかったからだ。

煎じ詰めればこういうことだ。この集合住宅は売却され、新しいオーナーは取り壊しを決めた。同じブロックにあるほかの集合住宅も全部ひっくるめて。たくさんの老朽化した低層の建物に代えて、ずっと戸数の多い大規模住宅を一棟、新たに建てるという。居住者は全員、二か月以内に立ち退かなければならない。それ以降、電気や水道などはすべて止められてしまうからだ。希望者には新しい住宅の完成後、優先的に再入居する権利があまねく認められる。書類の最後には、住民の反対をかわすつもりか、この再開発計画は地域にとって非常に意義深く、必ずや都市の荒廃を防ぐ一助になるであろうとうたわれていた。

都市の荒廃。がらくた。何もかもががらくたにされる。わたしたちはみな、廃品回収業者に引き渡されようとしているのだ。建物も、寝室の家具も、人間も、老犬だって無事ではすまないかもしれない。わたしたちには新しい体、新しい住宅で営む新しい生活が提供されるのだろうか？　言葉が喉に詰まったような感じがして、変な声をあげてしまったにちがいない。グレイスがわたしの体をゆすぶり、身を乗りだして顔をのぞきこんでいた。

「大丈夫?」彼女は強い口調でたずねた。「わたしの目の前で心臓発作なんて、よしてよね。ほら、コーヒーはわたしが入れてあげるから」

彼女はぱたぱたと動きまわり、ほどなくブラックコーヒーのはいったカップがテーブルの、デニッシュの隣に出現した。

「食べて。〈デュービン〉のよ」

そこでわたしはデニッシュをひと口かじり、コーヒーを飲んだ。たしかに気分は多少よくなったが、頭はまだぼんやりしていた。

「わたし、引っ越すの」グレイスは言った。「この先、住む人が減ると、窓ガラスが割られたり、パイプが壁からはずされて持っていかれたりするようになるから。あしたの朝、引っ越しトラックが来ることになっててね。クイーンズのほうに手頃な物件が見つかったの。ここより家賃は高いけど、少なくとも清潔だし、取り壊されるおそれもないし。あなたも早めに引っ越したほうがいいわよ」

「でも、帰ってきたばかりなのに」

「ええ、わかるわ。ショックでしょう。そうすんなりと受け入れられるような話じゃないわよね。でも、ぐずぐずしてちゃだめ。空き部屋の増えた集合住宅がどうなるかは知ってるでしょ。安全じゃないんだから」

「どこなら安全?　エレンにはここを出て、いっしょに暮らさないかって言われたの。それなら安全だって」

「いい娘さんよね、エレンは。素直に言われたとおりになさいな。わたしにもあんな娘さんがいたらねえ。うちのどら息子なんて、まともに仕事を続けられたためしがないのよ。四十にもなって、何が〝人生の目的を探してる〟よ。さてと、そろそろ失礼するわ。まだ荷造りが済んでなくて。ただ、あなたがこの告知を読むときに、そばにいてあげたかったの。もう大丈夫よね？　残りのデニッシュはあしたの朝にでも食べて」

わたしはしばらくそのままテーブルから動かなかった。コーヒーは冷めてしまい、一匹のゴキブリが勇敢にも、流しの水切り台の上を走っていった。立ちあがって、追いかける気力すらわかなかった。わたしはゴキブリが寄りつかないように、台所はいつもきれいにして、食べ物を出しっぱなしにしないよう気をつけている。だが、それでも連中はどこからかやってきた。こういう古い建物では完全な駆除は不可能なのだ。建て替えれば、ゴキブリはいなくなるかもしれない。ひょっとして近所のどこかに仮住まいを見つけて一時的にその部屋に移り、新しい住宅が完成したとき、またもどってこようか？

書類にはそういう趣旨のことが書かれていた。希望すれば、新築の素敵なアパートメントに再入居できると。でも、家賃はどうなるのだろう？　新築となれば安くはあるまい。それに、建て替え工事のあいだ、家具はどうすればいいのか？　大規模な集合住宅を建てるにはどれくらい時間がかかるのだろう？　一年、それとも二年？　それに、考えてみれば、真新しい内装にわたしのがらくたの古い家具は釣りあわない。そんなに長生きできる保証もない。

わたしは身震いした。べつに寒かったわけではない。ただ、古いことわざにあるように、誰かがわたしの墓の上を歩いている気がしたのだ、その墓所がどこであろうと。いままで考えてみたこともなかったが、あるひと言が《デイリーニューズ》（タブロイド紙）の派手な見出しのように頭に浮かんだ。死に場所。わたしが探しているのは生きていく場所ではない。死に場所なのだ。

どうかしていると思われそうだが、そう考えると気持ちが楽になった。わたしはデニッシュをラップに包んで、パンケースにしまった。そして、靴を磨きにいった。明日は月曜日だし、月曜日には必ず磨きあげた靴で出勤することにしている。

翌朝、黒いワンピースを着た。最近ではたしかに事情が変わったが、昔、デパートに勤めはじめたころ、店員は黒いワンピースを着用するように決まっていて、わたしはその習慣を変えずにきた。ときには茶系や濃紺に心引かれもするが、許せるのはせいぜいそこまでだ。一部の人たちのようにターコイズブルーやラベンダー色のパンツスーツを選ぶ気にはなれない。あれは仕事着にふさわしくないと思う。

食べかけのデニッシュを片づけて、コーヒーを一杯飲んだ。食料品はほかにはほとんどないから、帰りに〈ワルドバウム〉へ寄らないといけない。デニッシュがひとつ残っていたので、休憩時間に食べられるように、紙袋に入れて持っていくことにした。アパートメントの建物を出たときには、すでに正面に引っ越しトラックが止まっていて、グレイス・フィニイのアップライトピアノが歩道に出されていた。グレイスは〈チョップスティック〉しか弾けなかったが、何年も前、息子が音楽を習いたいと言いだしたときに買ってやったのだ。息子は結局〈チョップスティック〉すら満足に弾けるようにならなかったが、グレイスはその後も手放さず、エレンにはいつでも好きなときに弾かせてくれた。わたしは足早にその場を去った。休暇からもどった最初の朝に遅刻したくなかった。

地下鉄の駅は三ブロック先にあり、角を曲がったとたん、あの女に気がついた。本人の姿を確認したわけではないが、銀行のわきのいつもの場所にショッピングカートが止めてあったので、いるとわかった。わたしは歩調をゆるめず、視線を自分の黒靴の、ぴかぴかのつま先から離さなかった――一、二、一、二、前へ、前へ。横を通り過ぎるときにも顔は上げなかったから、どうしてそんなことをする気になったのか自分でもよくわからないが、デニッシュのはいった袋をショッピングカートのがらくたの山の上に置いてしまった。駅の窓口に着いたときにはひどく体が震えて、トークンをひろいあげるのに苦労した。

デパートに着いてみると、ひとつ変わっていたのは新商品が陳列されていたことだった。休暇前には、夏物の最終処分セールが行なわれていた。だが、婦人補正下着売場に季節ごとの変化はあまりない。いくら新しい生地を用いた、新しいデザインの商品が次々と売りだされているとはいえ、しょせんガードルはガードルだ。職場にもどれたのがうれしくて、わたしは開店のチャイムが鳴る前から棚や引き出しを調べて、在庫切れしそうなサイズがないか確かめた。

点検がたいして進まないうちに、売場主任のミス・クレイマーがやってきて言った。「おはよう、リリアン。お帰りなさい。休暇は楽しかった？　手があいたら、ちょっとオフィスまで来てもらいたいんだけど」

そこで、わたしは答えた。「おはようございます。おかげさまで、いい骨休めになりました。いますぐ参ります」

わたしは彼女のあとについてフロアを横切り、試着室の奥の廊下をオフィスに向かって歩きながら、なんの話だろうと考えた。最後に昇給したのは一年以上前だから、もしかするとその件かもしれない。新しいアパートメントを探さなければならないのなら、昇給は大助かりだ。たしかに多少の蓄えはあるが、物価が上がるいっぽうなので、生活は苦しくなるばかりだった。

「お座りなさい」ミス・クレイマーは言った。

そこでわたしは彼女のデスクの正面にある、小さな、背もたれのまっすぐな椅子に腰かけた。彼女のほうはデスクの向こう側の回転椅子に身を沈める。そして、ほんの一瞬、わたしの顔を注視したあと、金属ケースにはいったカードをぱらぱらとめくりはじめた。一枚のカードを引きだす。

「リリアン、あなたはわが社に勤めて三十年以上になるのね」

「はい」わたしは誇らしくて、かすかな笑みを浮かべた。きっと昇給の話だ。いつだって、こんなふうに切りだされるのだから――〝あなたは勤続何年になるし、勤務成績も良好なので……〟

「そして、ずっと婦人補正下着売場を担当してきた」彼女は続けた。「社長から五回表彰されているし、欠勤は一度もなく、営業成績は安定している」

わたしはただうなずいて、息を詰めた。言葉は発せなかった。さあいよいよだ。昇給額はどれくらいだろう？　両手に汗が浮かんできて、ハンカチを持ってくればよかったと思った。

ミス・クレイマーは大きく息を吸って胸をふくらませ、わたしの背後の壁に目を凝らした。

「リリアン、あなたは六十二歳よね。引退後の生活について考えたことはある？」

「えっ、まさか！　引退なんて、まだまだ先の話です」

「うーん、問題はそこなのよね」彼女は言った。「まだまだ先とはいかないの。じつは会社は人員削減を進めているところで、あなたには早期退職をお願いしたいのよ」

そのひと言はナイフのようにわたしの心臓を貫き、血液の流れと肺の働きを止めた。息ができなかった。全身が冷たくなった。どこか体のなかに生じた痛みがじわじわと広がって、いっこうに消えようとしなかった。

わたしの反応を見て、ミス・クレイマーはあわてた。気を失うか、発作を起こすとでも思ったのだろう。椅子から立ちあがり、デスクの向こう側から小走りにやってきて、わたしの両肩に手を置いた。

「リリアン」彼女は小声で言った。「大丈夫？　横になりたい？」

「平気です」わたしは答えた。そして、小さく肩をゆすって、彼女の手から逃れようとした。椅子からくずれ落ちかねないほど弱っていることを気取られてはいけないので、両手でしっかりと椅子の座面をつかんだ。

彼女は少し後ろに下がったが、視線はわたしの顔から離さなかった。「わかってくれた、リリアン？　あなたは長年、わが社に尽くしてくれたし、優秀な社員だったけれど、そろそろひと息つく頃合いなの。年金を支給するし、社員割引はいままでどおり利用できるわ。健康保険もね。無慈悲にたたきだして、お払い箱にするわけではないの。あなたはいつまでも〝家族〟の一員なんだから」

「いやです」わたしは答えた。「退職するつもりはありません。無理強いはできないはずです。常連のお客さまに失礼です。わたしを頼りにしてくださっているんですから」

「リリアン、何事にも終わりはあるの。わたしがあなたの立場だったら、せっかくの機会だし、喜んで引退して自分のやりたいことを始めるわ。どこか西部のほうに娘さんとお孫さんがいらしたわよね。いっしょに過ごせる時間が増えたら、みなさん、きっとお喜びよ」

「まさか。向こうへ引っ越すつもりはないし、何もすることがなくて部屋に閉じこもっているおばあさんになる気もありません。わたしはずっと働いてきました。優秀な店員でした。主任が自分でそうおっしゃったじゃありませんか。あんな若い子たちに何がわかります？　はいっても、すぐにやめてしまう。わたしは違います。やめるつもりはありません。あなたにわたしをクビにする権利はありません。社長さんに話してみます。社長さんは、あの売場がわたしでもってるのをよくご存じですから」

彼女はため息をついて、椅子に沈みこんだ。「リリアン、意地を張っても自分がつらくなるだけよ」一枚の書類を取りあげて、こちらへ寄こす。「退職手続きはすっかり済んでいるし、社長の了解もいただいているの。社長は直接お別れを言いたいとおっしゃっていたんだけれど、あいにく今週は街を離れていらしてね。さてと、社員証を返してもらえるかしら、引き換えに最後のお給料をお渡しするから。今後はゆっくりと老後生活を楽しんでちょうだいね」

「これだけ？　こんなにあっさりと？」わたしには信じられなかった。「せめてきょう一日だけでも働かせてもらえませんか？　通りへほっぽりだすんですか？　行く当てもないのに？　することもないのに？　靴だってきれいに磨いてきたんですよ」

「退職者向けのクリスマスパーティがあるわ。招待状が届くでしょう。申しわけないけれど、そろそろいいかしら、労働者の日（九月の第一月曜日で法定休日）も近いから。意味はおわかりでしょう？」

「だったら、もうしばらくお手伝いさせてもらえませんか？」

返事はなかった。いまでは本気でハンカチを持ってこなかったことを後悔していた。だが、涙をこらえ、ミス・クレイマーとともに売場のカウンターにもどった。ハンドバッグから社員証を取りだして手渡すと、代わりに小切手がもどってきて、それでおしまいだった。

わたしはそのまましばらくカウンターのなかに立っていたが、やがて自分が場違いな場所にいるような妙な気分になってきた。たしかにもう自分のいるべき場所ではない。そこで、カウンターの反対側にまわってお客を装ってみたが、やはりしっくりこなかった。売場の同僚にお別れを言いたかったが、そんなことをすれば本気で泣きだしてしまいそうだったし、愁嘆場はごめんだった。そんなわけで、ただふらりと持ち場を離れた。まるで化粧室へ行くか、社員食堂へコーヒーを飲みにいくかのように。

それ以外に方法はない――少しずつこの状況に慣れていく以外には。わたしはフロアを歩きまわった。ナイトウェア、ホームウェア、バスローブ。たくさんの顔なじみの店員がカウンターのなかで開店準備をしているのが目にはいった。だが、みな、わたしに気づいても知らないふりをした。たぶんすでに噂が広まっていたのだろう。

エスカレーターのところに着いたころには、お客がフロア全体に散らばりはじめていたので、わたしはこちらのグループ、あちらのグループという具合に、ただ彼らのあとをついていった。午前中はずっと店のなかを歩きまわり、エスカレーターで階を移動して、自分のお気に入りの売場をひとつ残らず訪ねた。しかし、何も買わなかったし、誰にも話しかけなかった。お昼になると、外の銀行へ走って小切手を現金化した。社員食堂はもう使えなかったので、次善の策をとった。五階のレストランで食事したのだ。

午後には、多くの時間をキャシーやティミーが気に入りそうなものを探して過ごした。それから家具売場へ行って、新しいアパートメントのインテリアに思いをめぐらせた。そうしているうちに閉店時間になった。

地下鉄を降りると、〈ワルドバウム〉に寄った。バーベキューチキンとカテージチーズ、レタスをひと玉、トマトを二個買った。通りは買い物客や、家路を急ぐ勤め人でごった返していた。たしかにわたしも家路をたどっていたが、さほど急いでいなかったので、あの女に気がついた。銀行のわきのいつもの場所に陣取り、街行く人々をじろじろ眺めたり、にやにや笑ったりしている。わたしは足を止め、このとき初めて相手に正面から向きあった。それが気に入らなかったらしい。彼女はわたしに向かって拳をふりあげ、何やらよくわからないことを怒った声で言った。

わたしは言った。「何か食べるものがほしいんじゃない？」

返事を待ちはしなかった。彼女は出し抜けに話しかけられたことに、話しかけた本人同様驚いていたと思う。わたしは買い物袋からバーベキューチキンを取りだし、身をかがめて相手の膝の上に置いた。そこまで近づいてみて、初めてわかったことがある。におうのだ。まあ、気の毒だが、無理もない。街角にバスタブはない。そうしてわたしは家に帰った。

引っ越しトラックは見当たらず、それはつまりグレイスはもういないということだった。この住民のなかで親しくしていたのは彼女だけだった。郵便受は空《から》だった。ごくたまに便りをくれるエレンと、月に一度、請求書を寄こす〈コン・エジソン〉をのぞいたら、わたしに郵便を送ってくる人などいない。住宅内はすでに人けがなくなっているように思えた。足音がロビーにうつろに響き、エレベーターはリウマチにかかっているかのような、苦しげな音を立てた。グレイス以外に引っ越していった人は何人ぐらいいるのだろう？　もしかすると残っているのはわたしだけなのかもしれない。

夕食に少量のカテージチーズサラダを作り、皿とフォークを洗うと、すぐ床についた。エレンの忠告のうち、一点は当たっている。寄る年波には勝てない。わたしの黒い靴は頑丈な造りの上等なローヒールだが、それでも一日じゅう立って歩きまわっていたせいで足が痛み、膝から下がずきずきした。労働者の日の大売り出しと店の忙しさを考えているうちに眠りに落ちた。

翌朝、起床して、普段どおりシャワーを浴びると、黒いワンピースと、まだ充分に光沢のある黒い靴を身につけて、デパートに出かける支度を整えた。化粧はいつも控えめを心がけている。年配の女が厚化粧すると目も当てられないことになるから、身だしなみに気を遣っているとわかる程度にしておくのが秘訣だ。けさは鏡に映る自分の顔をじっくりと眺めてみた。白髪交じりの髪はあの女と同じだ。青い目もしかり。肌にはしわが目立つが、色は白く、柔らかくて、老人性のしみもほんの少ししかない。いっぽう、あの女の肌は荒れていて、赤みを帯びていた。その点をのぞけば、姉妹として通りそうだ。ふと、チキンは食べただろうかとの思いが浮かんだ。

アパートメントの建物を出たとき、ひとりの男がゴミ入れを引っぱって片づけようとしていた。通常の管理人ではなかったが、とにかく足を止めて話しかけた。

「ヴィクターはどうしたの？　病気？」

「誰？」

「ヴィクターよ、管理人の」

「やめたよ。ここのブロックの管理人はひとり残らず。全員クビになったんだ。おれはゴミ収集の手伝いをしにきてるだけ。臨時でね。あと一、二週間でやめるよ。それからはゴミが出ても、自分で始末してもらわないとな。奥さんも早く立ち退いたほうがいいぜ。行く当てがあるんなら、そこへ行くこった。ここいらはもう安全じゃねえ。ゆうべだって、隣の建物に泥棒がはいって設備をごっそり盗んでいった。照明器具から便器まで。壁紙引っぺがして持ってかなかったのが不思議なくらいだよ。ひでえ話だぜ！」

彼はゴミ入れを、くだんの泥棒を相手にしているかのような、乱暴な手つきで地下勝手口へ運びこんだ。わたしはその場を離れて地下鉄駅へ向かった。きょうは絶対に遅刻したくなかった。なにしろ来週末は労働者の日の連休だ。行く当て。行く当てなら常にある。デパートこそ、わたしの居場所だ。あそこなら安全は保証されている。

銀行にさしかかると、あの女が立ちあがっていた。どうやらわたしを待っていたらしい。立っているところを見たのはそのときが初めてだったが、意外にも背はかなり高かった。どういうわけか、腰が曲がって、体の縮んだ、こびとみたいな人だとばかり思いこんでいたが、実際には身長はわたしとおっつかっつ、いや、ひょっとしたら五センチほど高いかもしれなかった。

「ちょっと待った」女がしゃがれ声で呼び止めた。ショッピングカートのなかを引っかきまわして、鮮やかな黄色のかたまりを取りだす。「やるよ」

「けっこうよ」わたしは答えた。夏の朝で、すでに蒸し暑かったのに、寒気を覚えた。

「やるって」彼女は語気を強め、そのかたまりをわたしの手に押しつけた。

ふって広げてみた。彼女のセーターの一枚だった。黄色いアクリルのカーディガンで、ほつれてしわくちゃな上、ボタンが取れている。

「着てみな」

とても恐ろしい形相をしていたので、相手を怒らせるようなまねはしたくなかった。言われたとおり着てみた。驚いたことに、不潔きわまりないのに、肌に触れてもむずむずしない。それどころか、ぞくぞくする体に暖かさが染み渡るような気がした。

「似合ってる。とっときな」

わたしは答えた。「ありがとう。じゃあ、急ぐから」そして、地下鉄駅へ向かった。

守衛に制止されて、従業員専用出入口からはなかにはいることができなかった。しかたがないので正面にまわって開店を待った。これが最初の災難だった。ふたつめの災難は、入店から一時間ほどして、デパートの探偵のひとりがつけてくるのに気づいたことだ。彼女とは知り合いだった。好感の持てる女性で、これまでに何度か、客がガードルを二、三枚身につけたまま店を出ていこうとしたときなどに、助けてもらったことがある。

わたしは足を止めて、たずねた。「どうしてあとをつけてくるの?」

「つけてなんかいませんけど」彼女は答えた。

「ううん、つけてるわよ。わたしが何か万引きするとでも思ってるの?」

「まさか。あの、ミセス・カリー、家にお帰りになってはいかがですか? みんな、あなたが何かおかしなまねをするんじゃないかって心配してるんです。きのうも店のなかを歩きまわってらしたし、それで、あなたから目を離さないようにって言われてるんです」

「わたしがおかしく見える?」わたしはたずねた。

「いいえ」彼女は答えた。だが、その声にはためらいが表われており、わたしは彼女が黄色いカーディガンをじろじろ見ているのに気づいた。ふと思いだしてみると、けさはお化粧を忘れていた。髪すらとかしていなかったかもしれない。

「まあ、いいわ」わたしは答えた。もたもたしているうちに三つめの災難が降りかかってきてはたまらないし、ミス・クレイマーが厳しい顔つきをして、フロアを滑るようにこちらへやってくるのも見えた。わたしは下りのエスカレーターに乗った。

真っ昼間に地下鉄に乗るのは妙な気分だった。混雑していない。座席に座れさえした。ほかの乗客がわたしの隣に座るのを避けているのがわかった。黄色いカーディガンは一種の魔法のマントと化し、わたしは他者からわずらわされずに安穏としていられた。家へ帰る道すがら、わたしはそのことをずっと考えつづけた。そのことと、デパートはもはや自分の居場所ではなく、どこかよそに居場所を見つけなければならないという事実とを。

銀行のわきを通りかかると、女はいつもの場所にいた。数人の子どもたちがボールを壁にぶつけて遊びながら、女をいじめていた。実際に当てはしないのだが、わざと彼女の体をかすめるようにボールを投げていたのだ。女は目を閉じてうずくまり、彼らを無視しようとしていたが、くちびるはすばやく動いていた。祈りの言葉をつぶやいていたわけではあるまい。気の毒に思ったが、同時にほっとしたのもたしかだ。というのも、どういうわけか〈ワルドバウム〉に寄ったとき、夕食の材料をふたり分買い物かごに入れてしまったからだ。小さめのステーキ用の肉を一枚ではなく二枚。といってもサーロインとか、そういう上等な部位ではない。ただのミニッツステーキだが、ステーキソースをかければ充分おいしく食べられる。それと、ベイクドポテト用のジャガイモを二個、冷凍のグリンピースも。二枚めのステーキはあしたまでとっておくつもりだったのかもしれないが、ここへ来て考えなおした——〝誰かにごちそうしてもいいのではないか？　ミセス・フィニイは引っ越してしまったし、ほかに声をかけられる人はいない。この女《ひと》だってちゃんとした食事は必要かもしれない。『一日一善』と言うではないか〟

わたしは子どもたちを追い払った。彼らは逃げ去ったが、その前にわたしのことをいままで聞いたこともない、そして、二度と聞きたくない言い方で呼んだ。ふり返ると、女と視線があった。微笑していた。少なくともわたしには微笑に思えたが、どうだろう。口の端の片方が上がり、反対側が下がって、前歯が二、三本抜けているのが見てとれる。とにかく敵意はなさそうだった。

わたしは言った。「こんにちは。チキンはおいしかった?」

女は低いしゃがれ声で何か返事をすると、ひとつの箱のなかをごそごそやりはじめた。引っぱりだしたのはホットドッグ用のパンがはいっていたようなビニール袋で、それをわたしの手に押しつけた。あいかわらず低いしゃがれ声でしゃべり、微笑を浮かべて、しだいに感情を高ぶらせていく。袋のなかを見ると、鶏の骨がたくさんはいっていた。大きいのも小さいのも、肉はきれいさっぱりなくなっている。わたしに感謝の意を表すると同時に、あのチキンを味わい尽くしたことを知らせたかったのだろう。

「そう、よかったわね」わたしは答えた。

ビニール袋をどうしたものか途方にくれた。相手の目の前で、角のゴミ箱に放りこむ気にはなれなかった。わたしへの贈り物のつもりだとしたら、気持ちを傷つけてしまうだろう。そこで、〈ワルドバウム〉の買い物袋のなかに入れた。彼女の笑みがいよいよ大きくなり、あごをしゃくって喉を鳴らしながら、わたしの買い物袋を指さした。それでピンときた。

「ほかにも何か食べたいの？」

なんとまあ、図星だった。目が輝いて、眼窩《がんか》から飛びだしそうなほど大きくなる。口の端からよだれがたれはじめた。

「ええ、いいわよ」わたしは言った。「でも、いっしょにうちまで来てもらわないと。わたしが料理するから」

とたんに態度が変わった。定位置に引き下がって目を閉じ、耳元までコートにくるまる。

「お好きにどうぞ」わたしは言った。幼児のようにふるまうので、幼児扱いするしかなかった。「来ても来なくても、どっちでもいいから。わたしはもう帰るわ」

わたしは通りを渡って歩きだしたが、半ブロックも行かないうちに、ショッピングカートのがたがたいう音が後ろから聞こえてくるようになった。そして、そのまま家へ向かった。わたしはついてくる人がいることなど知らないようなふりをして前を歩き、女は全財産——といっても、がらくたにすぎないが——を載せたショッピングカートを押して、そのあとを追う。

アパートメントのロビーにはいった。わたしはそ知らぬふりを続けていたし、エレベーターが来て箱に乗りこんだときにも、言葉は交わさなかった。だが、ついにわが家に足を踏み入れたときには、いいかげん沈黙が耐えがたくなっていた。

「さあ、着いたわよ」わたしは言った。

女は何も答えなかったが、部屋のなかを見まわして、調度品をあれこれ手に取っては下ろした。わたしは気にしなかった。どのみち全部処分しなければならないのだし、壊されたところでどうということはない。どれもこれもがらくたで、彼女のショッピングカートのなかのものと変わりがないのだから。ショッピングカートは玄関ドアのすぐ内側に止められていた。

「じゃあ料理にかかるわね。手を洗いたかったら、洗面所は向こうだから」

　こうしてわたしは台所へ行き、食事の支度を始めた。ジャガイモをオーブンに入れ、テーブルをセットし、フライパンを取りだす。昨年のクリスマスに買ったシェリーがまだ残っていたはずだ。お酒はあまり飲まないが、たまにミセス・フィニイと一、二杯、グラスを傾けるのが楽しみだった。この機会にボトルを空けてしまってもいいかもしれない。そこで居間にもどり、お酒を飲むかどうか女に訊いてみることにした。姿が見当たらなかった。気後れして帰ってしまったのかもしれない。気後れなどしなくていいのに。だがそのとき、ショッピングカートがそのままになっているのが目にはいった。そればかりか、カートのがらくたの山の上に、何年も前、教会のビンゴ大会で手に入れた、陶製のつがいのコマドリの置物が載せてある。

「べつにいいじゃないの」わたしは自分に言い聞かせた。「それであの女《ひと》が幸せになれるのなら。どうせ全部手放さなきゃならないんだし、かえってよかったかも」

　女が洗面所から出てきた。顔は見違えるほどきれいになっていたが、においのほうはあいかわらずだった。

「シェリー、飲む？」わたしはたずねた。

　彼女は例の妙なゆがんだ笑みを浮かべ、しゃがれ声で「うん」と聞こえるような言葉を発した。

そこで台所へもどり、グラスとシェリーのボトルを用意した。そうしているあいだに、パンケースからゴキブリが二、三匹はいだしてきたので、ついかっとなってしまった。

「ふざけるな！」めったにつかない悪態が口をついて出た。急いで流しの下からゴキブリ用の粉末殺虫剤を取りだした。それはもうたっぷりとお見舞いしてやった。粉の山に埋《うず》もれてしまうほど。そして、連中が身をよじらせ、ひっくり返って足をばたつかせるさまをじっと見ていた。それからシェリーをグラスに注《つ》いだ。客人の分はよくかき混ぜなければならなかった。油と酢を混ぜるときと同じで、シェリーと粉末殺虫剤は混ざりにくいから。

だからといって、あの女をゴキブリか何かいやな虫と同じだと思ったわけではない。彼女はいたって無害だ。口数は多くないし、黄色いカーディガンをお返しにくれたように礼儀も心得ている。ただひとつ困ったことに、銀行のわきのあのスペースにはふたり分の余裕がなかった。わたしは住み慣れたこの界隈から離れたくない。グレイス・フィニイの転居先のクイーンズですら願い下げだった。

とにかく、女はシェリーを一気にひと口で飲み干し、グラスを突きだしてお代わりを要求した。わたしは台所にとって返し、もう一杯作ってやった。さらに、もう一杯。ほどなくボトルは空っぽになった。粉末殺虫剤の箱もまた。

ふたつともゴミ箱に放りこんで、オーブンのジャガイモの焼け具合を調べた。まだ固かった。居間にもどってみると、女はソファに仰向けに横たわり、いびきのような声をあげて、口の端からあぶくを吹いていた。

わたしは言った。「疲れたのなら、向こうで横になったらどう？」

わたしは女を引っぱりあげて、ソファからどかそうとした。容易な仕事ではなかった。ひどく重かったし、においがすさまじかった。それでも自分の寝室まで運んで、ベッドにどさりと落とした。一度だけ目があったが、幸せそうな顔をしていた。うなるような小さな声をあげて目を閉じると、それっきりだった。

ジャガイモはまだ芯が残っていたので、女の見場をせめて少しはよくしてやろうと決めた。靴を脱がせた。はいていたのはひも付きのおんぼろスニーカーで、つま先に穴があいていた。靴下はなかった。かかとには泥がこびりついている。洗面器にお湯をくみ、石鹸とタオルと洗浄ブラシを持ってきた。服を全部脱がせて全身を磨きあげるのは、ひどく骨が折れた。それに身ぐるみはいでしまうと、がりがりにやせているとわかって、胸が痛んだ。赤ん坊のように洗ってやると、終わったときには、赤ん坊のようにきれいに、ぴかぴかになった。髪すら洗ってやった。そして、わたしのフランネルの寝間着を着せて、ベッドにまっすぐに横たえ、布団をかけた。眠っているように見えたので、忍び足で部屋を出た。

すっかりお腹がすいていた。そのころにはジャガイモも焼きあがっており、ステーキを二枚ともフライパンに放りこみ、グリンピースをゆでるためにお湯をわかした。そして、驚くなかれ、全部平らげた。ひと口残らず。それから、台所をきれいに掃除した。先のことはわからない。誰かに見られるかもしれないのに、散らかしたまま出ていくわけにはいかない。おわかりだろう、わたしはすべてを考えあわせて、こう結論したのだ——あの女《ひと》にはこの世に居場所があったが、もはやいらなくなった。いっぽうわたしはこの世に居場所がなくて、喉から手が出るほどほしい。だったら、わたしが彼女の居場所をいただいて、彼女がわたしの元の居場所——もう存在しないけれど——へ行けばいい。

今後、彼女が発見されたら、どうなるだろう？　ふたりの老女の違いが誰にわかる？　誰が気にする？　当局はエレンに連絡して、「お母さまが遺体で発見されました」と告げるだろう。娘は来るかもしれないし、来ないかもしれない。少しは涙を流して、埋葬のために遺体を向こうへ送らせるかもしれない。わたしはあんな田舎に埋もれたくはない、死後であれ、生きているあいだであれ。娘がこちらへ出てきて、「この人は母ではありません」と言ったら、当局はこう答えるだろう。「では、誰だというんですか？　お母さまのご自宅で見つかったんですよ」でも、あの娘《こ》はまず来るまい。どのみち、遺体が見つからないまま終わる可能性もある。連中のことだ、おおかたろくに確認もせず建物を取り壊して、瓦礫《がれき》をニュージャージーへ運び去るのではないだろうか——女の亡骸《なきがら》もろとも。

そしてそのあいだずっと、わたしは笑顔を絶やさない。街のあの片隅で。あの女《ひと》もいる。わたしたちは一心同体なのだ。名前は聞かずじまいだった。でも、べつにかまわない。新しい名前を名乗ればいい。あるいは、名無しでいれば。名前がなんになる？　素敵なショッピングカートと、行く当てさえあれば充分だ。

女はいつもあそこにいる。銀行のわきの、少し奥まったスペースにうずくまって。晴れても降っても、夏でも冬でも、そこに陣取り、通りを行き交う人々を眺めている。悪い暮らしではないし、人間性について多くのことが学べる。まだ充分に使える品物が惜しげもなく捨てられるのには驚かされる。寒くなったら、暖を取れる場所はいくらもあるし、慣れてくれば、寒さはあまり気にならない。でも、ひとつだけは忘れない。靴を常に磨いておくことだ。

（藤村裕美訳）

# しがみつく女

ルース・レンデル

The Clinging Woman　一九七五年

ルース・レンデル Ruth Rendell（一九三〇－二〇一五）。イギリスの作家。地方新聞の記者を経て、一九六四年にウェクスフォード警部ものの長編『薔薇の殺意』で作家デビュー。バーバラ・ヴァイン名義での受賞を含めて、生涯に英国推理作家協会（CWA）最優秀長編賞を四回、アメリカ探偵作家クラブ（MWA）最優秀短編賞を二回獲得するなど、輝かしい経歴を誇る。代表作に『わが目の悪魔』『ロウフィールド館の惨劇』『運命の倒置法』など。本編の初出は雑誌〈エラリイ・クイーンズ・ミステリ・マガジン〉*Ellery Queen's Mystery Magazine* 一九七五年二月号。His Worst Enemy の別題もある。翻訳には短編集『カーテンが降りて』（一九七六）収録のテキストを用いた。

その女性はバルコニーの手すりに両手でぶら下がっていた。隣の高層アパートメントの十二階のバルコニーだ。彼の部屋は九階だったので、その女性を見上げなくてはならなかった。時刻は朝の六時半過ぎ。危険なほど低空飛行をしていた飛行機の音に起こされ、彼はベッドを出て外を見た。寝ぼけ眼《まなこ》で、雲ひとつない青い空を見る。明るい矢のように消えて行く飛行機のほかには何もない空を眺め、ふとその下を見た彼は——最初は信じがたい思いで——ぶら下がっている人物に目を留めた。

夢を見ているに違いないと思った。こんな夜明けには夢を見るものだ。やがて、夢でないとわかると、スタントだと思った。映画の一場面を撮影しているのだ。下にはカメラマンとロケ隊がいて、あらゆる安全策が講じられているに違いない。ひょっとしたら、女性も生身の人間でなくダミー人形かもしれなかった。彼は窓を開け、下を見た。駐車場、舗装された中庭、棟と棟を隔てる芝生の空間、そのどこにも人はいなかった。バルコニーの手すりで人形の片手が動き、ますますしっかりと、必死に支えをつかんだ。彼は目の前で起こっていることを信じるしかなかった——信じられなかったのはメロドラマじみていたからだが、現実世界でもこういうことはよくある。この女性は自殺しようとした。だが今では怖気づき、生きたいと思っているのだ。こうした考えや結論で、三十秒ほど頭がいっぱいになった。それから彼は動いた。電話の受話器を上げ、警察の緊急番号をダイヤルした。

パトカーが到着し、ついに女性が救出されると、そのことは二棟のアパートメントの住民の噂と憶測の的となった。警察に通報したのが誰だかわかると、彼は不本意ながらも英雄となった。控えめで物静かな若者である彼は、こうした脚光を浴びるのは好きではなかったので、やがて噂が下火になり、目新しさがなくなるとほっとした。部屋を出入りするたびに、聖ゲオルギウスか何かのように指を差され、ときには称賛の言葉までかけられることもなくなった。

あのメロドラマじみた朝から二週間ほど経ち、彼が劇場へ出かけようとオーバーを着たところで、ドアの呼び鈴が鳴った。外に立っている女性が誰なのか、彼にはわからなかった。見覚えのない顔だ。

彼女はいった。「リディア・シンプソンといいます。あなたに命を救っていただきました。お礼をいいに来たんです」

彼はひどくうろたえた。「そんなこと、いいんです」こわばった笑みを浮かべていう。「本当にいいんです。お礼なんて。誰でもすることをしたまでですから」

彼女は冷静で落ち着いていた。自殺しそこねた女性とは思えない。「でも、助けてくれたのはあなただけだったわ」

「入りませんか？　飲み物でも？」

「いいえ、そんなつもりじゃないんです。お出かけになるところなんでしょう。ただ、心から感謝していると伝えたかっただけなんです」

「何でもないことですよ」

「人の命を救うのが、何でもないこと？　わたし、一生ご恩は忘れません」

彼女に中に入ってもらうか、帰ってほしかった。これ以上続けていたら、同じ階のほかのふたつの部屋の住人が聞きつけて顔を出し、またしても〈今年の最も勇気ある行動評議会〉が招集されることになるだろう。「本当に、何でもないんです」彼は必死にいった。「正直いって、もう忘れかけていたところですから」

「わたしは忘れないわ。絶対に」

静かだが真剣な相手の態度に、彼は居心地が悪くなり、彼女が悲しげな笑みとともにエレベーターへ向かうのを見ると心底ほっとした。ありがたいことに、もう二度と会うことはないだろう。ところが不思議なことに、翌朝ふたりはバス停で出くわした。彼女は命を救われたことについては何もいわず、新しい仕事に就いたことを話した。それでこの時間に、このバス停にいるのだと。彼女の勤め先は、ロンドンの金融街で彼が勤める会社の隣の通りにあり、彼の会社の得意先でもあるようだった。ふたりは一緒に職場へ向かった。彼はその女性に、前の晩とはまったく違った感情を抱いていた。隣人から三十歳だと聞かされていたが、とても信じられない。ずっと若く見える。小さくてか弱く、肌はとても白く、髪は見事な金髪だった。

ふたりで朝、一緒にバスに乗るのが習慣になり、リディアがときどきバルコニーから手を振ることもあった。ある晩、ふたりは彼女のオフィスの外でたまたま顔を合わせた。彼女は家で仕事をするために腕いっぱいにファイルを抱えていて、こんなに重いと知っていたら持ち帰らなかったのにと打ち明けた。もちろん、彼は相手のフラットまで荷物を持ってやり、飲み物をご馳走になった。彼女は夕食を作るので、それも一緒にいかが、といった。彼は同意した。リディアがキッチンに引っ込んでいる間、彼は飲み物を持ってバルコニーに出た。絶望した彼女が夜明けにここへ来て、あの手すりからぶら下がり、はるか下に広がる空間で死ぬことを考えて怖気づいたところを想像するのは妙な気分だった。部屋に戻ったリディアを見たとき、彼女がどんなに繊細で、か弱く、守ってやらなければならないかを改めて感じた。

部屋はきちんと片づき、ちりひとつなかった。彼が知っている女性のほとんどは、ごみごみした部屋に住んでいた。解放され、自立した女たちは男の仕事をこなし、女性らしい技能を自分たちの価値を下げるものとして見下した。家庭自慢の母親に大事に育てられてきた彼は、きれいな家が好きだった。リディアの家の家具は美しく磨き上げられていた。今度家に招かれたら、あのぴかぴかのガラスの花瓶に生ける花を忘れずに持ってこようと彼は思った。

とてもおいしくて、しかも手の込んだ夕食のあと、食事と酒で少し大胆になった彼はふと訊いてみた。

「どうしてあんなことをしたんだい？」

「自殺のこと？」リディアは仕事を変えた理由を訊かれたかのように冷静に、落ち着いた口調でいった。「婚約者がいたのだけれど、別の女性ができて捨てられたの。生きていても仕方ないと思って」

「もう立ち直った？」

「ええ。自殺に成功しなくてよかったわ。というより――こういってもよければ――あなたが邪魔してくれて」

「二度とそんな真似はしないだろうね？」

「ええ、そんなことをする理由がある？　なんてことを訊くの！」

リディアが二度と自殺しないと誓ったことが、不思議なほど嬉しかった。「今度、一緒に食事に行こう」帰り際に彼はいった。「ええと。月曜はやめにしよう。そうだな……」

「今、決めなくてもいいんじゃない？　毎朝会うんですもの」

彼女はとても素敵な笑顔をしていた。攻撃的で自信家の女性は好きではない。リディアはズボンやミニのワンピースを身につけたことはなく、長くてふんわりした花模様のスカートをよく穿いた。通りを渡るときに彼が肘の下を支えてやると、リディアはしっかりと彼の腕をつかんで離さなかった。

「あなたが選んでちょうだい」レストランでメニューを渡されると、彼女はいった。

リディアは煙草を吸わず、甘い白ワインよりも強い酒は飲まなかった。車は運転できない。彼女がどうやって過酷な仕事をこなし、家賃を払い、ひとりで暮らしているのか、ときどき不思議に思えた。彼女はきわめて女らしく、人に頼り、おとなしかった。ある晩、仕事で会えなくなったとき、リディアが大きなグレーの目に涙を浮かべるのを見て、彼は嬉しくなった。それは三週間ぶりに彼女に会えなかった夜で、その寂しさがあまりにも大きかったので、彼は恋に落ちたのだと思った。

大きな薔薇の花束とともに正式に結婚を申し込むと、彼女は受け入れた。「もちろん結婚するわ。あなたに命を助けてもらったときから、わたしの人生はあなたのものだもの。ずっと前から、わたしはあなたのものだと思っていたわ」

ふたりはひっそりと結婚した。リディアは盛大な結婚式を望まなかった。ふたりは理想的なカップルで、共通点もたくさんあった。静けさと秩序、どちらかといえば古風なやり方、安定、規則正しい習慣を愛した。彼らには共通の目標があった。北西部の郊外に家を建て、子供をふたり持つことだ。だが当面は、リディアは仕事を続けることにした。

新居がとてもきれいに保たれ、朝には洗い立ての下着とシャツが用意され、夜には完璧な料理が出てくることに、彼は驚き、喜んだ。母と暮らしていた家を出てから、これほどまめに世話を焼かれたことはなかった。これこそが女性のあるべき姿だと彼は思った。控えめだが有能で、温厚だが家事の腕に優れ、女らしく上品で、それでいて成熟している。家はまるで、ふたりの見えないメイドが一日じゅう働いているかのように、円滑に保たれていた。

こうした家事をこなすため、彼女は毎朝六時に起きた。掃除婦を雇おうと提案したが、彼女は同意しなかった。反発するのではなく、情に訴えるようなやり方で。

「ほかの女性にあなたの世話をさせるなんて、耐えられないわ」

彼女はまさに完璧だった。

ふたりは一緒に仕事へ出かけ、一緒に昼食をとり、一緒に帰宅し、一緒に食事をし、一緒にテレビを見るか音楽を聴くか、親密な沈黙の中で読書をして、一緒に寝た。週末にはずっと一緒にいた。ふたりとも、家には洗濯機、乾燥機、冷蔵庫、ミキサー、掃除機、つや出し機が完備され、新品またはかなり古い骨董品の家具を置くべきだと考えていたので、土曜日には連れ立って買い物をした。

彼はこの生活を心から愛した。これぞ理想の結婚だ。教会の礼拝がいわんとしていることだ――夫婦は一心同体で、ほかのすべてを捨て去ること。実際、彼はかつての知り合いのほとんどとつき合わなくなっていた。リディアはあまり社交的ではなく、女友達もいなかった。彼はその理由を訊いてみた。

「女が女友達を作りたがるのは、夫や恋人の陰口をききたいからなのよ。わたしは夫に何の不満もないもの」

彼の友人は、フィンガーボールやフルーツナイフといった格式高く華やかなもてなしに、少し気圧《けお》されているようだった。それとも、彼女がずっと黙っていることや、常に腕時計に目をやることに気を悪くしたのかもしれない。もちろん、夜遅くまで客が居座るのを彼女が嫌がるのは当然だ。彼とふたりきりでいたいのだ。友人たちもそれを察して、気を遣うべきだった。顧客夫妻は気圧されたりはしなかった。きっと喜んでいただろう。家政婦もいない個人の家で、見事な腕前で調理され、給仕される五品のコースディナーが食べられるところがほかにあるだろうか？　当然ながら、リディアは夕食前にはキッチンにこもりきりになり、これも当然ながら、夕食後はくたくたに疲れ、新しいカーペットにコーヒーをこぼした男性に少しばかり苛立ちを見せた。あるいは、機転はきかないが愛想のよい株式仲買人が、男だけの週末のゴルフに彼をしつこく誘うのにも。

「どうしてあの人たちは結婚したのかしら？」彼女はもっともな質問をした。「とにかく奥さんと離れていたいなら」

この頃には三十四歳になっていた彼は、仕事で昇進していてもおかしくなかった。今の会社に勤めて五年になるし、管理職になる見込みはあった。彼もリディアも、なぜ管理職になるのにこんなに時間がかかるのかわからなかった。

「ひょっとして」彼はいった。「仕事のあと、一杯つき合ったりしないせいかな？」

「結婚している男性が、妻と一緒にいたいのはわかってもらえるはずよ」

「どうかな。あの川船のパーティには行くべきだったかもしれない。覚えているかな、奥さんは招待されていないパーティだよ。ぼくひとりで行ったら、きみが悲しむだろうと思ったんだ」

とにかく、昇進の機会がなかった理由については、まったくの杞憂だったようだ。本気で心配になってきた頃、彼は管理職の椅子を手に入れた。給料は増え、専用のオフィスと秘書を持てる。ほかの特権、特に海外出張の可能性については、少し気がかりだった。だが、そのことはまだリディアに話さなくてもいいだろう。彼は代わりに、秘書を雇うことになるという話をした。

「素晴らしいわ」彼らはふたりきりで、レストランでお祝いをしていた。パーティを開こうといったが、リディアが気乗りしなかったからだ。「二週間前に退職予告をしなくてはならないけれど、二週間くらいは待てるわよね？　一日じゅう一緒にいられるなんて、本当に素敵」

「何のことかわからないけど」実はわかっていたが、彼はそういった。

「ダーリン、今夜は鈍いのね。わたしより優れた秘書がどこにいるというの？」

ふたりが結婚して四年が経っていた。「きみは仕事を辞めて、子供を産むんだろう」

リディアは彼の手を取り、笑顔を向けた。「それは後でも構わないわ。お互いを結びつけるのに子供はいらないもの。あなたはわたしの夫で、子供で、友達よ。それで十分だわ」

彼は妻を秘書にするわけにはいかない理由を説明しなくてはならなかった。社内政治やえこひいきといった問題や、妻を自分の下で働かせるのは具合が悪いといったことは、いちいち事実だったが、うまく説明できなかった。

彼女はあの小さな優しい声でいった。「もう出ない？　会計を頼んでくれるかしら？　わたし、今すぐ帰りたいわ」

家に着くとすぐに、リディアは泣きだした。彼はもう一度説明したが、妻は泣きつづけた。ほかの人に訊いてごらんと彼はいった。誰だって同じことをいうだろう。ああいう小さな会社では、管理職が妻を部下にするわけにはいかないんだ。信じないなら、社長に電話しても構わない。

リディアは声を荒らげなかった。彼女が自暴自棄になったり、ヒステリックになったりしたことは一度もなかった。「わたしが必要じゃないのね」彼女は見捨てられた子供のようにいった。

「きみが必要だ。愛してる。だけど――わからないかな?――これは仕事で、わけが違うんだ」その先を続けるべきでないとわかっていたが、彼はこういっていた。「きみはぼくの友達を好きではなさそうだから、ぼくは友達をあきらめた。顧客ももう家には呼んでいない。きみと離れているのは、毎日たった六時間だ。それでもまだ不満なのか?」

議論にならなかった。彼女は彼が自分を必要としていないと繰り返すばかりだった。夜通し泣いて、疲れて仕事にも行けなかった。昼間、彼は二度電話をかけた。リディアは涙声だったが落ち着いていて、今ではあきらめているようだった。六時に玄関のドアを開けた彼が最初に気づいたのは、ガスの臭いだった。

彼女はキッチンの床に倒れていた。開いたオーブンのそばに置いたクッションに、ブロンドの華奢な頭を載せている。その頰は紅潮していた。

彼は窓を開け放ち、リディアをそっちへ運んで、頭を支えて新鮮な空気を吸わせた。生きている。大丈夫だ。彼女の脈が静まり、呼吸が落ち着いたところで、彼は気づくと妻に情熱的にキスをし、死なないでくれ、ぼくのために生きてくれと懇願していた。しばらくひとりにしても大丈夫そうだと見極めたところで、彼は妻をソファに寝かせ、救急車を呼んだ。

リディアは数日間入院することになり、精神的な治療という話も出た。だが、本人はそれを拒んだ。

「自分が愛されていないのを知ったあのときを除けば、一度もその治療は受けていないわ」

「どういうことだい？」

「十七歳のとき、男の人に捨てられて、薬を過剰摂取したの」

「そんな話、聞いていないよ」彼はいった。

「動揺させたくなかったの。あなたを不幸にするくらいなら、死んだほうがましよ。わたしの人生はあなたのものだし、わたしはただ、あなたに幸せな人生を送ってほしいの」

間に合わなかったらどうなっていただろう？　その可能性を考えて、彼は身震いした。彼女のいない家は悲惨なものだった。リディアが愛おしくてたまらず、これからは彼女にもっと時間と思いやりを捧げようと彼は決心した。

リディアは休暇旅行が好きではなかった。休暇も取らなかったし、娯楽もあまりなく、子供もいないので貯蓄ができた。彼らは家を売り、もっと大きくて新しい家を買った。会社から三週間のカナダ出張を命じられたとき、彼は迷わなかった。すぐさま断った。

カナダへは有望な部下が行くことになった。新しい家を買ったときにリディアが仕事を辞めたことで、病気なのではないかという噂が会社に流れているのを知り、彼は腹を立てた。リディアが病気だって？　彼女はこれまで以上に幸せだ。新しいもので家を埋め尽くし、自分で部屋を模様替えし、美しい庭を作っている。病気といえるとすれば彼のほうだった。最近はよく眠れず、ふさぎ込むようになった。医師は睡眠薬を処方し、環境を変えることを勧めた。たぶん働きすぎでしょう。仕事の一部を家でやるわけにはいきませんか？

「わたしが電話したの」リディアが優しくいった。「お医者様に提案したのよ。週に二、三日は家で仕事をすればいいわ。わたしが秘書を務めますから」

社長は承知した。その笑顔には、どこか彼を軽蔑しているところがあるような気がした。ともあれ、彼は家で仕事をすることを許され、ときには四日か五日続けて、電話で話すことはあっても妻以外には誰にも会わないこともあった。リディアは妻としてだけでなく、秘書としても完璧だった。彼がやることはほとんどなかった。妻が彼のためにプレスリリースを作り、口述しなくても手紙を書き、てきぱきと愛想よく電話に応じ、アポイントの調整をした。そして仕事が終わると、疲れも見せずに食事の支度をした。出来合いのもので済ますことはなかった。昼食でも夕食でも、ダイニングテーブルはきちんと整えられた。この二年間、これらのグラスやカトラリー、贅沢《ぜいたく》な設備を使ったのは自分たちのほかに六人しかいないことを思い出しても、彼は何もいわなかった。

今では睡眠薬に加え、精神安定剤を飲んでいたが、彼の憂鬱はおさまらなかった。リディアの自殺未遂の話は二度としていないが、彼はよくそのことを考えるようになり、彼女の自殺癖に影響されているのだろうかと思った。夜、寝る前に、瓶からてのひらに錠剤をひとつ落とすとき、冷たい水で中身を全部飲み下してしまいたいという誘惑が強烈に襲ってくることがあった。なぜだかわからない。男性が望むものをすべて手に入れているはずだ。完璧な結婚、美しい家、立派な仕事、健康、しかも束縛も制約もない。

リディアは〝子供は束縛になるわ、ダーリン〟といったが、その通りだ。それに、犬を飼おうと彼が提案したときに〝ペットはとんでもない束縛よ。それに、家がめちゃめちゃになってしまう〟といったのも。確かに、この家とこうした居心地のよさは、彼が常々望んできたものだ。ところが、四十を前にして、彼は悪夢を見るようになっていた。それは監獄の夢だった。

ある日、彼は妻にいった。「きみが自殺しようとした理由がわかるよ。つまり、誰でも自殺したくなるというのはね」

「わたしたちは、あらゆる点でお互いを完全にわかっているのよ」彼女はいった。「でも、その話はやめましょう。わたしは二度と自殺したいなんて気は起こさないわ」

「それで、ぼくは自殺するようなタイプじゃない？」

「あなたが？」彼女は驚かず、本気で取り合わなかった。自分との関係を抜きにして、ぼくをひとりの人間として見たことがないのだ。だが、彼はすぐさま自分をたしなめた。リディアが？　人生のすべてをぼくに捧げ、自分の欲求や希望よりもぼくを優先するリディアが？

「あなたが自殺する理由はないじゃないの」彼女は明るくいった。「愛されているのはわかっているでしょう。それに、手遅れになる前にわたしが助けるわ。あなたがわたしを助けてくれたように」

彼の会社は拡大し、メルボルンに支社を開くことになった。妻は病気ではないし、妻との間に〝ちょっとした問題〟などないと熱心に否定した結果、社長は彼に三カ月間オーストラリアへ行き、新しい支社の地盤を固めてくれといった。今度も彼は迷わなかった。それを承諾した。もちろん出張費は会社が持つだろう。彼は家に帰るまでに、リディアのメルボルンまでの飛行機代、宿泊費、その他の経費がいくらかかるか計算した。自殺願望はおさまっていた。やってやるぞ。できるとも。三カ月間、新しい国へ行き、新しい人々と会い、最後には仕事が認められ、給料も増えるかもしれない。

妻は玄関ホールに出てきて、彼を抱きしめた。出かけるときと帰ってきたときの抱擁《ほうよう》（その機会ももはや、そう頻繁にはなかったが）は、婚約したての頃と同じくらい情熱的だった。彼女はあまり家を出たがらないので、少し厄介かもしれないが、何とかなるだろう。普段からっているように、彼女はぼくの行くところにはどこへでもついてきてくれるはずだ。

彼は広い居間に入った。いつものようにちりひとつなかったが、どこか違っている。かなり大きな変化だ。赤いカーペットが、クリーム色の滑らかな毛足の新品に変わっていた。

「気に入ってくれた？」彼女はほほえみながら尋ねた。「あなたを驚かせようと思って、内緒で買って敷いてもらったの。ねえ、ダーリン、気に入らない？」

「気に入ったよ」彼はそういってから訊いた。「それで、いくらしたんだい？」

こういう質問はめったにしなかったが、今の彼にはその理由があった。彼女は金額を告げた。オーストラリアへの旅費とほぼ同じだった。

「お金を貯めて、家のものを買おうっていっていたでしょう」彼女は夫の体に腕を回していった。「そんなに贅沢な買い物じゃないわ。いつまでも使えるもの。それに、家以外に何にお金を使うというの？」

彼はキスをし、構わないよといった。確かに贅沢な買い物ではないし、いつまでも使える。いつまでも……。ふたりはコペンハーゲン製の磁器とジョージ王朝時代の銀器、ウォーターフォードのグラスを使って食事をした。テーブルの上には花が飾られ、無味乾燥な空気にいたずらに甘い香りを漂わせていた。オーストラリアへ行かなければならないが、妻は一緒に来られない。それを告げるのが怖くて、彼はひどく怯えた。

何週間も先延ばしにするうち、ずるい考えが浮かんできた――なぜいわなくちゃならない？ぼくはぜひ行きたいし、行かなければならない。こっそり出かけ、飛行機がヨーロッパの最初の給油地に着陸したときに電話して、急を要するため予告なしに送られたといえばいいんじゃないか？もっと前に電話したかったが、できなかったのだと。ぼくが助けに行けないほど遠くにいるとわかれば、彼女も自殺を企てたりはしないはずだ。そして許してくれるだろう。ぼくを愛しているのだから。だが、この方法には現実的な困難が多すぎた。たとえば着替えや荷造りだ。こんなことを考えるなんて、どうかしてしまったに違いない。リディアにそんな仕打ちができるか？どれほど憎い敵にもできないことを、愛する妻にできるはずがない。

結局、そのチャンスは訪れなかった。彼女は秘書であり、妻には隠し事ができても、秘書には隠し事はできない。航空会社からの問い合わせの電話で、彼女は知ってしまった。

「どれくらいの間」彼女は暗い口調でいった。「留守にするの？」

「三カ月だ」

彼女は青ざめた。病にかかったように後ずさりする。

「毎日手紙を書くよ。電話もする」

「三カ月」彼女はいった。

「きみにいうのが怖かったんだ。行かなきゃならないんだよ。ダーリン、わからないのか？きみを連れて行くには何百ポンドもかかるし、そんなお金はない」

「ええ」彼女はいった。「そうよね」

その晩、リディアは激しく泣いたが、翌朝には出張のことは口にしなかった。彼らはいつものように効率的に、なごやかに働いたが、彼女の顔色は青ざめていた。仕事が終わると、彼女は必要な着替えのことや、新しくスーツケースを買わなければならないことを話した。悲しげで単調な声で、わたしが全部やっておくから、あなたは準備のことで頭を悩ませなくていいわといった。

「ぼくが飛行機に乗るのが心配じゃないのか？」

彼女はいいえといって首を振り、非現実的で馬鹿げた質問だというふうに笑ったが、その様子にはどこか気になるところがあった。死者は心配できない。彼女は死ぬつもりなのだ。自分が遠くにいれば自殺を企てるはずがないという考えは、まったく楽観的なものだったことがわかった。

日々は過ぎていった。出発の日まであと一日しかない。だが、彼は行きたくなかった。行きたくないのはわかっている。一週間以上前からわかっていたが、それを社長に告げるのは、出張へ行くと妻に告げるのと同じくらい怖かった。彼はまた監獄の夢を見るようになった。そして目が覚めると、自分の人生が恐怖と束縛、恐怖と監禁との間を行ったり来たりしているような気がした……。

その両方から逃げ出す方法があった。出発前日の午後、彼はその方法を使うことに決めた。オーストラリアには行かないと妻にも社長にもいえずにいるうちに、荷造りはすっかり済み、スーツケースはリディアにしかできない几帳面さで玄関ホールに置かれていた。彼女はクリーニング店に、一番上等な薄手のスーツを取りに行ってくると告げた。明日着て行くスーツだ。やがて、玄関のドアが閉まる音が聞こえた。

それが三十分前のことだ。出かけている間に二階へ行っておいてねと、彼女は悲しげな、優しい口調でいった。必要なものを荷物に入れ忘れていないか確認しておいてと。彼はようやく二階へ向かったが、目的は違っていた。彼がほしいのは出張に必要なものではなく、死ぬために必要なもの――睡眠薬の瓶だった。

ベッドルームのドアは閉まっていた。ドアを開けると、彼女がベッドに横たわっていた。出かけてはいなかったのだ。三十分前から彼女はそこにいて、空《から》の睡眠薬の瓶を、今も力なく握っていた。脈を測ると、不規則だが確かな動きが指に伝わってきた。まだ生きている。十五分もすれば救急車が到着し、病院に運ばれるだろう。彼は電話に手を伸ばし、救急番号を回そうとダイヤルに手をかけた。彼女は助かる。ありがたいことに、今度も間に合ったのだ。

彼は妻の安らかで穏やかな顔を見た。命を救われたお礼をいいに来た日と変わらず若々しく見えた。少しずつ、自分でも知らないうちに、彼はダイヤルから指を離していた。嗚咽《おえつ》に喉が詰まりそうになり、自分の泣き声が聞こえた。妻を抱き上げ、情熱的にキスをして、何度も何度も名前を呼んだ。

それから、彼は足早に部屋を出て、家を離れた。バスが来た。彼は乗り込み、遠く離れた郊外への切符を買った。一度も来たことのない見知らぬ公園で、芝生の上に横たわり、ぐっすり眠った。

目が覚めたときには暗くなりかけていた。腕時計を見ると、十分すぎる時間が経っていた。眠っている間に泣いていたらしく、彼は涙を拭い、立ち上がって、家へ向かった。

（白須清美訳）

# 交通違反

ウィリアム・バンキア

Traffic Violation　一九六七年

ウィリアム・バンキア William Bankier（一九二八―二〇一四）。カナダの作家。オンタリオ州に生まれ、一九六〇年代から執筆活動を開始。七四年にロンドンへ移住、専業作家となる。〈エラリイ・クイーンズ・ミステリ・マガジン〉*Ellery Queen's Mystery Magazine* や〈アルフレッド・ヒッチコック・ミステリ・マガジン〉*Alfred Hitchcock's Mystery Magazine* などを中心に作品を発表し、生涯で二百を超える短編を書いたとされる。九二年にはカナダ推理作家協会（ＣＷＣ）の功労賞であるデリック・マードック賞を受賞した。

本編の初出はＥＱＭＭ一九六七年九月号。

ドン・クリヤリー巡査部長は警察署の開け放たれた出入口の外に目をやって、人気のない広場を突っ切って男を連行してくるビリー・ケンプを眺めた。男は白髪頭で身なりがよく、黒のスーツが八月の午後遅くの陽光を照り返していた。

クリヤリーは電話の相手に言った。「ビリー・ケンプが誰かを連行してくる」

「じゃあ、あとでそっちからかけ直す?」マーニーは例によってつんけんとぶっきらぼうに言い、クリヤリーはむかっ腹が立った。だが、そうやって自分の不安をごまかしているのかもしれない。

「いや、少しのあいだなら大丈夫だ。それで、ピートの熱は……三十九度何分だって?」

「三十九度五分近いのよ」青い顔をして眉をひそめ、体温計の白く光る水銀に目を凝らしている様子が目に見えるようだった。「先生がもうすぐ来てくれるの」

クリヤリーは、ケンプと見知らぬ男が近づいてくるのを見ながら、妻の長い沈黙に耳を澄ました。それから言った。「きみも同じことを心配しているのか?」

「ポリオ?」妻は小さな声で言った。

「予防注射を受けておけばよかった。ほかの子はみんな、受けている」

「受けに連れていくところだったのよ。わたしのせいにしないで、ドン」

「誰もきみを責めていないよ」クリヤリーはつけ加えた。「それに、きっと違うさ」――だが、不安が当たっている気がしてならなかった。

クリヤリーは、巡査と口論しながら入ってきた男をひと目見るなり、嫌なやつだと思った。

「もう、切るよ」妻に言った。「医者に診てもらったら、すぐに電話を頼む」

「じゃあね」マーニーは冷ややかに言った。そのどれほどが不安から、どれほどが会話を唐突に打ち切った夫への怒りから来ているのだろうと、クリヤリーは思った。ケンプに勤務を代わってもらって帰宅すると言えばよかったのか。だが、家に帰ったところでなんの役に立つ? もうすぐ医者が来るのだ。

「あーあ、足止めを食ったおかげで、予定が狂ってしまったよ。これからどうなるか、当ててみせようか」連行されてきた男は両手を大きく広げた。「判事はあしたにならないと連絡がつかない。だから、いますぐ罰金を払わないと、ひと晩留置場で過ごすことになる。だろ?」

「なにをしたかによっては、一生刑務所で過ごすことになりますよ」クリヤリーは厳しく言った。「座りなさい。この人はなにをしたんだね、ビリー?」

「交差点で違法な左折をしたんだ。停車させたら、すさまじい剣幕で怒鳴り散らした。十人くらいが、聞いていたな」

「巡査は職務を果たしただけなのに、なんでそんなにてこずらせたんです?」

「急いでいて、田舎のおまわりがかっこつけてお説教するのを聞いている暇などなかったんだよ。さて、どうすればここを出られる？　違法な左折をしたことは、認める。どうすれば解放してもらえるのかな」

ドン・クリヤリーは、日曜の午後——とくにこの日曜の午後——によそ者を留置するなどまっぴらだった。マーニーが今度電話をしてきたときは、留置場が空《から》で雑念もない状態でいたかった。この男が口を閉じてさえいれば、説諭して帰していただろう。どのみちそうするつもりだったが、口を突いて出た言葉はこうだった。「まあ、そんなに急がなくてもいいでしょう。せっかく座ったんだ、少し話をしましょう。名前は？」

「ジーベリングだ。大いに後悔する羽目になるぞ」

「ミスター・ジーベリング、身分証を見せてください」

男は財布を出し、プラスチックのカード入れから免許証を抜き取ろうとした。

「全部、お願いします」

ジーベリングは一瞬手を止め、それから財布を放って寄越した。札入れの部分が紙幣でふくらんでいる。クリヤリーが思わず顔を上げると、ジーベリングはうろたえながらも傲慢《ごうまん》な目つきで窺っていた。

「ドン、交差点に誰もいないから、そろそろ戻らないと」

「この件でほかに報告することは？」

「とくにない。じゃあ、いいかな？」

「ミスター・ジーベリングはこれ以上面倒を起こすつもりはなさそうだ。戻っていいぞ」

ケンプ巡査は署を出て、がらんとした広場を通って戻っていった。クリヤリーは免許証を調べた。名義はアルヴィン・R・ジーベリング、サン・クレセント通り一九、モントリオール、カナダ。免許証は十枚余のプラスチック製のポケットがアコーディオン状に綴じられたうちのひとつに入っていて、残りのポケットにも多種多様なカードが入っていた。

「なあ、ここにいるのはふたりだけだし、本当に急いでいるんだよ」男は皮肉な響きを声から消して、真摯《しんし》な口調で訴えた。「面倒をかけて悪かった。つい怒鳴り散らしてしまったが、悪気はなかったんだ。そこから二十ドル札を一枚抜いて、あとは返してくれないか。そうしたらここを出ていく。それで、お互い気分がよくなるというものだ」

クリヤリーは頬が燃え、目の縁に汗がにじんだ。努めて平静な口調で言った。「ミスター・ジーベリング、いまの言葉は言わなかったことにするんだな、そうすればこちらも忘れてやる」

「おやおや!」こうした手合いには慣れている、と言わんばかりにジーベリングは含み笑いをした。

クリヤリーは平静を取り戻すまで顔を上げたくなかったので、カードケースをめくって見ていった。金融機関や航空会社のカード、クラブの会員証、それに保険会社のカードもある。

「どれもクレジットカードだよ、きみ。それさえあればいつでもどこでも、いちいちうるさいことを聞かれずに、欲しいものが手に入る」

「ベイタウンの町で危険な運転をする権利は、手に入りませんよ」

「危険な運転？ 冗談じゃない。さっきの巡査の話を聞いただろう？ ただの左折じゃないか」

クリヤリーはなんの気なしに、カード入れをいじっていた。一ヶ所、ほかのポケットよりも厚みがある。広げてみると、二枚のカードが背中合わせに入っていて、そのあいだに折りたたんだ紙が挟んであった。エメリー・ディスコ名義の免許証だった。

「免許証を二枚持っているんですか、ミスター・ジーベリング？」クリヤリーは相手の沈黙のなかに焦燥を感じ取った。目を上げて灰色の瞳を覗き込むと、そこにはもう傲岸《ごうがん》な色はなかった。「珍しいですね」

ジーベリングの顔に笑みが戻った。「それは仕事のパートナーの免許証だ。エムは先週、飛行機で島に戻ったんだが、いくつか忘れ物をしていった。それで、免許証を持ってきて欲しいと頼まれたんだよ。レンタカーを借りるときに――」

「ずいぶん用心深くしまったものですね」

「失くしたくなかったんだ。そこがいちばん安全だと思ったのさ」

トロントから来たコロニアル・バスが〈コロネット・ホテル〉の前に停まって、乗客がふたり降りてきた。荷物運びやベルボーイ、風変わりな重いドアに慣れていないとみえ、まごついてもたもたしている。バスのドアがシューッと音高く閉まって、走り去った。

「ディスコ、エメリー・ディスコ」クリヤリーは免許証を指先で弄《もてあそ》んだ。「どうも聞き覚えがある。ディスコ……」

男は無言だった。

「最近、どこかで読んだ気がするな」クリヤリーはサイドテーブルに積んである新聞をめくっていった。「そうそう、これだ。先週、トロントで姿を消した会社発起人。養豚場を作るという触れ込みで、一年に亘って出資者を募ったあげく、行方をくらました。集金額は二十五万ドルに及んだが、豚小屋ひとつ作っていない」

「最後まで読んでごらんよ、きみ。ディスコの有罪を示す証拠はひとつもあがっていない」

クリヤリーは出入口へ行ってドアを閉めた。部屋を横切って、狭い部屋の隅を占領している留置場の鉄格子を開けた。「留置します。入ってください」酔っぱらいの迷惑行為数件と万引き一件に対処したことはあるが、重罪犯の逮捕は初めてだった。無意識のうちに、丁寧な言葉遣いをしていた。

男は腰を上げた。「わたしの名はジーベリングだ。誓ってもいい。きみはとんでもない間違いを犯している」

「間違っていたら、いつでも謝りますよ」

クリヤリーは鉄格子のドアに鍵をかけてデスクに戻り、受話器を上げてダイヤルを回した。「ボスはいますか、ミセス・カルブ？ そうか、わかった。それで、何時に……？ なるほど。十二時にエドと交替するまでここにいるので、戻ったら電話をもらいたいんです。エドに伝えておくので、それ以降でもかまいません。よろしく」受話器を置いて、回転椅子に座った。

囚人は上着を脱いできちんとたたみ、簡易ベッドの足元に置いた。真っ白なワイシャツ姿で鉄格子のドアの前に立つ。「さて」囚人は言った。「取引をしないか。ふたりきりのうちに、話をつけよう。さっきは二十ドルだったから、見くびられたと思ったんだろう。二万ドルでどうだ。現金で」

出入口のドアを閉め切った署内は暑かったが、ドン・クリヤリーは背中に貼りついた湿ったシャツを急に冷たく感じた。

「なにも言うな」囚人は続けた。「ほんの少しのあいだ、よく考えてみろ。さっき、財布のなかをよく見れば、ほとんどが千ドル札だと気づいたはずだ。そのほかにポケットにも胴巻きにも入っている。十二万五千ドルを身に着け、同じ額がすぐに用立てられるようにもなっている。このドアを開けるだけで、いますぐ二万ドルが転がり込むんだぞ。鍵を回すだけでいいんだ。そこの財布から二万ドルを取ってドアを開け、うしろを向いていてくれ。さっきの巡査は、わたしが違法な左折をしたので連行してきた。また会うとは思ってもいない」

蠅が一匹、せわしなく飛びまわっていた。ブーン……ブーン……

「さあ、どうする？」

クリヤリーは受話器を取った。ダイヤルを回す。「交換手、トロントの州警察本部につないでくれ」番号を伝えて待つ。

「気はたしかか？　二万ドルだぞ！　みすみす――」

「こちらはベイタウン警察のクリヤリー巡査部長です。エメリー・ディスコとおぼしき人物の身柄を確保しました。ディスコ名義の免許証のほかに、ジーベリング名義の免許証を所持しています。五十五歳くらいでずんぐりした体格、白髪、身なりは良好。ええ、留置場に入っています。まず、間違いないでしょう。はい、留置しておきます。九時くらいですか——いまから三時間後ですね。どういたしまして。よろしく」受話器を置く。

囚人は言った。「なあ、きみのしようとしていることはまったく無駄になるんだぞ。たとえば、迎えにきた警官に二万ドルやると持ちかければ、トロントへ戻る途中でガソリンスタンドに寄ったときにでも逃がしてくれるだろう。もし、そいつらもきみのような阿呆だったら、看守に金を握らせる。裁判に持ち込まれたら、裁判官を買収する。現金で二十五万ドル持っている人間は、刑務所行きにならないのだよ」

その後一時間ばかり、クリヤリーは鉄格子のドアのところに立ったり、簡易ベッドに座ったりする囚人を無視していた。囚人は何度か話しかけてきたものの、相手にされないのであきらめた。クリヤリーは二度ばかり受話器に手を置いては離した。マーニーに電話をしてピートの容態を聞きたかったのだが、赤の他人が間近にいては落ち着かなかった。日曜日に医者をつかまえるのは大変だが、いくらなんでももう来ているだろう。

午後七時になって、クリヤリーはサンドイッチとコーヒーを電話で頼んだ。〈パラゴン・レストラン〉の少年が食事を運んでくると、ジーベリングは代金を払おうとした。

「金はしまってください」クリヤリーは断った。「あんたはベイタウン市の客人だ」

ジーベリングは執拗《しつよう》に言い張って、少年にチップを渡した。そして留置場のドアの前に立って、サンドイッチを食べた。「トロントの警官が九時に到着して、わたしを連れていったら、きみはさぞかしせいせいするだろうな」

「出ていってもらえれば、たしかにありがたい」

「金を必要としない人間は、きみが初めてだ」

「わたしだって、みんなと同じように金が必要ですよ」

「だけど、わたしの金は欲しくない」

「いや、欲しいですね」

「だったら、なぜ受け取らない」

「そんなことはできないからだ！」

クリヤリーの声に激しい苛立ちを聞きつけ、ディスコはコーヒーを持って留置場の奥に引っ込んだ。


〈パラゴン〉はいつも旨いサンドイッチを作るし、きょうも上出来だった。だが口に入れると砂を噛んでいるようで、喉を通らなかった。ディスコは旺盛な食欲を示し、洞穴の獣みたいに、がつがつと意地汚くむさぼった。クリヤリーはサンドイッチを脇に押しやって、ブラックコーヒーを飲んだ。

八時十五分前にマーニーが電話をしてきた。「先生がいま帰ったところ。ピートは病院に行く必要があるって。あした検査をして、原因を調べるそうよ」

「ああ、それがいちばんだ。病院ならちゃんと面倒を見てもらえるからな。どうやって連れていく？」

「先生が救急車を呼んでくださったわ。その場で料金を払うのよね？」

「うん、たぶん。抽斗のカフスボタンの箱に、十ドル札が二枚入っている。それで足りるだろう」

「わかった。ねえ、ドン、ピートが会いたがっているの。何時に会いにいける？」

「十二時までここを離れることはできない。きみも承知だろう」

「でも、八時になれば、ビリー・ケンプが家に帰る前に寄るでしょう？　そのときに頼んで代わってもらったら？」

「今夜は無理だ。やらなければならないことがある」

「ビリーではだめなの？」

「うん。あした必ず会いにいくと、ピートに伝えてくれないか」マーニーは納得しなかったが、ジーベリングが聞き耳を立てているので説明するわけにはいかなかった。会話はとげとげしい雰囲気のまま終わった。

十分後、勤務を終えたビリー・ケンプがやってきた。連行した男が手配中だったことを知ると大喜びして、しばらく留置場を覗き込んでいた。囚人はケンプを無視し、やがてケンプは装備を返却して帰っていった。

これでもう、勤務を代わってもらって病院へ駆けつけることはできなくなった。ケンプに頼めばよかった。いまごろマーニーは、ひとりぼっちだ。でも、説明すればきっと納得して許してくれる。いや、どうだろう？　ビリー・ケンプは、ジーベリングの申し出に飛びつくに決まっている。二万ドルだ！　上司をあざむく算段はあとですることにして、ひとまず金を受け取ってどこかに隠すに違いない。自分は、友人の道徳心をこれほど低く評価していたのか？　どうやら、そのようだ。あげくに、マーニーはひとりでやきもきすることになった。

「家族が病気なのかね？」

「もう、手は打ちましたよ」

「気持ちはよくわかる。わたしはきみよりずっと年を食っているからね。三十五年前はいまのような医療制度がなく、当時の医療はわたしには手が届かなかった。娘が病気になったとき、病院へ連れていくタクシー代もなかった。そこで抱きかかえて連れていったが、着いたときには息絶えていた」

本当だろうか。作り話かもしれない。クリヤリーは、きっちり切り揃えた白髪に縁どられた丸いあから顔を見つめた。その灰色の瞳は平然としていて、感傷のかけらもなかった。「気の毒に」

「大昔の話さ。そのとき、子どもたちには決して金の苦労をさせないと、固く心に誓った。それからずっと、がむしゃらに金を稼いでいる。ただ、その後子どもは授からなかった。天の配剤なのかもしれない」

クリヤリーは腕時計に目を落とした。トロント警察が到着して、重大な責任から解放されるまであと一時間足らずだ。再び、ピートのことを考えた。病院に電話してみようか。だが、やはりジーベリングには聞かれたくない。四十五分、待つことにした。

「なんで、わたしを刑務所送りにしようと、躍起になっているんだい？」

「警察があんたを追っている。そして、わたしは警察官だ」

「教科書どおりの模範解答なんかやめて、本音で話そうじゃないか。わたしはそれほどの悪事を働いたんだろうか？　人を殺したか？　飢えた子どもからパンを取り上げたか？」

「うん、たぶん。莫大な金を盗んだのだから」

「いいことを教えてやろう。投資した人たちは、だまされたがっていた。投資金が百倍になって返ってくるという、おとぎ話に喜んで耳を傾けた。与太話を信じたんだよ。経済を潤す賢明な投資をしないで、欲を出した。額に汗することなく稼ぎたい、楽をして儲けたいと願った。よくある話だ」

「じゃあ、あんたは額に汗して稼いだのかな？」

「そうさ。一年間、さんざん苦労して投資話の売り込みに励んだ。いいかね、わたしは、吝嗇《りんしょく》なやつらがソックスのなかやマットレスの下に隠していた使い道のない不要な金をもらったのさ。それでも、極悪人扱いするのか？」

電話が鳴り、クリヤリーは受話器を取った。トロントから向かっている刑事のひとりだった。車のエンジンが故障して、コーバーグの修理屋にいると言う。一時間ほど遅れるがかまわないか、とのことだった。

その一時間がとてつもなく長く感じられ、クリヤリーは正直にそう言った。とくに問題は起きていませんが、早く肩の荷を下ろしたいんです。そして、口には出さなかったが、ひとりになって病院に電話をしたかった。あの恐ろしい疑念は的はずれであって、ピートはただの風邪だと医者に直接請け合ってもらいたかった。マーニーにも電話をして、病院で一緒にいることができなかった理由を説明したかった。なによりも、自分は正しいことをしたと言ってもらいたかった。

トロントの刑事は、なるたけ早く着くよう努める、と言って電話を切った。

クリヤリーが受話器を戻して、腕時計が時を刻む音に耳を澄ましているうちに、十分経った。席を立ち、出入口のドアを開けた。広場は薄暗かった。〈コロネット・ホテル〉のロビーの窓からオレンジ色の光がこぼれて、道路を照らしていた。ベルボーイがガラスのカウンターにもたれて、受付係としゃべっている。車が一台、フロント・ストリートを湾のほうへ向かっていった。クリヤリーは表に背を向けて、デスクに戻った。

「来月は医者の払いが大変だろうな」

「その話はしたくない。口を閉じていてくれ」

「断る。わたしはなんとかしてここを出たいし、そのための方法はきみを説得することしか思いつかない」

クリヤリーはデスクの抽斗を開けた。種々の用紙、クリップ、壊れたホチキスが入っていた。乱暴に抽斗を閉めた。

「さて、この件にかかわっているのは、もうふたりきりではなくなった。トロントの連中がわたしを連れにくるが、対処できる。見てのとおり、わたしは体格がいい。たとえば、わたしがトイレに行きたがってここから出してもらい、きみに襲いかかってぶん殴る。疑われっこない。誰が見ても納得するよう、思い切りぶん殴ってやる。きみが意識を取り戻したときには、わたしはとっくに行方をくらましている。むろん、きみは最初に二万ドルをどこかに隠す必要がある」

「いくら粘っても無駄だ、ジーベリング」

あきれたもんだ、とジーベリングは鼻で嗤《わら》った。「物わかりの悪いやつだな！　必ずどこかで誰かが金を受け取って、わたしを逃がす。きみとは大違いの誰かが。どうせ金を使うなら、きみに受け取ってもらいたい。必要なんだろう？」

クリヤリーは立ち上がって、鉄格子のドアの前に立った。ジーベリングの目をじっと見つめた。息が苦しかった。「トイレに行きたいのなら」クリヤリーは言った。「行くついでにぶん殴ってもかまいませんよ」

四人は笑った。「取引なしで？　いや、やめておく。きみはくそ真面目だからな」

三十分後、刑事たちが到着した。ふたり連れだった。ひとりはまっすぐ留置場に行って覗き込んだ。「この男だ。間違いない。よくやった」

もうひとりの刑事は「電話を借りるよ」と、言った。

「ええ、どうぞ」

刑事はトロントの市外局番をダイヤルした。「もしもし？　こちらドノバン。いま到着したので、ただちにディスコを連行します。途中どこにも止まらずに直行するので、真夜中前に着くと思います。はい、警部。了解」
最初の刑事が手錠を取り出した。クリヤリーが留置場のドアを開けると刑事はなかに入って
四人の手首と自分の手首とを手錠で繋ぎ、出入口の前に引き立ててきた。
「この男は油断ならないから、途中で止まらずに帰るよ」
クリヤリーは、話さなければいけないと承知しながらも、躊躇《ちゅうちょ》した。出入口をふさぐように
立ち、深々と息を吸って口のなかで舌をひとめぐりさせた。
「話しておきたいことがあるんですが、悪く取らないでください」
「なんだね？」
「二万ドルやるから逃がしてくれと、この男はしつこく持ちかけてきたんですよ。あなたたち
にも持ちかけるつもりらしい。だから、万が一逃げられたら、うまい言い訳を用意したほうが
いいでしょう」
四人を手錠で繋いでいるほうの刑事が顔色を変え、クリヤリーに険しい目を向けた。それか
らパートナーをちらっと見やって、笑った。「ふうん。金持ちになるチャンスだな」
一行が出発するのを待って、クリヤリーは病院に電話をかけた。ピートは眠っていた。あし
たの検査を待たないと詳しいことはわからないとのことだった。
次はマーニーにかけた。彼女はそっけなく言った。「一緒に救急車に乗っていって、しばら
く病院にいたのよ。もうひとりの先生が時間をかけて診てくださって、わたしたちが心配して
いた病気ではなさそうだと言われたわ」

「よかった。それを聞いて安心したよ。じゃあ、原因はなんだって?」

「風邪らしいって。あした、退院できるのよ」間を置いた。「だから、気が進まないなら、病院へ行かなくてけっこうよ」

クリヤリーは数分かけて、逮捕した男について説明した。聞き終わったマーニーは、かつてのやさしさを思い出させるおだやかな声で言った。「では、二万ドルもらえるところだったのね? あなたって、絶対にお金持ちになれないわよ」

「わたしのしたことは正しかったんだろうか」

「それ以外の方法はなかったわ。そんなお金をもらったところで、使うわけにいかないじゃないの」

その後十分ほど経ったころ、〈パラゴン・レストラン〉の店主、ニック・パパスが配達の少年と一緒にやってきて、クリヤリーの前に少年を突き飛ばした。

「ドン、このガキはとんでもなく悪いことをしたらしい。金を数えているところをつかまえたら、二十ドルも持っていたんだよ。レジから盗んだのかと思ったが、そっちは無事だった。そこでちっとばかり腕をひねり上げたら、このメモを見せたんだ。留置場の男に、チップの十ドルと一緒に渡されたって」

クリヤリーはメモを受け取った。手帳から破り取った紙にボールペンで走り書きしてあった。

『この十ドルは取っておけ。キングストンの六三九—八〇〇一に電話をして、ディスコがベイタウンの留置場に入れられている、とドノバンに伝えろ。すぐにやれば、ドノバンが来てあと十ドルくれる』

　クリヤリーはもう一度メモを読んだ。「これは証拠品としてもらっておく。この子から目を離さないと約束してくれるなら、拘置は勘弁してやろう。告発は免れないだろうな」

「わかった、ドン。すまなかった」

「あんたが悪いんじゃないよ、ニック。よく来てくれた。ありがとう」

　クリヤリーは、出入口へ向かうふたりに声をかけた。「坊主、なんでこんなことをした。あの男は犯罪者だとわかっていただろう?」

　少年はクリヤリーの目をまっすぐに見た。「二十ドルなんて、すごい大金だもん」

　店主と少年は出ていき、ドン・クリヤリーは腰を下ろして、トロントの刑事たちの到着をひとりで待った。


（直良和美訳）

# 拳銃所持につき危険

ジェフリイ・ノーマン

Armed and Dangerous　一九七九年

ジェフリイ・ノーマン Geoffrey Norman（?—　）。アメリカの作家。小説のほか、ライターとして主にアウトドアに関する記事をさまざまな雑誌に発表している。本編の初出は〈エスクァイア〉*Esquire* 一九七九年三月十三日号。アメリカ探偵作家クラブ（ＭＷＡ）最優秀短編賞を受賞した作品である。

キャロウェイは、サンドラのメモが冷蔵庫の扉にスコッチテープで貼りつけられているのを見つけた。警察に行く、と書かれていた。彼は慌てて車を飛ばした。サンドラは、ガラスで囲まれた部屋に座っていた。落ち着いていて、いつもと変わりなく見えたが、下唇を嚙んでいる。

「どうしたんだ?」彼は息を切らせて呼びかけた。

「レイプされたの、ダン」

その告白は、まるで氷のなかに石が沈み込むように彼の心にしみ込んできた。遅れてショックがおそってきた。彼は妻に歩み寄り、椅子から立たせて抱きしめた。

「大丈夫なのか?」

「レイプされた。病院で検査を受けた。わかるでしょう……証拠のために。信じてもらえないので、五人の警官に同じ話をくり返さなければならなかった。だけど、そうね、わたしはたぶん大丈夫」

サンドラは顔を彼の肩に押しつけていて、嗚咽《おえつ》をこらえているのがわかった。

「さぞかしつらかったろう。落ち着いて……心配しなくていい、もう大丈夫だ。どうしてぼくに電話してくれなかったんだ?」

「自分で始末をつけたかったから」彼女はそう言って体を離し、彼の顔をまっすぐに見つめた。「あなたに何ができるの？　あの男を殺しにいく？」

「力になりたかった、それだけだ」

「それならここの警官たちに、わたしはレイプされた話をでっちあげて吹聴してまわることも、出会った男すべてと寝ることもないって言ってやって」

ワイシャツ姿のほっそりした男が、ファイルやルーズリーフのバインダーが散らばっている机の向こうからキャロウェイを見た。男は肩をすくめた。「意地悪をしているわけじゃないんですよ、ミスター・キャロウェイ……ミセス・キャロウェイ」そして言った。「こうするのが決まりなんです。法廷ではこんな程度じゃすみませんよ」

「わたしは誰もレイプしていない」サンドラはとがった声を出した。「どうして容疑者みたいに扱われるのかわからない」

「決まりでしてね」

「必要なことはすんだのか？」キャロウェイがその男に言った。「彼女はもう帰っていいのか？」

「ええ。こちらから連絡します」

家に帰る車のなかで、ふたりはどちらも黙ったままだった。サンドラは家に入るなり、まっすぐにバスルームに向かった。トイレの水が流れ、バスタブに湯がたまる音が聞こえてきた。キャロウェイはバーボンをグラスに注いだ。

彼女はバスルームに一時間こもっていた。出てきたときはテリークロスのローブを羽織っていて、熱い湯を浴びて体を乱暴にこすったせいで顔は火照り、肌はピンクに染まっていた。彼女は彼の向かいに座った。

「何かほしいものはあるかい？」彼は呼びかけた。

「ないわ」

「ベッドで横になりたいか？　眠れるよう薬を飲んで？」

「いいえ。しばらくはここに座っていたい」

「わかった。ぼくにできることがあったら何でもする」

「何もないわ。もう起きてしまったこと。あなたには変えられない」

「いいだろう。何かほしいときは、いつでも言ってくれ」

彼女は裸足を床にぺったりつけ、腕を組んだ。まっすぐに前を見ている。うつろなまなざしだった。家族の葬儀から帰ったばかりのように見えた。疲れ果て、心ここにあらずで、深い悲しみに沈んでいる。

「こんなことになるなんて信じられない」やがて彼女は言った。「あいつはけだものよ。わたしの首に両手をかけて絞めようとした。殺すつもりだってわかった。あのままだったら殺されてた。本当に殺されてた。きわどいところだったの」

「誰なんだ、サンドラ？」

「けだものよ」彼女は顔をそむけた。「若者向けの支援事業の主催者。新聞にアシスタント募集の広告が出ていた。わたしは働きたかった。電話をかけて面接の約束をした」

「どうしてぼくに話してくれなかったんだ？」

「どうして話さなければならないの？　働くのにあなたの許可がいるの？」

「いや。だが、相談はできたかもしれない。それだけだ。場合によっては、一緒についていったかもしれない」

「まったく、なんて素晴らしい世界なの。夫に付き添ってもらわないと、仕事の面接にもいけないなんて。誰かにレイプされるかもしれないから」彼女は言った。「かもしれないは余計ね」

彼女は言葉を切って少し間をおいた。「何が最悪だかわかる？　殺されそうになったのが怖かったことじゃない。もちろん怖かった。すごく怖かった。でも最悪なのは、わたしが乾いているのに、むりやり入ってきたこと。あり得ないわ。それが何よりつらくて、屈辱だった。あいつは、わたしを物みたいに扱った。わたしがどれほど傷つこうが、気にもかけなかった。ああいうのが好きなのよ。楽しんでた」

「いったい誰なんだ？」

「ただのくずよ。名前はアーヴァインと言っていた。そう、〝アーヴァイン〟と発音してた」

「どこにいる？」

「ねえ、よして」

「ぼくは本気だ」

「もう警察が捕まえてるわ」

「まだかもしれない」

「どうするつもり？　自分の女をやられたから殺すの？」

「いけないか」彼は言った。ねじれたロープのように顎が引きつるのがわかった。

「ダン、レイプされたのはわたしよ。わたしにまかせて。わたしのやりかたに」

「警察か？」

「ええ。法廷で告発してやる。あいつに、誰が自分を刑務所に送り込んだか、はっきりわからせてやる」

「そんなふうになるといいが」

サンドラは泣いていた。涙が二筋、きらりと光って頬を伝い落ち、彼女はそれを止めようとしてまばたきした。キャロウェイは抱きしめようと立ち上がったが、彼女は立って部屋から出ていってしまった。


警察はその男を逮捕した。男の本名はR・ジョンソンで、これまでに六回の逮捕歴があった。強姦罪は一度もなかった。警察が踏み込んだとき、彼はまだオフィスにいて、抵抗しなかった。「あんたたちは間違いをおかしている」手錠をかけられ、権利について説明を受けると彼は言った。「これが新聞に載ったとき、猛烈に後悔することになるぞ」

警官の一人がスケジュール帳を見つけた。そのなかのあるページに、求人広告に応募した人たちの名前が記されていた。十五人すべて女性の名前だった。

「全員の名前を控えた」刑事がキャロウェイに言った。「そして電話帳で調べ、それぞれの自宅まで出向いて、一人ずつと話した。話を聞きにいく際には、最高の刑事を選んだ上で、女性の警察官を同行させた。その方がよいと女性警察官が判断したときには、男の刑事は部屋から出て二人きりで話せるようにするためだ。そして男を逮捕したこと、罪をあがなわせるためにはできるだけ多くの証拠と証言が必要であることを説明し、この悪党を罰するのを手伝ってほしいと頼む。何一つ恥じることはないし、社会に対する真の貢献になると言って説得する手はずだった。だが、女たちの半分は何も言おうとしなかった。〝仕事の面接？　どうだったかしら。ああ、そうね、よくおぼえていないけれど、その場所に面接に行ったかもしれない。でも、い、いや、特に変わったことはなかった。何にもよ〟といった調子だった。

「けれども残りの半分は、あの男にレイプされたことを認めた。残りの全員がだ。婦人警官としばらく話したあと、すべてを打ち明けてくれた。なのに、そのうちの誰一人として自ら訴えようとはしなかったんだ」

「どうして？」キャロウェイが言った。「理解できない」

「むしろ、あなたの奥さんの方がおかしいのかもしれないな、最近の世間の風潮からすると」

「サンドラはとてもタフだ」キャロウェイは言った。ふたりはキッチンで座っていた。刑事はサンドラに質問をするため訪ねてきたのだが、彼女は出かけていた。勤務時間を過ぎていたので、刑事はキャロウェイが勧めたビールを飲んでいた。

「それはわかってる」刑事は言った。「彼女は勇気がある。だが他の女性は誰一人として、通報すらしないんだ。そうさ、みんなあいつにレイプされたのかもしれない。なのにそのうちの半分は、あの男が留置場に入れられていて、他にも証人がいると伝えても、それを認めようとしない」刑事は言葉を切った。「とにかく、あいつが裁判にかけられるまでに……もし裁判に持ち込めればだが……あいつに不利な証言をしてくれる被害者が一人でも二人でも出てくれば幸運だ」

キャロウェイは次のビールをとりに冷蔵庫に向かった。「恥ずかしいのかな、それとも怖いのかな？」

「両方だ。あいつは今はもう普通に暮らしてる。最初の日のうちに保釈された。それを知っていたら、夜だってとても安心して眠れないだろう。それに、たいていの女性は、強姦事件の裁判がどんなものか知っている。被告の弁護人は、彼女たちがふしだらに見えるように仕組んでくるだろう……あたかも、彼女たちが望んだかのように……自分から男を誘ったかのように。意地の悪い質問をたたみかけてくるはずだ……性生活についてしゃべらせ……すべて彼女たちのせいだと思わせる……あるいは、でっちあげだと決めつける。ほとんどの女性は、そうしたことに関わりたがらない。無理もないことだ」

「サンドラは絶対にやめない」

「だが、やめたとしても理解できる」刑事は言った。「あなたも理解してあげるべきだ」

キャロウェイはその忠告を不快に感じたが、何も言わなかった。

刑事は話しつづけた。キャロウェイがいらだっているのに気づいていたかもしれないが、意に介するふうもなかった。「あいつは、依頼人を無実にするためならどんなことでもする、手練れの弁護士を雇うだろう。陪審員に最低二人は信心深いばあさんが入るようにして、奥さんをあばずれに仕立て上げる。そして、セックス目当てであそこに行ったと陪審員に信じさせようとするだろう」刑事は言葉を切ってため息をついた。彼はビールの残りを飲みほし、立ち上がった。「裁判は荒れるぞ。おれに言えるのはそれだけだ。彼女を助けてあげてくれ。とにかく幸運を祈るよ」

サンドラは検事と四回会った。毎回そのときの様子を細かく話し、検事はそのたびに疑問点を見つけて、弁護側の攻め方を予測しようとした。打ち合わせのたびに、彼女は青ざめ憔悴《しょうすい》して帰ってきた。

最後の打ち合わせでは、検事は彼女に法廷での服装と化粧のしかたを教え、前の晩は必ずしっかり眠るようにと言い添えた。

開廷を待つあいだ、サンドラとキャロウェイは、書記たちが書類を持ってあちこちの部屋に出入りしている殺風景な裁判所の廊下に立っていた。サンドラは夜明け前から起きていて、バスルームで二度吐いた。

「大丈夫か？　医者を呼ぼうか？」キャロウェイは彼女に声をかけた。

「わたしのことは心配しないで、ダン」彼女は答えた。「気持ちがたかぶっているだけ。あなたが難しい案件の前によくなっていたのと同じ」

やがて検事が廊下にいるふたりのところにやってきて、裁判は延期になったと告げた。「裁判長が弁護側の請求を認めたんだ。今日は、他に四人の女性に証人として来てもらっていた。証言するよう説得するのは大変だった。そのうちの一人でも、もう一度来てくれたら御《おん》の字だ。しかしあの裁判長では、きっと次も延期になる」

「次はいつになったのです?」キャロウェイがたずねた。

「新しい日程は二カ月後だ。ただ弁護側はまた延期を願い出るだろうし、おそらくはそれが認められるだろう。あの裁判長は、請求すれば無条件で二度までは認めるんだ。陪審員の選任は半年後になる。すまない、ミセス・キャロウェイ。厳しい戦いになると言っただろう」

「裁判が始まるとき、わたしは絶対にその場にいるわ」彼女は言った。「それは信じてくれていい」

「よろしい」

「それで、それまでのあいだ」キャロウェイが言った。「あのごろつきは普通に暮らしてるのか?」

「そうだ。彼は保釈中だ。そのあいだは推定無罪があてはまる」

「それに、逃亡のおそれがないという推定も」キャロウェイが言った。

「ああ、その通りだ」検事が言った。彼は細身で、とても几帳面だった。服は上等な仕立てで、きちんとプレスされていた。髪はまるでつくりもののように整えられていた。そして完璧に抑制された口調で話した。誠実で、親身で、いかにもプロらしい話しかただ。大きな野心を秘めているに違いないとキャロウェイは感じていた。

「これが、保釈や裁判の延期を認める現行制度の深刻な弊害だ」検事は言った。「理不尽なことに、被告が起訴されてから半年か一年のあいだ問題を起こさず普通に暮らし、そののちに自ら出廷したら……そう、裁判長や陪審員はそれだけでも必要以上に厳しく裁くべきではない証拠になると考えてしまう。再犯の可能性が少ないと見るのだ」

「問題は、あいつが同じことをくり返すかどうかじゃない」キャロウェイが言った。「あいつは罪をおかした。その罪を償うべきなんだ。それとも、何をしてもいいフリーパスでも持っているのか？」役人や硬直した手続きに対する怒りがこみあげ、心のなかで激しく燃えあがった。

「だが、われわれはそれで給料をもらってるわけじゃない」キャロウェイが言った。「これはあなたたちの制度だ」

「憤《いきどお》って当然だと思う。きみだけでなく、わたしたちも同じ気持ちなのだ」

サンドラがはっと息をのみ、体をこわばらせた。広くてのっぺりした顔つきの、がっしりした男が近くを歩いていった。その男は、やせた若い男と話していた。「あいつよ」サンドラが言った。

キャロウェイはそちらに目をやった。二人の男は意識して彼の方を見ないようにしていた。どちらも両手をポケットに突っ込み、床に目を落として低い声で話している。三十フィートも離れていない。あまりに自然な様子なので、レストランで順番を待っているか、あるいは株の取引やファルコンズの試合の良席のチケットを持っている男のことを話していてもおかしくないようにキャロウェイには思えた。スーツ姿の男二人が手札を確かめ、勝つための計画を練っている。

その様子はあまりに普通すぎて、キャロウェイは猛烈な嫌悪感をおぼえた。かつて銃撃戦のあと戦場にヘリコプターを飛ばしてやってきて、転がっている死体を蹴飛ばして確かめ、生存者に話しかけ、クリップボードにメモをとりながら歩きまわっていた連中のことを思い出した。彼らはそこで、偶然がもたらした戦闘に対して整然とした論理的な秩序をあてはめようとしていた。現実としてあるのは、混沌とパニック、敵を殺すより自分が生き延びることに必死な兵士たちのぶざまなありさまでしかなかったのに。彼らつかのまの訪問者たちは、ヘリに乗り込んでダナンに戻ったあと好き勝手なことを書いて、それを戦闘だと称した。サンドラの身に起きたことは、現実そのものだ。なのに今あの二人の男は、それをむりやり正当化して、その行為を法律にのっとった弁護と呼ぼうとしている。それが彼らの側の見かたであり、その主張を押しつけるのが彼らの仕事なのだ。

「おい、でぶっちょ」キャロウェイは思わず呼びかけていた。「あんたと外で話したい」

キャロウェイは、検事が警官に合図したのを見た。彼は肩をつかまれ、振りほどこうとしたとたん顎の下に警棒をぐいと押しつけられ、息ができなくなった。

喉を詰まらせて後ろによろけたとき、男の顔が見えた……サンドラを強姦し、今は彼女のことを知りもしない男と組んで公式の釈明をひねり出すのに忙しい男の顔が。不機嫌そうで性悪な顔だが、そこにあるのは本物の怒りではなかった。分厚い唇はゆがみ、蔑みがこもった瞳はよどんでいる。その顔にはいらだちがあふれていた。こんなことは面倒くさくて、うんざりだとでもいうふうに。それからキャロウェイはもうその顔が見えなくなった。

「あんなことは二度としないで」サンドラが言った。

家に帰る車のなかで、サンドラはまっすぐ前を見つめていた。「あなたにわたしの名誉を守ってもらうつもりはない……自分の世話もできないなら、そもそも世話をしてもらうに値しないということ」

「どうして勝つチャンスがあると思えるんだ？　あの男の話を聞いただろう。裁判は半年遅れる。それも運がよければだ。証人はみんな逃げてしまう。あの弁護士は、きみが関係を望んだと主張して、それを立証しようとするだろう」

「わたしにまかせて」

キャロウェイはそのあと家に帰るまで何も言わなかった。怒りはしだいにおさまり、今では妻に憐れみをおぼえていた。その憐れみには、誇らしさがないまぜになっていた。けれども彼は妻を誇らしく思うその気持ちをつとめて隠した。彼女にはきっと理解できないだろうとわかっていたから。


「ミセス・キャロウェイ、ご主人とはどこで知り合いましたか？」

「異議あり」

「裁判長、弁護人としては検事が異議を唱えない質問があるのか、はなはだ疑問です」

「そして裁判長、誰もが弁護人は適切な反対尋問のしかたを知らないのではないかと疑っています」

キャロウェイは三列目に座っていて、心底うんざりしていた。サンドラは一時間以上証人席にいた。そのあいだずっと、彼女を強姦した男は数フィートしか離れていない椅子に、前屈みでつまらなそうに座っていた。まるでひとごとだった。退屈していた。

検事がサンドラに強姦時の状況について慎重に質問を重ねているあいだ、キャロウェイは何度か男を眺めまわした。男は振り返らなかった。一度だけ弁護士にささやきかけられたとき、わざとらしく肩をすくめた。キャロウェイは怒りのあまり吐きけをおぼえた。

被告の弁護人が反対尋問を始めると、さらにひどいことになった。

「ミセス・キャロウェイ」弁護人は慇懃《いんぎん》に呼びかけた。「あなたのご職業は?」

「主婦です」サンドラが小さな声で答えた。弁護人は最初の質問で、もっとも不本意な告白を引き出したのだ。

「子どもはいますか?」

「いいえ」

「そうですか。これまでお勤めの経験は? フルタイムでの仕事ということですが」

「ありません」

「ですが大学の学位はある……そうですね?」

「はい」

「どんな学位をお持ちですか?」

「文学士です」

「どちらの大学で？」

「ランドルフ・メイコンです」

「専攻は？」

「英語です」

「わかりました。これまでに社会事業の研修を受けたことは？」

「ありません」

「地域活動に参加したことはありますか？　ボランティアとして……たとえば、赤十字や家族計画で」

「ありません」

「なのに、数百万ドル規模の予算がついた地域プログラムのスタッフの求人に応募する資格が自分にはあると感じた……市内でもこれまでないがしろにされてきた地区、長らく虐げられた人たちが暮らしている地区での仕事に……そういうことですね」

「はい」

「本当に自分にその資格があると思ったのですか？」

「はい」

「ほう、それはそれは」弁護人はたたみかけた。「あなたは地域での活動経験がいっさいなく、英語の学位があるとお答えくださった……これまでに就労経験もなく、子どももいないと。実のところは退屈していて、刺激を求めていたのではありませんか？　いうなれば、ちょっとしたお楽しみを」

「裁判長」検事が立ち上がり、あきれ果てたといった口調で呼びかけた。それは、被告側の弁護士の不信の念がこもった口調と同じように、計算されたものだった。「今の質問は侮辱以外の何ものでもなく、しかもまったくの的外れです。証人は裁判にかけられていません。たとえ資格がなくても、求人広告に応募することは罪ではありません。彼女が募集に応じた動機は、この裁判の論点ではありません」

「裁判長」弁護人が言った。「本件の罪状は強姦です。それが証人の告発によるものゆえ、弁護側としては訴えた理由を明確にしようとしているのです。われわれは、性的な関係があったこと自体は否定しません……ただ、それが強要されたという点を否定しているのです。われわれの主張は——それが真実でもあると考えますが——原告が仕事を探していたのではなく、スリルを求めていたということです」

「異議あり、裁判長」

「諸君」裁判長が言った。「そこまでだ。昼食のためいったん休廷として、再開後に私から判断を伝える」

サンドラは証人席を降り、キャロウェイは彼女のそばに行った。彼女は震えていた。

「なんてやつ」彼女は吐き捨てた。「なんてやつなの」

「落ち着いて」キャロウェイは言った。「冷静になるんだ」

「いかにも男が最初に考えそうなことよ、女がそれを求めていたって」

「もう気にするな。何か食べに行こう」

「わたしを犯したあいつと同じくらい、あの弁護士が憎いわ」

「さあ、サンドラ、行こう」

「ふたりとも殺してやりたい」彼女はそう言い捨て、彼の先に立って出ていった。

ふたりは大きなハンバーガーとジョッキのビールを出している小さな店で昼食をとった。床にはピーナッツの殻が散らばり、壁には軍隊のポスターが貼られている。部屋の奥では二人の男がダーツをしていた。

「いったい何者なの？」サンドラが口を開いた。

「誰のことだ？」

「弁護士よ。わたしのせいだと思っているやつ」

「よく知らない。名前はスコギンズと言ったはずだ。ワシントン・アンド・リー大学の卒業生で、裁判の仕事に力を入れているらしい。政治にも関わりたがっているとか」

「誰から聞いたの？」

「検察事務所にいた男からだ。スコギンズは優秀だと言っていた。アトランタに来てから派手に活躍しているようだ」

「もしあいつがおいぼれて酒焼けした顔の年寄りだったら、こんなにいらついたりしない。でも、あいつは知り合いにいそうなタイプだわ。大学で付き合ったりしたかもしれない。あの男には、わたしにこんな仕打ちをする理由なんてない。自分の主張を信じてすらいない。わたしがどんな目にあったかも、自分がわたしに何をしているかも、気にしてない。すべて自分のためにしているだけ」

「彼は弁護士なんだ、サンドラ。弁護士というのはろくでなしでなければつとまらない職業だ。本当に優秀な弁護士は、ろくでなしであることを楽しんでいる」

「あいつが勝ったらどうなるの？」

「被告は自由の身となる。そしてスコギンズはささやかなお祝いをするだろう。たぶんシャンパンで」

「すべてわたしのせいにされるの？」

「そう信じる者もいるだろう。きみの友だちはわかってくれるだろうが」

「あなたはどうなの？」

「どうなのとは？」

「レイプだったと信じる？」

「ぼくはきみを信じる。きみはぼくの妻だ。あたりまえじゃないか」

結局、被告の弁護人は質問をつづけることを認められ、サンドラが強姦された日より前には仕事を探しに出たことがなかったことをすぐに認めさせた。

「当日はどんな服装でしたか、ミセス・キャロウェイ？」弁護人はたずねた。小柄な男で、スーツの下のベストのせいで鳩胸に見える。キャロウェイは、スポーツクラブやロッカールームによくいた、やたらいばりくさっている攻撃的な小男たちを思い出した。競争心が強く声高で、喧嘩早く、ひたすら攻撃しつづけることで体格の不利を補っているのだ。

「はっきりとはおぼえていません」サンドラは答えた。

「では、スカートをはいていましたか？」

「いいえ、パンツでした」

「上は？　ブラウスですか？　セーターですか？」

「ブラウスです」

「生地は？」

「おぼえていません」

「ブラジャーはつけていましたか？」

「おぼえていません」

「いつもブラジャーはつけていますか？」

「いいえ」

「つける回数は？　二回に一回はつけますか？」

「もっと少ないかもしれません」

「それでは、ブラジャーをつけていなかった可能性の方が高いわけですね」

サンドラは何も言わなかった。

「ミセス・キャロウェイ、実はあなたが面接にきたときブラジャーをつけていなかったという証言が複数あるのです」

「そうですか」サンドラは言った。彼女はもう怒っていないようにキャロウェイには見えた。ただ打ちのめされていた。

弁護人は質問をつづけた。彼は劇的なクライマックスへと突き進みつつあり、これまでの質問はすべてその前奏、必要な準備の一部だった。ここまででサンドラの人格について、一つのイメージをつくりあげていた。このあとは強姦などではなく、退屈の果ての淫らなセックスでしかなかったことを証明しようとするのだろう。

「ミセス・キャロウェイ、問題の出来事ののち、診察のために病院に行きましたか?」

「ええ、行きました」

「検査を受けましたか?」

「はい」

「どんな検査でしたか?」

「その、調べたのは……性交があったかどうかを確かめるものでした」

「そして、あったことが確認されたのですね?」

「はい」

「病院で何らかの医学的な処置を受けましたか?」

「どういうことでしょう」

「骨折はありましたか？　傷を縫いましたか？　打撲傷を治療しましたか？」

「いいえ」

「ですが、襲われたのでしょう？」

「はい」

「そして抵抗した」

「はい」

「けれども、病院で治療を必要とするような怪我は負わなかった」

「ええ」

「ミセス・キャロウェイ、被告のオフィスを出てから病院に到着するまでのあいだ、何をしていたのです？」

「車で家に帰りました」

「どれくらいかかりました？」

「十五分くらいだと思います」

「家に帰ったあと何をしました？」

「警察に電話しました」

「すぐに？」

「いいえ」

「警察に電話したのは、家に帰ったあとどれくらいたってからですか？」

「たぶん一時間くらいあとに」

「それまで何をしていたのですか？」

「どうするか決めようとしていました。混乱していたので」

質問はつづいたが、キャロウェイはそれ以上聞いていられなかった。何一つ理解できなかった。発言、人々、法廷、この出来事のすべてが。感じているのは、あの小男を殴ってぐちゃぐちゃにしてやりたいという衝動だけだった。その口から出てくる言葉の意味がキャロウェイにはまったく理解できないので、尊大で不愉快きわまりない小柄な弁護士はパントマイムを演じているようなものだった。

その小男が言った。「ありがとうございます。質問は以上です」サンドラは立ち上がり、キャロウェイが座っているところまで来た。ふたりは手を握り合った。彼は震えていたが、彼女の手が冷たいことに気づいた。

検事が被害を受けた別の女性を証人として呼ぼうとすると、弁護側が異議を申し立てた。その女性の名前は、違法な捜査によって入手されたというのだ。警察は令状なしで被告の手帳を調べている。それを見なければ彼女の存在を知ることはできなかった、と。

裁判長は自室で双方の主張を聞くために、十分間休廷とした。サンドラが法廷から出たがらなかったので、キャロウェイと彼女はさびれた教会に二人だけいる礼拝者のように座りつづけた。サンドラは唇を嚙み、手をいじっていた。キャロウェイは話しかけなかった。彼女の顔は煤煙のような色だった。

裁判長は被告に有利な裁定をくだし、かくして事実認定の判断材料はサンドラの証言のみとなった。どちらもそれ以上の証人は呼ばず、そこで休廷となった。明日の午前中に双方が最終弁論を行ったのち、評決は陪審員に委ねられる。サンドラは家に帰るとすぐにセコナールを二錠飲み、ベッドに向かった。強姦されたあと主治医が処方してくれた薬で、毎晩それを飲まなければ眠れなくなっていた。ただ、これほど早い時間に飲んだことはなかった。まだ午後五時半だった。

キャロウェイはリビングルームでバーボンを飲み、考えをめぐらせた。事件から半年になる。そのあいだずっと、サンドラとは愛をかわしていなかった。体に触れることさえほとんどなかった。最近は状況がさらに悪化していた。とてもひどくなっていた。彼女はやつれ、誰にも突き破ることができない憂鬱の殻に閉じこもっていた。それでも、たまにふたりで夕食に出かけたとき、すべてがうまくいくように思えたこともあった。彼女はスコッチサワーを注文して、こんなふうに言ったりもした。「これこそ本当の田舎の飲み物だと思わない？　飲むとそれだけで故郷に帰った気分になれる」そして彼は、その日の出来事や、レスター・マドックス（ジョージア州知事）がやらかした新しい失敗について話した。彼はアトランタで二年間政治コンサルタントをつとめてきたので、マドックスのまねをほぼ完璧にできるようになっていた。そのものまねで、たいていは彼女を笑わせることができた。「ジョージアのみなさん」奇妙な甲高い声をつくって言う。「性病問題を解決するためには、団結しなければなりません。これは有色人種だけの問題でも、白人だけの問題でもありません。そしてここアトランタだけの問題でも、地方だけの問題でもありません。すべての人の、あらゆる場所での問題です。いいですか、今こそわたしたちの真価を世界に示して、ジョージア州から性病を根絶しようではありませんか」

けれどもその途中でいつのまにかサンドラは言葉少なになり、ついには黙り込んでしまうのだった。そしてひとりそっと泣きはじめる。まるで心の奥底に沈められた古い後悔が、急にまた押し寄せてきたかのように。

ふたりは何度かパーティにも足をはこんだが、一時間とたたないうちにサンドラは彼のところに来て、帰りたいと言うのだった。あるパーティのあと、家に帰ってから、彼女はみんなが憐れむような表情を浮かべていたと彼に訴えた。彼女のことを違ったふうに見る男もいて、その目つきには獣じみた気配があり、ぞっとさせられたとも。

週末を山で過ごしてみたこともあった。チャトゥーガ川沿いの丘陵にある山小屋に行った。その小屋は幹線道路から一マイルほどはずれたあたり、まぶしい光の筋となって延びている川のすぐ上の、そこだけ開けた場所にあった。

小屋までの古い山道を下る際には、ジープを使った。ようやく荷物を下ろしてひと息ついたところで、日々の生活で馴染みのあるすべてのものからどれほど遠く離れているか、ふたりは改めて実感した。聞こえるのは川の流れと風の音、それに小動物や鳥のたてる音だけだった。キャロウェイは火をおこして川まで降りていき、鱒を釣って夕食のために持ち帰った。

しかし、ふたりで皿を洗っていたとき、サンドラが彼のことは見ずにしゃべりはじめた。

「やっぱり我慢できない。どうしても我慢できないの。どうしてわたしたちがここにいるか、わかってる。わたしは患者……かわいそうなサンドラ……田舎に連れて行けば何もかも忘れることができて、きっとよくなる。でも、うまくいかないの。ここではレイプされたことしか考えられない。考えちゃだめなのはわかってる……でも、だからこそそのことしか考えられない」彼女は言葉を切り、声を落とした。「ダン、今夜のうちに家に帰りたい」

キャロウェイは火を消してジープに荷物を積み込んだ。草が伸びている、でこぼこの狭い伐採道路を抜けるのに二時間かかった。ヘッドライトがたどるべき轍《わだち》を鈍く照らしていたが、いつその道筋が消えて身動きのとれない沼地に飛び込んでしまうかもしれなかった。サンドラは助手席でずっと体をこわばらせていて、家に着くまでひとこともしゃべらなかった。彼が荷物を下ろし終えたとき、彼女は眠っていた。

失敗に終わった山への旅の数日後、サンドラは夕食の途中いきなり席を立った。キャロウェイは彼女が寝室に入る前にその腕をつかみ、こんなことはやめなければだめだと怒鳴った。

それから彼は、ずっとため込んでいた思いをぶちまけた。彼女は自分の演じている役柄に酔いはじめている、それは臆病で身勝手なことだし、永遠に這い出せない深い穴にもぐり込もうとしているようなものだ。サンドラは反論せずに彼を見つめ、話が終わるのを待っていた。それは彼が何時間もかけて考え、心に焼きついてしまった歌詞のように何度も頭のなかでくり返した言葉だった。

けれどもその言葉は、サンドラにはまったく響かなかった。彼が話し終えると、彼女は静かに言い返した。「やめて、ダン。そんなに簡単にはいかないの。誰かがありがたい説教をしてくれたら、たちまち〝正気を取り戻す〟なんてことはない。そんなふうにはいかないの。いつかはこの状態から抜け出せるかもしれない。でも、それには時間がかかる」彼女は力なく微笑んだ。「とても長い時間が」

キャロウェイは裁判に望みを託していた。しかしその望みも、もはやついえかけていた。明日の朝、検事に説得されて十二人の陪審員全員が有罪という審判をくだすとはとても思えなかった。少なくとも一人——たぶん全員が、サンドラが自ら招いたことだと結論するだろう。もしくは、彼女が十分に抵抗しなかったのだと。彼女は裁判で負けるだろうし、状況はさらに悪化するだろう。

ウィスキーの酔いがまわり、キャロウェイはサンドラと自分の人生が決定的に変わってしまったという恐ろしい確信にとらわれた。かつてのような日々は二度と戻らない。このすべてが決して癒えることのない傷で、何かが断ち切られてしまい、もう取り返しがつかないように思えた。そして彼にできることは何もなかった。何一つとして。

最終弁論で、弁護人は嘲りを込めて言った。「この強姦と称するものを、被害者は一時間以上通報しなかったのです。その一時間のあいだ、彼女は精神的な傷の程度を確かめていたのだと想像するほかありません。私が〝精神的〟と申し上げたのは、それ以外の傷がどこにもないように見受けられるからです。骨折はない。裂傷もない。打撲すらない。もしこれが本当に強姦であったなら、歴史上もっとも優しい強姦に違いありません。あまりに優しすぎて、原告が強姦だったと結論するのに一時間かかったほどです」

陪審は早々に〝無罪〟の評決をくだした。その評決が口にされた瞬間、サンドラは体を沈みこませたが、そうなることを予想していたようでもあった。彼女は家までの帰り道では何も言わず、セコナールをまた飲み、ベッドに入った。それから一週間ほど、キャロウェイは彼女のバスローブ姿しか見なかった。化粧はいっさいせず、髪をとかすことすらほとんどなかった。髪は洗わないせいでべとつき、頭皮にべったりと貼りついて二度と剝がれないように見えた。彼女はやつれ、打ちのめされていた。キャロウェイは、彼女を入れる施設を探さなければと考えはじめた。病院か療養所を。しかし、どこから手をつければいいのかわからなかった。

そんなある日、キャロウェイが仕事から帰ると、サンドラはきちんと服を着ていた。髪を洗って櫛でとかし、化粧もしていた。上機嫌にすら見えた。

「気分がよくなったのかい？」彼はこわごわ呼びかけた。

「ずっとよくなった。時間はかかったけれど。そう言ったでしょう。でも、こんなことで自分を破滅させるわけにはいかない」

「その言葉が聞きたかった」

「乗り越えるために精いっぱい頑張るわ。これ以上悪くならないようにしないと」

彼女はその夜、ベッドでも試そうとしたが、数分であきらめ、そっと泣いた。キャロウェイは彼女の背中を撫で、何か言うのを待った。しばらくして彼女は言った。「今では男はみんな一緒に思えてしまうの。あいつのせい。そのたびにあいつのことを考えてしまう」

「サンドラ、そんなふうに考えたらだめだ」

「考えてしまうの」

しかし数週間が過ぎていくうちに、状況はよくなっていった。そしてある晩、サンドラは彼に銃の撃ちかたを教えてほしいと頼んだ。

「どうして?」

「ああしたことがわたしの身に二度と起きないように」

「ぼくは拳銃を持っていない」

「わたしが持ってるわ」

サンドラは不格好でずんぐりした、短銃身の三八口径を彼に見せた。まだ真新しく、その青さが蛇の皮のようにぎらついている。

「そうか」彼は言った。「そうか、きみは拳銃を持っているわけだ。本物のピストルを。いったいどこで手に入れたんだ?」

「買ったの。今日の午前中に。今度のことがあってから、これほど気分がよくなったのは初めて」

「あの男を追いつめて殺すつもりか?」

「いいえ。それにはもう遅すぎる。あんな男のせいで、わたしの人生をこれ以上狂わせるつもりはない。あいつを殺して裁判にかけられるなんて、まっぴらごめんだわ。でも、どんな男にも二度とあんなことはさせない。残りの人生をおびえながら暮らしたくない」

「空手を習う方が賢明だと思わないか？　女性が身を守りたいときには、そういうことを考えるものじゃないか？」

「わたしは体が小さいし、運動神経が抜群というわけでもない。空手の能力に自信が持てそうにない。でも、これがあれば」彼女は不吉に輝く拳銃を顎で示してみせた。「引き金を引けばいいだけ。それができる自信はある」

「サンドラ、本当にいい考えなのかな？」

「わたしはやるわ、ダン。決めたの。この拳銃はわたしのもの。撃ちかたを学ぶつもり。あなたは海兵隊とかにいたから、教えてもらえると思った。いやなら別の人を探すわ」

「きみの方がずっとうまくなるかもしれない。ぼくは銃をひと通り扱えるといった程度でしかないから。でも、ぼくが教えるよ」

彼女はおぼえが早かった。ふたりは一カ月間、毎日百発ずつ撃った。そして夕方早くに室内射撃場を出た。アトランタの普通の夫婦が仕事のあと一杯やってから夕食に出かけるのと同じように。一日のそんな時間に、耳の奥で銃声の残響が鳴り、両手に火薬の匂いをつけて家に帰るたび、キャロウェイは奇妙な気分になった。本当は他の夫婦たちのように夕食に出かけたかった。しかし、サンドラは射撃にはまっていた。

夜になると、彼女はベッドに入る前に拳銃を念入りに掃除し、油をさし、シリコンの布でしっかりとくるんだ。「そのうちきみは、それをベッドにまで持っていくようになるよ」ある夜キャロウェイは言った。

「拳銃って怖いくらい魅力的ね、そう思わない？」彼女は言った。

「どんなふうに？」

「デザインと機能の調和。これこそ真の効率よ」

「ぼくはそれほど惹かれないな」

「信じられない。拳銃の魅力には逆らえないわ」

やがてふたりは森で練習をするようになった。そこでサンドラは腰だめでの撃ちかたや、早撃ちを学んだ。古い土取場で砂利の壁を向いて立ち、拳銃をゆるく握った小さな手を脇に垂らす。彼が予告なしで彼女の前にブリキの缶を放り投げる。缶が地面に落ちるのと同時に、彼女は銃を撃つ。最初の腰だめでの一発が缶にあたらなかったら、拳銃を上げて狙いを定め、あたるまで撃つ。数日のうちに、最初の一発のうち半分は標的にあたるようになった。三発目を撃つ必要があることはほとんどなかった。

「すぐに出かけられる？」ある日の午後、彼が家に帰るなり、彼女はたずねた。

「サンドラ、今のきみなら蚊の目だって撃ち抜けるよ。もうこれ以上練習の必要はない」

「あなたの言う通りかも。あなたはとても優秀な先生だわ」

「きみこそ熱心な生徒だ」彼は言った。「そいつをバッグに入れて持ち歩いているのかい？」

「どこに行くときも」彼女は答えた。

「いやはや。注意するんだぞ。銃の被害者の多くは、誤って撃たれているんだ」

「絶対にそんな間違いはおかさない」

キャロウェイは、かつて一年半にわたってM一六自動小銃を担ぎつづけたことがあった。ついにはそれが十八ポンドのプラスチックと鋼鉄でできた自分の腕の延長としか感じられなくなった。また、ある夜ジャディンでは、一人の射手がM六〇機関銃の銃身を焼き尽くすまで撃ちつづけるのを見ていた。十二番径の散弾銃を持った、酔いつぶれかけた男たちでいっぱいの鳩の狩り場に入ることも、熱心な鹿狩りがたくさんいる森に入っていくことも、何とも思わなかった。それにダナンではある夜、逆上している砲兵長から四五口径の軍用銃を取り上げたこともあった。彼にとって銃は、斧ほどには怖くないものだった。けれども自分の妻が短銃身の三八口径をバッグに入れて町を歩いていることを考えると、猛烈に気分が悪くなった。

キャロウェイはパーティでスコギンズに出くわした。ハーマン・タルマッジ（ジョージア州選出上院議員）のための慈善パーティでのことだ。「小さな集まりだ」キャロウェイのパートナーが言った。「〝ヒューマン〟に、どれだけのアトランタ市民がウォーターゲート委員会での彼の働きぶりを評価しているか見せたいんだ。それと……寄付を数千ドル集めたい。あのけちがそれを自分のものにしようとしないといいが」

彼は気が進まなかったが、サンドラが行くと言い張った。彼女は毎日聴聞会を見ていて、メロドラマのファンがレギュラー出演の俳優に夢中になるように、上院議員たちに入れあげていたのだ。「ハーマンのことはそれほど好きじゃない」彼女は言った。「彼は地元出身だからかもしれない。サム上院議員と、彼のキュートでかわいいアシスタントが好きなの。ルーファス・

エドミストン。それにモントーヤは最高よ。彼の追っかけはわたしひとりかも」

それでふたりは、ハイアット・リージェンシーの広い舞踏室まで足をはこんだ。キャロウェイは十箇所にあるバーの一つで飲み物をもらった。ベビーフードの容器ほどの大きさのグラスだった。彼は最初に顔を合わせた人たちの会話に加わった。あちこちまわって社交にいそしむ気など、はなからなかった。

出席者のほとんどは、アトランタの政治関係者たちだった。フルタイムの活動家もいて、キャロウェイはそのほとんどを知っていた。このパーティは彼らの準備によるものだった。彼らは退屈していたが、気配りは怠らなかった。招待客のなかには、純粋に政治に関心を抱いていて、どれほど退屈なボランティア仕事でも引き受けてくれる熱烈な支援者がいるのだ。ただそうした連中は決まって議論好きなので、キャロウェイは彼らを避けるようにした。部屋には大口の献金者も何人かいて、少し離れて超然と立ち、パーティを自分の所有物のように眺めていた。新しい南部についてあれこれ語られているが、政治への執着は昔と同じままだ。キャロウェイはそんなことを思った。かつてより泥くささは減ったが、えげつなさと腐敗の実像はまったく変わっていない。

キャロウェイは並んで立っている主催者たちを避けたが、サンドラはお気に入りの番組のスターたちに触れたくて挨拶の列に並んだ。キャロウェイはあとで会おうと言って、バーに戻った。

するとスコギンズが目の前にいた。キャロウェイは最初、その小柄な男に気づかなかった。

彼の頭越しに、忙しそうなバーテンダーと目を合わせようとした。それからスコギンズが振り向き、キャロウェイは殺したいと思ってきた男をまじまじと見つめた。

「よう、ちびすけじゃないか」彼は言った。「儲かってるか？」

「どこかでお会いしましたか？」スコギンズは酔っ払いにからまれたと思ったようで、むっとして答えた。

「あんたはおれの女房をよく知ってる」キャロウェイが言った。

「どうやら人違いのようですね」スコギンズはそう言って、彼の脇をすり抜けようとした。

「人違いじゃないぞ、ちびすけ」キャロウェイはスコギンズのネクタイをつかむと、チェンソーの起動紐のように引っ張った。スコギンズはよろけてグラスを落とした。まわりにいた人たちがすっと離れた。キャロウェイは相手を正気づかせるかのように、その顔を二度平手で打った。「おれの女房をレイプした男のために、たいした仕事をしてくれたじゃないか。彼女をふしだらな女に仕立て上げて」

「いいか」スコギンズが言った。「こんなことをして――」

キャロウェイは、相手の脇腹にピストンのように小刻みに短いパンチを何発もくり出した。それから手を後ろに引いて、同じ場所をもう一度殴った。数秒のあいだに小柄な男の体の同じ場所を十回殴った。サンドバッグを殴るように。スコギンズの膝が崩れかけると、ネクタイをつかんで強引に引き起こし、また殴った。

スコギンズの顔から血の気が失われ、恐怖のせいで灰色でうつろな表情になった。彼は自分が怪我をしていることがわかっていた。キャロウェイが殴るのをやめず、殺されるかもしれないと気づいておびえていた。その顔に本物の絶望が浮かんだ。卑屈に許しを乞う表情になった。

すべては数十秒ほどのあいだの出来事だった。女性の悲鳴が聞こえ、キャロウェイが手を離すと、小男はその場に崩れ落ちた。数人の男が止めに入りかけたが、キャロウェイの顔を見るとあとずさった。かつてキャロウェイは、同じような光景を見たことがあった。あの日、老人が野球のバットで若い海兵隊員の耳のあたりを殴った。その場には隊員の仲間が六人いて、その誰もが老人より体格がよく、しかもどの三人を組み合わせて足した年齢よりも老人の方が高齢だったというのに、気圧《けお》されて誰も手を出せなかった。

キャロウェイは部屋を出て車に向かった。誰も彼を呼びとめなかった。会場は広く、出席者のなかで騒ぎを目にしたのはごくわずかだった。そしてサンドラは部屋の反対側にいた。それでも、誰かが彼女にこの出来事を話すはずだ。彼は自分の車のボンネットに腰かけて彼女を待った。

「どうして頭のからっぽなカウボーイみたいに、いちいちしゃしゃり出たがるの?」サンドラはまくしたてた。「こんなことは望んでいない。必要ないの。あなたは自己満足のためにしているだけ。やめないなら、わたしは出ていくわ」

彼女は両手を腰にあてて彼をにらみつけた。「本気よ」

キャロウェイは立ち上がって言った。「わかった。さあ、帰ろう」怒りはすでに消えていて、今では冷静な気分だった。

彼はサンドラのためにドアを開けたが、彼女が乗り込もうとしたとき、スコギンズが三十フィートほど離れたところで自分の車の近くに立ち、痛めた脇腹に手をあててかばいながら怒鳴りはじめた。

「いいか、わたしはこれから病院に行く。おまえはまずその費用を支払うことになる。おまえを訴えて、たっぷり賠償金を請求してやるからな。あんたの奥さんは、いよいよ本当に働かなければならなくなるだろう」

キャロウェイは彼の方に向かいはじめた。サンドラが言った。「やりなさい、ダン。でも、そのときは守ろうにもわたしはもういないわ」

「奥さんの言うことを聞くのが身のためだぞ。さもないと刑務所行きだ。奥さんの世話どころじゃなくなるからな」

「まだやられ足りないようだな、この野郎」キャロウェイが言った。

「ダン、車に乗って。これが最後のチャンスよ」

「言う通りにした方がいい」スコギンズが言った。彼は叫ぼうとしていたが、声が出なかった。ひどくつらそうだった。痛みがはしって顔をゆがめた。

「つづきは次のときだ」キャロウェイはそう言って車に乗った。そしてエンジンをかけた。

「待って」サンドラが言った。

彼女はスコギンズが身をかがめてコルベットに乗り込み、エンジンをかけ、ギアを入れるのを見つめた。そして彼の車が駐車場の出口への車線を進みはじめたところで、ドアを開けてアスファルトに降り立った。彼女は拳銃を構え、スコギンズの車を狙った。

「サンドラ！」キャロウェイが叫んだ。

サンドラは両脚を開いてアスファルトを踏みしめ、肘の位置を決め両腕を前に伸ばした。拳銃をしっかり構え、標的を狙いさだめたその目は冷静に銃身を見つめていた。

彼女は引き金を引き、拳銃が跳ね上がった。キャロウェイの耳に銃声がこだました。銃弾は後部の大きなタイヤにあたり、コルベットは横にすべった。サンドラはもう一発撃ち、今度の弾は反対側のタイヤに命中した。コルベットは尻を振って、彼女と向き合う格好になった。彼女はつづけて冷静に左右の前輪を狙って撃ち、スコギンズはわめきながらハンドルの下にもぐり込んだ。四発でタイヤ四本、とキャロウェイは思った。悪くない。

サンドラはキャロウェイを見て微笑んだ。「ねえ、もしこれがマグナムだったら、あの腰抜けのエンジンを一発でぶち抜けたわ」

キャロウェイはもう何年も感じていなかったような安堵をおぼえ、声をあげて笑った。かつて、間違いなく死ぬと覚悟したが、死ななかったとき以来のことだ。「さてと」しばらくして彼は言った。「逮捕されるのをここで待つのもいいし、まずは家に帰って一杯やるのもいい。どちらにしても、手錠をかけられるだろうな」

「逮捕なんてされないわ」サンドラはそう言って、コルベットまで歩いていった。「何も言わないわよね、おちびちゃん？」彼女は、体を起こして座っているスコギンズに呼びかけた。彼の頬には涙の筋が残っていた。「何か言ったら、またあなたをやっつける。今度はあなたを撃つかも」

サンドラはそう言いながら微笑んでいた。

スコギンズは何やらつぶやき、それからとても大きな声で言った。「いかれてる。あんたらふたりともだ」

「どうなの？」サンドラは険しい声で言った。彼女はまだ手に拳銃を持っていた。

「さっさと行ってくれ、お願いだ」

「わたしたちとは会ってないわね？」

「ああ、一度も会ってない」

「そう、それならいいわ」サンドラは晩餐会のあと客を見送る女主人のように甘い声で言った。

「さよなら、ミスター・スコギンズ」

ふたりは夜の街を飾りつけ、他の人々の存在を示している幾千もの光の点には目もくれずに、家まで車を走らせた。ふたりが大切に思うことのすべては、車のなかにあった。あの強姦事件のあと、数週間前にはジョージアの深い森のなかでさえ感じることができなかったのに、今はふたりだけの一体感に包まれていた。

「あいつを撃つかと思った」

「まさか。あいつにそんな価値はない。仕返ししたかった、ただそれだけ」

「死ぬほど怖かったよ」

「ダン、どうしてもっとスピードを上げてくれないの？　この気持ちが薄れてしまう前に家に帰りたい。この感情を車のなかに残したくない」

「暴行と殺人未遂だけじゃなく、スピード違反と乱暴運転もやらかすのか」

「とにかく急いで」

後方に明滅する青い回転灯は現れなかった。彼らは何ものにも止められないという全能感にひたりながら、ドライブウェイに車を入れた。

ふたりがベッドに入る直前、サンドラが言った。「レイプされたことも、そのあとの不愉快な出来事も嬉しくないけれど、これだけは言っておくわ。もう二度とおびえることがないってわかっているのは、とても気分がいい」

キャロウェイはそれほど簡単ではないことを知っていたが、彼女と言い争うべきではないこともちろんわかっていた。


（門野集訳）

# またあの夜明けがくる

パトリシア・ハイスミス

Those Awful Dawns　一九七七年

パトリシア・ハイスミス Patricia Highsmith（一九二一―九五）。アメリカの作家。一九四六年に短編が雑誌に掲載されてデビュー。第一長編『見知らぬ乗客』（一九五〇）がアルフレッド・ヒッチコック監督により映画化され一躍人気作家となる。第三長編『リプリー』（一九五五）もアラン・ドロン主演の映画『太陽がいっぱい』が大評判となった。六三年にはヨーロッパに移住、最晩年まで健筆をふるった。そのほかの代表作に『殺意の迷宮』『キャロル』、短編集『11の物語』『世界の終わりの物語』など。本編の初出はアンソロジー『またあの夜明けがくる』*Winter's Crimes 9*（一九七七）。

エディは怒っていながらも、どこか上の空でうつろな顔をしていた。視線はダブルベッドの横にうずくまって泣きわめいているフランシーに向けられている。よろめいてベッドにぶつかり、転んだのだ。

「どうにかしてよ」ローラは電気掃除機を持ったまま、その場を動かずに言った。「あたしは忙しいんだから！」

「なに言ってるんだ。おまえのせいだろ！　だったら、おまえが黙らせろ」

ローラは掃除機を放り出して頬から血を流しているフランシーのほうへ向かいかけたものの気を変えて戻り、プラグを抜いてコードを掃除機に巻きつけて片づけ始めた。今夜ひと晩、部屋が汚かろうが知ったことではない。

ほかの三人の子どもたち——もうすぐ六歳になるジョージー、四歳のヘレン、三歳のスティーヴィーはぽかんと口を開けて母親を見つめていた。

「切れているじゃないか、ばか野郎！」エディは赤ん坊の頬にタオルを当てた。「こりゃあ、縫わなきゃだめだ。ほら、見てみろ！　なにをした？」

ローラは答える気になれず、黙っていた。すごく疲れていた。男ども——エディの友だち

――が今夜九時にポーカーをしにくる。夜食用のレバーペーストとハムのサンドイッチを少なくとも二十個は作らなければならない。エディは一日じゅう寝ていて、午後七時になってようやく起き出し、服を着たばかりだ。

「病院に連れていくのか？　どうするんだ？」エディの顔はシェービングクリームで半分覆われていた。

「また連れていったら、あんたがいつもフランシーを殴ってるって、みんなが思うわよ。ま、だいたいそんなもんだけど」

「ふざけるな。今夜は違うだろ。それに、〝みんな〟って誰だ？　言ってみろ。くだらねえ！」

二十分後、ローラは西十一丁目にあるセント・ビンセント病院の待合室にいた。椅子のまっすぐな背もたれに頭を乗せて首を反らし、軽く目を閉じた。先客が七人いた。三十分ほど待ってもらいますよ、でも少し出血しているのでなるべく早く診てもらいます。看護師はそう告げた。言い訳はもう考えてある。転んで、掃除機のまんなかの留め金にぶつけたみたいです。留め金に当たったのは、本当だ。もっとも、フランシーが留め金をはずそうとしたので、故意に掃除機を振って当てたのだ。転んでぶつけても同じ傷ができるだろう。

ハドソン通りのアパートメントから四ブロックのところにあるこのセント・ビンセント病院にフランシーを連れてきたのは、これで三度目だ。最初は鼻の骨が折れたとき（エディのせいだ、エディの肘が原因だ）、二度目は耳からの出血が止まらなかったとき。その次に腕を骨折したときは、エディやローラが連れてきたのではない。ふたりとも、フランシーが骨折しているのを知らなかった。わかるはずがない。目に見えないのだから。もっともちょうどそのころ、どこでどうしたのか見当もつかないが、フランシーの目の周りに青あざがあったため、ソーシャルワーカーがやってきた。近所の人――一階のミセス・コヴィーニに違いないとローラは睨んでいる――が通報したに決まっている。いまいましい。ミセス・コヴィーニはまさにイタリア人のおっかさんといった感じで、でっぷり太り、いつも黒い服を着て子どもをぞろぞろ引き連れている。神経が太く、子どもは天からの贈り物、世にも稀な貴重品とばかりに、しょっちゅう抱きしめてはキスをする。ミセス・コヴィーニのような人たちはたいていが専業主婦であることに、ローラは以前から気づいていた。ローラはダウンタウンの六番街にあるレストランで週に五日、夜にウェイトレスをしている。加えて、朝六時に起きてエディのベーコンエッグと昼の弁当を作り、とっくに起きていた子どもたちに食事を与え、そのあと一日じゅう相手をする。たくましい牡牛でもくたくたになって当然だ。とにかく、ミセス・コヴィーニがこそこそ嗅ぎまわったせいで、身の丈がゆうに五フィート十一インチ（約一メートル八十センチ）はある大女が三度も小言を言いにきた。驚くほどぴったりした名前の持ち主で、ミセス・意地悪《クラブ》という。「四人の子どもは手に余るでしょう……きちんと避妊をしているの、ミセス・リーガン？」バカじゃない？　高校の授業で代数の問題を前にしたときと同じくらいうんざりして、ローラはまっすぐな背もたれに乗せた頭を左右に振ってうめいた。ローラとエディは教えを実践するカトリック教徒だった。自分ひとりならピルを使いたい気もするが、エディは頑として承知しない。皮肉なものだ、自分ひとりならピルは必要ない。ミセス・クラブはその件に関しては口出しをあきらめたので、少なくともある程度の権利と自主性は確保でき、いくぶん気がすんだのだった。

「次、どうぞ」看護師が微笑を浮かべて手招きした。

若いインターンは口笛を鳴らした。「なんでまた、こんな怪我を？」

「転んで、掃除機で打ったのよ」

消毒。縫合。待っているあいだに眠ってしまったフランシーは麻酔注射を打たれて目を覚まし、治療を受けるあいだずっと泣き叫んでいた。インターンは、弱い鎮痛剤を仕込んだキャンディーをフランシーに与え、看護師になにやらささやいた。

「このあざはどうしたんです？」と、ローラに尋ねた。「両腕にできていますよ」

「ああ、それ――どこかにぶつけたのよ。家のなかで。あざができやすくて」三、四ヶ月前に診察したのは、このインターンだっけ？　違うと思うけれど。

「ちょっと待っていてください」

看護師がカードを持って戻り、インターンと一緒に確認していく。

「うちの理学療法士が定期的に伺っていますよね、ミセス・リーガン？」看護師は訊いた。

「ええ」

「次の予約はしてありますか？」

「はい、たぶん。家にメモがあると思うわ」ローラは出まかせを言った。

あくる月曜日の午後七時四十五分、ミセス・クラブが突然押しかけてきた。帰宅したばかりのエディは、ちょうどビールの缶を開けたところだった。エディは建設労働者で、日の長い夏のあいだはほぼ毎日、残業をする。帰宅すると流しに直行して濡れたタオルで体を拭き、ビールの缶を開けて、オイルクロスのカバーをかけたキッチンテーブルにつく。

ローラは六時に子どもたちの食事をすませ、ベッドに追いやろうとしていた。ミセス・クラブが現れたのは、そんなときだった。エディは彼女を見るなり悪態をついた。

「邪魔をして悪いわね」ミセス・クラブは心にもないことをぬけぬけと言った。「みんな元気かしら?」

フランシーの顔の包帯はじっとり湿り、卵の黄身がついていた。包帯を取ったり触ったりしてはいけないと病院で指示されたのだ。ミセス・クラブはエディとローラをキッチンテーブルにつかせて、説教を始めた。

「……おそらく自覚しているでしょうけれど、あなたたちはふたりとも幼いフランシーを鬱憤《うっぷん》のはけ口にしているのよ。鬱憤が溜まると壁を殴る人もいれば、夫婦喧嘩をする人もいる。あなたたちの場合はフランシーに手を上げる。そうよね?」作り笑いをして、ローラとエディを交互に見た。

エディは顔をしかめて、紙マッチを握りつぶした。ローラはもじもじして、黙っていた。ミセス・クラブの言うとおりだった。フランシーが生まれる前は、スティーヴィーを少々頻繁にひっぱたいていた。三人目の子どもは欲しくなかったし、いまミセス・クラブが指摘しているように、この狭いアパートメントではなおさらだった。そして、フランシーは四人目だ。

「……だけどフランシーが生まれて——ここでは……」

どうやら、ミセス・クラブは避妊について触れるつもりはないらしい。ローラはほっとした。エディはビールを飲んでいるところを見つかってばつが悪そうだが、自分の家でなにを飲もうが勝手だとも言いたげにちびちび飲んでいる。いつ怒りを爆発させてもおかしくない。

「……もっと大きなアパートメントを考えてみてはどう？　部屋が広ければ、ストレスが減って……」

エディはやむなく経済的な事情を説明した。「まあ、そこそこ稼いではいるけどね。リベット工なんで、技術を持っている……だけど、生活費がかかるだろ。広い家を探す気はないな。当分は」

ミセス・クラブは顔を上げて、じろじろと室内を見た。パーマのかかった黒い髪は、かつらのようにきっちり整っていた。「すてきなテレビね。買ったの？」

「ああ、これもまだ月賦《げっぷ》を払っている最中なんだ」エディは言った。

ローラは気が気ではなかった。エディの百五十ドルもした腕時計も月賦が残っているが、いま腕に嵌めているのは、さいわい仕事に行くときにつける安物のほうだった。

「ソファと肘掛椅子は新品のようだけど……これも買ったの？」

「そうだよ」エディは椅子の上でそっくり返った。「ここは家具付きだけど、あんたも見てみりゃよかったんだ」鼻で嗤《わら》って、ソファのほうへ身振りした。

ローラも加勢した。「もともとあったのは、赤いプラスチックのおんぼろだったの。あれに座るなんて考えられない」お尻が痛くなる、とつけ加えてもよかった。

「広いところに越したときは持っていくから、買わずにすむ」エディはソファと肘掛椅子のほうに顎をしゃくった。

ソファと肘掛椅子には、ベージュに薄いピンクと青の花模様が散ったビロード地が張ってあった。買って三ヶ月足らずだが、子どもたちのこぼしたチョコレートミルクやオレンジジュースのしみが点々とついている。床で遊びなさい、とローラがいくら怒鳴っても、子どもたちは言うことを聞かずに椅子やソファに上る。問題は、どちらも月賦が終わっていないことで、快適さや見た目のよさを歯牙《しが》にもかけないミセス・クラブは、その点を突いてきた。

「ほとんど払い終わっている。来月が最後なんだ」

それは事実ではない。二ヶ月滞納したので、あと四、五回ぶん残っているはずだし、もう少しで十四丁目の家具店に持っていかれそうになったのだ。

ミセス・クラブは分割払いについてひとくさりぶった。必ず一括払いで買いなさい。それができないなら、身の丈に合わない買い物なのよ。ローラも怒りが爆発しそうになったが、はい、はい、とおとなしくうなずいておいた。こうしたおせっかい焼きには、それがいちばん。そうすれば、もう来ないかもしれない。

「……フランシーにこんなことを続けていると、そのうち法的措置が取られるわよ。嫌でしょう？　フランシーがよそに連れていかれてしまうのよ」

ローラは少しも嫌でなかった。

「どこ？　どこに連れてくの？」ジョージーがパジャマのズボンだけ穿いて、テーブルのそばに立っていた。

帰りかけていたミセス・クラブは、ジョージーに目もくれなかった。

彼女が出ていくと、エディは口汚くののしって腰を上げ、ビールをもうひと缶取り出した。

「プライバシーをさんざん侵害しやがって！」冷蔵庫のドアを蹴飛ばして閉めた。

ローラはげらげら笑った。「あのおんぼろソファ！　覚えてる？　まったくねえ！」

「取っときゃよかった。意地悪婆が座ったらケツの骨が折れたぜ」

その夜の十二時近くに、スーパーバーガーとコーヒーカップを四個ずつ載せた重たい盆を運びながら、ローラはこの五日間考えないようにしていたあることを思い出した。丸々五日間も忘れていたのが、信じられなかった。いまはもう、ほぼ確実だ。エディが知ったら、きっと激怒する。

翌朝九時きっかりに、ローラは一階の新聞店からドクター・ウィーブラーに電話をかけ、急を要すると伝えて、十一時十五分の予約を取りつけた。医者に行くためにアパートメントを出たとき、ミセス・コヴィーニはホールで自宅前の白いタイルにモップをかけていた。悪い予感がした。いまや、ミセス・コヴィーニとは口も利かない仲だ。

「中絶は簡単にするものではありませんよ」ドクター・ウィーブラーは肩をすくめて、いつもの尊大な微笑を浮かべた。「あなたの責任でしょ、こっちは医者で男なんだよ」と言わんばかりだ。口に出しては、こう言った。「その気になれば、こうならずにすんだ。中絶は認められないな」

　だったらほかの医者に頼むわよ、とローラは次第に怒りが募ってきたが、努めて表に出さず、おだやかに言った。「先生、主人もあたしも教えを実践するカトリックです。前にも話しましたよね。とくに主人は――だからこういう結果になってしまう。でも、もう四人いますし、なんとかお願いできませんか」

「教えを実践するカトリックが、いつから中絶を希望するようになったんですか。だめですよ、ミセス・リーガン。ほかの医者を紹介することはできますけどね」

　最近、ニューヨークでは中絶手術を簡単に受けられるようになっていた。「お金を工面したら――手術代はどのくらいですか？」ドクター・ウィーブラーにいつも診てもらうのは、安いからだった。

「金の問題ではないんだ」ウィーブラーはそわそわしていた。患者が何人も待っている。

　ローラは自信がなかったが、訊いてみた。「ほかの人には中絶手術をしているのに、なぜあたしはだめなんですか？」

「ほかの人？　母体に危険がある場合は、別ですよ」

　結局、埒が明かず、現金払いの診察代七ドル五十セントで手に入ったのは、ネンブタール三ミリグラム錠（バルビツール酸系の強力な睡眠薬）の処方箋だけだった。その夜、エディに打ち明けた。先延ばしにすれば三十分に一回は思い出して悶々とするのは経験上わかっていたから、さっさとすませたほうがましだった。

「ええっ！　まいったなあ！」エディはどすんとソファに腰を落としてのけぞり、間の悪いことにスティーヴィーがちょうど伸ばした手を押しつぶした。

大きな泣き声が上がる。

「うるさい！　黙れ。死ぬわけじゃないだろ！」エディはスティーヴィーに怒鳴った。「どうする？　どうすりゃいいんだよ？」

ほんと、どうしよう。ローラは思案した。流産するしか手はないが、これまで一度もしなかった。階段から落ちれば、流産するだろうか。でも、そんな勇気はない。少なくとも、いまのところは。スティーヴィーのすさまじい泣き声が延々と続いている。ホラー映画顔負けだ。

「もうっ！　スティーヴィー、静かにして！」

今度はフランシーが泣き出した。まだ食事を与えていなかった。

「飲みにいってくる」エディは宣言した。「どうせ、うちに酒はないんだろ」

訊くまでもない。買ってもすぐに飲んでしまい、買い置きなどあったためしがない。出ていこうとするエディに、ローラは声をかけた。「なにか食べてからにしたら？」

「いらない」エディはセーターを着た。「考えたくないんだよ。少しのあいだ、忘れていたいんだ」

十分後、フランシーの口にマッシュポテトを押し込んで哺乳瓶（カップよりも汚さない）を持たせ、あとの三人にはフィグニュートン（クッキー）を箱ごと渡して、ローラも外出した。向かった先はハドソン通りを南に下った、夫が来ないとわかっているバーだった。さいわい、今夜は週に二度ある休みの日だ。ビールをチェイサーにして二杯目のウィスキーサワーを飲んでいると、感じのよい男が話しかけてきて二杯おごってくれた。四杯目になったときはすっかり気分がよくなって、バースツールに座って鏡張りの酒棚に映る自分をちらちら見ていると、あたしだって捨てたもんじゃないと思えてきた。人生をやり直せたらいいのに。結婚生活、エディ、子どもたちもなかったことにできればいいのに。すっきり身軽になりたい。

「おい、あんたに訊いているんだよ。結婚は？」

「してないわ」ローラは答えた。

そのあと、男はアメリカンフットボールの話ばかりした。きょうは賭けに勝ったと言う。ローラは思いにふけった。そう、前は結婚生活に愛や夢があった。エディの稼ぎがたいしたことないのはわかっていたが、人並みの暮らしはできそうだったし、あたしは決して金遣いが荒いほうではない。なのに、なぜこれほど懐が苦しいのだろう。子どもたちのせいだ。お金が入るそばから消えていく。エディがカトリックだから、カトリックと結婚すると――

「なあ、少しはおれの話を聞けよ！」

ローラは知らん顔をして物思いを続けた。かつては夢があった。とりわけ、愛と幸福に満ちた、エディと自分のためのすてきな家を持つという夢が。それがいまでは赤の他人が家に入り込んできて、あたしを責める。ミセス・クラブだ。よくわかっているだろうに。朝の五時に泣きわめく子どもに起こされるのが、どんなものなのか。やっと二時間ほど眠ったところをステイーヴィーかジョージーに顔をつつかれ、おまけに体の節々が痛むのが、どんなものなのか。そうしたとき、あたしやエディは子どもたちに手を上げる。そうした、みじめな夜明けに。気がつくと、涙がこぼれそうになっていた。そこで、男の切りがないフットボールの話に耳を傾けた。

家まで送ると男は言い張り、ローラは逆らわなかった。どのみち、酔いがまわって足元がふらつき、男の腕が必要だった。アパートの玄関前で男に告げた。母親と暮らしているのでひとりで上に行かなければならないの。男はなれなれしく口説いてきたが、ローラは男を押しのけてドアを閉め、鍵をかけた。三階に着く少し手前で、階段を上る足音がうしろで聞こえた。さっきの男が押し入って追ってきたのかと思ったら、エディだった。

「よお、どうしてた?」飲んだくれたエディは、あっけらかんと言った。

子どもたちは冷蔵庫を漁っていた。月に一度くらい、こうした悪さをする。エディはジョージーの襟首をつかんで放り投げ、冷蔵庫のドアを閉めた。その拍子に、散乱していたインゲン豆に足を取られて転びそうになった。

「おい、ガスが出ている。大変だ!」

ガス栓が全部、開いていた。気づくと同時に、ぷんと臭った。ガスが充満している。エディは栓を次々に閉め、窓を開けた。

ジョージーの泣き声を聞いて、あとの三人もいっせいに泣き出した。

「黙れ! 黙れ!」エディがわめく。「なんなんだ、こいつら。腹が減っているのか? 食わせてないのか？」

「食べさせたわよ！」

エディが戸口の脇柱にぶつかって、スローモーションのようにゆっくり横滑りして尻餅をついた。四歳のヘレンが笑い声を上げ、手を叩いて喜ぶ。スティーヴィーもくすくす笑った。エディは家族全員をののしって、セーターをソファに向かって投げつけたが、的をはずれた。ローラは煙草に火をつけた。ウィスキーサワーの酔いがまだ残っていて、いい気分だった。

浴室でガラスの割れる音がしたが、ローラは眉をちょっと上げただけで煙草を吸い続けた。フランシーをベビーベッドに縛りつけておこう。そう思い立っておぼつかない足取りで、部屋の隅でうずくまっている赤ん坊のほうへ行った。薄汚れた人形みたいだ。ベビーベッドと、あとの三人が共用しているダブルベッドは、ベッドルームに置いてある。あの部屋はベッドに占領されている。まさにベッドルームだ。首のうしろで結んだよだれかけの紐をつかんで引っ張り上げたとたん、フランシーはげっぷをし、どろりとした液体がローラの手首にかかった。

「ぎゃっ！」ローラは赤ん坊を床に放り出し、顔をしかめて手を振った。

床で頭を打ったフランシーが、金切り声を上げる。エディは朝の数分を惜しんで夜にひげを剃る。いまも上半身裸になって流しの前で剃っていたが、ローラは夫を押しのけて手を洗った。

「おまえ、酔ってるな」

「だから、なんなのさ！」ローラは赤ん坊のところへ戻って、揺さぶった。「うるさい！　黙れ！　なんであんたが泣くのよ？」

「アスピリンをやっとけよ。おまえも飲んどけ」

ローラはエディに悪態をついた。今夜ベッドのなかで迫ってきたら、突き飛ばしてやる。さっきのバーに戻ろうかと思った。あの店は午前三時まで開いている。ふと気がつくと、フランシーの顔にクッションを押し当てて、黙らせようとしていた。ミセス・クラブの言葉が頭に浮かんだ――フランシーは標的になっている――標的？　あたしとエディの鬱憤のはけ口だ。たしかに、ほかの三人よりもフランシーに対して手を上げることが多い。でもそれは、フランシーがほかの三人よりもよく泣くからだ。その思いにつられたかのように、フランシーの頬を力いっぱいひっぱたいた。ヒステリーにはこうして対処すると決まっている。フランシーはいったん泣き止んだものの、すぐにいっそう激しく泣き出した。

階下の部屋の住人が天井を叩いている。箒の柄を使っているのだろう。ローラはお返しに床を三度踏み鳴らした。

「おい、ガキを黙らせないと……」エディは言った。

ローラはクローゼットの前で服を脱いだ。ナイトガウンを羽織って、部屋履きにしている古い茶のローファーをつっかける。浴室に行くと、エディの落とした歯磨き用のコップが割れていた。掃くのは面倒だから、破片を脇に蹴飛ばした。そうそう、アスピリン。瓶を手に取ったものの、蓋を開ける前に落としてしまった。ガシャン！　錠剤が床一面に散らばった。黄色の錠剤。アスピリンじゃなくネンブタールだ。あーあ、あした掃き集めて拾っておかなくちゃ。ローラはアスピリンの瓶を開けて二錠飲んだ。

エディは腕を振りまわし、怒鳴り散らして子どもたちをダブルベッドへ追いやっていた。今夜エディがローラの役目を買って出たのは、子どもたちがひと晩じゅう走りまわって、自分たちの邪魔をしないようにするためだ。

「ベッドから出たらぶん殴るぞ！」

ドン、ドン、ドン。また、床が鳴った。

ローラはもうひとつのダブルベッドに倒れ込み、目覚まし時計のアラームで目を覚ました。エディがうめいて、もぞもぞとベッドから這い出す。エディがやかんを火にかける音がするまでのわずかなあいだ、ローラはベッドの感触を楽しんでいた。もう少ししたらインスタントコーヒー、オレンジジュース、ベーコンエッグ、子どもたち用の温かいインスタントシリアルをテーブルに並べなくては。昨夜のことを思い返した。ウィスキーサワーを何杯飲んだのかしら？　たしか五杯、それにビールを一本。アスピリンを飲んでおいたから、二日酔いは心配ないだろう。

「おい、ジョージーが変だぞ」エディが怒鳴った。「おいおい、なんだ、このざまは！」

「いま、掃くわよ」ローラは思い出して、ベッドを出た。

エディは浴室のドアの前で、倒れているジョージーのそばにかがんでいた。

「それ、ネンブタールだろ？」エディは言った。「ジョージーのやつ、食っちまったんだ！　ほら、ヘレンも！」

ヘレンはシャワーの横で倒れていた。

エディはヘレンを揺さぶって大声で呼びかけ、目を覚まさせようとした。「大変だ！　ふたりとも意識がない！」ヘレンの腕をつかんで浴室から引きずり出し、ジョージーを抱き上げて流しに連れていく。小麦の袋であるかのようにジョージーを抱え、濡らした布巾で顔や頭を拭いた。「医者を呼んだほうがいいかな？　なにをぼんやりしてる！　ヘレンを寄越せ」

ローラはヘレンを渡したあと、着替えをした。ローファーはつっかけたままにした。ドクター・ウィーブラーに電話しなくちゃ。いや、セント・ビンセントのほうが近い。「ねえ、セント・ビンセントの番号、覚えてる？」

「いいや。吐かせるには、どうしたらいい？　なにを使うんだっけ？　マスタードか？」

「ええ、たぶん」ローラはアパートメントを出た。まだ酔いが残っていて、階段から落ちそうになった。そうだ、妊娠中だった。いっそ落ちればよかった。でも、お腹がもっと大きくなってからでないとうまくいかないだろう。

十セント硬貨を持っていなかったが、新聞店の主人はローラを信用して、ポケットから出して貸してくれた。早朝とあって、店は開いたばかりだった。電話帳で番号を調べたものの、電話ボックスに入ったときには半分忘れていた。もう一度、調べなければならないが、店主の視線を感じた。緊急事態が起きて病院に電話しなければならないと説明したからだ。受話器を取って、思い出せる限りの数字をダイヤルした。間違っていることは承知だったので、右手の人差し指をフックに置いて（フックは店主の死角に入っていた）接続を切り、店主の視線を意識しながら話し始めた。返却口に硬貨が戻ってきたが、取らなかった。

「ええ、お願いします。救急です」名前と住所を告げる。「睡眠薬です。胃洗浄が必要みたいで……よろしく」

そしてアパートメントに戻った。

「ぜんぜん、反応がない」エディは告げた。「なあ、何錠飲んだと思う？　数えてみな」

お腹が空いた、とスティーヴィーがわめき、いまだにベビーベッドに縛りつけられているフランシーが泣き叫ぶ。

ローラは浴室の床を眺めたが、何錠減っているのか見当もつかなかった。十錠？　十五錠？　糖衣錠だから、子どもたちは食べてしまったのだ。頭が真っ白になり、怖くなった。とても疲れていた。エディが沸かした湯でインスタントコーヒーを作り、ふたりとも立って飲んだ。マスタードがなかったとエディに言われて、このあいだハムサンドイッチを作ったときに全部使いきったことを思い出した。エディはジョージーとヘレンの口にコーヒーを流し込もうとしたが、だらだらとあふれ出てパジャマを汚すばかりだった。

「スティーヴィーが食わないように、掃いておけ」エディはトイレのほうに顎をしゃくって言った。「救急車はいつ来る？　仕事に行かなくちゃ。監督のクソ野郎、遅刻厳禁なんだ」罵倒してランチボックスを手にしたものの、空《から》だとわかると流しに投げて出ていった。

ローラは半分眠ったような状態で、キッチンテーブルでフランシー（また目の周りにあざができている。なぜだろう？）に食べさせ、スティーヴィーには牛乳をかけたコーンフレーク（温かいシリアルは食べないのだ）を二口、三口、食べさせてやったあと放っておくと、ステイーヴィーはあっという間にコーンフレークをテーブルにぶちまけた。ジョージーとヘレンはダブルベッドの上で昏々《こんこん》と眠っている。もうすぐセント・ビンセント病院から救急車が来る。だが、来なかった。ローラはバッテリー式の小型ラジオをつけて、ダンスミュージックを数曲聴いた。それからフランシーのおしめを替えた。おしめが濡れて泣いていたのだ。今朝はほとんど泣き声を聞かなかった。スティーヴィーはジョージーとヘレンのところへよたよた歩いていき、ほっぺたをつついて起こそうとしている。洗面所でおまるをトイレに空けて洗い、ガラスの破片と錠剤を掃き集め、塵取りのなかから錠剤を拾って薬戸棚のガラス棚に置いた。

十時に一階の新聞店へ行ってお金を返し、もう一度病院の電話番号を調べた。今度はちゃんとダイヤルをまわし、電話がつながると事情を説明して誰も来ない理由を尋ねた。

「七時に電話を？　おかしいわね。わたしが当番で詰めていたのに。とにかくすぐ救急車を向かわせます」

ローラはデリカテッセンで牛乳四クォート（約四リットル）とベビーフードを買って、アパートメントに戻った。眠気はいくらか取れたものの、すっきりしたとは言い難かった。ジョージーとヘレンはまだ息があるだろうか？　たしかめにいくのは、まっぴらだった。三杯目のコーヒーを飲み終えるころ、救急車が到着した。鏡にちらっと目をやったが、視線を逸らした。取り乱しているように見えたほうがいい。白衣の救急隊員がふたり上がってきて、子どもたちのところへ直行した。聴診器を持っている。救急隊員は小声で話し合い、小さく叫んだ。ひとりが振り向いて訊く。

「なにを飲んだんです?」

「睡眠薬よ。ネンブタールを食べちゃって」

「こっちの子は冷たくなっているじゃないですか。気がつかなかったんですか?」

ジョージーのことだった。ひとりが子どもたちを毛布でくるみ、もうひとりがふたりの腕に注射を打った。

「電話をしてきても、二、三時間はなにもわかりませんよ」ひとりが言った。

もうひとりが言う。「言っても無駄だよ、ショック状態に陥っているみたいだ。奥さん、熱い紅茶でも飲んで横になりなさい」

救急隊員はあわただしく出ていった。救急車のサイレンがセント・ビンセントの方角へ遠ざかっていく。

その音をフランシーの泣き声が引き継いだ。むちむちした短い脚を広げて立っているのはいつもと同じだが、盛り上がったおしめの隙間から尿がぽたぽた垂れている。ゴム製のおしめカバーは全部汚れていて、流しの下の桶に入れっぱなしだ。面倒でもゆうべ洗っておけばよかった。一分でいいから静かにして。フランシーのところへ行って平手打ちを食らわせると、床に倒れた。腹を蹴飛ばした。こんなことをしたのは、初めてだ。フランシーはようやく静かになって、横たわっていた。

スティーヴィーが目を丸くして口を開け、笑おうか泣こうか、迷ったような顔で見つめていた。ローラは靴を脱ぎ捨ててビールを取りにいった。もちろん、ひと缶もなかった。髪を梳かして、デリカテッセンに買いにいった。戻ってくると、フランシーはさっきの場所で起き上がり、再び泣いていた。またおしめを替えるべきだろうか？　汚れているけど、おしめカバーをつけようか？　ビールの缶を開け、二、三口飲んでから、手持無沙汰だったのでおしめを替えた。ビールを流しの横に置いて、石鹸水におしめカバー六枚を放り込み、ついでにゆすいだだけで汚れの残っているおしめ二枚も入れた。

正午に呼び鈴が鳴り、誰かと思ったらミセス・クラブだった。なんて目をしているんだろう。おまわりが来たほうが、ましなくらいだ。

ローラは、今回はおとなしくうなずいてはいなかった。意地悪婆が口を開くたびに言い返した。ミセス・クラブは、なぜ子どもたちが睡眠薬を飲んだのか、それは何時だったのかと質問した。

「いちいち、うるさいわね！　もう我慢できない！」ローラは怒鳴った。

「息子さんは死んだのよ。わかっているの？　ガラスの破片で体内出血が起きたのよ」

ローラはエディ愛用の罵言で応じた。

意地悪婆が帰ったあと、ローラはビールを三缶飲み干した。喉がからからだった。また呼び鈴が鳴ったので無視していると、ドアが何度もノックされた。数分後に根負けして開けると、ミセス・クラブのほかに白衣の男がふたりいて、ひとりは袋のようなものを持っていた。ローラは抵抗したが、拘束衣を着せられ、セント・ビンセントとは別の病院に連れていかれた。そして、体を押さえられ、注射をされた。すると、意識が朦朧《もうろう》とした。

こうして、一ヶ月後にローラは中絶手術を受けた。これまでいちばん素晴らしい出来事だった。

ローラはずっとそこ――ベルビュー病院――にいなければならなかった。結婚生活には反吐が出ると話すと、どの精神科医もそれを信じて理解したようだったが、その結婚生活に戻すために治療をしていることを認めた。ローラの入院中、子どもたちは快復したヘレンともども、無料の保育所に預けられていた。エディが見舞いにきたが、会いたくないと断ると、さいわい無理強いはされなかった。離婚したかったが、エディが絶対に承諾しないのはわかっている。彼には離婚という考えが、てんからないのだ。ローラは自由になりたかった。誰にも頼らず、ひとりで生きていきたかった。子どもたちにも会いたくなかった。

「人生をやり直したいんです」ローラは精神科医に話したが、医者たちにはミセス・クラブと同じくらいにうんざりしていた。

医者をだますのが退院する唯一の手段と悟って、ローラは彼らの意に沿う言動を心がけた。やがて、退院の許可が出たが、エディのもとに戻るという条件付きだった。だが、粘りに粘って、今後子どもを作るべきではないと記したサイン入りの紙――書面にしてくれと強く要求した――をもらい、つまりはピルを使う権利を手に入れた。

医者の指示であっても、エディはピルの服用を嫌がった。「こんなのは夫婦とはいえない」

ローラがベルビューにいるあいだにエディはガールフレンドを見つけ、家には帰らずどこかで一夜を過ごし、そこから直接仕事に行く日もときどきあった。ローラは探偵を一日雇っただけで、女の名前と住所を突き止めた。不貞行為を理由に離婚訴訟を起こしたが、扶養料は請求しなかった。真のウーマンリブは、こうでなくては。子どもたちはエディが引き取ったが、ローラはエディほど子どもが欲しいとは思っていなかったので、好都合だった。デパートの店員になることができ、長時間の立ち仕事はきつかったが、これまでの苦労に比べればはるかに楽だった。まだ二十五歳だし、少し手間をかけて化粧をし、きれいな服を着ればけっこう見栄えがした。昇進さえ期待できた。

「いまはとても安らいだ気持ちなのよ」ローラは新しくできた友人に、過去を洗いざらい打ち明けたあとで言った。「なんだか別人になったみたい。百年くらい生きたような気がするのに、まだこんなに若いなんて……結婚？　もう、こりごり」

目を覚ましたら、全部が夢だった。いや、全部が全部ではない。目を覚ましたといっても、朝に目を開けて周囲にあるものを全部はっきり認識するといった形ではなく、徐々に進行していく覚醒だった。医者の指示に従って二種類の薬を飲んでいるが、どうやらそれは人生をバラ色に見せ、気分を高揚させる幻覚作用があって、実際は愚鈍な羊のごとく、元の罠に追い込まれていっていることにローラは気づいた。こうしてハドソン通りのアパートメントで、布巾を手にして流しの前に立っているのが、いい証拠だ。朝だった。ベッドの脇の時計が十時二十二分を指している。でも、ベルビューにいたのではなかったっけ？　アパートメントにはスティーヴィー、ヘレン、フランシーの三人しかいないから、ジョージーは本当に死んだのだ。キッチンテーブルの上の新聞を見て、いまは九月と知った。それで――それで、あれはどこだろう？　医者がサインしたあの紙は？

どこにしまったのだろう。札入れ？　見てみたが、入っていなかった。ハンドバッグの内ポケット？　ここにもない。でも、もらった覚えがある。思い違いだろうか？　また妊娠した？　でも、ウエストラインは変わっていない。神秘的な力に引っ張られるように、ローラはふらふらとネックレスやブレスレットをしまってある、傷だらけの茶色の革張りの箱のところへ行った。なかには錆びた銀のシガレットケースが入っていた。煙草四本ぶんのその小さなケースのなかに、折りたたんだ真っ白な紙片があった。ああ、これ、これ。やはり、もらっていた。

浴室に行って、薬戸棚を覗いた。どんなものだったっけ？　〝オブラル〟と記された瓶がある。卵《オウバム》に似た名前だから、これに違いない。瓶の中身は半分に減っていた。では、少なくともこれを飲んではいたのだろう。エディがぶつくさ言っていたのを思い出した。だが、エディは我慢するほかない。

あたしは探偵を雇ってエディの女を探したのではなかった。デパートの仕事に就いてもいなかった。色鮮やかなスカーフ、ストッキング、化粧を施した魅力的な顔、新しい友人。これほどはっきり覚えているのに、不思議なものだ。エディは本当にガールフレンドがいたのだろうか。正直なところ、さっぱりわからない。とにかく、ピルの服用をエディに認めさせたのはささやかな勝利だけど、あたしが我慢しなければならないことに比べたら、あまり割が合わないと思う。フランシーが泣いている。食事の時間なのだろう。

フランシーに食べさせなくては。なにか口に入れればしばらくはおとなしくしている。そう思いながらも、ローラは下唇を嚙み締めてキッチンに突っ立っていた。こうして完全に目覚めたのだから、真剣に考えなくてはいけない。このままでは暮らしていけない。レストランはクビになっただろうから、仕事を探さなくては。エディの稼ぎだけでは生活が成り立たない。フランシーに食べさせなくては。

表玄関の呼び鈴が鳴った。ローラは少しためらっていたが、解錠ボタンを押した。誰が来たのだろう?

フランシーが金切り声でわめいた。

「わかったってば!」ローラは怒鳴って、冷蔵庫へ向かった。

ノックの音がした。

ローラはドアを開けた。ミセス・クラブが立っていた。

(直良和美訳)

# パパの番だ

ジェイムズ・マクルーア

Daddy's Turn　一九七七年

ジェイムズ・マクルーア James McClure（一九三九―二〇〇六）。イギリスの作家。南アフリカ出身。アパルトヘイト政策に反対し一九六五年に渡英。新聞記者として働いたのち、七一年に発表した南アフリカを舞台にした警察小説『スティーム・ピッグ』で英国推理作家協会（ＣＷＡ）最優秀長編賞を受賞。ほかの代表作に『小さな警官』『ならず者の鷲』『英国人の血』などがある。本編の初出はアンソロジー『またあの夜明けがくる』*Winter's Crimes 9*（一九七七）。

「今日、子供たちに会ってほしいんだ」エイドリアン・グレイは心から愛する女性にいった。

「本気なの？」

「もちろん」

彼女の表情はかすかな不安と、ふたりの関係を深める合図を感じ取った喜びとの間を揺れ動いた。

「頼むよ」彼はからかうようにいいながら、相手の朝食のトレイを片づけた。「誰が聞いても、危険な小さい蛮族と日曜日を過ごすのに誘っているとしか思わないさ」

ヴィッキーは笑った。「冗談いわないで。ぜひ会いたいわ——とてもいい子たちみたいだもの。でも、向こうはどうなの？　構わない？　あなたと過ごす日曜日は、特別なんでしょう」

「子供たちは喜ぶさ。きみのことをさんざん訊かれているんだ。きっと——」

「どんなことを訊かれたの？」

「きみがどんなにきれいかとか——そういうことさ」

「本当に？」

「ねえ」彼は恋人の無邪気さに感動していった。「ぜひ来てほしいんだ」

「どうして？」

少しくらいは、本当のことを明かしてもいいだろう。「なぜなら、ヴィッキー、きみを置いていくと、あまり楽しめないんだ――それで、子供たちにぞっとするような敵意を抱いてしまうんだよ」

「そんな！」

「来てくれるかい？」

「子供たちのために、そうしたほうがよさそうね」遠回しなお世辞を敏感に察して、彼女はいった。

　ふたりは愛を交わし、服を着て、車で出かけた。

「最高の一日ね！」ヴィッキーは夢中になっていった。「雲ひとつないわ！　ずっとこのままだといいけれど」

「そうなるさ」彼はきっぱりといった。

　彼は路地に車を停め、ひとりで脇の門から中に入った。サリーは中庭で『サンデー・タイムズ』紙を読んでいた。まだ一緒に暮らしていた頃には、『オブザーバー』紙も購読していた。お互いに相手がそれを読みたいだろうと思っていたからだ――これもまた、ふたりに何の共通点もないという、滑稽《こっけい》な表れだった。

「相変わらず素敵だね」彼は相手の頰に軽くキスした。

「あら、エイドリアン」サリーはささやいて、一瞬、彼の唇に触れた。「車の音がしたと思ったわ。ヴィッキーはお元気？」

「元気だよ――きみは？」

「元気よ」

離婚をめぐって繰り広げられた粗暴な修羅場に、ふたりともほとほとうんざりしていた――言葉を尽くして相手をののしり、夜ごと大声を張りあげる、抑えのきかない残酷さの爆発に。そして、今後は礼儀正しい態度だけを取ろうと決めたのだ。

「それで、今日はどこへ行くの？」サリーはテニススカートの裾を直しながらいった。

「ちゃんと決めていないんだ。たぶん――」

「気を悪くしないでほしいけれど」彼女が口を挟んだ。「先週の洞窟みたいなところには行かないでくれる？ チューダーから話を聞いて、ぞっとしたわ」

「へえ？」エイドリアンはふたつの点が少し気に障った。第一に、ヴィッキーが手伝ってくれるといおうとした矢先だったことと、第二に、どれほど言葉に気を遣っても、言外に非難が込められていたことだ。「話って？」

「自分たちだけで探検していいといったそうじゃないの」

「馬鹿馬鹿しい。数ヤード先へ行かせただけのことだよ。自立心と自発性をはぐくもうと思ったんだ」

サリーはため息をついた。「確かに、チューダーはときどき、冒険物語に夢中になるものね」甘やかすようにいう。「でも、子供たちに対して公平に見れば、それは昼食か何かのあとで、あなたたちは駐車場でごほうびのお昼寝をしていたんじゃないかって思ったのよ」

「スワネージの灯台にしよう」あまのじゃくな衝動に駆られて彼はいった。

「何ですって？」

「今日の行き先さ。ここから大して遠くないし、子供たちはカモメにパンくずを投げて、大はしゃぎするだろう」

「あそこの崖は高くない？」

「灯台はかなり引っ込んだところにある。覚えているだろう」

「でも、ポートランドビルの灯台だって、同じくらいの距離でしょう」

「ポートランドには行ったじゃないか、サル。退屈なところだった――団体バスと、オレンジの皮だらけでさ」

「そうね」彼女はラケットの張りを確かめながら認めた。「ちょっと俗っぽいところがあるわね。それでも、昔ながらの家庭訓をいわせてもらうと、ひとりでは三人と手をつなげないわ。そうじゃない？」

このときに、ヴィッキーが三人目の手をしっかりと握ってくれるというべきだったが、傷ついたプライドがそれを許さなかった。

彼は苛々して話題を変えた。「ぼくが来たことを子供たちが嗅ぎつける前に、何かあったら聞いておこう。いつもの状況報告だ」

「いいわ。ええと――ボイラーの修理が必要ね」

「ウィルコックスを呼んだかい?」

「ダフネがずっといい人を紹介してくれたわ」

「それはよかった。請求書をオフィスに回すようにいってくれ。ぼくが処理する。ほかには?」

「チューダーがまた学校でお漏らしをするようになったみたい。でもタペット先生はとても親切だったわ。ほんの一時的なものですって」

「先生はよくわかっているさ。エマとリルは?」

「どっちも元気よ」

エイドリアンは、スワネージについて彼女がまた何かいうのを待った。

「さてと」サリーは立ち上がり、スカートからトーストのくずを払った。「お互い出かけたほうがよさそうね。わたしは正面玄関から出るから、子供たちにあなたの居場所を教えるわ。楽しんできてね」

彼はサリーの頬にもう一度キスをし、彼女がフランス窓の向こうへ消えるのを待って、ひとり笑みを浮かべた。かわいそうなサル。これ以上踏み込まないのは、口論になるのが怖いからなのだろう。それに、どのみちいうことはいったのだから、問題ない。

しかもエイドリアンには、スワネージの南にある危険な崖に近づく気はさらさらないのだから。

完璧な一日は、三人の子供が車に駆け寄ってきた瞬間に傷がついた。ピクニック向けの服装で、お気に入りの武器を振り回している。傷がついた原因が、正確に何だったかはわからない――真新しいレコードについた傷のように、不思議と現れたのだ。だがそれ以来、十秒かそこら経つごとに、チッという音を繰り返すようになった。

「こんにちは」ヴィッキーが車を出てあいさつした。「わたしはヴィッキー。パパのお友達よ」

「こんにちは」三人はいっせいに、気恥ずかしそうにいった。

「ぼく、六歳なんだ」チューダーがいった。「先週、誕生日だったんだよ。歳はいくつ?」

「二十六よ」彼女はほほえみながらいった。

「へえ！ それだけ?」

沈黙が訪れた。

「早く乗りなさい」そういって後部座席のドアを開けたエイドリアンは、自分の声が苛立っているのに驚いた。「チューダーとエマが窓側で、リルが真ん中だ」

「ずるいわ」双子のうちで体の小さいリルが文句をいった。

「リル……」

警告するような口調に気づいて、リルは兄の体をよじ登るようにして乗り込んだ。エイドリアンは、ドアを〝ロック〟にして閉めた。

チッ。

「後ろのみんなは用意はいいか?」エイドリアンはエンジンをかけながら訊いた。

「うん、パパ！」

「それじゃあ、ピクニックに出発だ！」

「どこへ行くの、パパ？　どこ？」

「ああ！　それは内緒だ」

「いいね！」チューダーがいった。「そういうの大好き」

子供たちは落ち着くと、エイドリアンが酔い止めのためにいつも持ってくる大麦糖の袋に夢中になり、窓の外を流れる見慣れた風景には目もくれなかった。

ヴィッキーは助手席から振り向き、子供たちに質問を始めた。友達のことや、好きなものや嫌いなもの、好きなテレビ番組、そしてチューダーには学校の先生のこと。双子は、父親が嫌そうな顔をしているのにもひるまず、遊び仲間のリーダーのことを残酷にこき下ろした。

「食べる？」エマが大麦糖の袋をヴィッキーに差し出した。

「分けてくれるの？」

「あたしのも」リルがそういって、後部座席から袋を突き出した。

「ぼくも」チューダーがいった。

「じゃあ、こうしましょう」ヴィッキーがいった。「みんなからひとつずつもらうわ――それでいい？」

「わあ、欲張りだな！」

「チューダー！」エイドリアンが険しい声でいい、バックミラーに向かって顔をしかめた。

チッ。

「ごめんなさい、パパ」

「ヴィッキーに謝るんだ――パパじゃなくて。とても失礼なことだよ」

「いいえ、そんなこと――」ヴィッキーがいいかけた。

「チューダー？」

これ以上息を詰めていられなくなり、チューダーはいった。「ごめんなさい」

ヴィッキーは前を向いた。横目で見た拍子に、唇が妙に歪んでいた。

「お願い」彼女は静かにいった。「自分であの子たちと仲よくなりたいの」

「じゃあ、気に入ってくれたのかな？」

「この子たち――今まで見た子供の中で、一番かわいらしいわ。チューダーの鼻はあなたに似てない？　双子ちゃんのそばかすにはすっかり参っちゃったし、あのキューピッドの矢みたいな唇は最高――とても現実のものとは思えないわよね？」

エイドリアンは誇らしい気持ちがはじけるのを感じた。嬉しさもあったかもしれない。「気に入ってくれてよかったよ」彼はしわがれた声でいった。「だけど、チューダーにあんな態度を許すわけにはいかない」

「どんな態度？　みんな礼儀正しくていい子だわ。チューダーも」

「あの言葉だよ」

「ふざけただけよ――わたしは好きだわ。さっきもいったけれど、放っておいて――」

「なあ」彼はいった。「いい加減にしてくれ。最初はサリー、今度はきみが、ぼくのやり方にけちをつける」彼は歯を食いしばった。こんなことを打ち明けた自分に腹が立つ。

険しい口調に気づいて、チューダーがシートから身を乗り出した。「パパとけんかするの?」興味津々に訊く。

「頼むから座っててくれ」

「見ちゃ駄目?」

「ああ。いや――くそっ、いう通りにしないか」

「わかった」チューダーはそういって、リルの上めがけて腰を下ろした。

楽しげな叫び声が響いた。

「勘弁してくれ」エイドリアンはうめくようにいい、ロータリーが見えてきたのでスピードを落としたが、子供たちをどこへ連れて行くか、まだはっきりと決めていなかった。「いつもはこんなふうじゃないんだ。何の話をしていたんだっけ? ああ、そうだ。ぼくはただ、信じられないと……」失言に気づいて、彼は言葉を途切れさせた。

「あなたが父親でしょう」ヴィッキーはマリファナ煙草に火をつけながら、こわばった口調でいった。「責任を持つのはあなたで、わたしじゃないわ」

チッ。

その通りだ。彼は突然、ひどく強がってみたい気持ちに駆られた。そういうことなら、二番出口を出て、どうなるか見てやろうじゃないか!

だが、崖の頂上の目もくらむような危うさに、すぐさま目が覚めた。

崖っぷちからゆうに百ヤード離れたところに車を停めたが、エイドリアンは自分が双子の手をしっかりとつかんでいるのに気づき、いったいここで何をしているのだろうと思った。

「わあ」チューダーがヴィッキーの手を引っぱっていった。「あっちへ行って下を見ようよ、パパ！」

「とんでもない――崖っぷちは危険だ」

「怖いんだろ！」

「いいか、チューダー。あそこに立っているときに、誰かにちょっとでも押されたら、岩場に真っ逆さまに落ちて溺れ死ぬんだぞ」

「岩場って？」

ヴィッキーがほほえんだ。「この子ったら、抜け目がないのね？　あなたがいい子にしていたら、あとでパパがヴィッキーに、岩場を見に連れて行ってやれというかもよ」

エイドリアンは引き裂かれたような気持ちだった。彼女がまたリラックスしているのを見て、大いに心強くなった一方で、チューダーのいう通り崖っぷちが本当に怖かった。吸い込まれるような気がする。

「まあ、様子を見よう」彼は力なく、いつもは避けている親の決まり文句をつぶやいた。「とりあえず、反対側を見てきたらどうだ？　イモ虫ゴロゴロをしたければ、灯台の横にとてもよさそうな長い坂があるぞ」

子供たちは振り向き、嬉しそうに叫んだ。手を離すと、双子は全速力で駆け出し、チューダーがその前をばたばたと走っていく。距離感は当てにならなかった。一分もすると、彼らはドーセットの広々とした緑地に咲くアネモネのようにくっきりとした、明るい色の点にすぎなくなった。

ヴィッキーがピクニック用のバスケットを広げはじめた。

まずはもっと奥へ行ってからにしようといおうとしたが、彼は自分を抑えた。「こんな始まり方ですまない」彼は謝った。「きみが子供たちを好きになってくれるかどうか、気にしすぎていたようだ」

ヴィッキーは穏やかに笑って、首を振った。

それに勇気づけられ、エイドリアンは彼女のそばに膝をつき、固ゆで卵の包みを広げはじめた。ふと、自分がその笑いを誤解しているのではないかという気がした。「いってくれ」彼は促した。「ぼくがどれだけ鈍いか知っているだろう」

ヴィッキーは顔を上げ、蜂蜜色の長い髪を左右に分けて、愛らしいハート形の顔をあらわにした。その目は大きく、いつもより濃いブルーに見えた。

「ショックだったの」

「何が?」

「子供たちに会ったことが」

「へえ」

「あなたの子供なのね、エイドリアン」

「でも、子供のことは前から知ってるじゃないか」

「違うわ！」彼女はまた笑った。少しも優しさのない笑いだった。「男の人に〝ぼくには子供が三人いるんだ〟といわれたとき、真っ先に何を思い浮かべると思う？」

彼は肩をすくめ、ごくりと唾をのんだ。

「鼻水よ」ヴィッキーは身じろぎもせずにいった。「鼻水を垂らして、臭いよだれかけをして、おむつを引きずりながら泣きわめく赤ん坊。ちょっとした付属物、モノ――生物学的な成り行きでできたもの。あなたの子供はきれいだわ」

また喜びが湧いてきた。子供がいることへの誇りが。「子供たちは喜ぶだろうね」

「わたしよりもきれいだわ」

エイドリアンは、自分の体を動揺が走るのを感じた。

「あなたがわからない」彼の目をじっと見ながら、彼女は続けた。「あなたたちふたりとも。わたしには理解できないわ」

彼はしばらく卵に専念するしかなかった。塩の包みが芝生に落ち、こぼれた分は取り戻せなかった。「どう思う？」そういった彼の声はかすれていた。「灯台のことだけれど」

ヴィッキーはあたりを見回し、ふたりの上にそびえるずんぐりした白い建物に囲まれた、ずんぐりした白い塔に目を向けた。「そうね、思っていたほど男根崇拝的じゃないわね」彼女はつぶやいた。

「ずいぶんと妙なことをいうんだな！」

　彼女はほんのわずかにほほえんだ。

「なぜだ？　なぜそんなことをいう？」彼はただした。

「だって、あなたはこの場所に妙なスリルを覚えているみたいだもの。ここへ来てから、ずっとそんな感じだわ」

「本当かい？」

「あなたの男らしさと関係があるのね。それでいて……」

「それでいて？」

「チューダーはとても勘がいいわ。あなた、信じられないほどぴりぴりしてる」

「くそっ」エイドリアンはつぶやき、笑い飛ばすつもりで立ち上がった。「きみたちはいい組み合わせだと思わないか？　ぼくはこの状況に必要とされている以上に、ぴりぴりしていないさ！」

　ヴィッキーは目の上にひさしを作り、彼をなおも見た。「あなたが思っているほど危険だとは思わないわ」彼女はいった。「注意を怠らなければ」

「同じことじゃないか」

「いいえ、違うわ。あなたは過剰反応してる――どうしてそんなに違った見方をするの？」

　まったくなぜだろう。「用を足しに行くよ」彼はそういってウィンクし、その場を離れた。

「留守番を頼む」

高いところから見下ろせば、すべてが正しい風景に戻るはずだった。そこにはチューダー、エマ、リルがいて、小さくて古風な灯台の陰で安全に遊んでいる。そして、デニムを着た愛するヴィッキーが、五人の食事を用意している。自分にとって意味のあるものすべてを一望できた。

だが、エイドリアンはまだ混乱し、疎外された気分だった。サリーと別れてから初めて、彼は本気で思った。〝くそっ、子供たちさえいなければ、もっと幸せになれるのに！〟それほど洗練されていないほかのカップルがそう口にするのを、彼はいつも軽蔑していた。それだけではない。やはり初めて、彼はこう思った。〝ヴィッキー、ぼくはきみよりずっと年上で、思慮もあるんだぞ……〟

恐怖もあったが、それを認めることはできなかった。ヴィッキーが最後に彼の目を見たとき、彼女は外側から見ていた。

彼はこぶしを握った。強く握りしめ、自己憐憫《れんびん》の怒りを抑えつけた。

明るい色の三つの点がひとつになり、崖の上にできたくぼみを転がってくる。子供たちは、黄色いテーブルクロスにたどり着くまで転がってきて、広げた緑のベルベットに宝石が収まるように、青緑色の中心に集まってくるだろうと彼は思った。子供たちは、その先へ転がっていった。

彼は落ち着いていた。

ずっと先まで行っていた。

彼は笑みを浮かべた。

ヴィッキーがぱっと立ち上がり、子供たちを連れ戻した。

彼の笑みが変化した。「それでこそぼくの恋人だ！」彼はその響きを楽しみ、みんなのところへ大股に歩いていった。

「おかえりなさい」テーブルクロスの一辺にひとりで座っているヴィッキーがいった。「楽しかった？」

「朝食のときまではね」エイドリアンは皮肉をいって、いたずらっぽくにやりとした。

彼女は顔を赤らめたが、嬉しそうだった。「先に始めちゃったの——トラが吠えるみたいにお腹が鳴っているってチューダーがいうから、待てなかったのよ」

「構わないさ！　もう大丈夫か、チューダー？」

ピンクの頬を膨らませ、ヴィッキーの向かい側で脚を組んで座っているチューダーは、体を前後に揺らしながらうなずいた。

「これ、ヴィッキーが作ったの」エマがサンドウィッチを振り回しながらいった。「おいしいよ」リルは口の中をいっぱいにしていたので、ほとんど言葉にならなかった。

「じゃあ、いただくか」彼はそういいながら、どこへ座ろうか迷った。

ヴィッキーが空いている一辺を指した。「そこなら大の字になれるわ」また優しい声に戻っている。「まずは、サーモンペーストはどう？」

彼は提案に乗り――とはいえ、彼女の横に座っていけない理由はわからなかったが――ワインを開けた。それぞれのプラスチックカップに注ぎ、謝罪の言葉をつぶやきながらヴィッキーに渡した。

「こんなに楽しいお出かけは初めてよ」彼女は陽気にいった。「知ってた？　ピクニックは本当に久しぶりなの」

「じゃあ、もっとピクニックに行けるように乾杯！」

ふたりはカップを〝カチン〟と合わせ、何の音もしなかったので笑った。

子供たちは相変わらず、食べものを隅々まで味わうように一心に食べていた。リルはサンドウィッチをコウモリの形になるようにかじり、エマとチューダーはポテトチップスを砕いて、唾やケチャップで濡らした指先にくっつけて食べた。

「何もいっちゃ駄目よ」ヴィッキーがささやいた。「みんな大いに楽しんでいるんだから」

「ぼくが？　どうして――」

「お行儀が悪いでしょう」

一瞬、エイドリアンはこんなふうに心を見抜かれたことに腹を立てていないといいきれなくなった。それから、彼女の偉そうな口調を面白がってにやりとした。知れば知るほど。彼はそうつぶやいた。きみのすべてを知れば知るほど……。

「ねえ、めまいなんじゃないの？」

彼は困惑して眉をひそめた。

「ぴりぴりしている理由。わかったの。ここが本当に安全じゃないなら、わたしたちを連れてきたりはしないでしょう?　たぶんあなたは、このことを一種の挑戦だと思っているのよ。弱みを認めるわけにいかない状況で、何とか恐怖を乗り越えようと。実際に直面するまでは、そう思っていたはずよ――わかる?」

エイドリアンは、これまで高いところを怖いと思ったことはなかったが、彼女が安心したがっていることを考えてうなずいた。とはいえ、ふたたび目覚めさせられた恐怖心が、どこかに表れていたに違いない。

「間違ってる?」彼女は訊いた。

「気まずくなるくらい当たってるよ……」

ヴィッキーは笑った。何の響きもない笑い声だった。思い返せば、高台から降りてきてから、何もかも現実とは思えないほどうまくいきすぎていた。

「どうした?」彼は優しくいった。「何か気になっているんだろう」

「いいえ、何でもないわ。理解しようとしているだけよ」

「話してくれ」

ヴィッキーは子供たちに目をやり、ワインを見つめて考え込んでいたが、心を決めた。「あなたの相似的な子孫だけれど」彼女はまだ目をそむけたままいった。「楽しそうに話すのよ。つまり、長兄の――教育現場での失禁のことを。あなた、知ってた?」

あいつらめ。「ああ。数カ月前から、たまにあるんだ」

「何てこと」

「どうしてきみが困るんだ？」

「知らないのならいうけれど——」

「ちょっと待ってくれ。それが発覚したことで、当事者である長兄は困っていたかい？」

「いいえ。ただ……」

「きみも知っての通り、母系の、何ていったらいいかな——創造者と、それから彼の教育者は、心的外傷は最小限になると断言している。成熟に伴う一時的なものだと」

子供たちは、大人が話す長ったらしい、わけのわからない言葉を聞いて笑った。そこに秘められた雰囲気も感じ取り、はしゃいでいる。

「一時的なもの？」説き伏せられようとすまいと、彼女は繰り返した。

「そうだ。長兄が〝相似的な一対〟——あるいは片方でもいい！——との競争に直面したときには、よくあることだ」

笑みが素早く、ひとりでに浮かんだ。

「ぼく自身、同じような時期を経験している。だから、少しばかり強迫観念に取りつかれているのだと、精神分析医にいわれたよ」

「そう」

話は終わった。エイドリアンは自分が理性をなくさなかったことに感謝した。彼女の余計な心配に対する怒りは途方もなく大きかったが、すでに教訓を学んでいたので、彼女がすぐにも安心したがっている事実を最優先したのだ。

ヴィッキーはおかわりを求めてカップを差し出した。「ごめんなさい」静かな声でいう。「罪悪感をうまく扱えたためしがなくて」

「罪悪感？」彼は驚いた。

「ええ、わかるでしょう――子供たちに、わたしがd―a―d―d―y（パパ）をs―t―o―l―e―n（盗んだ）と思われるのは耐えられないわ」

エイドリアンは本音で答えようとしたが、息子に先を越されてしまった。

「今の、〝パパ〟の綴りだよね！」大人の秘密を見破ったのが嬉しくて、チューダーは声をあげて笑った。「もういっぺん、あとのほうをいってよ！　もういっぺんいってみて！　ゆっくりと！」

ヴィッキーは真っ赤になった。

チューダーは自分のせいで状況が一変したことに驚いてぽかんと口を開け、双子は――女らしい鋭い直感で――兄の力の秘密を察した。

「もういっぺん！　もういっぺん！」双子は節《ふし》をつけていいながら、骨ばった膝で跳ね、魔女のような指を突きつけた。

だが、父親がこういったときには凍りついた。「おまえたちなんか、殺したっていいんだぞ！」

それは本心だった――今ではエイドリアンにもそれがわかった。自分と心から愛する人との間に立ちはだかるものは、誰であろうと、何であろうと容赦なく排除することができた。しかも彼は、出発のときからそれを排除したいと思っていた。その脅威が、最初におぼろげに姿を現したときから。崖の頂上に感じた魅力――そして恐怖――は、その潜在的な……。

「ねえ」ヴィッキーがとても小さな声でいった。

「じっとしていてくれ」彼は懇願した。「このことから逃げちゃいけない――すべてを白日のもとにさらし、理性的に立ち向かおう」

「あなたには無理よ――」

「そんなことはない。みんな、ヴィッキーは、おまえたちからパパを盗んだと思われるのが心配なんだそうだ」

チューダーが顔をしかめた。「どうやって？」目新しい考えに興味を引かれて、彼はいった。

「だけど、彼女は盗んだりしていないだろう？」

「エイドリアン！」

「チューダー、おまえに訊きたいことがある。パパがもう家にいないのはどうしてだ？」

「ママを愛していないから」

「それに、ママもパパを愛していないから」負けじとエマがいった。

リルはカモメがサーモンペーストのサンドウィッチを勝手についばむのを見ていた。

「だけど、パパとママが愛しているのは誰だ？」

「子供たち！」三人は楽しそうにいった。

「悪い鳥！」リルがいった。「見て、パパ、あんなことしてる！」

エイドリアンが手を叩くと、カモメは驚いて飛び立ち、その拍子に糞をしてみんなを大笑いさせた。

それから、彼女はいった。「不愉快だわ」

ヴィッキーは無表情のままだった。

「ちょっと幼稚だったな」彼はわざと勘違いしたふりをして笑った。「もちろんきみは、あの子たちの年齢を考慮してくれるだろう」

「あなたは考慮していないわ！」ヴィッキーが叫んだ。「大人のように考えることを期待してる！」

「それどころか、これほど単純な価値観はない」

「価値観？　子供にそんなものはないわ。善悪の区別がつかないのよ！」

「善悪の区別がつかない？」

「善と悪は、自分が気に入るかどうかで決まるのよ」

またしても沈黙が訪れた。子供たちは長ったらしい言葉に感心している。

最後の自制心を振り絞り、エイドリアンは静かにいった。「子供たちはきみを気に入っている。さもなければ、何かいうだろうからね」

「そうかしら？　でも、この子たちは知らないのよ。わたしがいなければ――」

「違う」彼は訂正した。

「違わないわ。あなた、何度こういった？　わたしと出会って初めて本物の愛に気づいたと。こんなふうに匂わせたわ。わたしとめぐり合わなかったら、わたしがいなかったら――」

「何だというんだ？」

「今も家族と一緒にいたと。ごめんなさい、エイドリアン、わたし、もう耐えられない」

「どういう意味だ？」

ぎりぎりまで追い詰められたヴィッキーは、震えながらためらっていた。彼と出会う前の、哀れな寂しい娘のように。「わたし――わからないわ」彼女は言葉をつかえさせながらいった。

「わからない――これ以上考えられないわ。しばらくひとりにさせて……」彼女はよろめきながら立ち上がり、その場を離れた。

彼女はまだぼくを必要としている。それに気づいたエイドリアンは、目を丸くして彼女を見ている子供たちに向き直った。一瞬、すさまじい怒りがよみがえったが、ほほえんでそれを否定する。子供たちも笑顔になり、彼のそばへ寄ってきた。

「大好きなパパ」リルが甘えるようにいった。

「あたしのパパよ」エマがいつものように言い返した。

「ふん！」チューダーが一蹴する。「そんなこと、誰が決めた？」そういって立ち上がり、その場をこっそり離れようとした。

「おい、どこへ行く？」

「あっちだよ」

「どっちだ?」

チューダーはヴィッキーのほうを漠然と指した。

彼女は崖っぷちへ向かっていた。「早く行け!」彼はいった。「走って行って、ヴィッキーに岩場を見せてもらえ! 全速力だ! 猛スピードで行け!」

彼女を止められるとしたら、それしかない。

チューダーは走った。肘を振り、かかとを目まぐるしく上下させ、呼びかけた。「待って!」

——手遅れになる前に速度を落とさなければ、深刻な危険が待っているだろう。だが、それも構わない気がした。

ヴィッキーが振り向き、彼の手をつかむと、その勢いで体が回転した。彼女はチューダーを叱り、落ち着かせて、残りの一ヤードほどをじりじりと進んだ。

「パパに帰ってきてほしいな」リルがもじもじしながらいった。「帰ってきてくれる、パパ?」

「あたしも」エマが同意した。「世界一のパパだもの——けんかしてもいいわ」寛大にいう。

「本当かい?」彼は笑い、喜んで双子を抱きしめた。「そんなに簡単だといいけれどね!」そういってキスをする。

残酷な笑い声が、風に乗って聞こえてきた。

彼は顔を上げた。

ヴィッキーがいない。

チューダーがひとり、両手を下ろしているところだった。
今度はパパが、胸の張り裂けるような喪失感を味わう番だと。

（白須清美訳）

# バードウォッチング

デイヴィッド・ウィリアムズ

Treasure Finds a Mistress　一九八〇年

デイヴィッド・ウィリアムズ David Williams（一九二六―二〇〇三）。イギリスの作家。長年広告業界で働いたあと、一九七六年に作家デビュー。本編にも登場する実直な銀行家マーク・トレジャーを探偵役とするシリーズで知られる。本編の初出はアンソロジー『バードウォッチング』*Winter's Crimes 12*（一九八〇）。

「教科書と筆箱はしまった？　机の上は片づいたわね？　ほら、急いで、アヴリル、みんな待ってるわよ。よろしい。じゃあ、アンダースン先生のところへ行って体育の授業を受けてらっしゃい。ピーター、ちょっと話があるから、あなたは残ってね。ルーシー、アンダースン先生に、ピーターは少し遅れますと伝えてちょうだい」

「わかりました、ハードウィック先生」

　ほかの子どもたちはぞろぞろと教室を出ていった。発達の遅い孤独な少年、ピーター・マーティンは、アッパー・トレッスルにある〈ミセス・イースタン私立小学校〉（男女共学で、四歳から八歳までの生徒が在籍）の第三学年の担任教師から話しかけられるのを待った。彼は眼鏡をかけた、やぼったい七歳の少年だが、同じように眼鏡をかけた、やぼったい四十八歳のミス・ハードウィックは、相も変わらずもげんなりさせられる新学期の、気の滅入る初日に、図らずもこの生徒から希望の光をもたらされたのだった。

　彼女は机の上の紙ばさみを開いた。十六枚のクレヨン画、同じ道具を与えられたヒヒの群れが描いたと言っても通りそうな、お粗末な絵が現われる。

「ピーター、あなたが〝夏休みの秘密〟コンテストに提出した絵はなかなかよく描けているわ。

ええ、とてもいい出来よ」彼女は嘘をついた。

「ありがとうございます、ハードウィック先生」喜びの表情が浮かんだのはほんのつかの間だった。これにはきっと何か裏があるにちがいない。いつだってそうなのだ。そもそも彼は先生にあまり好かれていない。それを言ったら、祖母にも。

「応募の決まりはちゃんと守った？　誰にも見せてはいけないことになっていたでしょ、お母さんやお父さんにも。あっ、そうそう、あなたはお祖母さんと暮らしてるんだったわね」

「はい。誰にも見せませんでした」——なぜって、見たがる人なんかひとりもいないから。

「お友だちにも見せてない？」

　友だちだって？　誰かがいっしょに遊んでくれるんなら、休暇中ずっとバードウォッチングをして過ごすわけないじゃないか。それでなくてもオペラグラスしか持っていないし、彼が観察場所にしている木の下では大人たちがいちゃつくというのに。彼は首をうなずかせた。

「展覧会までは、わたしたちだけの秘密にしておきましょうね」彼はふたたび首をうなずかせた。「それで、木の下にいたのがエドワーズ医師《せんせい》とコプトリン＝スナッグ夫人だったのは間違いないのね？」彼女は励ますような笑みを浮かべた。「ところで、夫人の名前はコプトリンよ、ここにはカップリングとあるけれど」少年の年齢がもう少し上だったら、その間違いは無意識のうちに本心の露呈したフロイト的失錯と見なされたかもしれない（カップリングには交尾の意味がある）。「そして、あなたは木の上にいたのね？」

「ディーン森のなかで。グランドン・マグナへ行く途中にあるんですけど」

「なるほど。それで、あなたがここに描いたようなことを見たのは一度だけだったの?」彼女は絵に添えられたタイトルに視線を落とした――〝エドワアズせんせえとミシズ・カップリング=スナッグが木の下によこんなってキスしてるとこ〟このていたらくでは、作文など教えるだけ無駄というものだ。「この一度きり?」

「いいえ。毎日です、日曜の一回だけをのぞいて」

「じゃあ、あなたは毎日見ていたの、ふたりが……その、キスしているところを?」

「キスしたり、服を脱いだり……いろんなことをしてました。農場みたいに」

「農場でのように」彼女は文法の誤りを機械的に訂正した。「でも、ほら、エドワーズ医師《せんせい》はお医者さんでしょ。ミセス・コプトリン=スナッグを診察していたのかもしれないわ」

「じゃあ、ミセス・カップ……コプリン……もお医者さんなんですか、だって、あの人……」

「さあねえ。とにかく、わたしたちには関係のないことだし、あなたもそんなふうに隠れて見ているべきではなかったわ、とりわけ毎日毎日、だなんて」やっぱり怒られるんだ。「これは先週の出来事、それとも、先々週?」

「両方です」

「そうなの」彼女はピーターの絵を値踏みするようにじっくりと眺めてから、じつに明快な口調で言った。「あらためて考えてみると、展覧会に出せるほどの出来ではないわね」思ったとおり。「でも、先生の特別な秘密コレクションの一枚として取っておきましょう、将来性を感じさせる――とても将来性を感じさせる作品だから。つまりね、ピーター、これは先生とあなただけの秘密ってこと。それと、特別賞って意味でもあるの」彼は顔を上げた。目を期待に大きく見開く。「ぼくがほしいものをもらえますか?」

「どうかしら」彼女は頭のなかで同時にふたつのことを考えていた。「なんでもとはいかないし――約束してもらいたいこともあるし」

彼は自分のほしいものを明かし――約束は守ると誓った。

「ですからね、先生、諸般の事情を考えあわせまして、わたくしとパートナーとしては、一括で一万ポンド、もしくは、ひと月千ポンドずつ一年間、というのが妥当なところだと判断したんですの――いずれにせよキャッシュでお願いしますわ、当然ですけれど。それと、全額お支払いいただければ、この件は済んだものといたします。固くお約束します。二言《にごん》はございません。これでもわたくし、昔かたぎの人間でございますから。ええ、そうですとも」

彼女は金曜の晩の最後の患者だった――通常の患者ではない。国民健康保険の登録リストには載っていないからだ(イギリスでは国民健康保険のサービスを受ける場合、あらかじめ最寄りの一般開業医に登録しておく必要がある。診察は原則無料)。むろん、知り合いではあった。いまいましい話だが、隣村にある学校で娘が教わっているのだ。

彼女はセカンドオピニオンを求めて電話してきて――内々に、自費の患者として、できるだけ遅い時間に予約をとりたいと言った。彼としては、断わる理由はなかった。臨時収入はいつでも歓迎だったから。倫理にもとる行為ではない。だが、ふたを開けてみると、相談の内容は医学に関することではなかった。

「先生は開業されてまだ間《ま》がないとお見受けしますわ。ようやく一年というところじゃございませんか？」彼女は診察室のなかを見まわした。「新しい設備には出費がかさんだことでしょう。自費の患者を受け入れて、補っていらっしゃるのでしょうけれど。わたくしどもとしても、先生を破産させるつもりは毛頭ございません、当たり前の話ですけれど」彼女はそんなことは考えるのもばかばかしいとでも言うように、短く笑い声をあげた。「でも、ミスター・コプトリン＝スナッグはとても裕福な実業家でいらして――近々ナイト爵に叙せられるという噂もありますし――そういうお連れ合いをお持ちのかたなら、一助をなす余裕もおありではないかと思いましてね、その……家計費を用いて。いえ、べつにそういう呼び方をしていらっしゃるのかどうかは存じませんよ。でも、きっとお小遣いをたくさんもらっていらして、それを日常必需品はもちろん、娯楽費にも当てていらっしゃるのでしょうから……それと、医療費にも」

「わかっているのか、こいつは恐喝だぞ、ハードウィック先生。こちらとしては警察に通報することだってできるんだ」

「まあ、たしかに恐喝にはちがいありませんけれど、わたくしのパートナーはむしろ〝保身料〟と呼んでいますの。わずかなお金――ミセス・コプトリン＝スナッグにとっては、ほんのはした金――と引き換えに、うけあってもよろしいですけれど、おふたりのささやかな秘密は保たれるのですよ。こうした醜聞はいともたやすく表沙汰になってしまうものですが。わたくしどものつかんだ情報には一分の隙もございません――日付と時刻、さらには……さらには現場を克明にとらえた証拠すらそろっていますの。お支払いが完了いたしましたら、こうしたものはすべて破棄します。当然経費はかかりますけれど、それについてのお気遣いは無用です。宣伝文句によくあるとおり、わたくしどもの料金はいっさい込みですから。

もちろん、先生は警察に通報などなさいませんわ。警察はそこまで秘密保持にうるさくありませんから——とりわけ地域の名士たるお医者さまのこととなると。あなたの素敵な奥さまがお気の毒ですわ。さらにお気の毒なのはミセス・コプトリン＝スナッグでしょう、あの贅沢三昧《ぜいたくざんまい》の暮らしをあきらめなければならないんですもの。あのかたは三人めの奥さまでいらっしゃるとか。とてもお若くて、おきれいで、しかも、運動神経抜群とうかがっています。ご主人が海外出張ばかりとあっては、さぞお寂しいことでしょう。無理もございませんわ」彼女は言葉を切り、わけ知りの笑みを浮かべた。「ただ、ひとつご忠告しておきますと、ご主人は嫉妬深いかただという噂です。まあ、あれだけの財産がおありで、あれだけの重責を担っておいでであれば、それくらいは許されると思いますけれど。奥さまと別れて、ミセス・コプトリン＝スナッグと再婚なさるおつもりではないんですよね？」

こうなってはお手上げだ。このがりがり女は日曜版のゴシップ欄から、離婚裁判所、英国医師会の裁定委員会のことまですっかり計算に入れているのだ。

彼には——感情的にも、経済的にも——ジェニファーと別れてマジョリーといっしょになる覚悟はできていなかったし、マジョリーにしたところで、いまの甘美な生活《ドルチェ・ヴィータ》を捨てて、モデルであれなんであれ、以前していた仕事にもどり、離婚手当と子どもの養育費の負担に苦しむ一般開業医《GP》の家計を助ける気などさらさらないだろう。

いずれにせよ、ふたりのつきあいはそれほど真剣なものではなかった。ついさっきまでは甘く、刺激的な、お気楽な関係だったというのに、いまでは苦く、けがらわしい、破滅をもたらしかねないものに変わってしまった。マジョリーはもともと彼の患者だった。リスクは承知していた。彼にできることといったらただひとつ、コプトリン＝スナッグ夫妻に対して、べつのかかりつけ医を探してもらいたいと告げることだけだったが、そんな話を唐突に持ちかけたら、ジョン・コプトリン＝スナッグは理由を詰問してきただろう——それどころか、真の理由に察しをつけた可能性だってある。

金《かね》はおそらくマジョリーが工面できるだろう。皮肉な話だが、彼女の夫君は妻の行状を知ったら、間違いなく金を出すはずだ。叙位の話は夢物語ではない。マジョリーによれば、来年六月、ナイト爵に叙せられるのはほぼ確実らしい。コプトリン＝スナッグは貴族の称号を切望しており、つまらないスキャンダルでせっかくのチャンスがふいになるのを黙って見ているわけはあるまい。ゆえにそのあたりのことについて懸念はないが、爵位が手にはいった時点でマジョリーの命運は尽きる。ふたりの先妻よりもさらに手荒く、なんの補償も与えられないまま家から叩きだされるだろう。

しかし、あれほど用心を重ねていたというのに。

「ええっと、きょうは九月二十一日ですわね」彼女は手帳を見ながら言った。「相談に一週間は必要でしょう——一括払いにするか、分割払いにするかお決めになるのに。言うまでもなく一括払いのほうが安くつきますけれど、判断はそちらにおまかせします。それでは、来週の同じ時間でよろしいですね？　そのとき分割払いをお選びになるようでしたら、その後も同じスケジュールで参ります――毎月最終金曜日の夜七時半に」彼女は手帳に何事か記入した。「一括払いをお選びになって、お金の用意に少々時間を要するというのでしたら、それはそれで致し方ありませんが、来週、前金として千ポンドちょうだいいたしますし、勝手ながら返金には応じかねます。先ほど申しましたとおり、経費がかかりますので」

いまこの診察室でこの女を片づける方法なら十や二十は思いつく。「こんなことをしてただですむと思ったら……」

「あら、それはありえませんわ。では、そろそろおいとまいたします。わたくしがここにおじゃましていることはパートナーに伝えてありますの」彼の心中を読みとったかのように、彼女はわざとらしく言った。「八時には帰ると言ってあります。自転車ですとロウアー・トレッスルには五分で来られるんですけれど、帰りは上り坂なのでもう少しかかるんですの。遅くなって心配させたくありませんので」

ミス・ハードウィックは無事に帰宅できたばかりか、翌年の三月初め、火曜の午後にもきわめて健康だった。彼女は訪ねてきた〝パートナー〟と居間のソファにぴったりくっついて座り、紅茶を飲んでいた。

「今回は一度でがっぽりいただけると思ってたのに」ミス・ハードウィックはため息をついた。「あの女なら簡単に都合できたはずよ。ポーツマスのカップルとはわけが違うんだから――前前回の件だけど。ただの海軍大佐の奥さんだったのに、数日のうちにまとめてどんと持ってきた。憶えてるでしょ？　それに、あっちの学校のほうが待遇はずっとよかった。余得もあったし。二度もね。昔から海辺は好きなの。それでも、ひとところに長居するのはまずいから。実際、デイムスクール（女性の経営する私立小学校）なんてみんな似たり寄ったりだし」彼女は〝パートナー〟のひどく柔らかい手を両手に包んだ。「文句は言ってられないわよね、ヒラリー？　ケンジントンの元閣僚のときだって……」

「あのときは、もっとふっかけてやるべきだった。性倒錯者で――しかも、軽率だった。あんな男が政府の要職についていたのかと思うと……」ヒラリーはいささか政治にうるさかった。

「でもね、今度のが最後になりそうなの、よほどの棚ぼたでもあればべつだけど」ミス・ハードウィックが話をさえぎった。「あと七か月で目標額に達するの。土曜日に千ポンド預けたから、現在の残高は六万五千三百ポンド。このあいだ、七万ポンドになったら終わりにしようって決めたでしょ。実際、もう充分よ。貯金ならほかにもあるんだし――たとえ、一部をサムに残すんだとしても。それにしても、ひとりでちゃんとやってける人に、どうしてそこまで細かい心配りをしなきゃいけないのか……」

「うん、ロージー、もう充分だ」古い話を蒸し返されたくなくて、ヒラリーはあわてて口をはさんだ。

「きっとエクセター（デヴォン州の州都）の近辺で、こちらの希望に添う物件が見つかるわ。イングランド南西部《ウェスト・カントリー》には骨董店が多いし」ミス・ハードウィックは部屋のなかを誇らしげに見まわした。

「これだけ美しい調度がそろってるんだから、事業はいつだって始められる。ついに、ああ、ついに、こんな生活からおさらばできるんだわ！」

パートナーはうなずいた。夢が現実のものとなるときが、刻一刻近づいているのだ。「もう行かないと」

ふたりは抱擁《ほうよう》した――ぎこちなく。というのも、ヒラリーがいまだ完全には罪の意識を捨てきれずにいるのに、ミス・ハードウィックのほうは自分の思いの丈を表わそうとして、相手を万力のように締めつけたがったからだ。ヒラリーは彼女の言葉は正しいと心に決めた。いまこそこんな生活からおさらばする潮時だった。

「やるわよ……やるって言ってるでしょ」三週間後の昼前、コプトリン＝スナッグ夫人はベッドわきの電話で話をしていた。「いいえ、もうお会いしたくないわ、金曜の夜までは。それに、そのときが最後よ――絶対に」

夫が一代貴族の爵位――単なるナイトの称号ではなく、本物の貴族の地位――を賜《たまわ》る運びとなり、首相官邸から受諾の可否を確認する公式の書簡が届くや、驚くなかれ、妻にとっての優先事項はおのずと定まった。「七時四十分にそこに行ってればいいんでしょ……はいはい、彼女がいつも病院に早めに来るっていうんなら、七時三十五分でも……場所ならちゃんと聞いたわよ、もう三回も……問題はあのいまいましいしろものが体にあうかどうかだけなの」

ママがもうこの世にいないのが残念でならない。マージー・ポッツ――写真モデル、新進映画女優、イルカショーの水中パフォーマー、テレビの懸賞付きクイズ番組のアシスタントといった経歴を持つ彼女、マイル・エンド・ロード生まれのマージー・ポッツが、グランドンのコプトリン＝スナッグ卿夫人になろうとしているのだ——ごく最近の過ちについて将来のコプトリン＝スナッグ卿に感づかれ、家からほっぽりだされずにすめばの話だが。

「言ったでしょう、そっちが何をしようが、あたしの知ったことじゃないの……それと、何も心配はいらないって言うの、やめてもらえない？　今回の件がすんだら、とてもそんなことは言っていられなくなるんだから。おたがいにたっぷりと弱みを握られて」彼女としては、金曜日以降はこちらの握る弱みのほうがずっと大きくなるとつけ加えてもよかった。「時間厳守……それが肝心だってことは、あたしだってよくわかってる。もちろん、誰にもしゃべりゃしないわよ。あたしの頭は空っぽだとでも言いたいの？……あの人が許してくれるなんて絶対にありえない……もう、空涙なんかよしてちょうだい」彼女は受話器を置いた。

ロンドンの投資銀行〈グレンウッド・フィップス〉のまだ若々しい副頭取は、アッパー・トレッスルのセント・メアリー教会の祭壇の前の階段に立って、東側の新しいステンドグラスを眺めていた。わざわざ来ただけのことはあった、と彼は思った——この週末、妻ともどもテムズ川沿いのミッチェル・ストークに招かれた彼は、土砂降りの雨のなかをひとり、車を二十分ほど走らせて、川の少し上流にあるこの村までやってきたのだ。

雨にたたられた田舎の土曜日ほど退屈なものはないが、教区教会はたいてい門戸を開いている。そこで、ふと思い立ってこの教会を訪ね、誰もいないところでゆっくりと芸術作品を鑑賞していたのだ。

「まあ、ミスター・トレジャー」

おやおや、誰もいないというのは間違いだったようだ。声をかけてきたのは、小柄で、寮母のようにお堅い印象の、五十代なかばの女性だった。体つきはほっそりしていて、地味な服装がその弱々しげな声とよく釣りあっている。

「ミセス・ページェット、これはまた奇遇ですね」彼は心をこめて夫人の手を握った。

「名前を憶えていてくださるなんて驚きました」

トレジャー自身、同感だった。そうこうするうちに彼女のことがはっきりと思いだされてきた——品のよい永年勤続の記録係。「いやいや、新規発行株式課を切りまわしていたかたをそう簡単に忘れられるわけはありませんよ」

「そろそろ三年になりますのに」

「そうですか？　月日がたつのは速いものだ。それで、いまはこちらにお住まいなんですね」

「いえ、違うんです。うちの主人は訪問販売員なんですが、イングランド中部地方《ミッドランド》担当に変わりまして。そうでなければ、勤めはやめませんでした」

「なるほど」彼は言葉を切った。ページェット夫人は何事か打ち明けたいのに勇気が出せずにいるのではないか、そんな気がしてならなかった。「あの窓、見事でしょう？　しばらく前に《カントリー・ライフ》で紹介されましてね。いつか必ず見にこようと決めていたんです……

ふーむ。ところで、ご主人は息災でいらっしゃいますか?」

「こちらには葬儀で来たんです」彼女には彼の最後の質問が聞こえなかったようだった。不帰の客となったのが夫君だとしたら、かえって幸いだった。「妹なんです。二週間前に亡くなりまして」それならなおさら聞かれずにすんでよかったかもしれない。「主人は仕事の都合で、きょうの午後遅くにならないと来られないんです。おかげでわたしが全部ひとりで引き受けることになりまして。きのうは検死審問に出たんですよ。葬儀は水曜日でした」彼女は声を詰まらせた。「ここへ来たのは神さまにお導きを乞うためなんです、それと、牧師さまにお会いしたくて。ところが、はいってこられたのはあなたでした」

彼はしかるべき哀悼の意を表わしつつ、胸の内では、夫人がこの偶然の一致を神の介入と勘違いして、聖職者の権威を見くびるようにならなければいいがと考えていた。「長患いだったんですか?」

「自殺です」今度は失言になってしまった——それも極めつきの。「とにかく……心のバランスを失ったというのが検視官の見方です。でも、ローズマリーはそういうタイプではありませんでした」

「そうですか。もしかすると何か人に言えない悩みがあったのかも……」

「悩んでいたのは高所恐怖症ぐらいのものです」たしかにそれは〝究極の解決法〟を要したり、正当化したりするような悩みとは言いがたい。「それに、あんなにお金があったんですよ」

こんなふうに祭壇の前の階段で、結婚の誓いを述べようとしているカップルよろしく肩を並べ、立ったまま話を続けていても、らちがあきそうになかった。「どこかもっとゆっくり話のできるところへ移りませんか？」

「あら、そうしていただけますか？　ありがとうございます。この通りをちょっと行った先に、ローズマリーのコテージがあるんです。コーヒーでも入れましょう」

アッパー・トレッスルは、谷底の川沿いに広がるロウアー・トレッスルにくらべて村の規模こそ小さいが、本通りには十四世紀に建てられた立派な教会や、十九世紀に造られた駅舎のない小さな駅のほか、〈ミセス・イースタン私立小学校〉が並んでいる。

故ミス・ハードウィックの住居、〈オークツリー・コテージ〉は一九三〇年代に建てられた魅力に乏しい一軒家で、屋根は半分だけ瓦が葺《ふ》かれ、外壁には灰色の漆喰が塗られていた。片側には傾《かし》いだ木造のガレージが隣接している。伸び放題の月桂樹の茂みがいい目隠しになって、家屋は道路から直接は見えない。オークの木は見当たらなかった。

「素敵なお部屋ですね」トレジャーは驚きを押し隠して言った。雨はやんでおり、彼はロールスロイスを駐車したところに置いたまま、教会から二百メートルほどの距離を歩いてきたのだった。いまはミス・ハードウィックの家の奥にある居間で、暖炉の火を前にしてコーヒーを飲んでいた。窓からは勾配のある庭と、その向こうの美しい景色が望めた。

「家具はほとんどがヴィクトリア朝様式にすぎませんけど、質はかなりいいものらしいんです」ページェット夫人がおずおずと言った。「一部は祖父から相続したものです。惜しいことに、わたし自身の相続分はとうの昔に二束三文で売ってしまいましたけれど。こういうものには疎くて」

「しかし、妹さんは賢明にも手元に残しておかれた。たしかに大半はヴィクトリア朝様式ですが、もっと時代をさかのぼるものもありますね。たとえばあちらの書き物机とか、この見目麗しいソファテーブルとか」

「骨董店を持つのが、ローズマリーの夢でした」

「夢に終わってしまったのが残念ですね」

夫人はうなずいた。「昔からそうでした。思いどおりにいったためしは一度もありませんでした。仲がよかったとは申せません。いまでは後悔していますわ。もう長年、顔すらあわせていなかったんです。主人はごくたまに訪ねていたようです——仕事で近くに来た折に。でも、妹はとても……とても嫉妬深くて、そのうち……ひどく辛辣になって。頭はとてもよかったんです。ただ、わたしと違って……」

「美貌には恵まれなかった」必ずしも本心ではなかったが、彼は気を利かせて言葉を継いだ。

「いえ、機会に恵まれなかったと言おうとしたんです。わたしは五歳年上です。子どものころ、わが家はまずまず裕福だったんですが、父が破産してしまいまして。おかげでローズマリーはかなり損をしました——まあ、わたしにしても、せっかくの機会はほとんど生かせませんでしたけれど。わたしの場合、もう少し頭がよければ、大学には行けたでしょう。でも、ローズマリーのときには、お金に余裕がなかったので、そもそも進学は無理でした。それに、殿方から好意を寄せられることもなかったようです」ふたたび申しわけなさそうな顔つきになる。「でも、妹のほうは殿方に関心がありました。うちの主人にひそかに思いをつのらせていたんです——わたしたちが婚約する前の話ですが」

「ああ、それは珍しいことではありません。思春期にありがちな、年上の男性に対するあこがれで……」

「もっと大ごとになりました。わたしたちの結婚式の前の晩、アスピリンを丸々ひと瓶分、飲んでしまって……」

「おやおや、自傷行為に走ったんですか」

「そうなんです」彼女はトレジャーのほうからその言葉が出たことを感謝するように言った。「当時のお医者さまの見立てがまさにそれでした……数年後、妹はとても小柄な男性に捨てられました。小柄な男性だったことは憶えています」

「そのときも……?」

「いいえ、そのときには命を粗末にするようなまねはしませんでした。ただ、いよいよ辛辣になってしまって」

「自傷行為の件は検死審問で取りあげられましたか?」

「ええ、当然ですけど。以前にも自殺を図ったことがあるかと訊かれたので、やむをえず一度あると認めました。事情は説明したんですよ——三十年以上前の話だし、当時の医師は気を引くための行動にすぎないとおっしゃっていたと……」

「まあ、検視官としては無視できなかったんでしょうね。遺書はあったんですか? 多くの場合……」

夫人は首を横にふった。その目には涙があふれていた。

「とにかく、あなたにおわかりになるかぎり、妹さんはとりたてて問題を抱えてはいらっしゃらなかったんですね？」はっきり聞きとれる返事はなく、かすかなすすり泣きが漏れるばかり。

「わたしでよろしければ、くわしい話をうかがいますよ」

ページェット夫人は強くうなずいて、涙をぬぐった。「すみません。まだショックが抜けきらなくて」

「無理もありません。あなた自身の言葉でいきさつを話してみてください。そのあいだ、わたしはこのおいしいコーヒーを自分でお代わりしていますから」

「ただのインスタントですのに、お気遣いいただいて」夫人はソファに浅く腰かけ、両手で持ったハンカチをもみくちゃにした。「あの金曜日の晩、ローズマリーは医師の診察を受けました——十五日前のことです。七時半に予約を入れたんです。ロウアー・トレッスルのエドワーズという先生です。かかりつけ医ではありません。医療カードに記されているのは三年前まで暮らしていたポーツマスの診療所でした。エドワーズ先生には昨年の九月から自費の患者として診てもらっていたんです。つまり……その……人生の転換期のことについて」ページェット夫人はぐっとつばを呑んだ。「更年期障害。先生は検死審問でそういう言い方をしていました」

「いろいろと厄介な時期ですよね」トレジャーは穏やかに言葉をはさんだ。「鬱《うつ》に悩まされていたんでしょうか？」

「先生は否定しました。月に一度、いわば不安解消のために定期検診に来ていただけだと。ええ、妹はかなり気まずい思いをしていたようです――たぶん独身なので……」

「女の先生をお選びになればよかったのに」彼は話に割りこんだ。「なんといっても自費だったんですから」

「おっしゃるとおりです。わたしも同じことを主人に申しましたの。でも、この地域に女医さんはいらっしゃらないようなんです」

「その医師ですが、なんらかの薬を処方していたんですか?」

「夜よく眠れるように、ごく弱い精神安定剤を」彼のもの問いたげな視線にすぐさま応えて、夫人は首を横にふった。「その薬を使ったわけではありません。鉄橋から川に身を投げたんです」

ページェット夫人はしばらく黙っていたが、やがて低い、単調な声で話を続けた。「妹が診療所を出たのは七時四十分でした。先生が見送りに出たところへ、オペアガール(家庭に住みこみ、家事を手伝いながら語学を学ぶ若い女性)が、自宅のほうに電話がかかっていると先生に伝えにきまして。オペアガールが時刻を憶えていました。先生の奥さまもまた。先生のお宅は村の通りに面しているんですが、診療所は別棟で裏にあります。この目で見てきました。わきの細い小径からはいれるようになっています。その小径はずっと川まで続いています。桟橋があるんです。

ローズマリーは自転車を持っていました。普段は自転車でその小径を引き返し、通りに出て、坂道をまっすぐ自宅までもどっていたんでしょう。当然、とうに日は暮れていましたから見かけた人はいないんですが、当局は、あの晩、妹が自転車で引き船道を鉄橋のところまで行ったとみているようです――距離にして五百メートルほどですが。あちらの窓から見えますわ。たとえ村の通りを通ったとしても、見た人がいるとは思えません。その時間には往来はとだえていますから、冬のあいだはとくに。

自転車は鉄橋へ上がる階段のそばに立てかけてあるのが見つかりました。階段をのぼって線路内にはいり、川の上に出たんでしょう。欄干はそう高くないんです。飛びこむ寸前、オックスフォード行きの急行列車が通りかかりました。運転手とその助手が飛びこむところを見ています――七時五十八分きっかりのことでした。ふたりは妹が手をふっていたようだと言っています」

「目撃者がいるんですか？　ふたりも？　列車を止めたんですか？」

「ふたりとも腕利きでした。列車はけっこうスピードが出ていたんですが、すぐに止まりました。若い助手が川のこちら側まで走ってもどってきて土手を駆けおり、そのあいだに車掌さんが警察に通報しました。

でも、もちろん、もう手遅れでした。一時間後、警察が堰《せき》で遺体を発見しました。そう遠くではありません。妹は泳げませんでした。あのときは大雨のあとで水かさがかなり増していました――いまよりずっと。流れは相当速かったにちがいありません。翌日、妹の着ていた赤いオーバーが見つかりました。堰よりずっと下流で。水中で脱げてしまったんでしょう。列車の運転手はそのオーバーをよく憶えていました――それと、毛糸の帽子を。そちらは見つからずじまいです、帽子のほうは」

トレジャーはけげんそうな顔つきをした。「教えてください。妹さんは長年、高所恐怖症に悩まされていたんですよね？」

「ええ、子どもの時分から」

「すると、そういう手段をとるにはよほどの勇気が必要だったのでは……検死解剖は行なわれましたか？」

「はい。わざわざ必要ないように思いましたが。溺死とされました――ああ、そうそう、死亡時には意識がなかったとか」

「えっ？」

「頭を打っているんです……鉄橋のどこかにぶつけて、それから、川に落ちたんでしょう」

「頭部に傷があったんですか？」

「一か所だけ。ひどくすりむけていました。そのせいで気を失ったにちがいありません。考えてみれば、せめてもの救いかもしれません。常々思っていたんです、溺死というのはとても苦しいものだと……」

「薬の話は出ましたか？　鎮静剤でしたっけ」

「はい。秋以降、処方箋を二度発行されていましたが、薬は一錠も飲んでいませんでした。二階で薬瓶を見つけました。中身はそっくりそのまま残っていました」

「きちんと服用されていれば……」トレジャーは言葉を切った。「医者に何か言われたんでしょうか、それで、絶望してしまったとか？」

「先生はそんなことはないと証言しました――でも、それ以外に答えようがありませんでしょう？　ただ、ひどくあわてた様子でした――動転していると言ってもいいくらい。重大な責問題になりかねないんですから……」

「おおかたの医者はそのへんのことは充分自覚していますよ。その医者の言葉に嘘はないと思います。やはり妹さんは一時《いっとき》の衝動に駆られて……」

「でも、どうして？　たしかに妹はとりたてて自分の仕事を楽しんではいませんでした。それは周知の事実でした。でも、文句は言わずにいたんです。あの日、妹と顔をあわせた人はみな、普段と様子に変わりはなかったと証言しています」夫人はゆっくりと顔を上げた。「それに、お金のこともあります。妹はお金持ちでした、少なくともわたしたちの基準からすれば。思いがけないほどの金額でした。それはわたしが全部相続することになりますが」

ページェット夫人は書き物机のところへ行き、住宅金融組合の通帳を五冊持ってもどってきた。それをトレジャーに手渡す。

「銀行の口座に加えて、住宅金融組合にもこんなにたくさん口座を持っていたんです。ほら、毎月月末、それぞれの口座に二百ポンドずつ預け入れていますでしょう」

実際には、ミス・ハードウィックがその預金を始めたのは昨年九月からにすぎなかった。通帳にざっと目を通すと、利子をのぞき、三年間の空白を置いて、以前にも似たような定期的な入金がなされているのがわかった――このときは毎月百ポンドずつ。さらに時間をさかのぼると、ずっと高額の定期的な入金も見受けられた。

「ふーむ、妹さんが税金逃れをしていらっしゃらなかったことを望みますよ」副頭取は陽気に言った。「あなたが唯一の相続人でいらっしゃるなら、おそらく相続税の支払い義務が生じるでしょう」彼はふたたび通帳を見やり、それから、最初に注意を引かれた家具のほうへ視線を転じた。「妹さんがこっそり骨董品の売買をしていた可能性はありますか？」

「あります。法律に触れますの？」

「いやいや、ご心配なく。ただ、取引の規模によっては、ややこしい話になりかねませんが。この家は妹さんの持ち家だとおっしゃいましたね？　失礼ですが、遺言書は見つかりましたか？」

「まだです。取引のある銀行へ行ってみました。支店長さんはとても親切なかたでした。銀行に保管されていたのは、この家の権利書だけでした」

「ここは捜してごらんになりましたか？」

「まだきちんとは。書き物机を調べただけです。主人から、書類をめちゃくちゃにされてはかなわないから、おれが行くまで何にも触るなと言われまして」

「よりによってあなたが⁉　書類をめちゃくちゃにする？　ご主人にひと言申しあげたほうがいいかもしれない」

彼女ははにかむように微笑した。「預金通帳は捜すまでもありませんでした。外に出ていましたので……」

「毎月の入金に備えてですね」彼は手帳を取りだして、通帳の一冊と日付を照合した。「思ったとおり。入金はきまって月の最終土曜日です。妹さんが亡くなったのはその前日ということか、ふーむ。それはそうと、遺言状があるとしたら、見つかるのはたぶんその机のなかですよ――おそらくは隠しスペースのなか」夫人のとまどった顔つきに応えるように、部屋を横切って優雅な造りの書き物机のところへ行った。

書き物机はサテンウッドの寄せ木細工の縁飾りが施されたマホガニー製で、下部には引き出しが四つついている。開閉式の天板を開くと、美しい装飾彫で飾られ、バランスよく配置された小引き出しと区分け棚が現われた。十八世紀後半の製品であれば、必ずどこかに仕掛けが……。

「隠しスペースをご覧あれ」しばらくして、彼は大声をあげながら、数段重なった小引き出しを区切っている支柱の一本を引きだした。支柱の奥は中空で、縦に長く奥の深い、幅三センチほどのすき間になっていた。「仕組みを知っていれば、たいてい見つかります。妻が舞台の仕事の合間に骨董の勉強をしていましてね。妻から教わったんです」彼は微笑した。「しかし、遺言書はないようですね。小型の卓上日記と、子どもの絵が数枚……これは驚いた。あなたもご覧なさい」彼は首を横にふった。「どうやら妹さんは子どもの描いた猥褻画《わいせつが》を集めておられたらしい」

三十分後、トレジャーは川岸からロウアー・トレッスルの村はずれまで少し歩いて、道路わきに止めてあった車のところにもどった。

彼はふたたび鉄橋を見あげた。線路はここで頑丈な築堤を離れ、高架をつたって川を渡っていく。道路は急に右に曲がっていた。百年前、馬車はこの地点で鉄道に道を譲り、上り坂を進んで、アッパー・トレッスル駅の手前で、鉄道の下の低いトンネルをくぐることになったのだ。

道路と川にはさまれた一帯は木々や灌木《かんぼく》のせいで見通しがきかなかった。トレジャーが歩いてきた道筋の一部へは車の乗り入れが可能だった——実際、そうしている人がたくさんいるのは明らかだった——築堤へ上がる木の階段に隣接する空き地から一本のでこぼこ道が延びていたのだ。グレート・ウェスタン鉄道の設置した鋳鉄製の看板には、〝許可なくこの階段を使用した者には罰金（最高五ポンド）を科す〟との注意書きがあったが、線路への侵入を防止する対策はほかには何ひとつ講じられていなかった。

石の橋台に支えられた鉄橋は三つの足場で川をまたいでいる。欄干から川の水面までの距離はせいぜい十二メートルというところ。それでも、高所恐怖症の人にとっては……。

それより前、トレジャーはエドワーズ医師に面会した。ひととおり彼の話を聞くと、それまでしだいに動揺の色を濃くしていた男はついに根負けし、むしろほっとした様子で、ミス・ハードウィックにゆすられていた事実を認めた。と同時に、彼女の死にはいっさい関与していないと強く主張した。自殺を疑う理由は何ひとつないが、この二週間、他殺の線が出てくるのではないかとの思いにつきまとわれていた。かりにそういう流れになって当局が恐喝の事実を嗅ぎつけたら、彼は間違いなく第一容疑者にされていただろうと。

小学校教師が亡くなってから、コプトリン＝スナッグ夫人とは一度も連絡をとっていなかった――その何か月も前から、連絡をとりあう機会はごく減っていた。愛人関係はとうに解消していた。顔をあわせるのは社交行事か診察のときに限られていた――ミス・ハードウィックに要求された金額の大半は夫人が負担しており、診察の名目でお金を渡しにきたのだ。ミス・ハードウィックが亡くなる直前に受けとった一千ポンドがどうなったのか、医師は知らなかった。また、夫人から負担分の返却を求められてもいなかった。

エドワーズ医師はトレジャーに次の三つの事実を強調しようとした。第一に、法医学者によって体内に薬物や毒物の痕跡がなかったことは疑いの余地なく証明された。第二に、あの晩、医師の敷地内で生きているミス・ハードウィックを最後に見たのは、エドワーズ家のオペアガール、ヘルガである。第三に、肝心かなめのその後の二十五分間、彼は居間の電話で世界的に有名な心臓外科医と話をしていて、そのあいだおおかたは妻に姿を見られていた。

銀行の副頭取は引き船道でついた泥を靴からぬぐってロールスロイスに乗りこみながら、これほど説得力のある自己弁護は、誰の目にも潔白であることがはっきりしている人の口からでさえ聞いたことがないとあらためて考えた。

村へもどる途中、電話ボックスのわきを通り過ぎた。彼は先刻、この電話ボックスから、評判の高い日曜紙のひとつの、経済部長のオフィスに電話した。その経済部長は長年の友人で、おもしろがりながらもよけいなことは訊かずに、たちまち必要な情報を提供してくれた。

トレジャーがおぼろげに記憶していたとおり、現在、英国最高のセールスマンと称される男の三番めの妻は、最初、十六歳のときに、ダイビングのジュニアチャンピオンとしてささやかながら世間の注目を集め、その後、イルカショーにかかわり、いまでは国の内外を問わず水上スキー大会の主催者、参加者として知られていた。

村落を半分ほど通り過ぎたところで、トレジャーは左折して、車を真ん中のアッパー・トレッスルへ通じる道に乗り入れ、八百メートルほど進むと、今度は右折して〈ハーフ・ウェイ農場〉の敷地内の長い車道を進んでいった。ピーター・マーティンの絵には名前とともに住所も記されていたのだ。

家は留守のようだった。玄関ドアを二度、強くたたいたが、応答はなかった。

「おばあちゃんなら出かけてるよ」

トレジャーはふり返り、彼の背後に不意に現われた、まじめそうな少年に微笑みかけた。

「いや、じつを言うと、会いたかったのはきみなんだ。ピーターだね？」

少年はうなずいた。だが、どうみても自己紹介よりずっと気になることがあるらしい。「それって、ロールスロイス・シルヴァーシャドウ・マークⅡだよね？」しわくちゃのハンカチで鼻をかむ。「コーニッシュじゃあないんだ」

「まあね、あれはもっと値が張るんだ」副頭取は少々引けめを感じながら答えた。「なかを見る？」

「いいの？」まじめくさった顔がたちまち純粋な喜びに輝く。ハンカチは今度、眼鏡を拭くのに使われた。

トレジャーは友だちを得た。

「わたしらには謎なんですよ、ミスター・トレジャー。ええ、ほんとうに。あなたが解明してくださったら、サマンサもわたしも……」彼は大男で、人生の盛りを過ぎていた。夫人からは同い年だと聞かされていたが、ずっと老けて、やつれて見える――まさに人生の敗北者という風情だった。

「謎でしたら、すっきり解けると思いますよ、ミスター・ページェット」

「あの絵をヒラリーに見せたんです」ページェット夫人が口をはさんだ。「あなたが日記といっしょにお持ちになった一枚をのぞいて全部。けしからんのひと言だと申していました」

三人は〈オークツリー・コテージ〉の居間にいた。トレジャーは着いたばかりだった。この家を訪れるのはこれが三度めだった。わざとらしく腕時計に目をやる。そろそろ一時だった。

「あいにく、さらにけしからんことになりそうなんですよ、ミセス・ページェット」彼は言葉を切った。「先ほど軽い食事がどうとかおっしゃっていましたよね。よろしければ台所へおいでいただいて……」

「ミスター・トレジャーはおまえに気まずい思いをさせたくないんだよ、サム」

「ちょっと席をはずしていただけませんか？　そのほうが助かります」トレジャーは彼女のためにドアを開けてやり、やがて、しっかりと閉じた。「他殺でしたよ、やはり」

「なんてこった。あの医者のしわざですか？」

「義妹《いもうと》さんはおそらく診療所を出てほどなく、石で殴られて意識を失ったと思われます。犯人はオーバーと毛糸の帽子を脱がせて、それから手早く——じつに手早く——彼女を桟橋から川に投げこみました。義妹《いもうと》さんの体は流れに乗せられて川の真ん中に出たあと、鉄橋をくぐって、あの堰に達しました。むろん、そのときには、とうに溺死していました。法医学の見地からすれば、かりに鉄橋から飛び降りて、落ちる途中に頭を打ったとしても、遺体は同じ状態になるでしょう」

「しかし……」ページェットは口をはさもうとした。

「まずこちらの話を最後まで聞いていただきたい。殺人者は次に衣類と自転車を小径に止めてあったステーションワゴンに積みこみ、ついでに千ポンドを自分の懐に入れました。車を築堤まで走らせ、階段をおりて、共犯者と落ちあいました。共犯者は自分の車で来て、待っていたんです。彼女はオーバーと帽子を身につけました——おそらくはウェットスーツの上に。そして、鉄橋へのぼって、ただ欄干に腰かけ、列車が通りかかるのを待ちました。人目に触れたことを確認した上で、川に飛びこみ、泳いで岸に渡りました。

オーバーは絶対に脱ぎ捨てなければなりませんでしたが、このことが犯行の露見する原因となりました。水中で服を脱ぐのは、泳ぎのうまい者が意識的に行なわないかぎり不可能です。ミス・ハードウィックは金づちでしたし、意識を失っていました。ましてや、ひとりでに脱げるはずはないんですよ。帽子は事情が異なります。髪と顔を隠すのにうってつけの小道具になりました。

共犯者はあなたの義妹《いもうと》さんに恐喝されていました」ページェットはぎくりとした様子で首を横にふった。「どうやら義妹《いもうと》さんは長年、悪事を重ねていたらしい――彼女の言う〝パートナー〟とともに。しかし、最近になって、この忌まわしい稼業から足を洗う気になったようです。八月末の日記の記述に〝七万ポンドたまったら、Hと自由だ〟とあるんです。それに、学校長に今学期かぎりでやめたいと申しでています」ピーター・マーティン少年がこの件をどうやって知ったのかはトレジャーにも見当がつかなかった。

「Hというのはもちろんミス・ハードウィックのパートナーをさします――日記の日付と時刻を見るかぎり、夜、かなり頻繁にここを訪ねていたようです。彼はまたミス・ハードウィックを殺害した犯人でもあります」ページェットの顔からゆっくりと血の気が引いていった。額には玉の汗が浮かんでいる。「彼が共犯のミセス・コプトリン＝スナッグに連絡をとったのは、ごく最近のことでした。自分の正体を明かし、無理やり悪事の片棒を担がされたとかなんとかでたらめ話を並べました。今回の支払いが終わっても、ミス・ハードウィックはゆすりを続ける気でいる。彼としては罪滅ぼしに〝自殺〟の偽装を考えている。どうか協力願えないかと――この提案について、夫人は真っ向から反対したと告白していますが」

「嘘だ。あの女だって知恵を出したんだ」

トレジャーはページェットがぽろっと漏らしたひと言を喜んでそのまま受け入れた。というのも、彼がここまで述べてきたことの大半は純粋な推理にすぎなかったし、コプトリン＝スナッグ夫人にはいっさい問いあわせていなかったからだ。

一瞬、ふたりの男たちのあいだに沈黙が落ちた。やがてページェットは緊張をほどいたようだった。両肩をすくめる。「しかたがない。あんたは何もかもお見通しのようだ。あの絵といまいましい日記は取りにくるべきだった。隠し場所は知っていたんだから。安全だとばかり思っていたんですよ……動機は金《かね》じゃありません。サムが全額受けとることを考えたら、そんなふうに見えるのはわかっていますが……最後に受けとった千ポンドはあの女に返しました——神に誓って、ことの起こりはあの約束で……」

「奥さんと別れて、その妹と駆け落ちすることですか？」

「サムに対してそんな仕打ちができるわけがない。でも、拒んだら、ただではすまなかったでしょう。なにしろ長年心待ちにしていたんですから——ただその日のみを。そこのところを理解していただかないと……正気の沙汰じゃないですよね。実際、正気を失っていたのかもしれないが、あのときはそれが最善の策に思えたんです。だのに、あの高慢ちきな女がばらしやがった」

「いや、そうではありません。あなたは診療所のわきの小径で姿を見られているんです。自転車を車に積みこんでいるところをとらえた証拠がありまして……車のナンバーがはっきり読みとれるんですよ。いま外のガレージに止まっている車ですが」トレジャーは一時間前、ここへもどってきたときにそれと気づき、来た道を引き返して電話で警察に面会を求めたのだった。

「しかし、どうやって写真を撮ったんだ？　周囲には誰もいなかった。それに、どうしていまになって……」

「それには理由があるんです」その理由ゆえ、ピーター少年は〝イースター休みの秘密〟コンテストに出品するつもりの自分の絵を、普通の状況ではハードウィック先生以外の誰にも見せようとしなかったのだ――たとえ先生が亡くなったと知ったあとでも。昨年の〝夏休みの秘密〟コンテストの出品作について、誰かにしゃべったら、特別賞は返上すると彼は先生に約束していた――ロールスロイスに乗った男がその出品作を持ってこなければ、けっして約束をたがえはしなかっただろう。その男からハードウィック先生からコンテストの審査を引き継いだようなものだと聞かされたからこそ、新たに描いた絵を見せたのだ。

ピーターがその絵――新しい審査員が特別に気に入ったもの――に描いたのは、屋根裏にある自分の寝室の窓から見た光景だった。例の小径は真向かいにあった。たいした作品ではない――ミス・ハードウィックが次回の特別賞だとほのめかしていたカメラを勝ちとれるほどの出来では。それでも自転車が車に積みこまれようとしている様子がよくわかる。車のナンバーもはっきり記されていた。ピーターはそれが自慢でにっこり笑った。彼は〝メガネ〟とあだ名されることもあった。

「ワドキン警部というかたが外の車のなかでお待ちです。そろそろお呼びしようと思いますが、どうしましょうか?　奥さまにはあとでわたしから事情をお伝えしてもいいですよ」

ページェットはうなずいた。「すると、ばれたのは写真のせいだったんですか?」

「違います」トレジャーは冷静に答えた。「厳密に言えば、ミス・ハードウィックのせいです。それに、絵であって、写真ではありません。若いバードウォッチャーが、ミス・ハードウィックから特別賞としてもらった双眼鏡を使って描いたんです。じつはその双眼鏡は夜も使えましてね。非常に高性能なんです」

（藤村裕美訳）

# 最期の叫び

マイクル・コリンズ

Scream All the Way　一九六九年

**マイクル・コリンズ** Michael Collins（一九二四―二〇〇五）。アメリカの作家。最も有名なのは片腕の私立探偵ダニエル（ダン）・フォーチュンのシリーズで、第一作『恐怖の掟』（一九六七）でアメリカ探偵作家クラブ（ＭＷＡ）最優秀新人賞を受賞。複数のペンネームを使い、ミステリのみならず純文学や児童書の分野でも活躍した。一九八八年にはアメリカ私立探偵作家クラブ（ＰＷＡ）生涯功労賞を受賞。本編の初出は〈アルフレッド・ヒッチコック・ミステリ・マガジン〉*Alfred Hitchcock's Mystery Magazine* 一九六九年十月号。フォーチュンものの一編である。

おれが見る悪夢はいつも同じで、どこかとても高いところから、むなしく叫びながら深い淵へと真っ逆さまに落ちていく。うなされて目覚めたときには汗びっしょりで体が震え、痛むはずもない失われた腕がうずく。煙草に火をつける。しばらくはもう眠れない。落ちて死ぬ光景におびえている。

ガッゾ署長がサセックス・タワーズ事件と名づけた事件をとてもよくおぼえているのは、そのせいだ。

八月の暑い月曜日、灰色のトロピカル・スーツをきちんと着た小柄な男がおれの事務所に入ってきたのがはじまりだった。窓が一つだけの部屋はやたら暑く、男は沼地に飛び込んだように感じたのか、きびきびした態度だったのが急に足首まで泥にはまったような歩きかたになった。

男はおれの片腕がないのを見た。「あなたがダニエル・フォーチュン?」その口調と落ち着かない目の動きが、無言のうちに語っていた。おまえが? 腕がない探偵?

腕が片方ない代わりに頭は二つあるので、料金に見合う働きを期待してくれていいと言ってやりたい誘惑にかられたが、現実は映画とは違い、仕事をもらうには気の利いた科白よりも謙虚さがものをいう。

「ええ、そうです」おれは控えめに答えた。「ご用件をうかがえますか?」

「私立探偵の免許を持ってるのか?」

「近頃は、誰でも許可証がもらえるので」おれは言い返した。謙遜《けんそん》やビジネスマナーは、やはり性に合わない。しかし幸いにも、彼は別のことに気をとられているようだった。皮肉は通じなかったらしく、笑みのかけらすら浮かべずに座った。

「私はウォーレス・クーンズ、弁護士だ。頼みたい仕事がある。現金二十五万ドルの警備だ。夕方五時から翌朝の九時まで、人数は二人、一人一日五十ドル」

「五十ドルとは渋いですね」おれは交渉の余地があるか探りを入れてみた。

「そこをなんとか」クーンズはそう言うなり、目に見えて態度が変わった。堅苦しさが消え、姿勢をくずして両脚を投げだし、煙草を手にとると、十歳も若くなったように見えた。

「こっちも困ってるんだ。いいか、フォーチュン、五十ドルじゃ安いのはわかってる。アジェミアンが大切な依頼主じゃなかったら、そもそもこんなところには来ていない」

「アジェミアンというのは誰です?」

「アイヴァン・アジェミアン。ティフリス・ラグ・アンド・テクスタイル社の社長だ。工場はニュージャージー、ノースカロライナ、それにコネティカットにある。オフィスは東二十六丁目だ。ただし本当の本部はサセックス・タワーズの十六A。そこが彼のアパートメントなんだ」

「自分の部屋に二十五万ドルを置いているのですか？」

「そうだ。アジェミアンは進歩的なビジネスマンで、いろいろ型破りなことをしている。その一つに、年に一度、八月の年次販売会議にあわせて成績優秀なセールスマンに直接ボーナスを渡す儀式がある。選ばれた社員は一人ずつ彼のアパートメントにやってくる。彼は酒をふるまい、激励の言葉をかけ、現金でボーナスを渡す」

「保険会社から文句がきたのですか？」

「その通り」クーンズが答えた。「二週間前、アパートメントに泥棒が入った。それで保険会社が騒ぎはじめた。警備員を二人雇えというんだ。アジェミアンは了承したが、出せるのは一人一日五十ドルまでだそうだ」

「二週間前には何が盗まれたんです？」

「何も。警察は、アジェミアンが帰宅したせいで泥棒はあわてて逃げたとみている。保険会社は、ボーナス用の現金を狙った犯行で、タイミングを二週間間違えたと考えている」

「どうして警備は夜だけに？」

「アジェミアンが言うには、日中は社員を二人警備につければ金を節約できるそうだ。夜は時間外手当が必要になる」

「いつから始めればいいですか？」

「できれば今夜から。もう一人も頼めるかね？」

「ええ。前金として一人五十ドルずついただきます」

そんなふうにして始まった。クーンズが去ったあと、おれはエド・グリーンに電話をかけた。グリーンとは前にも仕事をしたことがある。彼なら五十ドルで応じるだろうと踏んだのだ。

おれたちは、サセックス・タワーズのアパートメント十六Aに五時半に着いた。グリーンは暑さと五十ドルという報酬の安さをぼやいていた。

「せめて冷房がきいてるといいんだが」グリーンが言った。

冷房はきいていた。涼しく、広く、奇妙な部屋だった。アイヴァン・アジェミアンは、アラブの王宮風の意匠の家具、ごてごてした飾りつけ、ベルベットのドレープ、東洋の掛け布、ペルシャ絨毯が好みのようだ――全部で何部屋あるのかもわからないほど広い、本当の金持ち向けの〝大恐慌時代〟のアパートメントには、そうしたものがあふれていた。

「あんたたちが探偵か？」東洋人の小間使いに通されたおれたちを見て、アジェミアンは言った。「腕がないのか？　クーンズは何を考えているんだ？」

「おれはこう見えて腕利きなんです」おれは言い返した。

「冗談はいらん」アジェミアンが言った。「必要なのは喜劇役者ではなく、警備員だ。ここには大金があるが、私は特別に肝が据わっているわけではない。それに、私の勘ではこのあいだの泥棒騒ぎは、内部の誰かのしわざに違いないのだ」

「そう考える根拠をうかがえますか？」おれはたずねた。

「ついてきてくれ」

おれたちは、裏階段に出る裏口のドアがあるキッチンまで彼のあとについていった。アジェミアンは、クーンズの話から想像していたような男ではなかった。てっきり老人かと思いきや、どうやら五十は超えていない。大柄で、どっしりかまえている。本人は肝が据わっていないなどと言っているが、動きは力強くて目つきは鋭く、何ごとも人まかせにはしない性格に見えた。

「そこだ」彼は言った。「錠前を見てくれ」

おれは見た。グリーンも見た。

「ひっかき傷がある」グリーンが言った。「だが、偽装の可能性もある。どうだ、ダン?」

おれは傷を調べた。泥棒がつけたものかもしれない。たしかに泥棒が残しそうな傷なのだが、それ自体が偽装かもしれなかった。

「なんとも言えないな。鍵を持っていない誰かが外から押し入ったように見せかけたのかもしれない」

「私もそう考えている」アジェミアンが言った。「ドアをしっかり見張ってほしい、いいな?ただし、ここは人の出入りがある。客に迷惑をかけたくない。邪魔にならないようにしてくれ。金は書斎の金庫にある。書斎か、ドアの近くにいてくれ。ほかはだめだ。わかったか?」

おれはドアの方を向いた。「行こう、エド」

グリーンはうなずいておれにつづいた。アジェミアンはおれたちをにらんだ。

「いいだろう」彼は言った。「聞こうじゃないか。何が不満だ?」

おれは振り向いた。「何をどうするかは自分で決めます。それがいやならこの話はなしだ。おれとしては別にどちらでもかまわない」

アジェミアンは笑った。「怒りっぽいな、え？　障害は人を気難しくさせるというのが私の持論でね。いいだろう、私の邪魔だけはしないようにしてくれ。ここによく来る友人がいるんだ。わかったか？」

アジェミアンはおれにウィンクした。おれは言外の含みがあることに気づいた。

「最初に現金を確かめておきたいのですが」おれは言った。

「金を確かめる？　どうして？」

「もともと空っぽだった金庫を守る仕事をさせられたことがあるので」

アジェミアンはむっとしたようだが、なんとかこらえて書斎に向かいはじめた。グリーンがあとについていった。

「金はおれが数える」グリーンが言った。「おまえは間取りを調べてくれ」

おれは部屋の間取りを確かめた。つくりはシンプルで、部屋数は多いが外とつながっているドアは二つしかない。そのうち玄関のドアは、エレベーターがある廊下に面している。裏口のドアはキッチンにあって、その向こうには階段がある。現金がある書斎にはドアが二つあり、一つはリビングルームに、もう一つはキッチンにつながっている。書斎の窓の外には梁《はり》があるが、その窓から入れるのは蠅くらいだろう。

「金は確かめた」グリーンが言った。

「ここに入るには二つのドアのどちらかを通るしかなくて、おれたちは二人いる」おれは言った。「これなら目を開けてさえいればいいだけで、金をもらって休んでるようなものだ」

グリーンも同じ意見だった。おれはリビングルーム側のドアを選び、グリーンがキッチンのドアについた。アジェミアンは現金のある書斎で仕事をしていた。この先には静かな一週間が待っているように思えた。

そうではなかった。

十時頃、玄関のドアの鍵がまわされる音が聞こえた。アジェミアンはすでにリビングルームに移っていた。おれはリボルバーを手にして、ドアの向こう側の壁に身を寄せた。ドアが開き、驚くほどスリムな女が廊下から入ってきた。

「アイヴァン、わたしよ!」

女は小柄で、ブルーのサマースーツを美しく着こなしていた。それから彼女は背後に立っていたおれを見た。おれは阿呆のように口を開けていたに違いない。彼女は微笑み、おれに向かってしなをつくり、それからおれの空っぽの袖を見た。

「まあ! 腕はどうしたの?」

「その話を聞くには何日もかかりますよ」

彼女はころころと笑った。「きっと兵隊さんだったのね」

「あなたは誰です?」

「メアリ・ケーン。アイヴァンはいないの?」

どうやらこの女性がアジェミアンのウィンクの意味のようだ。彼女はハンドバッグを持っていなかった。スーツは体のラインにぴったりあったつくりで、その下には剃刀の刃も隠せそうになかった。

「彼女なら寝室です」

彼女は寝室へと歩きながらまた呼びかけた。「アイヴァン！　来たわよ！」

おれは椅子に戻った。メアリ・ケーンは鍵を持っている。ほかには誰がこのアパートメントの鍵を持っているのだろう。それが非常に気になる。そして、次の訪問者は鍵を持っていなかった。少なくとも鍵を使わなかった。軽いノックの音が響いた。

ドアベルがあるのに鳴らなかったので、おれは警戒してドアに近づいた。そのノックには、なかに誰かいるのか探っているような気配があったのだ。おれは手に拳銃を持って、ドアを素早く開けた。

背が高く、ほっそりした男がおれの拳銃を見つめた。

「入ってくれ」おれは鋭く呼びかけた。「向こうに下がって。さあ、早く」

男は入ってくるなりあとずさり、おれは廊下をのぞいて様子を確かめた。誰もいない。おれはドアを閉めて男と向き合った。

「あなたは誰です？」

「マックス・アルヴィスだ」彼はやせていて神経質そうだった。「ティフリス・ラグの副社長だ。あんたが雇われた探偵か？」

「そうです。ダン・フォーチュン」

「一人なのか？」

「もう一人います」

「いつも別行動を?」

「いつも同じことはしません。その都度変えている」

「なるほどね。とても賢いやりかただ」

「いや、この商売では基本なので」おれは言った。

アルヴィスはうなずいた。「クーンズは優秀な探偵を雇ったようだ。それにしても面倒なことになった。保険会社にこのあいだの泥棒の件を知られてしまったせいだ。長年、警備員なしでやってきたというのに。大騒ぎするようなことじゃないんだ」彼はあたりを見まわした。

「ミスター・アジェミアンはいないのか?」

「寝室にいます」

「一人で?」

「いいえ」

「ああ」アルヴィスが言った。「そうか、それなら出直すとしよう」

副社長は踵《きびす》を返すと玄関から出ていった。グリーンが背後から姿を見せた。

「何だったんだ?」彼はたずねた。

「わからない。急に気が変わったみたいだ。そもそもここに来る理由が本当にあったとしたらだが」

「ああ」グリーンはまだ怪しんでいた。「少なくとも今の男は鍵を持っていなかった。持ち場を代わろう、おまえばかりが来客の相手をしている」

「アジェミアンは今夜はもう仕事はしないだろう」おれは言った。「書斎にいることにするよ」

おれは書斎に入った。なかは静かだった。おれはキッチンに通じるドアを開け、裏口が見える位置に座った。そしてマックス・アルヴィスのことを考えた。あの男、本当は何をしにきたのだろう？　彼との会話がなぜか引っかかる。ただ、何が気になるのかがわからない。

そうしたことを考えているうちに、うたた寝をしてしまったようだ。リビングルームから声が聞こえて、はっと跳ね起きた。男の声と女の声、それにグリーンの声だ。男はアジェミアンで、黒い服の女に腕をまわして書斎に入ってきた。ご機嫌そうな笑顔だった。女はそうではなかった。

「愛しい妻に金をせがまれてね」アジェミアンは言った。「これから金庫を開ける。ふたりとも、拳銃の用意はいいか？」

「アイヴァンはユーモアのセンスがあるの」女が言った。「それが彼と別れた理由。彼といると笑いすぎてしまう」

「もう二年になるんだ、ベス、なのに私たちはまだ離婚していない」アジェミアンが言った。「いいかげん認めるんだ、私が恋しいんだろう」

ミセス・ベス・アジェミアンは、小柄なメアリ・ケーンと違って甘いお菓子のようなタイプではないが、見るからにいい女だった。赤毛で豊満で、ほどよく優雅に腰を揺らして歩く。自分に女としての魅力があることを知っていて、それを気に入っているのがわかった。

「とても恋しいわ、アイヴァン、きっとあなたも同じよね」彼女は言った。「それとも、新しいお友だちと結婚するために離婚したい？」

「ベス、私が聖人ぶったことなどなかったろう」

「聖人みたいに振る舞ってほしいと思ったことなんてない。ときどき妻と家で過ごしてくれる夫がほしかっただけ」

アジェミアンは肩をすくめた。「昔の話はよそう」

彼は壁の金庫を開けて封筒を取り出した。金庫に二十五万ドルの分厚い札束がまだあるのが見えた。アジェミアンは封筒を別居中の妻に渡した。

「今回は特別だ、ベス。私の弁護士には言うなよ」

「ありがとう、アイヴァン」

彼女はかつてのよき日々を懐かしむかのように、書斎をゆっくりと眺めまわした。それとも、部屋の様子を確かめているのだろうか？　それから彼女は書斎を出てリビングルームを抜け、振り返ることなく出ていった。

「夫婦というのは難しいものでね」アジェミアンが言った。

「奥さんはどうしてこんな時間に金をとりにきたんです？」おれはたずねた。

アジェミアンはおれを見た。「わからない。いきなり電話がかかってきて、金が必要だと言われたんだ。それが何か？」

「いや、別に」おれは答えた。

アジェミアンはメアリ・ケーンが待つ寝室に戻っていった。グリーンはリビングルームの持ち場に戻った。おれは書斎に残ったが、どこか釈然としなかった。キッチンに入って、もう一度あの錠前を確かめた。傷跡はたしかにある。やはり泥棒だったのかもしれないし、泥棒に見せかけた誰かのしわざなのかもしれない。

おれは書斎に戻って腰を落ち着けた。眠らなかったが、その夜はそれきり何も起きなかった。おれたちは翌朝九時にアパートメントを出た。エレベーターに向かう途中、最初のセールスマンとすれ違った。彼の目はボーナスへの期待で輝いていた。

グリーンは眠るために家に帰った。おれは帰らなかった。道を渡って公園に入ってすぐのあたりにある、サセックス・タワーズの玄関と通用口が見えるベンチに腰かけた。昨夜は動きがありすぎた。あのアパートメントは人の出入りが多すぎる。そんなふうに感じられた。アジェミアンは神経質になっていた。それにマックス・アルヴィスも。アルヴィスの話の何が引っかかるのだろう。

犯罪を計画してうまくやりおおせる方法は二つしかない。隠すか、偽装するかだ。

素人は犯罪を偽装しがちだ。犯罪ではないように見せかけたり、別の者のしわざに見せかけたりして、明らかな動機から目をそらそうとする。そのためには、目くらましのための大掛かりな段取りが必要になってくる。

それに対して、ほとんどのプロは自らの犯罪であることを隠そうと考える。偽装はしない。現行犯で捕まらないよう、あるいはのちに不利な証拠が見つからないよう注意するが、犯罪がなされたこと自体は知られようが気にしない。

どちらのやりかたにも問題があり、どちらもそれなりの準備が必要なので、おれは公園で座り、サセックス・タワーズを監視した。しかし数時間が過ぎても、やる気満々のセールスマンたちが足早に建物に入っていく様子以上に興味深いものは見えなかった。怪しい動きはなく、プロであれ素人であれ現場を下見している気配もなかった。

それからマックス・アルヴィスがタクシーでやってきた。玄関ではなく裏で降りて、そのまま通用口がある路地に入っていった。その姿がずっと見えていた。彼は通用口で立ち止まり、そこを調べているように見えた。それからなかに入った。しばらく待ったが、彼は出てこなかった。

三十分後、ようやくアルヴィスが正面玄関から出てきた。そしてタクシーを呼んだ。おれは素早く決断し、別のタクシーに向かって走った。幸いなことに、サセックス・タワーズはタクシーを拾いやすいのだ。

「余計な質問はなしだ」おれは言った。「あのタクシーを追いかけてくれ」

運転手は何やらつぶやいたが、それでも指示に従った。アルヴィスは、東三十丁目あたりのオフィスビルの前でタクシーを降りて、その建物に入っていった。おれはエレベーターまであとを追いかけた。それ以上は気づかれずについていけないので、建物の案内板を確かめた。三一〇号室が弁護士のウォーレス・クーンズの事務所だ。

十五分後、アルヴィスがロビーに現れた。今度はクーンズが一緒だ。それに、ミセス・ベス・アジェミアンも。

彼らは暑い外にそのまま出てきて、そこで別れた。アルヴィスは別のタクシーに乗り、クーンズとベス・アジェミアンは三番街の方に歩きはじめた。近くに空車のタクシーは見当たらず、おれは迷うまでもなくクーンズとベス・アジェミアンのあとをつけることにした。いずれにせよ、ふたりを追いかけていただろう。クーンズは彼女の手を握っていた。それも、しっかりと。

三番街で、ふたりはカクテル・バーに入った。おれもあとにつづいた。店内は薄暗く、ブースと小さなカウンターがあった。ふたりは真ん中のブースに座っていた。おれはカウンターに腰かけて、そこからふたりの様子をうかがった。恋人同士の雰囲気を露骨に漂わせている。それも、昨日今日からの付き合いではなさそうだ。

クーンズは話しながら彼女の手をぎゅっと握った。おれは三杯ビールを飲むあいだ様子をうかがいつづけ、クーンズが財布に手を入れるのを見て、先に店を出た。そしてふたりが出てくるのを待ちかまえた。ふたりはクーンズの事務所にまっすぐ戻った。

おれは家に帰った。クーンズがベス・アジェミアンと親しいこと自体は、何も怪しいことではない。アジェミアン夫妻はすでに別の人生を歩んでいるように見えたし、クーンズは彼女のことを前から知っていたはずだ。昨夜アジェミアンがベスに金を渡したとき、〝私の弁護士には言うなよ〟と言っていたことを思い出した。アジェミアンは妻とクーンズがいい仲なのを知っているのだ。

それに、クーンズはおれを雇った——それとも、それも計画の一部だったのだろうか。おれはいささか落ち着かない気分になった。少なくとも、クーンズがおれを雇ったのは、命じられてしかたなくだったはずだ。そのことをよく考える必要がある。そして考えているうちに眠れなくなってしまった。

おれは四時五十分にサセックス・タワーズに着いた。グリーンはすでに部屋にいた。社員たちが出ていくところで、アジェミアンは機嫌が悪かった。

「これから二時間ほど仕事をする」アジェミアンが乱暴な声で言った。「書斎には近づかず、どこかで静かにしていてくれ。もし誰かが来たら、私は中国に行ったと言え」

長い夜になりそうだ。ティフリス・ラグの社員の最後の一人が帰るのを待ちながら、おれはその日見たことをグリーンに話した。

「鍵を持っている連中から目を離さない方がいい」グリーンが言った。

「そうだな」

最後の社員が出ていき、アジェミアンは書斎にこもり、おれは玄関のドアに二重に鍵をかけ、それから誰も隠れていないことを確かめるために部屋をまわった。グリーンは裏口とキッチンを調べにいった。

寝室には誰もいなかった。部屋のなかにも、クロゼットにも、ベッドの下にも。最後の部屋を調べようとしたとき銃声が聞こえた。一発の銃声が爆弾のようにとどろいた。

裏手から――書斎だ！

おれはリボルバーを手に握って走った。リビングルームから書斎のドアの前まできたが、やみくもに飛び込みはしなかった。それは自殺行為に等しい。まずは壁に身を寄せ、ドアを蹴り飛ばして開け、低くかがんで拳銃を構えた。

アジェミアンが血を流して床に横たわっていた。書斎にはほかに誰もいなかった。おれは苦しげに立とうとしているアジェミアンに駆け寄った。

「男が一人だ。覆面をつけてた！　そいつを止めようとしたんだ」アジェミアンは声を絞り出した。「私をここで待ちぶせしていた。金をそっくり奪われた！」

「怪我の程度を――」

「かまわん！　たいした傷じゃない。それより裏口だ！　早く捕まえろ」

おれは一瞬ためらった。どれほどの大金であっても、命には代えられない。たとえ被害者がどう思っているにせよだ。しかし、傷はそれほどひどくは見えなかった。おれはキッチンに駆け込んだ。

キッチンの床にはグリーンが倒れていた。意識を失っている。左のこめかみに醜いこぶができていて、何が起きたのか見当がついた。

裏口のドアは開けはなたれていた。おれは階段に向かった。サセックス・タワーズから出るには、一階まで降りる以外ない。もし強盗が上に逃げたのだとしても、結局はまた降りるしかないのだ。おれは周囲の気配をうかがいながら、階段を一気に駆け降りた。その途中、走って逃げる足音は聞こえなかった。

一階に着いたところで、おれは耳をすました。やはり何も聞こえない。裏手の路地に出てみた。まだ暑くて、猫一匹いない。おれはそのまま公園に面した通りまで走った。この時刻は道が混みあっている。もし犯人がここまで抜け出していたら、そしてプロだとしたら、もはや捕まえられる見込みはない。

女性の甲高い悲鳴が夕刻の暑い空気を切り裂いた。

おれは十六階にあるアジェミアンのアパートメントの窓を見上げた。

その刹那、夜が息を止め、凍りついたような静寂が訪れた。いっさいの音が消えた。はるか上で、男が空中に浮かんでいるのが見えた。覆面をかぶっていて、両腕を広げ、両脚はねじれ、すぐそばには黒いバッグが浮かんでいる。その一瞬、すべてが静止して見えた。

そしておれはそこに立ったまま、男が音もなくゆっくりと十六階下まで落ちてくるのを見つめた。まるで古いサイレント映画のグロテスクな一場面が、いつまでもつづいているかのようだった。

男は駐まっていた車の屋根にぶつかり、はずんで道路に落ちた。二台の車がよけきれずに男を轢いた。黒いバッグが二十フィートほど先の地面に落ちてぱかっと開き、札束が散らばった。小さな拳銃がそのバッグのそばに転がった。

叫び声とブレーキの音が響くなか、おれは落ちてきた男に駆け寄った。男の体のまわりに血だまりが広がっていく。二人の巡査が駆けてきた。パトロールカーが見えた。おれはかがみこんで男を見た。男はまだ覆面をかぶっていた。おれはその覆面をはずした。

ウォーレス・クーンズだった。顔はもはや原形をとどめていなかったが、クーンズだ。おれはたっぷり十秒ほど彼を見つめたのち、周囲のどの建物ともつながっていない背の高い建物を見上げた。

おれはパトロールカーから出てきた巡査部長をつかんだ。

「ビルの玄関と通用口を警官に見張らせてくれ！」おれは言った。「今すぐだ！」

「あんたはいったい誰だ？　何を知ってる——」

おれは彼に許可証を見せた。「ダン・フォーチュンだ。殺人課のガッゾ警部に連絡してほしい。おれのことを伝えて、すぐにここに来るよう頼んでくれ。だが、その前に今すぐ警官に指示してほしい。誰も出入りさせるな。誰一人だ！　それが重要なんだ！」

おれは運がよかった。その巡査部長は手間を惜しまない、優秀な警官だった。おれがとんでもない見当違いをしている可能性もあるが、そのときはそのときだ。さしあたり、おれは自分の判断を信じていた。

巡査部長は裏の通用口と玄関に警官を一人ずつ立たせた。これで次の指示が出るまで、誰も出入りできない。建物の一階と二階の窓には格子がはめられている。そこからは逃げられない。クーンズが転落してからまだ一分もたっていない。

おれはアパートメントに戻った。

おれはグリーンを正気づかせ、アジェミアンの出血の程度を確かめた。そうこうしているうちに医師が到着した。

それにガッゾ警部も。警部はおれ、グリーン、アジェミアンを見て口を開いた。

「さて、どういうことか説明してもらおう」

アジェミアンの怪我は軽かった——傷口から出血しているが、深刻ではなかった。グリーンはひどいこぶをつくり、頭を痛がっていた。

アジェミアンが答えた。「今夜この書斎に入ったとき、やつがここに隠れていた。覆面をかぶっていた。私に拳銃を向け、金庫を開けろと言った。それからやつは、フォーチュンが玄関に鍵をかけて寝室を調べに行く音に気づいた。それにキッチンにグリーンがいる音も」

グリーンがうなずいた。「裏口の鍵を確かめていたとき、背後から襲われた。頭を思い切り殴りやがった。おれが知っているのはそれだけだ」

「やつがグリーンを殴ったあと」アジェミアンが震える声で言った。「私は飛びかかろうとして、逆に撃たれてしまった。やつは裏から逃げた。そこでフォーチュンが書斎に飛び込んできた。あとはあんたが知っている通りだ」

おれは言った。「クーンズが今夜ここを出ていかなかったことを知らなかったのですか?」

「出ていったんだ」アジェミアンが言った。「あんたが来る一時間前に。こっそり裏口から戻ってきて、書斎に隠れていたに違いない」

ガッゾがおれに奇妙な視線を向けて、出ていった。医師がアジェミアンとグリーンを診ているあいだ、おれは座っていた。そして煙草に火をつけた。ガッゾは十五分ほどして戻ってきた。

「検視官によればクーンズは転落死だ、当然だが」警部が言った。「階段のそばにある窓の下に、金を包んでいた紙があった。その窓の外には梁が突き出している。あの男はフォーチュンが階段を駆け降りていくあいだそこに隠れようとして、誤ってすべって落ちたんだ」

おれは言った。「あり得ない」

ガッゾはおれをにらみつけた。「裏口のドアにはまだ新しい傷があったが、わざとつけたものだろう。クーンズのポケットには、このアパートメントの鍵があった。グリーンとフォーチュンの行動パターンを知っていて、ふたりが別々になるタイミングを狙ったんだ。もしアジェミアンを撃たずにすんでいれば、逃げおおせていたはずだ。運が悪かった」

「不運なんかじゃない」おれは言った。「クーンズは殺されたんだ、警部」

ガッゾはうんざりした顔でうなずいた。「それで殺人課に連絡して、建物の出入り口を封鎖させたんだな。今度はどんな夢を見たんだ、ダン?」

「クーンズは誤って落ちたんじゃない、突き落とされたんだ。その犯人が建物から出ていく時間はなかった。屋上からは逃げられないので、殺人犯はまだこのなかにいる。建物を厳重に監視して、出入りするやつは全員身元を確認するんだ」

「クーンズは単独犯じゃなかったと言ってるのか?　どう考えているのか説明してみろよ」

「いや、あんたは信じないだろう」

「そうかもな」ガッゾは素っ気なく答えた。「犯人に目星は?」

「クーンズ、このアパートメント、そして金の保管場所の三つをすべて知っているやつだ」おれはそう言って、アジェミアンの方を向いた。「奥さんのベス、マックス・アルヴィス、メアリ・ケーン、それに保険会社の社員以外に、その条件にあてはまるのは誰ですか?」

「まずは私だ」アジェミアンが答えた。「それに昼間来ている会社の警備員。保険会社の社員はこの部屋に入ったことがない」

「いいか」おれはガッゾに言った。「今のがあんたが調べるべき相手だ」

「言われなくても全員調べる」ガッゾは言った。「ほかにもいくつか調べさせてもらってもよろしいかな？　たとえばクーンズの行動とか」

「それより、おれが今からすることを見習ってはどうだ、警部？」おれは言った。

「何をするんだ？」

「待つんだ」そして言った通りにした。おれは待った。

グリーンは念のため病院に運ばれていき、アジェミアンとおれだけがアパートメントに残った。アジェミアンはおれがテレビを観ているあいだずっとそばにいたが、二時間たったところでついにしびれを切らして声を荒げた。

「ここにただじっと座っているつもりか、フォーチュン？　それで金をもらえるとでも思っているのか？」

「おれに何をさせたいんです？」

「仕事をしろ！　クーンズが殺されたのだと思うなら、事件を解決しろ！」

「解決してるところですよ、アジェミアン」おれは言った。

「それは警察がやってることだろう？　手伝ったらどうなんだ、こっちは金を払っているんだぞ」

「警察ではありません」おれは言った。「時間が解決します。時がたてば自然に解決するし、おれはやるべきことをやってます。殺人犯がまだこの建物のなかにいることはたしかです。誰もまだ外に出ていない。犯人は必ず捕まりますよ」

「そんなものか？　もっと頭を使った方がいいんじゃないか」アジェミアンが言った。

「警察の仕事は、そういうものなんです」おれは言った。「決められた手順に従い、条件を整えて待つ。たいていはそれでうまくいく。待っているといらつくなら、ベッドで寝たらどうです？」

「建物のなかに殺人犯が野放しになっているのにか？」

「どちらのドアも警官が見張ってます」おれは言い返した。

結局、アジェミアンは寝室に行った。おれは一人で座って待った。長い夜だった。物音がするたびに飛び起きた。ときおり、クーンズが十六階から音もなくゆっくり落ちて死ぬ姿が思い浮かんだ。

ガッゾは翌朝八時に戻ってきた。おれは睡眠不足でぐったりしていた。アジェミアンはよく眠れたようで、とても元気だった。ガッゾもろくに寝ていないはずだが、アジェミアンに劣らず元気だった。

「わかったぞ、ダン」ガッゾは言った。「クーンズは金が必要だった。依頼人を何人か失ったが、まとまった株を買う予定があったんだ。ベス・アジェミアンは、クーンズが自分と結婚したがっていたが、クーンズが金持ちになるまで夫とは離婚するつもりがなかったことを認めた。

それに、クーンズが彼女の持っているこの部屋の鍵を複製できたことも。「金が入っていたバッグは、クーンズが昨日買ったものだ。拳銃はティフリス・ラグのオフィスにあったもので、二カ月前になくなっていた。探偵がいると邪魔だったろうが、命令されてしかたなく、安くてすむ二人を雇った。おまえとグリーンは無能だと考えたのだろう。たぶんその通りかもしれないがな」

おれは肩をすくめた。「どれも状況証拠にすぎないし、すべて仕組まれたことだ。誰かがクーンズがここに盗みに入ろうとしたように見せかけたか、彼にここに盗みに入らなければならなくなるよう仕向けたんだ。まだ誰も建物から出てないな?」

「ああ」ガッゾは答えた。「おまえの直感とやらを確かめるために、電話を待っているところだ」

「どこからの電話だ、警部?」アジェミアンがきいた。

「フォーチュンが説明しますよ」ガッゾが答えた。

おれは言った。「そもそも、最初の泥棒騒動が実にくさい。無関係な泥棒のしわざだったとしたら、あまりに偶然がすぎる。犯人がクーンズだったなら、あの男は頭がおかしかったことになる。金がないときに押し入っても、警戒させるだけなのはわかりきってるのだから。誰もが泥棒のことを考えるように仕組まれたものとしか思えない。すべては大がかりな芝居の一部で、ただ、その芝居には欠陥があった。それでおれは疑念を抱いたんだ」

アジェミアンが言った。「どんな欠陥だ、フォーチュン? 警部が言っているように、夢を見ているだけじゃないのか?」

答えるつもりもなかったが、答える前に電話が鳴った。ガッゾが出た。彼はしばらく耳を傾け、何度かうなずき、それからおれに向かってにやりと笑ってから電話を切った。

「あたりだ、ダン。全員の所在が確認できた。ベス・アジェエミアンは昨夜からずっと家にいた。マックス・アルヴィスは事務所にいる。メアリ・ケーンはモデル学校だ。会社の警備員二人は勤務中で、保険会社の社員たちの所在も確認できた。そのうちの誰もこの建物にはいない」

「よし」おれは言った。「それなら犯人はアジェエミアンだ」

大きなラグ会社の社長は立ち上がり、青ざめるのではなく顔を炎のように赤くしてまくしたてた。

「冗談のつもりか、フォーチュン? おまえを――」

「冗談ではない」おれは答えた。「簡単な消去法だ。時間が解決すると言っただろう。誰もこの建物から出なかった。まだ建物のなかにいるのはあんただけだ。だからあんたが犯人だ」

アジェエミアンは真っ赤になり、その場で窒息死しそうに見えた。彼はガッゾにさっと向きなおった。「こいつが私を侮辱するのを黙って見ているだけか? ふたりとも、ただですむと思うなよ!」

ガッゾは何も言わなかった。彼はアジェエミアンとおれを見つめ、おれの説明を待っていた。おれは説明を始めた。

「クーンズは、そもそもこのアパートメントを一歩も出なかった。アジェエミアン、あんたがあの男を失神させて書斎に隠したんだ。いつ意識が戻るかわからないので、グリーンとおれが別別になるとすぐに行動を起こした。グリーンを殴り、裏口のドアを開け、自分を撃った。そして賊が逃げたと騒いでおれに追いかけさせているあいだに、クーンズを窓まで引きずって、金と拳銃もろとも突き落とした。

「おれが下まで降りていったときには、しめたと思ったろう。おれが外にいるのを見て、完璧な仕上げになると考えた。おれにクーンズが落ちるのを見届けさせる――だが、それが失敗だった。そのせいで、せっかくの芝居が台無しになった」

アジェミアンは笑おうとした。「そんなでたらめを誰が信じる? そんなややこしい計画を」

「それほどややこしくない。実際、あと一歩でうまくいくところだった。殺しそのものよりも、むしろ下準備の方が面倒だったろう。クーンズが金に困るよう仕組まなければならなかった。依頼人が契約を打ち切るように手をまわし、顧問弁護士である彼に株の購入権を割りあてて、買うよう命じた。その記録が残っているはずだ。拳銃の入手は簡単だし、バッグはあんたに頼まれて買ったのだろう。もっと安全に使えるバッグを持っていたはずだ」

「あったよ」ガッゾがさらりと言った。「アタッシェケースを二つ見つけた」

おれはうなずいた。「あんたは本気で彼に嫉妬して、奥さんを取り戻そうとしたんだ。動機は見え見えだ。だからこそ、これだけ手をかけて泥棒騒動をでっち上げたんだ。ガッゾはすぐにあの鍵の出所を突き止めるはずだ。それに、あんたが昨夜拳銃を撃ったことはパラフィン・テストでわかるし、それで――」

アジェミアンはそれ以上待たなかった。彼は拳銃を持っていた。いつでも撃つかまえていた。おれに向けて一発撃ったがはずれ、ドアの外に逃げた。ガッゾがすぐにそのあとを追いかけた。おれは腰を下ろして煙草を一本とった。片腕では取っ組み合いになったとき役に立たないし、命が惜しい。彼を捕まえるのはおれの仕事ではない。

しばらくして、屋上から何発か銃声が聞こえた。おれは窓に近づいた。それから叫び声が聞こえ、おれは窓から身を乗り出して上を見た。アジェミアンが拳銃をまだ手に持ったまま落ちていくのが見えた。彼は落ちるあいだずっと叫びつづけていた。

ガッゾが戻ってきたとき、おれはまだ窓の近くにいた。

「証拠はたいしてなかった」ガッゾが言った。「パラフィン・テストはもう使わないことは知ってるはずだ。あれは役に立たない。どこの法廷も証拠として認めてない」

「あいつはそれを知らなかった」おれは言った。「大切なのは事実ではないんだ、ガッゾ、みんなが真実だと思っていることだ。あいつは自分が犯人だとわかっていたので、冷静さを失っていた」

「いいだろう、説明してみろ。おまえの話を信じてやる、今ならな」

「マックス・アルヴィスが話していたことが引っかかっていた。最初の泥棒騒動に保険会社がどうして気づいたのか、知らなかったんだ。保険会社に教えることができたのは三人だけだ。そのうち、アルヴィスは話さなかった。クーンズも話さなかった。残るのはアジェミアンだけだ。保険会社が事件を知って、警備員をつけろと言ってくるようにしたんだ。自作自演の強盗の目撃者がほしかったからだ」

「それはあとまわしでいい、ダン。そもそも、どうしてあれが殺しだと考えた？」

おれは言った。「たった今、屋上で何があった？」

「あいつは拳銃を撃とうとして足をすべらせ、縁から転げ落ちた」

「落ちるのを見たよ」おれは言った。「地面にぶつかるまでずっと叫んでいた」

「それで？」

「叫んで当然だ、ガッゾ。そういうものなんだ」

「いいだろう、落ちながら叫ぶ。それがどうした、ダン？」

「クーンズは叫ばなかった」おれは言った。「クーンズは音をたてずに十六階から落ちてきた。自分で飛び降りたときだって、普通は叫ぶものだ。反射だと思う。クーンズは誤って落ちたはずなのに、まったく声を出さなかった。意識を失っていたのでない限り、あり得ないことだ。ということは、すでに意識がなかったことになる——殺されていたから」

ガッゾはおれを見つめた。「ちくしょう、ダン、落ちるときは必ず叫ぶなんて、どうすれば証明できる？　クーンズはたまたま叫ばなかっただけかもしれないんだ！」

「それは問題じゃない」おれは言った。「その小さな疵《きず》のせいで、おれは疑いを持ったんだ。それで考えた」

ガッゾはうめいた。「ダン、それはただのまぐれ当たりだ」

「言っただろう、大切なのは事実ではなく、人が真実だと思っていることだ。大掛かりな芝居を演じるなら、最後までほころびが出ないようにしなきゃだめだ。おれは、叫ばずに十六階から落ちるやつがいるなんて信じない。それでおかしいと気づいただけだ」

ガッゾはそれ以上何も言わなかった。彼は刑事なので、大はずれだったかもしれないおれの根拠薄弱な推理のために、何日も動きまわることになるだろう。おれの仕事はもう終わりだ。いつの日か、無言のまま十六階から落ちる男を目にするかもしれない。そのときは、おれが間違っていたことになる。今回はおれが正しかった。そして探偵の仕事では、それが大切なのだ。

（門野集訳）

# アッカーマン狩り

ローレンス・ブロック

Collecting Ackermans　一九七七年

**ローレンス・ブロック** Lawrence Block（一九三八―）。アメリカの作家。一九六〇年に作家デビュー。七〇年代後半に始めた私立探偵マット・スカダーと泥棒バーニイ・ローデンバーのふたつのシリーズで一躍人気作家になる。九二年、『倒錯の舞踏』でアメリカ探偵作家クラブ（ＭＷＡ）最優秀長編賞を受賞。九四年にはＭＷＡ巨匠賞、二〇〇二年にはアメリカ私立探偵作家クラブ（ＰＷＡ）生涯功労賞を授与された。ほかの代表作に『八百万の死にざま』『泥棒は選べない』『殺し屋』など。本編の初出は〈アルフレッド・ヒッチコック・ミステリ・マガジン〉*Alfred Hitchcock's Mystery Magazine* 一九七七年七月号。翻訳には短編集『おかしなことを聞くね』（一九九二）収録のテキストを用いた。

いつもと変わらない十月のある日の午後、フロレンス・アッカーマンの部屋の呼び鈴が鳴った。テレビのクイズ番組を観ながら解答者の頭の悪さに舌打ちしていたミス・アッカーマンは、インターフォンまで歩いていって、どちらさまと呼びかけた。

「ウェスタン・ユニオンです」男の声が答えた。

ミス・アッカーマンは、つい先ほどチャールズ・ネルソン・ライリー（俳優。クイズ番組でも人気）に向けてしたばかりの舌打ちをくり返した。鍵をなくしてしまい、なかに入れてもらうために他の住人の部屋のベルを鳴らす連中のことを思い浮かべたせいだ。それに郵便や荷物の配達員を装って、廊下や階段に潜もうとする泥棒や変質者のことも。数年前まではこの建物にもドアマンがいたが、新しい家主は経費節減のため、そして長く居座る住人たちへのあてつけも込めて、サービスを切り詰めていた。

「ミズ・アッカーマン宛に電報です」その声がつづけて言った。

本当に電報ということがあるかしら？　あるかもしれない、とミス・アッカーマンは考えた。誰かが危篤になって、他の誰かが急を知らせる電報を送ってくれたのかもしれない。あれこれ考えているよりも、解錠ボタンを押して建物のなかに入らせてしまった方が簡単だ。もちろん部屋のドアは鍵をかけたままにしておく。他の住人たちがどうするかまで心配していられない。フロレンス・アッカーマンは、生まれてからずっと自分の身は自分で守ってきた。それが当たり前のはずだ。

彼女はボタンを押してからドアに近づき、のぞき穴に目をあてた。とても小柄なので、のぞき穴から外を見るにはつま先立ちしなければならなかった。それで、呼び込んだ相手の姿が見えるまで、その格好で待ちつづけた。やがて現れたのは若そうな男で、大きなミラーレンズのサングラスをかけていた。そのサングラスのせいで顔のつくりはよくわからなかった。ただ、それ以外のところもミス・アッカーマンには見えていなかった。サングラスの左右のレンズに彼女の部屋のドアののぞき穴がそれぞれ映っていて、それをじっと見つめてしまったためだ。

若い男はこっそり見られていることに気づかぬまま、こぶしでドアをたたいた。「電報です」彼は言った。

「ドアの下から差し込んで」

「受け取りのサインがいるんです」

「ばかばかしい」ミス・アッカーマンは言った。「電報にサインなんているわけないわ。だいいち、最近は電話で伝えるのが普通よ」

「あなた宛のこの電報は、サインがいるんです」

ミス・アッカーマンのもともときつい顔がさらに険しくなった。これまで四年生の生徒たちに恐れられつづけてきた彼女が、ミラーレンズのサングラスごときに気圧《けお》されるはずもなかった。「とにかくドアの下から差し込んで」彼女は命じた。「そうしたらドアを開けて、あなたの帳簿にサインするわ」もしドアの下から入れるものが本当にあるなら。きっとそんなものはないのだろう。

「できません」

「なんですって？」

「歌つきの電報なんです。ミズ・アッカーマン宛のお祝い電報です」

「あなたがわたしのために歌うってこと？」

「ええ」

「それなら歌って」

「ねえ、冗談ですか？　閉まってるドアに向かって歌えって？　勘弁してくださいよ」

ミス・アッカーマンはまた舌打ちに似た音をたてた。「わたし宛の電報なんて、そもそもないんでしょ」彼女は言った。「ウェスタン・ユニオンは、だいぶ前に歌つきの電報サービスをやめてるわ。〈タイムズ〉でその記事を読んだもの」誰かが彼女にお祝い電報を送るはずがないことまで打ち明けるつもりはなかった。

「困ったな、こっちとしては歌わなきゃならないんだけど、どうしてもドアを開けたくないなら――」

「ドアは絶対に開けないわ」

「――とんでもないわからず屋だな、ミズ・アッカーマン。悪いけど歌ったって報告させてもらうからね。あとから何を言っても無駄だよ」

「見え透いた嘘をつかないで。警察を呼ぶわよ。警官が来る前に、さっさとここから出ていくことね」

「好きにすればいいさ」しかしその言葉とは裏腹に、若い男はそのあともしつこくミス・アッカーマンが何をすべきか話しつづけた。彼の提案の中身をここに記すのは控えるが、ミス・アッカーマンにはできるはずもなく、彼女の性格と気性からすればそもそも試してみようとも思わないであろうことだった。

結局、ミス・アッカーマンは警察に電話しなかった。〝警察を呼ぶ〟と言って、実際に行動に移す人はめったにいない。彼女は本当に近くの分署に電話をしかけたが、時間の無駄だと考えなおした。何が狙いだったにせよ、男はもういなくなったし、二度と戻ってこないだろう。それに、二年前の苦い経験を思い出していた。退職して数カ月後、午後の室内楽コンサートから帰るとアパートメントが泥棒に荒らされていて、全部で数百ドル相当のものがなくなっていたときのことだ。あのときは愚かにも意味があると考えて警察に通報したが、何時間もかけて書類をいくつも書かされ、通し番号をつけたリストをつくらされたあげくに、同情的だった刑事からはどうせ無駄だと暗にほのめかされる始末だった。

実のところ、今夜だって警察に連絡したところで何の得にもならないだろう。

ミス・アッカーマンはテレビの前に戻り、途中が抜けてしまったのは気にせずに、また番組の続きを観はじめた。お祝い電報の差出人が誰かなんて、ちらりとも考えなかった。そもそも電報なんて存在しないし、あの若い男は暴行か強盗か、ただでさえ不愉快な彼女の人生をいっそう不愉快にする何かをするつもりだったのだと、冷めた思いで確信していた。強盗や強姦魔が珍しくないことをミス・アッカーマンは知っていた。生まれてからずっとニューヨークで暮らしてきたので、そうした犯罪があるのは当然のこととして受け入れてきた。カリフォルニアの住民たちが地震はよくあるものと思って暮らし、ヴェスヴィオ火山の裾野の農民たちが火山はときおり噴火するものだと思って暮らしているのと同じように。ミス・アッカーマンは椅子に座り、途中で紅茶をいれるために立ち、ティーカップを持って戻ってきたあとは、テレビ番組を観つづけた。

翌日の午後、彼女が食料品を詰めた小さなカートを押して通りの角を曲がったとき、鋼のような二つの手がいきなり彼女をつかみ、煉瓦造りの建物にはさまれた狭い路地に引きずり込んだ。手袋をはめた手が彼女の口を覆い、指が頬に食い込んだ。

耳もとで歌う声が聞こえた。「ハッピー・バースデイ・トゥー・ユー、頑固ばあさん、ハッピー・バースデイ・トゥー・ユー」それから彼女は胸に鋭い痛みをおぼえ、それきり永遠に何も感じなくなった。

「引退した小学校の先生か」フライタークが言った。「食料品を買った帰り道。ひどい話じゃないか、なあ？　財布の中身を狙ってナイフで刺したっていうが、そもそもどれだけ持ってたって話だ。社会保障と年金だけで暮らしていて、おまけにこのところのインフレだ、たいした金はなかったろう。どうしてこんな年寄りにナイフを突き立てるのかね？　殺さなくてもいいのに」

「たぶん被害者は叫んだんだ」ケン・プーリングスが言った。「それでパニックになったんだろう」

「誰も悲鳴なんて聞いてない。だからといって、何を証明できるわけでもないけどな」彼らは警察署に戻っていた。ジャック・フライターグはプラスチックのカップでぬるいコーヒーを飲んでいた。コーヒーはプラスチックの味しかしなかった。「アッカーマン、アッカーマン、アッカーマン。こういう寄生虫みたいなやつが年寄りを狙うやり口には反吐が出る。裁判官が悪いんだよ。悪人どもをせっせと町に戻している。本当ならこの手のくずを始末するのが役目のはずなのに、それは人の道にはずれることになるらしい。ナイフをか弱いばあさんに突き立てるのは、人道的とでもいうのかね。アッカーマン、アッカーマン。どうしてこの名前が引っかかるのかな？」

「先生だったんだろ。むかし、学校で教わったんじゃないか」

フライターグは首を振った。「おれはチェルシー育ちだ。西二十四丁目だよ。ミス・アッカーマンは、ずっとここワシントン・ハイツにある学校で教えてた。彼女が住んでたのは、ここから三ブロックのところだ。殺されるのにさえ、近所から離れる必要がなかった。アッカーマン。そうか、わかったぞ。三、四日前だったかな、ウェスト・ビレッジの事件をおぼえてるか。同性愛者の男が仲間を家に連れて帰ったあと揉めて、殺されたんだ。ぎちぎちに縛られて、めった刺しにされているのが見つかった。〈デイリー・ニュース〉の三面に大きく出てたやつだよ。儀式殺人、サディストの儀式、倒錯した性とかなんとか。そいつの名前がアッカーマンだった」

「どいつが？」

「死んだ男だ。殺した犯人はまだ捕まっていない。身元が割れてるのかどうかも知らない」

「それがどうした？」

「別にどうしたわけでもないけどさ」フライタークはコーヒーを飲み終え、空になったカップを金属製の緑色のゴミ箱に投げた。カップはその縁にあたって床に落ちた。「今年のニックスはひどすぎる。腐ってるよ」彼は言った。「おっと、バスケットボールには興味がないんだっけ？」

「おれはホッケーだ」

「ホッケーか」フライタークが言った。「レンジャースもひどいよな。あいつらは氷の上で腐ってる」彼は椅子にもたれて自分の冗談に笑い、どちらもアッカーマンという名前だった二人の被害者のことはそれきり忘れてしまった。


ミルドレッド・アッカーマンはベッドに横になって、天井を見上げていた。肌は汗ばみ、手足は果てたあとの余韻でけだるかった。隣に寝ていた男がもぞもぞ動いて彼女の体に手をあて、撫ではじめた。「まあ、ビル」彼女は言った。「また感じちゃうわ。あなたに触られるのが大好き」

男は愛撫をつづけた。

「そんなふうに触られるとおかしくなっちゃう。たくましくて、優しいんだもの。それは、あなたを見た瞬間にわかった」彼女は目を開け、彼に顔を向けた。「直感を信じる、ビル？　わたしは信じるわ。ぴぴっとくるの。直感だけで、相手のことがいろいろわかる」

「それで、ぼくにどんなことを感じたんだ？」

「あなたはたくましいけど優しいってこと。わたしたちの相性が抜群だろうってこと。あなたもよかったわよね？」

「わからなかったのかい？」

ミリーは含み笑いをした。

「きみは離婚しているんだね」彼は言った。

「そうよ。あなたは？　きっと結婚してるわね？　それでもわたしはかまわないけど」

「結婚はしてない。いつ離婚したんだ？」

「もう五年近くになるわ。今度の一月でちょうど五年。別居してからということだけど。正式に離婚するまでに半年かかったの。どうして？」

「それで、アッカーマンというのはご主人の名前だね？」

「ええ。ウォーレス・アッカーマン」

「子供はいない？」

「ええ、ほしかったけれど、彼が望まなかった」

「離婚したあとは旧姓に戻る女性が多いが」

彼女は声に出して笑った。「それは、わたしみたいな名前じゃないからよ。もとの名字を聞いても信じないでしょうね」

「教えてほしいな」

「プランクよ。ミリー・プランク。ウォリーと結婚したのは、その名前を捨てたかったからだったかも。だって、ミルドレッドというだけで十分にひどいのに、プランク（つまらないやつ）よ？　いやになっちゃう。そういえば、あなたの名字をまだ教えてもらってないと思うけど」

「そうだっけ？」手が動いて、気を逸らすようにミリーの腹を撫でまわした。「それでアッカーマンで通すことに決めたんだね？」

「そうよ。いいでしょ？」

「もちろんいいとも」

「悪い名前じゃないわ」

「うーん」男が言った。「ところで、ここはとてもいい部屋だね。長く住んでるのかい？」

「離婚してからずっと。少し狭いわ。アトリエなのよ」

「ちょうどいいサイズじゃないか。それに眺めもよさそうだ。窓から川を見晴らせるだろう」

「ええ、そうね。十八階だからとても素敵な眺めなの」

「高いところに住むのを嫌がる人もいる」

「わたしは少しも気にならないわ」

「十八階か」男は言った。「あの窓から落ちたら、体はぐちゃぐちゃになるだろうな、きっと」

「ちょっと、変なこと言わないで」

「検死もできないだろう。落ちたとき、生きていたか死んでいたかも判別がつかない」

「やめて、ビル。怖いわ」

「前の旦那さんはニューヨークに住んでるの？」

「ウォリー？　たしかウェストコーストに引っ越したって聞いた気がするけど、正直なところ、彼が生きてるか死んでるかも知らないの」

「ふうん」

「そんなこと、どうでもいいでしょ？　さっきからつまらない質問ばかりしてるわ、ビル」

「そうかな？」

「そうよ。でも、あなたの手は最高だわ、本当に。あなたに撫でられるとぞくぞくする。それにあなたの目。きれいな目。前にも誰かに言われたことがあるんじゃない？」

「ないね」

「あら、でもしかたないかしら。そのおかしなサングラスのせいよ。目をのぞこうとしても、鏡が見えるだけだもの。そんなに素敵な目を隠すなんて、もったいないわ」

「十八階か、派手に落ちそうだ」

「なんですって？」

「なんでもない」彼は答えて微笑んだ。「考えていたことが声に出ただけだ」

フライターグは、相棒が部屋に入ってくると顔を上げた。「なんだか顔色がよくないぞ」彼は言った。「何かあったのか?」

「ああ、〈ポスト〉を読んでたら、胸くそ悪い記事を見つけちまった。例のシープスヘッド・ベイの男、警官だったんだ」

「何の話だ?」

プーリングスは肩をすくめた。「一年に何度もあるようなことじゃない。この警官、よほどむしゃくしゃしてたのか、女房とひどい喧嘩でもしたのか、本当のところはわからない。とにかく女房を撃ち殺して、それに子供が二人、男の子と女の子がいたんだが、寝ていたところを撃ったあと、最後に自分の口に拳銃を突っ込んで脳みそを吹き飛ばしやがった」

「なんてこった」

「こうしたことをするやつの頭のなかは、いったいどうなってるんだ? 突然いかれちまったのかな。わけがわからない」

「人の心は謎だよ。まさか、知ってるやつなのか?」

「いや、シープスヘッド・ベイに住んでる知り合いはいない。シープスヘッド・ベイに住んでいた、か。それに警官といっても、鉄道警察の隊員だ」

「勤務時間中ずっと地下鉄に乗りつづけていたら、ぶっ壊れちまって当然だ。頭がおかしくもなるさ」

「そうかもな」

フライターグはシャツのポケットから煙草の箱を出して一本抜き、机の上でとんとんとたたいて親指と人差し指のあいだにはさんだが、それをにらんで顔をしかめ、また箱に戻した。一日一箱に減らそうと決めたのに、なかなか思うようにいかなかった。「ひょっとしたら、禁煙しようとしてたのかもな」彼はぽつりと言った。「そのせいでいらついて、爆発しちまったのかもしれない」

「いくらなんでも、それはないだろう」

「そうか？　そうかね」フライターグは結局また煙草を出して口にくわえ、火をつけた。「おれにはあり得ることだと思えるがね。ところで、そいつの名前はなんていうんだ？」

「この警官か？　知らないな。どうして？」

「知ってるやつかもしれないと思ってさ。鉄道警察に知り合いはそれなりにいるんだ」

「〈ポスト〉に載ってるよ。今はブルースタインが読んでる」

「それならいいや。隊員は山ほどいるし、たくさん知ってるわけでもないからさ。それに、おれの知り合いはみんなまともだ」

「名前なんて気にもとめなかった」プーリングスが言った。「ちょっと行って見てくるよ。まさかと思うが、おれが知ってるやつかもしれない」

プーリングスは出ていき、しばらくして何ともいえない顔で戻ってきた。フライターグはいぶかしげに彼を見た。

「ルディ・アッカーマン」彼は言った。

「知らないな。おい、ちょっと待て」

「ああ、そうなんだ。またアッカーマンだ」

「三人目だぞ、ケン」

「女房と子供も入れたら六人になる」

「ああ、だが事件は三つだ。そうだろ、警官と女房と子供が同じ名字なのは当然だ。だけど、教師と同性愛野郎の名前まで同じなのは偶然なのかな」

「よくある名前ではある」

「そうか？　そんなにあるか、ケン？」フライターグは身を乗り出し、煙草を押しつけて消すと、マンハッタンの電話帳をとって開いた。「アッカーマン、アッカーマン」彼はページをめくりながらつぶやいた。「ここだ。ああ、けっこういるな。マンハッタンだけでも、このページの二段分近くもある。それに、スペル違いでnが二つあるやつも。どうだろう」

「どうだろうって、何が？」

「つながりがあるのかな」

プーリングスはフライターグの机の端に腰をおろした。「どんなつながりがあるってんだ？」

「それがわかればな」

「あり得ないよ、ジャック」

「年とった元教師がワシントン・ハイツで強盗に殺された。同性愛者の男がうっかりあぶない相手を選んで、縛られてめった刺しにされた。そして交通警官の頭のねじがぶっとんで、女房と子供を殺して自殺した。何のつながりもない」

「全員が同じ名字だという以外は」

「ああ。そして、おれたちふたりがたまたまそれに気づいた。事件のうち一つを調べているときに、他の二つの記事を読んだせいで」

「そうだ」

「ということはだ、たぶん他の誰もまだアッカーマンという名前がからんだ三つの事件が起きたことを知らないはずだ。このささやかな偶然に気がついたのは、この町でおれとおまえだけかもしれん」

「それで?」

「それで、おれたちも気づいていないことがあってもおかしくない」フライターグはそう言って立ち上がった。「三つだけじゃないかもしれない。ここしばらくの死亡者リストを調べなおしたら、アッカーマンという名前があちこちに見つかるかもしれない」

「本気か、ジャック?」

「いかれてるよな?」

「ああ、いかれてる。間違いなく」

「もしこの三つだけなら、何の証明にもならない、そうだよな? つまり、よくある名前だし、ニューヨーク・シティではたくさんの人が理不尽に殺されてる。八百万人が暮らす街なんだ、一日に三つか四つの殺しがあっても、驚きじゃない。他の都市に比べたって、それほど高い割合じゃない。そして一日に三つか四つ殺しがあるとしたら、何週間かのあいだにアッカーマンが三人殺されたとしても、偶然が重なっただけで別におかしくない、そうだな？」

「そうだ」

「実は、もっと殺されていたとしたらどうだ」

「いやな予感がするんだな、ジャック。そうだろ？」

フライターグはうなずいた。「そう、それだ。いやな予感だ。おれがいかれてるかどうか、確かめてみよう。調べるんだ」


「クルボアジェVSOPの五番」メル・アッカーマンは、梯子を使ってコニャックをとった。「こちらです。他はよろしいですか？」

「レジにある金も全部だ」男が言った。

メル・アッカーマンは心臓がひっくり返りそうになった。男の手に拳銃があるのを見て、彼の手は激しく震え、そのせいでコニャックの瓶を落としそうになった。「やれやれ」彼は言った。「そいつをどこか別の方に向けてくれないかね？　落ち着けやしない」

「金を」男はくり返した。

「わかった、わかったよ。どうしてどいつもこいつもこの店ばかり狙うのかな。強盗にあうのは、この二年で四度目だ。慣れたなんて思わないでくれよ、とんでもない。いいかね、保険に入っているから金はいいんだ、だけど拳銃は勘弁してくれ。レジにはたいしてないけど、どうぞ一セント残らず持っていってくれ」彼は両替のキーを押してレジを開け、トレイの紙幣を全部つかみとった。取り外せるそのトレイの下には高額紙幣で数百ドルあったが、わざわざ強盗に教えるつもりはなかった。これまでには銃を持った男がトレイをはずし、金をそっくり奪っていったこともあった。渡した金だけ受け取って、さっさとずらかったやつもいた。メル・アッカーマンとしては、どちらでもかまわなかった。とにかく命を守れさえすればいい。このいかれた男が拳銃を撃たずに、金を持っていなくなってくれさえすれば。

「二年で四度だ」メルはレジを空にしながらしゃべりつづけ、強盗の姿かたちをおぼえようとした。背は高いが高すぎない、若くてまだ二十代。白人。引き締まった体で、顎髭も口髭もない。大きなミラーレンズのサングラスをかけていて、顔はほとんど隠れている。

「さあ、どうぞ」メルはそう言って紙幣を差し出した。「騒いだりしないから安心してくれ。あんたが出ていくまで、カウンターの後ろで寝転がってようか？」

「何のために？」

「知らんよ。この前のやつにはそうさせられたんだ。たぶんテレビか何かでおぼえたんだろう。コニャックを忘れずにな」

「おれは酒は飲まない」

「強盗のためだけに酒屋に来たってか？」メルは今ではリラックスしはじめていた。「酒屋専門なのかね?」

「これまで酒屋を襲ったことはない」

「おれが最初とはついていないな。どうしておれはその栄誉に?」

「名前のせいだ」

「名前?」

「あんたはメルヴィン・アッカーマンだな?」

「それが何か?」

「それならこうしてやる」男はそう言って、メル・アッカーマンの胸を三度撃った。

「いかれてる」フライターグが言った。「どう考えてもいかれてる。この一カ月のあいだに、二十二人のアッカーマンが死んでる。聞いてくれ。アーノルド・アッカーマン、五十六歳、フラッシング在住。地下鉄のE系統で飛び込んだか、落ちたかした」

「あるいは押されたか」

「そう、押されたか」フライターグが答えた。「ウィルマ・アッカーマン、六十二歳、フラットブッシュ在住。心臓発作。ミルドレッド・アッカーマン、三十六歳、東八十七丁目、十八階の窓から転落。ルドルフ・アッカーマン、こいつが例の警官だが、女房と子供を殺して自殺。フロレンス・アッカーマンは刺し殺され、サミュエル・アッカーマンは階段から落ち、ルーシー・アッカーマンは睡眠薬を飲みすぎた。ウォルター・P・アッカーマンは入浴中にバスタブにラジオが落ちて感電死、メルヴィン・アッカーマンは強盗に撃ち殺された――」フライターグは両手を広げた。「信じられない。そして完全にいかれてる」

「自然死も混ざってるはずだ」プーリングスが言った。「たとえばこれ。サラ・アッカーマン、七十八歳、セント・ヴィンセント病院に末期がんで二カ月入院してたが、先週亡くなった。これなんかは偶然に違いない」

「まあな。誰かが彼女の名字が気に入らなかったせいで、病棟に忍び込んで枕を顔に押しつけたんじゃない限り」

「いくらなんでもそれはないだろう、ジャック」

「そうか？　こじつけに聞こえるか？　そうだとしたら、他のアッカーマンの死にかたよりおかしいか？　どこかのいかれたやつが、名字以外には共通点がない人たちを殺してまわってる。被害者同士に関係があるとは思えない。ユダヤ人もいればそうじゃないやつもいる。アッカーマンってのは、どちらでもあり得る名前だ。ちくしょう、このウィルソン・アッカーマンに至っては黒人だ。だから特定の家族に恨みがあるわけじゃない。特定の名前にこだわりがあるんだ、だがどうして？」

「誰かがアンブローズを集めてるのかも」プーリングスがぼそりと言った。

「はあ？　どこからアンブローズが出てくるんだ？」

「いや、前に読んだんだ」プーリングスが言った。「チャールズ・フォートという作家が、実際に起きた奇妙な出来事について書いててな、そのなかでアンブローズという男が通りの角を曲がったところで姿を消して、作家のアンブローズ・ビアスがメキシコで失踪したので、誰かがアンブローズを集めているんだと書いてたんだ（*Wild Talents*（一九三二）の一節）」

「ばかげている」

「ああ。だが、おれが言いたいのは――」

「アッカーマンを集めているやつがいる」

「そうだ」

「アッカーマンを殺しつづけてる。その名字の全員を殺す。それも、毎回違うやりかたで。おれの知る限りじゃ、大量殺人犯はみんな殺しかたにこだわりがあって、毎回同じ方法をくり返すものだが、こいつは同じ手は二度と使わない。これまでに――何人だ、これで二十二人か？　偶然の一致が混ざっていたとしても、少なくとも二十二人のうちの十五人は、このいかれた野郎にやられたに違いない。こいつは自分のしていることを隠すために、とてつもない手間をかけている。ほとんどは自殺か事故死に見せかけてるし、強盗や別の犯罪の途中で起きた無関係な殺しを装ってる場合もある。そうして誰かが疑いを抱く前に、これだけたくさんのアッカーマンを殺してきたってわけだ。ケン、おれが知りたいのは、なぜかという問題だ。どうしてこんなことをしてるんだ？」

「頭がおかしいんだ」

「もちろんおかしい、だがおかしいとしても、何か動機があるはずだ。もちろん、いかれた動機に違いない。どんな理由があり得る？」

「復讐とか」

「世界中のアッカーマンに？」

プーリングスは肩をすくめた。「そうさ。アッカーマンという名前の誰かにひどい目にあわされたんで、世界中のアッカーマンに仕返ししたいんだ。だけどこいつを捕まえるには、動機なんてあとまわしでいいだろう。とにかく捕まえさえすればいい。動機を突き止める一番簡単な方法は、本人にきくことだ」

「もし捕まえることができたらな」

「きっと捕まるよ、ジャック」

「あるいは、この町からアッカーマンが一人もいなくなるかだ。ひょっとしたら、そいつの名前がアッカーマンなのかも」

「どうしてそう考える？」

「父親への仕返しとか、自分を嫌っているとかだよ、わからんが。とにかく、どこかから手をつけなきゃならないんだ、アッカーマン以外のやつよりも、アッカーマンという名前のやつからはじめる方が簡単だろう」

「それにしたって、アッカーマンという名前のやつは山ほどいる。その全員を調べるのは大変だぜ。五つの行政区だけでも何百人もいるだろうし、おまけに電話帳に載ってないやつがどれだけいるかわからない。おれたちが探しているその野郎が、どこかのしょぼいホテルに泊まっている流れ者だったりした日にはお手上げだ。そもそも本名を名乗っているかどうかも怪しい。

たぶん偽名だよ、自分の名前をどう思っているか考えると」

フライタークは煙草に火をつけた。「そいつは自分の名前が好きなのかもしれないぜ」彼は言った。「名前を独り占めしたいのかも」

「アッカーマンを一人ずつあたるべきだと、本気で思ってるのか？」

「でもな、その作業は毎日簡単になっていくぜ、ケン。日ごとに調査対象が減っていくんだから」

「ひでえ話だ」

「ああ」

「おれたちだけでやるのか、ジャック？」

「ふたりじゃ無理だ。上に報告して、お偉いさんたちに知恵を絞らせた方がいい。このあとどうなるかわかるか」

「どうなる？」

「新聞に載る」

「ああ、なんてこった」

「ああ」フライタークは煙草のけむりを吸いこんでせき込み、悪態をついてからまた吸った。「新聞だ。街に残っているアッカーマンたちは、たちまちパニックになるだろう。そして誰も彼もが騒ぎだす。そのときこのいかれた野郎がどう出るかなんて、きかないでくれ、おれにはさっぱりわからん。そう、それは別の誰かが心配することだ」彼は立ち上がった。「そうだよ

——誰か別のやつにまかせるのがいい。今すぐこの話を警部に伝えて、どうするか考えてもらおう」

ピンクのゴムボールが、ドライブウェイから道路へと勢いよくはずんできた。このあたりはスタテン島の最近開発された静かな住宅街で、道は行き止まりになっていた。家は寝室が三つある、建て増し可能なコロニアル様式の平屋だった。ドライブウェイはコンクリート敷きで、二台分の区画に大きな犬の足跡がくっきりついている。ゴムボールを追いかけて勢いよく走ってきた小さな男の子は、亜麻色の髪に空色の瞳。背が高くて痩せている若い男が低い生垣の向こうから現れてそのボールを片手でつかむと、男の子はいかにもびっくりした顔になった。

「とったぞ」その男は男の子に呼びかけ、下手投げでボールを返した。男の子はとりそこね、二度はずんだあと拾い上げた。

「やあ」男の子が言った。

「やあ」

「ありがと」男の子はそう言って、手にしたピンクのゴムボールを見た。「道路に出ちゃうところだった」

「あぶなかったね」

「道路に出たらだめなんだ。車があぶないから」

「気をつけないとね」

「でも、ときどきボールが勝手に道路に飛び出しちゃうんだ。そういうとき、どうすればいいの?」

「それは困るね」男は答え、その子の麦わら色の髪を撫でた。「きみはいくつだい、坊や」

「五歳半だよ」

「もうすぐ立派なお兄ちゃんだ」

「なるほど」

「もうすぐ六歳」

「おかしな眼鏡をかけてるね」

「これかい」男は眼鏡をはずしてつかのま見つめ、それからかけなおした。「鏡なんだ」彼は言った。

「うん、知ってる。おかしいね」

「本当だね。きみの名前は?」

「マークだよ」

「きみの名字を知ってるよ」

「え、そうなの?」

「アッカーマンだろう」

「どうして知ってるの?」男の子は不思議そうに眉根を寄せた。「そっか、父さんのことを知ってるんだね」

「ぼくらは古い友達なんだ。お父さんは家にいるかな?」

「いるわけないよ。仕事だもん」

「それはうかつだったな。こんなにさわやかで天気のいい日に、ヘイル・アッカーマンが他に何をするっていうんだ? お母さんは? いるかい?」

「うん。テレビを観てる」

「そしてきみはドライブウェイで遊んでる」

「うん」

男は少年の髪をまた撫でた。そしていかにも秘密めかして声を落とした。「ひどいことをしてるけど、心がないわけじゃない。いいかい、それはおぼえておいてくれ」

「え?」

「何でもない。会えて楽しかったよ、マーク、いい子だ。お父さんとお母さんに、きみがいて幸運だと伝えてくれ。自分たちが思っている以上に幸運だと」

「どういう意味?」

「わからなくていいんだ」男はさらりと受け流した。「さて、これからフェリー乗り場に戻って、マンハッタンまであのぼろい船に乗って帰らなきゃならない。そのあとは……」彼はポケットから出した紙片を確かめた。「……ワシントン・ハイツのシーマン・アヴェニューか。くっそ遠いな。おっと失礼。ぐっと遠いだ。そこには可愛い子供がいないといいんだが」

「おじさんは面白いね」

「そうだろう」男は言った。

「警護の手配」警部が話していた。顎の肉があまっている、でっぷりした男だ。もとより幸せそうに見える顔ではなかったが、長年の警察勤めのせいで目もとや口もとに深い失望をうかがわせるしわが刻まれていた。「それが最初にすべきことだ。だが、どうやって守ればいいんだ？　五つの行政区にはアッカーマンという名前の住民が何百人もいて、そのうちの誰が次の標的になるかわからない。そもそも、誰から守ればいいのかもわかってない。一人の異常者の仕業なのか、いかれた集団がいるのかもわからない。最近死んだアッカーマンをすべて調べなおして、共通する要素がないか確かめなきゃならないということだ。今から調べなおすとなると、八番街で処女を見つけるよりも大変だ。二十二年前、おれは警察と消防のどちらに行くか、決めかねていた。それでどうしたか知ってるか？　コインを投げたんだ。そうしたら表が出た」

「アッカーマンを守る件ですが――」

「守るためには、彼らに事実を伝えないわけにはいかない。だが、この事実を公表したら新聞に書きたてられる。もしおまえがアッカーマンという名前で、どこかのいかれた野郎がその名字に宣戦布告したってわかったらどうする？」

「町を出るでしょうね」

「町を出るかもしれないし、心臓発作を起こすかもしれないし、市長のオフィスに電話をかけてわめきたてるかもしれない。弾を込めた拳銃を持って部屋に引きこもり、怪しい態度をとった郵便配達員を撃つかもしれない。そして別のいかれたやつがその記事を読んだら、子供に豆を鼻に突っ込むなと言うようなもので、ここぞとばかりアッカーマン狩りに加わろうとするかもしれない。あるいはおれたちにとってお馴染みのタイプなら、警察を訪ねてきて自白するかもな。まじめな警官たちを忙しくさせるためだけに」

刑事がうめいた。

「ああ」警部は言った。「ざっとそんなところだ。何より避けたいのはこの件が新聞に載ることだが、それには――」

「それには遅すぎました」ドアのあたりから声が聞こえた。そして制服姿のパトロール警官が、〈ニューヨーク・ポスト〉の早刷りを手にして入ってきた。「記者に誰かが漏らしたのか、あいつらの方で情報をつなぎあわせて突き止めたのか」

「消防士になっときゃよかった」警部が言った。「そうすりゃ今頃はポールをすべり降りて、耐火帽と消火服で出動してたろうに、コインの表が出たのが運の尽きだ」

若い男はレジで代金を支払い、料理を載せたトレイを持って食堂の隅の長いテーブルに向かった。そこには六人ほどが座っていた。彼はマカロニ・アンド・チーズを食べ、コーヒーを飲みながら、他の者たちがアッカーマン殺しについて論じているのに耳を傾けた。

「何かの儀式だと思うの」一人の娘が話していた。「カリフォルニアではよくあることよ。サーフィンとか自己啓発とか、西海岸への旅行とか。仲間になるためには、アッカーマンという名前の誰かを殺さなきゃならないのよ」

「面白い意見だ」髭を伸ばした若い男が言った。「でも個人的には、一連の事件にはもっと論理的な動機があると思ってる。ずばり言えば、連鎖殺人じゃないかな」

誰かが、それはどういうことかときいた。

「連鎖殺人の場合」髭の男が説明をはじめた。「犯人には、たまたま名前がアッカーマンである誰かを殺したい強い動機がある。問題は、その動機があまりにはっきりしすぎていて、相手が死んだらたちまち疑われてしまうことだ。そこでアッカーマンという同じ名前の人たちを次次に殺すことで、本当に殺したい相手をそのなかに紛れ込ませてしまうんだ。本当の動機も埋もれてわからなくなるわけさ」語り手は微笑んだ。「ミステリ小説でよくあるパターンだ。それが今では現実の世界で起きている。人生が芸術を真似るのは、これが初めてじゃない」

「考えすぎよ」若い女性が反論した。「それに、被害者はみんな違う方法で殺されてる。そもそも殺人に見えないようにしてあることが多いみたいだし。連鎖殺人の犯人は、そんなふうには見せたがらないはずよ、そうでしょ？」

「そうとは限らない。とても頭がいいやつなら――」

「いくらなんでもひねりすぎよ。違うわ、誰か一人のアッカーマンを憎んでいて、同じ名前の人を根絶やしにしようと決めたのよ。ヒットラーとユダヤ人みたいに」

議論はこんな調子でつづいたが、マカロニ・アンド・チーズを食べていた若い男は一度も口をはさまなかった。しだいに会話は途切れがちになり、やがてテーブルにいた者たちは席を立って、最後に若い男とその隣に座っていた若い女性だけが残った。彼女はコーヒーをひとくち飲み、煙草を吸って彼に微笑みかけた。「何も言わなかったわね」彼女は言った。「アッカーマン殺しについて」

「ああ」彼は答えた。「よくもまあ、いろいろと面白いことを考えつくものだ」

「それで、あなたはどう思った？」

「アッカーマンという名前じゃなくてよかったよ」

「なんて名前なの？」

「ビル。ビル・トレンホームだ」

「わたしはエミリー・クイステンダールよ」

「エミリー」彼は言った。「可愛い名前だ」

「ありがとう。それでどう思う？　本当のところ」

「本当のところ？」

「ええ」

「そうだな」彼は言った。「正直に言わせてもらうと、どの推理も感心できなかったな。連鎖殺人も儀式説も、他のやつもすべて。ぼくなりの考えはあるが、もちろんそれも思いつきでしかない。ただの仮説さ」

「聞きたいわ」

「本当に？」

「ぜひ」

ふたりの目が合い、無言のうちにメッセージが交わされた。彼は微笑み、彼女もそれに答えて微笑んだ。「そうだな」彼は少ししてから口を開いた。「まず最初に、犯人は一人だと思う。複数による犯行じゃない。事件の間隔を考えるとそうなる。そして、殺害方法を変えつづけているのは、本当の狙いをできる限り隠しておきたいためだと思う」

「あり得るわ。でもどうして？」

「犯人にとっては愉しみだからだ」

「愉しみ？」

男はうなずいた。「これはあくまで仮説だ」彼は言った。「だが、犯人がかつて、特に理由もなく誰かを殺したとしよう。人を殺すというのがどんなものなのか、確かめたかったのかもしれないし、個人的な経験の幅を広げたかったのかもしれない」

「そんな」

「この前提を受け入れられるかい？」

「ええ、つづけて」

「いいだろう。さらに、犯人は人を殺すという行為が気に入り、興奮をおぼえたと考えられる。そうでなければ、ここまでつづけなかっただろう。そうした前例は過去にもある。歴史を振り返ってみても、大量殺人犯のすべてに強い動機があったわけではない。なかには、ただ快楽のためだけに殺しつづける者もいた」

「おぞましいわ」

「身の毛もよだつ話ではある」彼は認めた。「だが、この犯人が殺した最初の相手がアッカーマンという名前で、もっと人を殺してゲームとして愉しみたいと思ったとする。それで――」

「ゲームですって！」

「ああ、そうだ。犯人は異常な興奮を味わい、警察や新聞社がいつ気づくか様子をうかがいながら殺しをくり返しているんだ。アッカーマンという名前の持ち主はたくさんいる。よくある名前だ。とはいえ、ありふれているというほどではないから、いずれ一つのパターンが浮かび上がってしまうのは避けられない。たとえば、これがスミスという名前だったら、いつまでもわからないままだったかもしれない。異なる行政区の警察が緊密に連携しあっているとは思えないし、人口統計局にしても同じ名字の死者数を確かめたりしないだろうから、あるパターンが自然に目につくようになるまでにどれくらいかかるのかが問題になる。この事件もようやく明らかになったわけだけど、これまでに何人死んだ？　二十七人か？」

「新聞にはそう書かれていた」

「改めて考えると、とんでもない数だ。しかも、まだ見逃されているアッカーマンがいるかもしれない。たとえば川の底に一つか二つ死体が沈んでいてもおかしくない」

「あなたの話を聞いてると――」

「なんだい？」

「わからない。考えただけでぞっとする。そいつはまだつづけるの？　捕まるまで」

「警察が犯人を捕まえると思うのかい？」

「そうね、いずれは捕まえるでしょう？　アッカーマンという名前の人たちだって今では警戒しているし、警察は張り込みをするわ。そういう言い方をするのよね？　張り込み？」

「テレビではそう言ってるね」

「捕まると思う？」

若い男は少し考えた。「きっと捕まるだろうね」彼は言った。「も、もしも犯人が同じことをつづけるなら」

「やめるかもしれないってこと？」

「やめるね。もしぼくが犯人なら」

「ぼくが犯人なら。なんてことを！」

「試しに考えてみただけだ。だが、このあとも人を殺しつづけたいなら、もしぼくが犯人であれば残りのアッカーマンにはもう手を出さないだろうね」

「危険すぎるから？」

「もう愉しみではなくなったからだ」

「愉しみ！」

「そうさ」彼は微笑んだ。「残忍きわまりない行為だ、それは認めよう。だけどその残忍さを受け入れられるゆがんだ心の持ち主にとっては、愉しくてたまらないだろう。ただし、犯人を根っから冷酷だと決めつけない方がいい。挑戦と向き合っていると考えるんだ。ただ、警察も新聞社もアッカーマンたち自身も何が起きているか知ってしまったので、もはやゲームではなくなった。ゲーム終了だ。それでもまだつづけるとしたら、単に個人的な殲滅《せんめつ》戦争を仕掛けているだけになる。もし犯人がアッカーマンに純粋な憎しみは抱いていないなら、そうだね、もう手を出さないだろう」

彼女は考え込むようなまなざしで彼を見つめた。「やめるかもしれないわけね」

「その通り」

「そして逃げ切ってしまう？」

「だろうね。別の誰かを殺したかどで捕まらない限り」彼女は目を丸くし、彼はにやりと笑った。「だってエミリー、犯人がこの新しい趣味を今さらきっぱりやめられると思うかい？　これだけ愉しんできたのに。もうそれは自分の血肉となっているんだ。こうしたやつらは、殺しをやめない。法律の長い腕にからめとられるまでは」

「あなたの言いかたったら」

「なんだって？」

「〝法律の長い腕〟。なにかの冗談みたい」

「そうだね、犯人のやりかたを見ていると、たしかに法律が冗談のように思えてくる、そうじゃないか？」

「そうかも」

彼は微笑み、立ち上がった。「そろそろ閉店のようだ。きみはどっちに帰るの？　家まで送るよ」

「あら、アップタウンだけど——」

「それなら同じ方角だ」

「でも、ダウンタウンだったら？」

「そのときは、そちらに急用ができるだろうね、エミリー」

通りに出てから彼女は言った。「ねえ、犯人はどうすると思う？　アッカーマンを殺すのはやめるけど、人殺しはつづけるというあなたの説が正しいとして。罪もない人のなかから次の標的を無差別に選ぶのかしら？」

「こだわりがなければそれでいいかもしれないが、犯人は間違いなくこだわるタイプだ。別のカテゴリを決めて、そこから相手を選ぶと思う」

「別の名前ということ？　電話帳をめくって、気に入った名前を選ぶわけ？　やだわ、考えただけで怖くなる。ねえ聞いて、わたしの名前がありふれてなくてよかった。クイステンダールというのは、犯人が興味をもてるほどたくさんはいないもの」

「トレンホームもだ。でも、エミリーならたくさんいる、そうじゃないか？」

「なんですって？」

「いいかい、次の犠牲者も名字で選ぶ必要はないんだ。実のところ、警察はアッカーマン事件のあとしばらくは被害者の名字に注意するだろうから、たぶん犯人もそれは避けるはずだ。違う種類のカテゴリはいくらでもある。たとえば、髭を伸ばしている男とか、オールズモビルの所有者とか」

「まあ、なんてこと」

「茶色い靴を履いている人。バーボン好き。ああ、それに、エミリーという名前の女性とか」

「面白くないわ、ビル」

「だったらエミリーでなくてもいい。どんなファーストネームでもいいんだ——それが一番のポイントだ、その恣意性《しいせい》がね。それを言うなら、ビルという名前が選ばれるかもしれない。いずれにせよ、警察が気づくまでにはしばらくかかるだろう、そう思わないか?」

「わからない」

「怖くなったのかい、エミリー?」

「怖くなんてないわ、別に」

「心配しなくていい」彼はそう言って、守るように彼女の腰に腕をまわした。「ぼくが守ってあげるよ、ベイビー」

「まあ、本当?」

「まかせてくれ」

ふたりはしばらくのあいだ黙ったまま歩きつづけた。やがて、彼女は彼に体を寄せてリラックスしはじめた。途中で信号が変わるのを待つあいだに、彼が言った。「エミリーにしようか」

「なんですって?」

「ただの独り言だよ」彼は言った。「たいしたことじゃない」

（門野集訳）

# 家族の輪

スタンリイ・エリン

The Family Circle　一九七七年

**スタンリイ・エリン** Stanley Ellin（一九一六―八六）。アメリカの作家。一九四六年、雑誌〈エラリイ・クイーンズ・ミステリ・マガジン〉*Ellery Queen's Mystery Magazine* に投稿した短編「特別料理」が翌年の第三回ＥＱＭＭコンテストで最優秀処女作特別賞を受賞しデビュー。以後コンテストの常連作家となり、応募作の「パーティーの夜」「ブレッシントン計画」で二回、アメリカ探偵作家クラブ（ＭＷＡ）最優秀短編賞を受賞する。五九年には『第八の地獄』でＭＷＡ最優秀長編賞を受賞。ほかの代表作に『断崖』『鏡よ、鏡』など。本編の初出はＥＱＭＭ一九七七年十二月号。翻訳には短編集 *The Speciality of the House*（一九七九）収録のテキストを用いた。

それはたまたま、トルーマン大統領が二期目の選挙でトーマス・E・デューイに予想外の勝利をおさめたまさにその日（一九四八年十一月三日）のことであったが、当時、大学の最上級生だったハワードが寮の部屋にもどると、ルームメイトが声をかけてきた。「ああ、そうだ、ウィックス、きみに知らせなきゃならないことがあるんだ」

「へえ？」と応じたハワードは、相手がいつになく饒舌《じょうぜつ》なことに少々驚かされていた。彼ら二人は出会った当初から、互いになるべく話しかけないことでうまく関係を保ってきたからだ。べつに不仲だったわけではない。このルームメイトは痩せこけた、身なりに無頓着な科学の天才で、学費全額免除の特待生として奮闘中の身とあって、たえず読書に没頭していた。そのため、いっさい雑談などする暇がないことは端《はな》からあきらかだったのだ。かたや小太りで、非の打ちどころのない身なりのハワードは、何に関しても天才ではなかったが、幼少時からあらゆる人類のまえで寡黙を押し通し、家族にも口が重かった。彼は記憶にあるかぎりずっと以前から、下手に口を開いて言葉を発すれば、たちまち自分の至らなさを見抜かれるだけだと信じきっていた。

そんなわけで、ルームメイトから異例の長い言葉をかけられたこのときも、ハワードはいささか用心深く尋ねた。「知らせなきゃならないって、何を?」

するとルームメイトは答えた。「ついさっき、きみのお父さんが亡くなった。何かの自動車事故で。お姉さんから電話があって、すぐに家へもどってほしいそうだよ」

そこで、ハワードはその夜の飛行機でミネソタ州ミッドランズヴィルに帰省し、それきり大学にはもどらなかった。最初はもどるつもりだった――より正確に言えば、もどらないつもりはなかった――のだが、結局それきりになってしまった。彼は寮の私物をまとめて、家へ送り返しに行くことすらしなかった。学期末に東部へ荷物整理をしに行こうとしていると、そんなことは大学側が処理してくれるはずだと母親に一蹴されたのだ。じっさい、大学側がちゃんと処理してくれた。

おまけに、卒業証書をもらえなくてもまったく支障はなかった。彼がしぶしぶ大学に入ったのは、それがしかるべき進路であり、どう見ても学費には困らなかったからにすぎない。入学したのが遠方の超名門校だったのは、たまたま母方の祖父がそこの著名な卒業生だった――在学中にはアメリカンフットボール部のキャプテンや、最上級生の総代まで務めた――とかで、母親が今もその大学に愛着を抱いていたからである。

ハワード自身がそこで見出したのは、三年間の掛け値なしの孤独だった。我が家でも孤独だったとはいえ、少なくとも周囲の者たちは彼が誰であるかを知っていた。けれど大学ではときおり、ただの透明人間になってしまったような気がした。目を見張るほどではないものの、そこそこ有能な学生だったにもかかわらず、ハワードは授業ではめったに指されなかった。たまに指されても、講師は決まって彼の名前を思い出せずに、しばし眉をひそめたり指を鳴らしたり、あきらかに気まずいときが流れる。それに——少なくとも本人にとっては明白だったが——キャンパス内外のあらゆる社交的な集まりで、その場がいかに込み合っていようと、彼の周囲には常にたっぷり隙間があった。決してのけ者にされたわけではない。いわば、彼は存在しないも同然だったのだ。

当然ながら、学期中の唯一の楽しみは、相手のいらない楽しみだった。ゴルフは一人でもできるから、ハワードは一人でプレイした。ゲーム運びは手際よく着実で、まずはまっすぐ短めのショットを飛ばし、アイアンで慎重につなぎ、最後は手堅いパットで決める。あくまで手堅いパットでだ。ゆるやかにうねるグリーン上をボールがころがって、十フィート向こうのカップに落ちるのを見ていると、かつてないほどの至福めいたものを感じた。

しかしミッドランズヴィルの家にもどり、大学時代の生活が漠たる不快な思い出と化した今では、ゴルフに興じる機会もろくになくなりそうだった。亡きウィックス氏は妻を見初《みそ》めた日から不慮の事故死をとげるまで、ひたすら献身的に彼女に仕え続けた。その父が遺した空隙を埋めるのはハワードの責務であることを、遺された母親はすかさず彼に申し渡した。彼女は猫かぶりではなかったから、それを伝えるにあたって哀願したり、甘言を弄したり、打ちひしがれたふりをしたりはしなかった。ウィックス夫人は威風堂々たる美人で、意志が強く、辛辣で、何ごとも思ったままに述べるたちだった。

過去に二度の手ひどい裏切りに遭ったことで、その傾向は揺らぐどころか、いよいよ強固になっていた。ハワードの姉であるレジーナとエイダは、どちらも母親に劣らぬ堂々たる美人でありながら、ウィックス夫人からすれば〝問題外〟の結婚をしたのだ。ウィックス家はこの地域では飛び抜けた富豪で、町を見おろす丘の中腹にある屋敷は、ヴィクトリア朝後期の贅を尽くした建築と造園のみごとに保存された記念碑そのものだった。当然ながら、姉妹が年頃になると、ウィックス家の屋敷には大いに望ましい求婚者たちがわんさと引き寄せられてきた。ところが不意に、彼らはこぞって肘鉄を食らい、少しも望ましくない二人の筋骨隆々たる美丈夫が娘たちをさらっていった。ほんのいっときロマンティックな気分に駆られた娘たちは、おかげで凡庸きわまる人生を送るはめになったのだ。

レジーナの相手はヴァーノン・バーケンショウという、〈ミッドランズヴィル公立高校〉の体育教師だった。そのわずか三か月後にエイダを射止めたのはトーマス・ダヴで、こちらは町の人々に頼りにされている、〈ミッドランズヴィル自動車修理場〉きっての腕利き修理工だ。自力で一からたたき上げて巨万の富を築き、町いちばんの名家の婿となったウィックス氏は、新たな義理の息子たちをけっこう気に入っていた。しかしウィックス夫人にとって、この相次ぐ惨事は、決して覚めることのない究極の悪夢にほかならなかった。

そのため、いずれの場合も嫁資《かし》は、かろうじて世間体を保てる最小限のものだった。丘のふもとに開発されたばかりの住宅地に立つ、小ぢんまりとした家だ。もちろんそれは、花嫁たちが子煩悩な金持ちの父親に期待していたものとはちがった。だが最終的な決定権は母親にあったから、レジーナとエイダは〝許しがたい侮辱〟だと断言しながら、それを甘受するしかなかったのである。

ウィックス氏はしばしば心を鬼にしてこらえたあと、妻の顔色を窺《うかが》いながら、徐々に態度をやわらげた。ひょっとしたら、ヴァーノンを名門私立校〈ミッドランズヴィル男子学院〉の共同経営者にしてやれるかもしれないぞ、と彼は提案した。それに〈ミッドランズヴィル自動車修理場〉が堅実な投資先であることを思えば、あそこの所有権をまずまずの価格で買いとれるのに、トーマスを一介の修理工にしておかねばならない理由はないはずだ、と。しかしそのたびにウィックス夫人はあれこれ理由を数えあげ、軽率な恩知らずの子供たちへの援助を拒んだ。そうこうするうちに、酔っ払いドライバーが時速八十マイルでウィックス氏の車に突っ込んできたのだ。

遺書が読みあげられたとき、父親の資産がそっくり無慈悲な母親に遺されたことを知っても、レジーナとエイダはさして驚かなかった。せめてもの慰めは、その後間もなくウィックス夫人が自らの遺書を作るにあたって、いくらか理性を示したことだった。彼女は娘たちのみじめな結婚に憤慨するあまり、二人が当然の権利とみなしているものを永遠に奪い去ることまではしなかったのだ。永遠には。遺書によれば、いずれ時が来れば、彼女の資産は三人の子供たちに均等に分け与えられるはずだった。いずれ時が来れば。それまでは――夫人の表現を借りれば――自分たちの好き勝手に寝床を整えた娘たちには、そこで寝ていてもらうしかない。学校教師の給料や修理工の稼ぎで生活するのがどんなものかをそれほど知りたければ、思い知る時間をたっぷりやろうというわけだ。

それでも、大学をやめたハワードがほどなく気づいたように、いがみ合う両者が適度の距離を保てば、事態はそれほどひどくはならなかったろう。けれど残念ながら、いがみ合う両者には距離を保てない理由があった。毎週金曜の晩には必ず屋敷で一族の夕食会が開かれ、そこでウィックス夫人は客人たちに、彼らの貧しさを痛感させるよう周到に準備した豪華なディナーをふるまった。せっかくの勝利も、相手にそれを見せつける機会がなければろくに意味はないと言わんばかりに。

それに対してレジーナとエイダは、いっさい危険を冒すまいとした。二人は同じ主張をかかげる同志だったが、およそ同志たるものの常として、互いに疑い合っていたのだ。ウィックス夫人はいずれ三人の子供たちに均等に財産を遺す旨を公言していた。だがもしその日が来るまえに、彼らの一人が母親の逆鱗《げきりん》に触れてしまったら？　彼女が一族の弁護士を呼んで、その無礼者を排除した新たな遺書を作らせるのを防ぐすべがあるだろうか？　ありっこない。じっさい、彼らの母親は金曜の夕食会のさいにも、まさにそうする口実を探しているように見えた。

そういうわけだ。そしてハワードは、その争いの只中に身を置いていた。それがどれほど抜き差しならない、厄介な立場であるかを思い知ったのは、ある日、姉たちがあえて彼の目を開かせたからである。

「お母様にかいがいしく仕えて」その日、レジーナは見下すような口調で彼に言った。「指をパチッと鳴らされるたびに飛んでいくのね。どんなに虐げられても、そのにこやかな顔で」

「当然よ」エイダが訳知り顔で言う。

「ああ、そりゃあそうよね」とレジーナ。「でもいいこと、ハワード、そうはいかないわよ。ぜったいそうはさせないわ」

「ぜったいにね」エイダが続けた。「あんたがほんの一瞬でも、ハワード、わたしたちをあの遺書から削除させようなんて考えたら――」

そんなつもりはないとしどろもどろに否定しても、姉たちはまったく耳を貸さなかった。彼女たちの目には、ハワードの母親への絶え間ないささやかな奉仕は、欲得ずくのものとしか映らなかったのだ。しかも悲しいかな、そう思われても当然だった。いっさい利害のない部外者でも、彼の私生活を一目見れば、姉たちと同じ疑念を抱くだろう。

けれど、何とも皮肉なことに――平素は皮肉を好まないハワードも、この場合はそうとしか言えなかったが――彼は母親の家での自分の立場に満足しきっていた。ついに、友人ではないものの、親密な相手ができたのだ。かつて父親や姉たちが家にいたころの彼は、ほとんど誰の目にもとまらなかった。それは学校でも同じだった――どこの学校でも。しかしこうして、高飛車な母親と二人きりでいるしかない今では、彼には彼ならではの役目があった。ある日、あのやるせない孤独がきれいさっぱり消えていることにハワードは驚かされたものだ。もう通りすがりの誰かが自分に気づいてにっこりしてくれないかと、さまよい歩くことはない。一人ぼっちで何時間もすごすことはない。それどころか、わずか数分でも一人でいることはめずらしかった。

厳密に言えば、彼は母親と二人きりだったわけではない。ウィックス夫妻がハネムーンからもどったときから、屋敷には諸事を取りしきる使用人の夫婦がいた。車の運転と庭の手入れ、その他の力仕事をするロレンゾと、料理をはじめとする家事を受け持つマッティだ。しじゅうぶつぶつこぼしながら務めを果たすこの陰気な二人組は、屋根裏に快適な住居を与えられ、ほかの誰とも付き合う必要は感じていないようだった。

しかし、いつしかハワードは彼らの仕事を――料理と掃除だけを残して――次から次へと肩代わりしていた。以前はマッティがしていた市場への買い出しも、今ではもっぱら彼がやっていた。屋敷の手入れも彼の役目で、修理や模様替えにやってくる職人たちを監督したりする。母親の運転手役もすべて引き受けていた。ただし、そのさいにはロレンゾとちがい、訪問先の用事にも同席できるというあまりありがたくない特権が与えられていた。果ては母親の指示に従い――彼自身はこれまで庭仕事への興味も才能もいっさい示したことがなかったにもかかわらず――いっぱしの庭師にまでなっていた。植物のあいだにひざまずいた彼のかたわらで、色白の肌を日差しから守るつば広の麦わら帽子をかぶったウィックス夫人が、あれこれ厳しく指図するのだ。

さらに、ロレンゾとマッティの役割をはるかに超えて、ハワードは夜ごとの話し相手も務めた。その後はテレビ好きの夫人がチェックした日々の放映リストをもとに、彼女のお気に入りの番組にチャンネルを合わせる。たいていはお涙ちょうだいのメロドラマなのだが、彼は母親と一緒に最後まで見届けた。

経済的にも、ハワードは幅広く家計に目配りし、母親が署名できるように小切手を用意した。

ウィックス夫人の投資を扱っている町の証券会社の責任者たちに指示を出し、一族の会計士のために納税用の資料をそろえた。顧問弁護士との連絡係も彼だった。あれやこれやで、めまぐるしく一日がすぎてゆく。遅めの朝食を母親の寝床へ運ぶのを皮切りに、最後は深夜のテレビニュースのあと、ふたたびベッドにおさまったウィックス夫人に腰痛と肩こりをやわらげる軽めのマッサージをほどこす生活が、一週間に七日、休みなく続いた。

それでも、わずかな感謝の言葉のために誠意を尽くして働くことに、ハワードは何の不満も抱いていなかった。むしろ、初めて彼への攻撃の火ぶたを切ったあの日から、さんざん不満をぶちまけたのはレジーナとエイダのほうだった。二人はことあるごとに、自分たちが彼の母親への奉仕をどう見ているか、似たり寄ったりの嫌味な口調でくどくど言い立てた。

「お母様がどうしてロレンゾとマッティを雇い続けているのか不思議よ」レジーナは彼に言った。「日がな一日、あんたがかいがいしく仕えてくれるのに」

「しかも夜まで」エイダが口をはさんだ。「お休みまえのマッサージだなんて。気の毒なお母様に息子がどれほど献身的か気づかせるためなら、何でもござれ。親不孝な娘たちとは大違いってわけね。ほんとに、ハワード、どうにかお母様に取り入ろうとするあんたのやり口は、見ていて恥ずかしいほどよ」

何よりこたえたのは、どちらの姉も、ハワードがどれほど二人に好かれたがっているかに少しも気づいていないらしいことだった。彼は幼いころの輝かしい日々をぼんやり記憶していた。町へ買い物に出かけると、小さなハワードを真ん中に、きょうだい三人でぎゅっと手をつなぎ、うきうきと目抜き通りを歩いていったこと。それに、屋敷の遊戯室や父親が作ってくれた樹上《ツリー》の小屋《ハウス》で遊んでいるとき、姉たちにおどけた口調で――ときにはこっぴどく――からかわれたこと。ごくぼんやりとした遠い記憶だが、心温まる思い出だ。しかし目下のなりゆきからすると、いよいよ遠ざかるばかりの思い出だった。

あんな日々がもどる望みはない。なぜなら、ハワードは姉たちへの忠誠心を示すためなら、喜んで母親の財産を二人に好きなだけ取らせたはずなのに、その肝心の財産は、いっさい彼の自由にはならなかったからだ。たしかに小切手を書くのは彼だが、署名するのはウィックス夫人で、いつも細かい数字にまで目を光らせていた。じつのところ、こと金回りに関しては、彼が一族のうちでいちばん困窮し、母親がときたましぶしぶ渡してくれる小遣いだけが頼りというありさまだった。正直、それを恨む気はなかった――結局のところ、彼は母親の家の下宿人にすぎないのだから。とはいえ姉たちへの愛情を証明し、その見返りに彼女たちの愛情を勝ちとるすべがないことだけは、かえすがえすも無念でならなかった。

そんな調子で、時は流れるべくして流れ、じつに三十年の月日がすぎ去った。最後の数年間には、レジーナとエイダがハワードにも公然と告げていた不吉な予言――彼らの母親は、子供たちの誰より長生きするつもりなのだというもの――がいよいよ現実味を帯びていた。七十五歳を目前に、さすがのウィックス夫人も少々しなび、何度か軽い心臓発作を起こしていたが、ミッドランズヴィル随一の開業医であるドクター・ゴットショークは、いずれも一笑に付していた。首筋と肩の痛みが増した件についても、無骨でぶっきらぼうな医師は、たんに加齢のせいだと片づけて夫人を大いに苛立たせた。ドクター・ゴットショークによれば、彼女に必要なのはハワードの巧みなマッサージだけだった。

それを除けば、ウィックス夫人はたしかに年齢のわりに元気まんまんで、相も変わらず活動的で、注文が多く、辛辣なことは疑いもなかった。ハワードの見るところ、彼女と同年輩のロレンゾとマッティのほうが、今でははるかに老けて弱々しかった。それでも、すっかりやせ衰えた非力な夫婦がまだ屋敷に置かれているのは、彼らに年金をやって解雇するのを母親が拒んだからである。要は、彼らのおかげで彼女自身の壮健さが大いに引き立つからではなかろうか、とハワードは考えたりもした。

レジーナとエイダのほうは、どちらも中年になっていくらか暮らしが上向いていた。ただし、ほんのいくらかだ。レジーナの夫のヴァーノンは高校の教科主任になっていたが、それにともなう増収は、双子の息子の養育費で帳消しになっていた。レジーナによれば、驚くほどハンサムなたくましい二人の少年たちのおかげで、家計はまだまだ苦しかった。まだまだ苦しいのは、エイダも同様だった。彼女の夫のトーマスは、今では〈ミッドランズヴィル自動車修理場〉の支配人になっていた。しかし彼女がハワードのまえで諄々《じゅんじゅん》と姉に説いてみせたところによれば、一人の繊細な才能あふれる少女——彼女のたった一人の子供——をまともに育ててあげるには、少なくとも二人のがさつな少年に必要なぐらいの費用がかかるものなのだ。

孫たちが生まれて間もなく、ウィックス夫人は世間なみの〝大甘のおばあちゃん〟ではないことが判明していた。せいぜい、たまには小さな孫たちに注意を向ける、といった程度だ。彼彼らへのプレゼントは――その方針は何年たっても変わらなかったが――常に質素な、ハワードに言わせれば、がっくりするほど実用的なものだった。それよりはるかにひどかったのは、子供たちが発育期に屋敷で受けた仕打ちだ。ウィックス夫人は騒音や活動的な遊びや汚れた衣服を嫌い、そのため幼い子供には、彼女のまえに出るのが苦痛でならないことはあきらかだった。彼らの両親も、行儀の悪い子供のせいで相続権を失うまいと、屋敷内の決まりをきっちり守らせたので、本来なら喜んで甥や姪を甘やかしたはずのハワードは、終始その機会を奪われたままだった。好むと好まざるとにかかわらず、彼は小さな顔を石のようにこわばらせた子供たちから、恐ろしい祖母の付属物とみなされていたのだ。たまに勇気を奮い起こして友愛のしるしを差し出しても、彼が罠でも仕掛けているかのように、子供たちは警戒心をあらわにあとずさる。

それがどうにも辛かったので、ハワードはとうとう胸の内を母親に訴えた。就寝まえのマッサージをしているとき、つまり彼女が和やかとは言えないまでも、中立的な気分になっているときに。

「ねえ、お母さんは子供たちに厳しすぎるんじゃないのかな。だからあの子たちは、ぼくらとここにいるのがちっとも楽しくないんですよ」

「馬鹿らしい」パイル地のローブに身を包んだウィックス夫人は、両目を閉じてうつ伏せに寝そべり、のんびり首筋と肩を揉みほぐさせていた。「あの子たちの両親が子供の育て方を知らないのなら、今のうちに誰かが礼儀を教えてやるしかないでしょう」

「でもお母さん、それとこれとは話が別だと――」

「親指が食い込んでいますよ、ハワード。もうその件はおしまい。これ以上は聞きたくありません」

だが、話はそれで終わらなかった。その問題がふたたび浮上したのは、子供たちが十代初めになってからだが、今度は一族の面前での思わぬ暴挙につながった。

その日――よく晴れた春の金曜日――、ハワードは冬物の毛布を屋根裏の物置部屋にある木箱にしまいにいった。そして、ロレンゾとマッティの住居の向かいにあるその部屋で、長らく放置されていたゴルフのセットを見つけたのだった。一揃いのクラブと、使い古しの汚れたボールが一個。彼は懐かしげにバッグからパターを取り出し、床に置いたボールを何度か左右にころがした。そのあと、クラブをバッグにもどしかけたとき、とつぜん胸いっぱいに興奮がこみあげた。

クラブとボールを片手に、彼はキッチンを漁りまわってフルーツの缶詰を見つけた。じつのところ、目当ての用途には少々大きすぎたが、かえって好都合だろう。ハワードは砂糖漬けのフルーツをボウルに空け、冷蔵庫に入れると、空き缶を注意深く洗った。それから園芸用の移植ごてを使って、家の裏手の広々とした芝地の真ん中に適当な穴を掘り、その穴に空き缶を押し込んで、周囲の芝をきれいに整えなおした。何度か試してみると、パットの腕はさほど鈍っていなかった。

その午後遅くにレジーナとエイダが家族とともに着いたときには、ハワードはすっかり準備がでていた。いつもなら、子供たちは夕食までの退屈な数時間を、大人たちと一緒に居間でむっつり黙りこくってすごす。けれどもこの日、ハワードはさりげなく合図を送り——じっさいには、何度もうなずいて目くばせしなければならなかったのだが——いぶかしげな顔の両親と祖母を残して子供たちを部屋から誘い出し、ワンホールのゴルフ場へと導いた。クラブとボールをかかげてみせると、嬉しいことに、彼らは興味を引かれたようだった。

「ゴルフなんかするの、ハワード叔父さん？」双子の一人が疑わしげに尋ねた。

「以前はしじゅうしたものさ」とハワード。「ずっと昔の話だけどね」

「へえ、そうなんだ」もう一人がさらに疑わしげな口調で言う。

ハワードはボールを穴から六フィートほど離して置き——しかるべき感銘を与えるには、たっぷり距離をとる必要があったのだ——クラブを握った。この試技の重要性を思うと両手がかすかに震え、胃がむかついたが、ボールはみごと穴に沈んだ。

「へえ、やるじゃん」二人の甥たちは言い、姪は感心しきって「わあ、すごい」と声をあげた。

「じゃあ代わりばんこに打とう」ハワードは言った。「穴の近くからはじめて、少しずつ離していくんだ」

彼らが夢中で腕を競っていると、不意にキッチンの窓がさっと開いてマッティが首をのぞかせた。「お母様が、これは何ごとかとおっしゃってます」マッティは大声でハワードに言った。「すぐに中へもどられたほうがよろしいですよ」

「食事の用意はできたのかい？」ハワードは言った。

「もうしばらくかかりますけど、お母様は今すぐ来るようにって。ひどくご立腹ですよ、ハワード様」

意を決するときが来たのだ。ハワードは深々と息を吸い、決断を下した。「食事の用意ができたら、いつでももどるよ」彼はマッティに叫び返した。

二分後にキッチンの網戸がギーッと音をたてて開き、ウィックス夫人が戸口に姿をあらわすと、ゴルファーたちは凍りついたように動きをとめた。

「ハワード、いったい何のつもりなの？　ほら、その芝生を見て。すっかり踏み荒らされてるじゃないの。みんな、今すぐ中へお入りなさい」

ハワードはまたもや深々と息を吸い、「芝生を踏み荒らしたりはしていませんよ、お母さん。それにまだ夕食までたっぷり時間がある」と答えた。

彼は仲間たちに目をやった。ついさきほどまで彼らは陽気にはしゃぎまわって、あきらかに彼と同じぐらいみんなで遊ぶのを楽しんでいた。だが今や三つの顔はどれもまた石のようにこわばり、彼の出方を窺っている。ハワードは戸口の恐るべき姿に向きなおった。

「お母さん、ぼくらにはかまわず……」

その先の言葉は尻すぼみに消えた。ウィックス夫人がずんずん階段をおりて芝生の上を進んできたからだ。今度はハワードが打つ番で、ボールは彼の足元に置かれていた。ウィックス夫人は屈み込んでボールを取りあげ、そのままずんずん引き返していった。彼女の背後でぴしゃりと網戸が閉まると、呆然としていたハワードは徐々に我に返った。まだゴルフクラブを握りしめていることも忘れて、彼は家へと踏み出した。激しい感情に心を乱されるあまり、ポーチの階段をあがる途中でつまずき、頭から倒れそうになったほどだった。

身体をまっすぐ起こし、網戸を蝶番からもぎ取らんばかりの勢いで引き開けた彼が居間に着いたときには、母親はすでに元の場所——半円形に並んだ家族の椅子の真ん中にある、お気に入りの肘掛け椅子に腰をおろしていた。頬が紅潮し、唇は固く引き結ばれている。没収されたゴルフボールはどこにも見当たらなかった。

「お母さん」ハワードは前置きなしに言った。「ぼくのゴルフボールを返してほしいんです」

「おや、そうかい」ウィックス夫人は冷ややかに言った。

「お母さん——」

「大声を出すんじゃありません、ハワード。あれはヴァーノンにあげました」ウィックス夫人はひどく気まずげな様子のヴァーノンのほうにあごをしゃくった。「彼はゴルフをしますから。あなたが持っているより、はるかに役に立つでしょう」

「それはそうだが、ハワード」ヴァーノンは困惑しきってポケットに手を突っ込んだ。「わたしは必ずしも——」

「だめよ」ウィックス夫人はぴしゃりと言った。「それはあなたが持っていて、ヴァーノン。馬鹿げた遊びでうちの芝生を台なしにされるのはごめんです」

ヴァーノンの脳裏に生じたいっさいの疑問は、彼の妻に即座に封じられた。「ヴァーノン」レジーナは有無を言わせぬ口調で言った。「お母様のおっしゃったことが聞こえたでしょう?」

たしかに、彼には聞こえたはずだ。戸口で見守っている子供たちを含め、その場の全員が耳にしていた。ハワードは逆上しきって母親を見つめた。まるで脳天を思い切り連打されているように、頭の中で血管がドクドク音をたてていた。

ウィックス夫人の意匠をこらした椅子からさほど離れていないところに、一台のみごとな小テーブルが置かれていた。黒檀《こくたん》の脚がついた、正方形のつややかな大理石のテーブルだ。ハワードは両手でゴルフクラブを頭上に高々と振りあげ、力まかせにそのテーブルに打ちつけた。レジーナとエイダが小さな悲鳴をあげた。ヴァーノンとトーマスがはじかれたように立ちあがる。ウィックス夫人は椅子の中で身をこわばらせ、鼻孔を広げた。

ハワードは大理石の幅いっぱいに走った亀裂を信じられない思いで見つめ、折れ曲がったクラブのシャフトに目をやった。すっと全身の力が抜けてゆくのが感じられた。吐き気がこみあげ、両足がゴムになってしまったようだ。「本当に申し訳ない、お母さん」彼はあえぎながら言った。

「そうでしょうとも」ウィックス夫人は落ち着きはらって答えた。「そのテーブルはおじい様の宝物のひとつだったのよ」

「修理すればいい」ハワードは主張した。「きっと修理できますよ」

「そうだといいけれど」とウィックス夫人。

「明日……」ハワードは言った。「明日の朝いちばんに手配します。さしあたり、ぼくは失礼させてもらえれば――」

そうして長年のあいだで初めて、ハワードは金曜の夕食会を欠席したのだったが、もちろん、その後の長きにわたって、この失態がくり返されることはなかった。気づくと、何ごともなかったかのように時が流れ去っていた。彼の母親はあの一件を決して口にせず、ほかの目撃者たちもついぞ話題にしなかった。テーブルは修理され、それでおしまい。ただし当然ながら、しい余波として、彼はもう二度とあの魔法のひとときのようには子供たちに近づけなかった。悲まったく残念な話だ。あの衝撃的な幕切れまでは、まさに魔法のようなひとときだったのだから。

やがて子供たちは成長して州立大学に入学し、中退し、それぞれの道を進みはじめた。双子の青年はともにシカゴで慢性的な失業状態、娘のほうはニューヨークであやしげな若者と至福の同棲生活といった具合だ。レジーナとエイダはそうした心労でめっきり老け込みはしたものの、ハワードへの対抗心は一向に衰えなかった。ウィックス氏が未亡人に遺した百万ドルの資産は、賢明な運用のおかげで三百万ドルに増えていたが、その事実も姉たちとの関係を少しも改善してはくれなかった。

「三百万？」レジーナは言った。「ほんとに三百万ドルも？」

「本当だ」ハワードはあやまるように答えた。「すごく手堅い投資をしてきたから」

「一人につき百万ドルってわけね」レジーナが苦々しげに言う。

「なのにどう？」エイダはさらに苦々しげだった。

なのに、その金は一ドル残らず母親の手にがっちり握られたままなのだ。そのごく一部だけでもあれば、目のまえの老いたふたつの顔をほころばせてやれるのに、とハワードはみじめな思いで考えた。たしかに、同感とは言えないまでも、姉たちの心情は理解できた。いつかようやく二人がにっこり笑いかけてくれるのを見られたら、どんなにいいだろう。とはいえ母親の亡骸《なきがら》が地中に葬られ、彼女のいないがらんとした家だけが残されることを思うと、寒々とした予感でいっぱいになった。そこにはかつての孤独が待ちかまえているはずだ。あまりじっくり考えたくない問題だった。

「これはまえにも言ったけど」レジーナが口にした。「もういちど言わせてもらうわ。お母様はぜったい、わたしたちの誰より長生きするつもりよ」

「あんたも含めてね、ハワード」とエイダ。

だが二人は間違っていた。少なくとも、当の本人がいかなる決意だったにせよ、ウィックス夫人はその予言を実現できなかったのだ。

その夜、ハワードは自分が用意してやった風呂——熱めの湯に香りつきの入浴剤をカップ一杯加えたもの——から母親があがるのを待っていた。例のマッサージをするためだ。ウィックス夫人は常に入浴は十五分間と決めていたので、彼はいつもどおりベッドのわきの椅子にすわって、時計を見ながら待っていた。十五分がすぎ、やがて二十分がすぎると、少々落ち着かなくなってきた。もう数分ほど待ったあと、彼はバスルームのドアをおずおずとたたいた。それでも反応はない。不安でいてもたってもいられなくなり、もう少し強くノックした。それでも反応はない。

ついに、ここは遠慮などしている場合ではないとハワードは胸に言い聞かせた。ドアを押し開けると、事情は一目で見てとれた。

そこのバスタブは鉤爪形の脚がついた古めかしいタイプのもので、誰でもゆったり身体をのばせるだけの長さと深さがある。その中でゆったり身体をのばしたウィックス夫人の顔は水面のわずかに下にあり、見開かれたうつろな両目がひたと天井に向けられていた。

ハワードはどうしてもバスルームに足を踏み入れる気になれなかった。そこでドアを閉め、その場で懸命に心を鎮めた。しっかり自制を保てるようになると、ドクター・ゴットショークに電話して、今すぐ来てほしいと言った。

「亡くなった?」医師は言った。「それは間違いないのかね?」

「はい」とハワード。あのおぞましい孤独が、今やぎゅっと彼の喉をしめあげていた。「どうか急いでください、先生」

その後、ハワードはどうにかうわべの平静を保って屋根裏へあがり、ロレンゾとマッティを起こしてニュースを伝えた。ロレンゾは気丈に受け入れた――むしろ、自分が屋敷の女主人より長生きしたことを知って、どこか得意げですらあった――が、マッティのほうはたいそう感情的な反応を示した。ハワードは彼女を慰めながら、こんな涙と悲嘆の洪水にも揺るがぬ自分の冷静さに感謝した。やがて、ようやくマッティが落ち着くと、彼は思い出したようにレジーナとエイダに電話した。

医師はほとんど即座にやってきた。すばやく仕事を片づけると、彼はハワードに言った。

「むろん知ってのとおり、警察を呼ばねばならん。わたしが今すぐ手配しよう」

「警察？」ハワードは言った。

「馬鹿げた法律上の手続きさ、ハワード。こうした形で死亡すれば、否応なしに警察沙汰になる。おまけに検死も必要だ。気の毒だが、そういう決まりなのだよ」

結局、レジーナとエイダが夫たちと着いたときには、数名の警官たちが屋敷に陣取っていた。彼らを率いるのは、スティール警部補なる馬鹿でかい威張りくさった男だ。一族の面々は、この杓子定規なパフォーマンスに面食らった様子で、ろくに異議も唱えず居間に腰をおろした。それでも、母親の死に至るまでの詳しい経緯を聞きたいとスティール警部補に尊大きわまる口調で言われたとき、そのまま家族といられれば、ハワードはさぞ心強かったろう。しかし、そうは問屋がおろさなかった。警部補は二人きりで話せるように、彼を廊下の向かいの小部屋へ連れ去ったのだ。ハワードはそこで話すべきことを残らず話し、警部補はそれを残らず、小さな手帳にせっせと書きとめた。

ようやくすべてが終わり、ウィックス夫人の亡骸が待機していた救急車に運ばれると、一族の者たちは出がけにそそくさと別れの挨拶をして、真っ先に屋敷から立ち去った。続いて警官たちが引きあげたあと、ドクター・ゴットショークだけがしばらく残って悔やみの言葉を述べた。

「鎮静剤が必要そうかね？」医師は尋ねた。

「いいえ、だいじょうぶです」そうだろうかと内心あやぶみつつ、ハワードは答えた。

「それならいいが。いずれにせよ、明日は電話のそばにいてくれたまえ。昼までには、監察医から検死の報告書をもらえるようにするつもりだ」

電話は正午きっかりにかかってきた。「遺体に不審な傷跡はない」ドクター・ゴットショークはぶっきらぼうに告げた。「薬物の痕跡もなし。どうやら夫人は入浴中に意識を喪失し、そのまま死亡したようだ。熱い湯には気をつけるよう、何度も警告したのだが」

「母はそんなこと一度もわたしには言いませんでしたよ」とハワード。

「ああ、そうだろうとも。言えばわたしにあれこれ告げ口されかねんし、きみのおふくろさんは何でも思いどおりにする人だったからな。ところで、もういつでも遺体を返してもらえるはずだから、ハワード――」

葬儀は手の込んだ盛大なものとなり、ハワードは今にもあふれそうな涙を懸命に男らしくこらえつつ、シャベルですくわれた土がざらざらと棺に降りそそぐのを見守った。あんのじょう、今やあの冷え冷えするような孤独がたえず彼につきまとい、わびしい未来を暗示していた。そんなわけで儀式の終了後、レジーナが意外にも彼の心情に配慮を示すかのように、一族で古い屋敷に集まろうと言い出したのはありがたかった。たぶんマッティとロレンゾに手早く昼食を用意してもらえるだろう。ほかの者たちも即座にうなずいて同意してくれたのは、さらにありがたく思えた。

屋敷にもどると彼らは居間に集い、そろっていつもの椅子に腰をおろした。その真ん中でウィックス夫人の空っぽの椅子が強烈な存在感を放っているのを横目に、レジーナはマッティにいくつか指示を与えてキッチンへさがらせた。マッティが部屋から出てゆくや、レジーナは重たい両開きのドアをぴたりと閉めた。鍵穴に差されたぴかぴかの真鍮製の鍵は、ハワードの記憶にあるかぎり一度も使われたことがなかったが、それが今、初めて使われた。レジーナは鍵をしっかりとまわし、ドアを揺すってきちんと施錠されているか確かめた。ハワードの驚いた顔に気づくと、彼女はそっけなく言った。「だってほら、マッティはひどくお節介なところがあるから。今はとつぜん入ってこられちゃ困るのよ」

「そうなのかい?」とハワード。

「そうよ」レジーナは腰をおろして両目をひたとハワードに向けた。それから、おもむろに切り出した。「たぶんこれはいっさい口にすべきじゃないのよね、ハワード――たとえ鍵のかかったドアの奥でも。でも一度はぶちまけないと、死ぬまで喉につかえたままになってしまいそう」

「わたしたちはみんな同じ思いなの、ハワード」エイダが言った。

「だから」とレジーナ。「これからわたしの考えを話すわ、ハワード。その後はもう二度と、ここにいる誰もこの件には触れもしないはずよ」彼女は小さな大理石のテーブルを指さした。かつて加えられた傷の痕跡すら見えないほど、完璧に修理されたテーブルを。「ずいぶんまえに、ハワード、あんたがわたしたちみんなのまえであれをたたき割ったとき――何て言うか、わたしたちはふと考えたわけ。あるいはいつか――ひょっとしたら――あんたは勇気を奮い起こして、この家ですべきことをしてくれるんじゃないかって」

「やっぱりそうだった」エイダが言った。「すごく時間がかかったけど、あんたはやってのけたわ。そうでしょ、ハワード?」

あっけにとられて彼らを見つめるハワードの胸に、じわじわと恐怖がこみあげた。彼は口を開いたが、その恐怖をまともに表現できる言葉は見つかりそうになかった。

「しかも、もののみごとに」レジーナの夫、ヴァーノンが言った。「ドクター・ゴットショークみたいな手ごわい古狸を出し抜いて」

「おまけに」エイダの夫、トーマスがこれみよがしにウィンクした。「あのいけすかない警官まで、何やらうまく丸め込んでね」

ハワードはようやく声をしぼり出したが、とうてい自分の声とは思えなかった。「待ってくれ。ここにいる誰かが少しでもそんなことを信じているのなら――」

「いやだわ、ハワード」レジーナが楽しげに言った。「わたしたちが家族以外の人間に話すはずはないでしょ。ほんとに、わたしたちまで騙す必要はないのよ」

何と、彼女が自分に微笑みかけているのにハワードは気づいた。感嘆しきって両目を輝かせ、愛情深い笑みを浮かべている。エイダもだ。それにヴァーノン。トーマスも。彼らはみな、まぎれもなく彼に微笑みかけていた――彼がずっと待ち焦がれていた、心からの愛情を満面にたたえて。

ハワードはしばし未来に思いをはせた。それから、彼らに微笑み返した。「うん、まあ」彼は言った。「家族の秘密にしておけるのなら――」

（猪俣美江子訳）

# ジェミニー・クリケット事件

〈アメリカ版〉

クリスチアナ・ブランド

The Gemminy Crickets Case　一九六八年

クリスチアナ・ブランド Christianna Brand（一九〇七―八八）イギリスの作家。マレーシア生まれインド育ち。一九四一年に長編『ハイヒールの死』を発表して本格的に作家デビュー。著名な探偵役としてケント州警察のコックリル警部がいる。ミステリの代表作に『緑は危険』『ジェゼベルの死』『はなれわざ』などがあり、児童文学〈マチルダばあや〉のシリーズでも知られる。七二年から七三年にかけて、英国推理作家協会（ＣＷＡ）の会長を務めた。本編の初出は雑誌〈エラリイ・クイーンズ・ミステリ・マガジン〉*Ellery Queen's Mystery Magazine* 一九六八年八月号。俗に〈アメリカ版〉と呼称されるバージョンである。翻訳には *Ellery Queen's Mystery Anthology vol.28*（一九七四）収録のテキストを用いた。

老人は、つい歓声をあげずにはいられなかった。「これはこれは、坊や、よくきたな。おまえと会えるなんて、なんてうれしいんだろう！　で、どうだね、しばらく滞在するんだろう？」周囲には、明るい春の日ざしを浴びて、ビロードのような緑の芝生がひろがり、かなたの色とりどりの花壇では、鍬や鋤《すき》を手にした男たちが立ち働いている。「あれからたしか——驚いたな！——もう二十年以上にもなるぞ。道で出あっても、おまえとは気づかなかったろうよ」そしてくっくと喉を鳴らして笑った。「ときに、なんでここへきたんだね？」

「ジェミニー殺人事件ですよ」ジャイルズは言った。

「ほう、なるほど。じつはな、殺人事件にはことのほか興味があるんだ。もう長いこと、それを趣味にしておるんだよ」老人はしばし考えこんだ。「ジェミニーとね。弁護士だったかな？　名前には聞き覚えがあるが、このところ、とみに記憶力が減退しとるんだ。いい男だった——たしかそう聞いた覚えがある」老いた頭脳が過去数カ月の出来事をさぐった。「思いだしたぞ。新聞に出とった。《謎の密室殺人》とか、たしかそんなふうに呼ばれてたんじゃないかね？」

「彼は自分の事務所で殺されてたんです。ドアには内側からかんぬきがかってあり、窓が割れていた。割れたガラスのふちが、いまだに小刻みにふるえていたほどで。ところが部屋は四階なんです。被害者は首を絞められ、そのうえ椅子に縛りつけられて、刺されていた。傷は真新しく、警察が部屋に駆けつけたときには、まだ傷口から血が流れでていた。なのに部屋にはだれもいなかった」

「なるほど、おもしろい!」老人はその頑丈な、静脈の浮きでた手を、青年の腕にすべりこませた。「ちょっとこの坂をのぼってって、あの桑の木の下のベンチにすわろうじゃないか――きょうび、人に自慢できるほどの桑の木のある庭なんて、そうたんとはあるまい? あそこでその話をすっかり聞かせてくれ。最初から順を追って話してほしいんだ」明るい目が輝いた。「このごろはなんでも忘れちまう。だから、最初から順を追って話してほしいんだ。新聞で読んだはずなんだが、忘れちまってね。わしをテストするんだよ! ふたりでちょっとしたゲームをやろう――《犯人探し》のゲームを。事件のあらましを話してくれ、警察に聞かせたとおりに。手がかりも、証拠も――必ずしも真実でなくたっていいんだ。警察がそれについて知ったとおりであれば。わしに謎解きをさせてほしいんだよ。謎を解いて、ついでにやつらの鼻をあかしてやれるかどうか、ためしてみたいのさ……」

というわけで、ふたりはベンチまで歩いてゆき、ジャイルズ・カーベリーは老人とともにそこにすわって、ジェミニー・クリケット事件の一部始終を物語った。

ジェミニー老の事務所。質素な正方形の部屋で、さほど広くはない。頑丈な、どっしりしたドア。正面に、ただひとつの窓――大きな一枚ガラスの。そのガラスが割れて、直径約二フィートのぎざぎざの穴。窓框《まどがまち》の下の床に、こわれたガラスのかけらが少々。窓から四階下の閉鎖された倉庫の庭には、それよりも多量の破片。

唯一の窓と唯一のドアとの中間のデスクに、おもに刑事事件を扱う事務弁護士、本年七十歳のトマス・ジェミニーの遺体。窓のブラインドからむしりとった紐で椅子にくくりつけられ、横ざまに傾いて、書類の散乱したデスクになかばのしかかり、紫色に変色した顔をドアのほうに向けている。本人の絹ハンカチが首に巻きつけられ、おまけに、肩甲骨のあいだに、ナイフによる刺し傷。出血は少量だが、傷口からはいまだに血がにじみでている。いつもデスクに置いてあるペーパーナイフが紛失している。

そして、警官隊が階段を駆けあがってきたとき、ドアの外にはルーパート・チェスターが立っていて、両のこぶしでドアをたたきながら、煙がドアの下から流れでてくるのに、いくら呼んでもジェムおじの返事がないと叫んでいる……

「ルーパート・チェスターというと?」

「ジェムおじの被後見人のひとりですよ。そのことはあとで詳しく話します。ルーパートとぼくは、どっちも弁護士の資格をとっていて、ジェムおじの事務所で働いていたんです」

「なるほど。ふむ……」しばし老人はいま聞いたことを考えめぐらし、その情景を心に思い描いた。「で、全体的な状況は? 向かい側の建物とか?」

ジャイルズ・カーベリーは、砂利を敷きつめた小道に略図を描いた。「これが事務所のあるビル――ビルといっても、実際には大きな古い住宅でして、ぼくらはその最上階を使用しています。ここが階段で、エレベーターはありません。土曜の午後でしたから、だれもそこで仕事をしているものはいなかった——おまけに、ワールドカップの決勝戦の日でしたしね。道路はここ。ここここがルーパートとぼくの部屋。通りをへだてて、向かいの警察署を見おろすかたちになっています。ジェムおじの部屋は、このつきあたり。角部屋で、ひとつきりの窓は、通りとは直角の位置にあって、この倉庫の庭に面しています」

「狭い庭かね？」

「ええ。ですが、向かいの屋根からロープと滑車を使って、空中綱渡りをした、なんて考えは捨ててください。あるいは、壁面の出っぱりだとか、ペンキ屋の使う吊りかご式の足場だとか——そういう小説に出てくるみたいな仕掛けも。それらはぜんぶ考慮されたうえで、可能性なしとして除外されたんです」

「それは言うな、それは言うなったら」老人はゲームに熱中している子供のような調子で言った。

「わかりました。ですがこれはあくまでも事実でして、だれかの証言なんかじゃないんです——真実であるかもしれない、あるいはないかもしれない証言なんかとは。それに実際問題として、あの窓のぎざぎざの穴から、抜けだせるものなんていないでしょう。しかも地上五十フィートですからね」

「わかったよ。で？」老人はふしくれだった親指を嚙んだ。「そのルーパート・チェスターとやらは？　ジェミニー老の被後見人のひとりだと言ったな？」

「被後見人、養子、なんとでも好きなように呼んでください。ジェムおじの〝こおろぎ《クリケット》〟ですよ、ルーパートも、ぼくも、ヘレンも。もちろんほかのみんなもね……」

いい男だった、そう老人は言った。そのとおり、故トマス・ジェミニーはまさしく善人だった——善良で、親切で、情けぶかくて。犯罪者相手の仕事のために多くのものをなげうち、罪なき犯罪者の家族を、冷酷な世間の目から護《まも》るために心血をそそいだ。経済的援助を与え、新たな働き口や、新たな住まいを見つけるのに手を貸し、ときにはイギリスを遠く離れた土地、過去につきまとわれずにすむ土地で、新生活を始められるようにお膳立てをしてやった。

「ぼくらはいつも、おじから海外移住をすすめられる〝こおろぎ〟たちこそ、いちばん厄介な過去を背負っている子にちがいないと思ってたものです」と、ジャイルズは言った。「ですがむろん、確証はありません。一度だって、仲間の過去について教えられたことなんてありませんから。それはフェアではない、というのがおじの持論でした」

ジェミニー夫人の在世ちゅうは、夫妻の私宅さえもかわいそうな子供たちのために開放されていた。幼すぎて、しばしば自分の素姓すら知らずにいる子供たち。全員が《ジェミニー・クリケット》と呼ばれていた——ジェミニー老一流のやんわりした、ばかげたジョーク（〝ジェミニー・クリケット〟とは、〝ジーザス・クライスト〟の偽装形で、〝おやおや〟または〝くそっ〟など、軽い驚きや呪詛をあらわす婉曲表現）。《ジェミニー・クリケット信託事業団》が組織され、彼のもとを巣だった子供たちはみな、なにか助けを必要とする事態が起きると、すぐさま助勢に駆けつけてくるたてまえになっていた。彼の遺産もまた、遺言により、全額がこの事業団に遺贈されることになっている。

「ですから、そこに手がかりはありません。金銭問題は動機から除外してください」

ジェミニー老は、非常な努力を重ねて、子供たちの過去の痕跡を消し去ろうとした。当の子供たちにたいしてすらも。むろん、全員がそうだったわけではない――げんにジャイルズなど、両親が狂った男のため、斧でめった打ちにされて死んだ夜のことは、おぼろげながら覚えている。要するに、トマス・ジェミニーが援助の手をさしのべるのは、犯罪者の遺児にたいして、だけではなく、被害者の遺児にも、その恩恵は及んでいたのだ。彼の〝こおろぎ〟たちはみな、ジェミニーというミドルネームと、Cで始まる新たな姓を与えられた。ジャイルズ・ジェミニー・カーベリー、ルーパート・ジェミニー・チェスター、ヘレン・ジェミニー・クレーン……

それら大勢の〝こおろぎ〟たちのうち、ジェミニー老の晩年までその身辺にとどまったのは、三人だけだった――ジャイルズ、ルーパート、そしてヘレン。ジャイルズとルーパートは、弁護士の資格をとり、老人の事務所のパートナーになっていたし、老人のお気に入り、掌中の珠《たま》のヘレンは、ジェミニー夫人の生前、最後に養女として迎えられた、いわば末娘だったからだ。ふんわりとやわらかな、濃い色の髪の下に、はっとするほど大胆な、大きな目をのぞかせたヘレン……

「〝わたしのもの言う蘭〟と、おじは彼女を呼んでいました。ですけど実際は彼女、すごくタフなんです。ずっとぼくたち男性といっしょに育ったんで、男のやることならなんでもやれるし、たいがいは男より上手なくらいでした……」ジャイルズの目から微笑が消えた。「まあこういったことは、みんな裁判で明らかになったことですが」

「それは言うな。言うなったら！」老人はまたくりかえした。「わしに謎解きをさせてほしいんだよ」抜け目のない目が青年をうかがった。「おまえは彼女を愛しておった。首ったけだったんだろう?」

「だったら、どうだっていうんです? ぼくも、ルーパートも、どっちもですよ」

「どっちを彼女は好いておった?」

ルーパート——温和で、明朗な気質と、やさしい青い目と、いくらなでつけても、すぐまた巻き毛にもどってしまう、濃い金褐色の髪……いっぽうジャイルズ自身は、黒っぽい髪に、やや がっちりした体格。「ある日どっちかに好意を持ってるかと思うと、翌日には、べつのひとりが好きなふりをする。あの小悪魔め! ただぼくらの気持ちをもてあそんでただけなんだ。しかもそこへ第三の男があらわれると——」

「ほう、すると、第三の男がいたわけだ。おまえたち三人だけじゃなかったんだな?——いや、むろん、殺人のことさ、わしの言うのは。容疑者一号、二号、三号、おなじく四号。おまえとルーパートとヘレン、そしてもうひとり——匿名氏だ」老人は立ちあがった。「すこし歩こう。すわってると寒い。ところで、ほかにもうひとつ、警官殺しというのもあったんじゃないかね? ジェミニー老が警察に電話してきて、ある伝言を残した。そのあと、警官がやはり本署に電話をかけてきた。そうだろう?」

トマス・ジェミニーは、〝密室〟のなかで死に瀕《ひん》していた——そのジェミニー老が、通りの向かいの警察署に電話をかけてき、狂気じみた、支離滅裂な、切迫した調子で、出動を要請したのだ——なにかが、またはだれかが、〝どこへともなく消えてゆく〟とかいう断片的な台詞、さらには〝窓〟がどうとかしたという訴え、そして最後に、恐怖にうわずった悲鳴のような声で、〝長い腕が……〟うんぬん。

ところがその一時間後、二マイルほど離れた受け持ち区域を、いつものとおりのんびり巡回していたはずのクロス巡査が、おなじく本署に電話をかけてきて、おなじうわごとめいた台詞を口走ったのだ。〝首を絞められた……〟さらに、〝窓〟のこと、〝どこへともなく消えてゆく〟ということ、それから、とつぜん恐怖の声をはりあげて、〝長い腕が……〟うんぬん。やがてようやくその電話をかけてきた公衆電話がつきとめられた。電話ボックスのガラスが割れていて、そこからさらに百ヤードほど離れた、倒壊しかけた古い工場跡からは、水槽に沈められた巡査の遺体が発見された。縛られ、首を絞められ、おまけに、ジェミニー老の事務所から紛失したペーパーナイフで背中を刺されて……

「その巡査もおなじ署の所属だったんだね？」

そのとおり、おなじ署だった。ジェミニー老の事務所の真向かいにあり、関係者はみんな顔なじみ。トマス・ジェミニーも、ふたりの若いパートナーも、三日にあげず、そこに出入りしては、依頼人のために申しひらきをし、議論し、協議し、闘っているのだから。最初の通報があったとき、署では五、六人の警官がお茶を飲んでいた——彼らのいた地階の食堂からは、五階上のジェミニー事務所の窓がじかに見てとれる。その全員が、ジェミニーの名を聞くやいなや、命令はおろか許可さえ待たず、おっとりがたなでヘルメットをひっつかみ、通りへと駆けだしていった。「ですから、みんなが駆けつけたのは、電話があってから二分とたたないうちで――」

「正確にはなんと言ったのかね、ジェミニー老は？」

「さっきも言ったでしょう。死にかけてるってことですよ。だれかに、またはなにかに、首を絞められた――電話を受けた係は、その意味がほとんどのみこめなかった。それから、デスクが燃えてる、早く助けにきてくれということ。そのあと問題の、〝窓を抜けて〟うんぬんと、〝どこへともなく消えてゆく〟がつづいた。係の警官はそのあいだずっと、話をさえぎろうとしてたんです。さえぎって、相手の名前と住所を訊きだそうとしていた。それからようやく電話の主は、かすれた声でジェミニーだと名乗ると、悲鳴のような声をふりしぼって、〝長い腕〟がどうとかしたと叫んだ。そのあとは、いまも言ったとおり、二分とたたないうちに、巡査部長に率《ひき》いられたすくなくとも五人の警官が駆けつけて、ドアを押し破ろうとしてたわけです」

けれどもそこには、すでにルーパートがいた。かためたこぶしでドアを乱打し、肩で何度もドアに体当たりしながら、「おじさん！　ジェムおじさん！」と叫んでいる。巡査部長は、部下のひとりを階段の上に立たせ、逃げだそうとするものがいないかどうか見張るように命じると、自分もほかの部下とともに、ドアに体当たりしはじめた。そのうちやっとルーパートが気づいた。「きっとかんぬきがかってあるんだ！　かんぬきがついてるんですよ、ドアの上と下に」というわけで、ドアの羽目板の一枚が破られて、そこから腕が上へさしこまれ、下の羽目板の一枚が蹴破られて、そこから腕が下へさしこまれた。そのあと一同が、依然として持ちこたえている頑丈な錠前に立ち向かおうと、いったん後ろにさがり、呼吸をととのえているそのさなか――そのつかのまの静寂のなかに、部屋のうちから、かぼそく、だが明瞭に、無気味な反響を伴って、ちゃりんとガラスの割れる音が響いてきたのだった。

ようやくドアがこわれ、勢いよく内側にひらくと、とたんにその煙の充満する部屋のなかは、あたふたと動きまわる青い制服の腕や脚でいっぱいになった。ところが室内にはだれもいなかった。ひとりの人間《リヴィング・ソウル》も。

文字どおり、生きた人間《リヴィング・ソウル》はだれも。いたのは死人だけ。絞殺され、燃えるデスクごしに一同を見つめている死人。そして背中の傷からは、いまだに血がにじみだし、破れた窓ガラスのぎざぎざの先端は、まるでたったいまだれかがそれを突き破り、外へ身を躍《おど》らせたかのように、小刻みにぶるぶるふるえている。

だがその穴は、直径わずか二フィート、地面からの高さは五十フィートもあるのだ。

ルーパート・チェスターと、警官のうちふたりばかりが遺体に駆け寄り、巡査部長と残りの部下が窓に駆け寄った。なにひとつ動くものはない。下の倉庫の庭にも、まったく動くものの気配はない。かつて荷物の積み降ろしに使われていたその庭は、きれいに掃き清められ、どこまでもつづく高い塀と門にかこまれて、しろじろとした空間をさらしている。

「見張れ」巡査部長は部下に命じた。「一瞬たりとも目を離すんじゃないぞ」

立ちこめた煙の奥から、うろたえた声――「死体を運びだしますか、部長？　このままだと燃えちまいますよ」それから、ほかのだれかの声――「消防隊を呼んでくる」つづいてまたべつの声――「ここには消火器ってものはないのか？」そしてこれらすべての声にかぶせて、煙にむせながら叫ぶルーパート・チェスターの声――「ああ、たいへんだ！――見ろ、これを！ヘレンだ！　ヘレンが危険にさらされてる。助けにいかなくちゃ！」

「なんだって？」巡査部長は叫んだ。だがそのあいまにも、煙はどんどん濃くなってくるし、早いところ死体を運びだして、ありうべき手がかりをめちゃめちゃにしてしまうか、それともいっさいを灰燼《かいじん》に帰する危険を冒すか、ふたつにひとつを選ばねばならない。すべてを考慮している時間はなかった。部下のひとりが、チェスター氏を追いかけようかとおろおろしながら申しでたが、やるべきことはほかにもたくさんあるし、よそに人手を割《さ》くわけにはいかない。どっちみち、ルーパート・チェスターの顔なら、だれでも知っている。正体不明の容疑者が姿をくらますのとは、わけがちがうのだ。だいいち、彼らが駆けつけたとき、ルーパートは、錠がおろされ、かんぬきがかけられたドアの外にいて、なかにはいろうと苦心していたのである。

「いや、かまわん！　ほうっておけ、それよりもこっちを手伝え！」巡査部長はどなった。もしもほんとうにヘレン・クレーンの身になんらかの危険が迫っているのなら、だれであれ、だれかが駆けつけて、その処理にあたるのに越したことはない。それにどっちみち――やれありがたや！　やっと消防がきてくれたぞ！

「室内はひどく焼けたのかね？」

「木造部はあらかた」ジャイルズは答えた。「家具とか、ドアとか、そういった部分はほとんど焼けました。それからむろん書類も。手がかりという意味では、なにも残りませんでした。消防の放水で、ぜんぶ水びたしでしたから。むろんそのメモとやらも」

「なんのメモだね?」

「ルーパートが見つけて、ヘレンを探しにとびだした、そのメモですよ。ルーパートに言わせると、ジェムおじの右手のそばの、メモ帳に書いてあったとか。大きな走り書きの字で、〝ヘレン——危険——〟とかなんとか、そんなことが」

「だれかほかにそれを見たものはいるのか?」

「ルーパートは警官のひとりに見せたそうです。ですが全員、それを否定しました」

「おおかたそんなことだろうと思った」老人はそっけなく言いはなった。

ジャイルズは、はじめそれを聞き流し、ついで、はっとした。「あの場にいたとでもおっしゃるんですか?」

「〝あの場〟とはどこかね? 考えるだけなら、どこにだって行けるさ。またもしおまえの言うのが、そんな不可能犯罪がどうやって行なわれたか、このわしにわかるのかという意味なら——」

「まだ警官殺しの詳細すら聞いていないじゃないですか」

「それで事態がややこしくなるとは思えんね。すでに容疑者はぜんぶそろってる。そのぜんぶが——」と、意味ありげに片目をつむってみせながら、「——鍵のかかった部屋の外にいて、警官を殺しにいこうがなにをしようが、まったく自由な立場にいた。だがまあせっかくだから、いちおう話だけは聞いておこうか」

「殺害されたのは五時前後です。ジェムおじから署に通報があったのが、だいたい四時三分前。

その警官が連絡してきたのは、約一時間後の五時。そしてほとんどおなじことを言った。気味が悪いのはその点ですよ。〝長い腕〟のこと、〝どこへともなく消えてゆく〟ということ。まず、『ジョージか？』と訊きました——これは交換台の係の警官の名です。それから、『こちらはディンカム・クロスだ』——〝正直《ディンカム》〟というのは、署内でのその巡査の渾名《あだな》でして、そのあと認識番号を告げて、どこからかけてるかを言おうとしたとき、邪魔がはいった気配がして、例のおびえた叫び声が聞こえた。ジェムおじの場合とまったくおなじに、だれかに首を絞められてるということ、それから、〝窓〟と、〝どこへともなく消えてゆく〟という言葉。そのあと、異様な悲鳴が聞こえて、〝長い腕〟うんぬんがかろうじて聞きとれた。あとは、さっきも言ったように、警察がどうにかガラスの割れた電話ボックスをつきとめ、付近を捜索した結果、百ヤードほど離れた立ち腐れの工場跡で、彼の死体を発見したというわけです」

ふたりは砂利を敷きつめた小道のはずれまできて、そこで踵《きびす》を返した。「どうやらおまえの殺人者氏は、人目をひかずにたくらみを実行するのには、またとない幸運に恵まれておったようだな」

「まあね。ですが、これが前もってたくらまれていたということ、これは否定されないでしょう？　しかも、なんと巧妙なたくらみ！　土曜の午後で、おまけにワールドカップの決勝戦ときてる。だれだってテレビにかじりついてるでしょう。なおそのうえに、当日は土砂降りで、風も強かった。国じゅうの大半はすばらしい好天だったのに、ぼくらの町だけが、そうじゃなかったんです」

ふたりはベンチにひきかえし、ふたたびそこに腰をおろした。老人は疲れやすい。斜面の下のほうからは、芝刈り機の低いうなりが聞こえてくる。機械の通過につれて芝草がなぎたおされ、濃淡両様の緑の縞《しま》ができてゆく。けれども、老人の思いは密室のほうにあった。錠がおり、かんぬきがかってある密室——そのなかで、瀕死の男が、さらに背中を一突きされて死んでいる。にもかかわらず、そこにはだれひとりいられたはずがない。さらに、とある田舎町の電話ボックス——そこではひとりの巡査が首を絞められ、あらぬことを口走り、そしておそらく数秒後には、おなじように死んでいったのだ。

「ふたつの殺人のあいだには、なにか実際上の関連はなかったのかね?」

「おなじ言葉が口にされたということだけです——〝どこへともなく〟とか、例のぞっとするような、〝長い腕〟うんぬんの言葉。それともうひとつ、警官を刺したのは、事務所から持ちだされたペーパーナイフだった。おかげで、おじの血痕と警官のそれとがまじりあって、血液型がはっきりしなくなっていた。どっちにしろ、水ですっかり薄まってはいたんですが。死体が押しこまれてたのは、半分こわれた、ひっくりかえった水槽のなかでしたから。どこかそのあたりで拾ったらしい、ワイヤーロープで縛りあげられてね」

「なるほど。よしわかった。事実はだいたいそんなところだな」老人は手をこすりあわせながら言った。「じゃあつぎはアリバイだ」

「ルーパートと、ヘレンと、ぼくの?」

「それともうひとり、かの匿名氏の、だよ。ヘレンの三人めの求婚者を忘れちゃいかん。思うに、金銭問題が動機にならんとすると、動機は当然、ヘレンにからんだなにかということになってくるんじゃないのかね？」

「警察もおなじ結論に達しましたよ。あなたとしては、すべてに警察とおなじ立場でやってみたい、そういうご希望でしたね？」ジャイルズはしばらく考えをまとめた。「じゃあ、その日の出来事を順を追ってお話ししましょう――話のなかで、おのずからアリバイが確立されてくるはずです」

「虚偽のものであれ、真実のものであれ？」

「警察が聞いたとおりの、ですよ」ジャイルズは言った。

ある意味で、事の始まりはクロス巡査だった。署の食堂で昼食を終え、担当地域の巡回に出かけたきり、五時に電話をかけてくるまで、だれからも忘れられていた巡査――その遺体は、それから一時間かそこらたって、放棄された工場跡から発見された。

「つぎに正確な時刻が判明しているのは、ぼくがジェムおじに会いに事務所へ行ったときでしょう……」

ジェミニー老が事務所に居残っていたのは、ふたりの若手パートナー――ジャイルズとルーパート――と、個別に話し合いをするためだった。

「ぼくは二時半に行くことになってました。ルーパートは四時です。おじが自宅で話をすることを避けたのは、ヘレンに聞かせたくなかったため――彼女はまだおじと同居してましたからね。ルーパートとぼくは、事務所から車で十五分ばかりのところに、共同でアパートを借りてました。とにかく、問題は、その第三の男があらわれて、おじはそれが気に入らなかったってことです。その男がだれか、ぼくらはまだ知りませんでしたが、おじはすでに察しをつけていて、あまりそれを歓迎していなかった。ヘレンがすっかりのぼせあがってて、自分の心を見きわめられないんだ、そう思ってたみたいですね。それにどっちにせよおじは、問題を〝家族のなかだけにとどめて〟もおきたかったんです。ともあれ、それについてなにか積極的な手を打つ前に、ぼくらふたりの彼女にたいする気持ちを聞いておきたい、それがおじの考えでした。といっても、なにもしちめんどくさいことじゃなく、ただの内輪の話し合いというだけです」

「なるほど。で、おまえは二時半に出かけていった？」

「ええ。ルーパートはアパートに残ってました。おじとは、きわめて友好的な話し合いをしましたよ。ぼくは、それについての自分の立場を説明したうえで、三時半には事務所を出ましたが、そのときは、おじは何事もなくぴんぴんしてました。嘘だなんて思わないでください——実際にそうだったんですから。ぼくが出たあと、おじは電話をかけてルーパートを呼んだ。警察に通報があったのは、四時近くになってからです」

「ふむ。それで？」

「ぼくはアパートにもどりました。車を駐車して、ちょうど家の角を曲がって玄関のほうへ行きかけたとき、ルーパートが階段を駆けおりてきたんです。雨が降ってるのに、帽子もかぶらず、レインコートをかかえただけで、とりあえず出がけにそれをひっつかんできたというふぜい——で、ころがるように車に乗りこむと、あわただしく走り去りました」

「なぜそんなに急いでおったのかね？」

「彼が言うには、その直前にジェムおじから電話があって、急いでくるようにと――」

「すまんが、正確に言葉どおりに言ってくれ」

「ええ。まずおじは、『まだ出かけていないのか？』と言いました。『いま出るところです。ジャイルズはまだそっちにいるんですか？』そうルーパートが訊くと、『いや、三時半に帰った』とおじは答えた。ところがそのあと、ぼくと〝非常に有益な話し合いを〟したというようなことを言いかけたとき、ふいにそれを中断して、『どうも気に入らんな。窓の外で、なにかおかしな気配がする』そう言ったとか」

「地上五十フィートの窓の、かね？」

「とにかく、それがおじの言ったことです。それから、『すぐきてくれ、ルーパート。どうもいやな予感がする』――というわけで、当然のことルーパートは、レインコートを着るひまさえ惜しんで、脱兎のごとく家をとびだした」

「でなくば、まず警察に通報する手間さえ惜しんで？　警察はおじさんの事務所からは、道路ひとつへだてただけの真向かいにあるんだろう？」

「ですが、あの場合、すぐに警察に通報しようなんて、だれだって考えないんじゃありませんか？　ルーパート自身は、そんなこと思いつきもしなかった、そう言ってますよ」

老人はしばしそれについて思案した。それから、そっけなく言った。「つまり、おまえにとっては、万事がすこぶる好都合だったというわけだ。なぜなら、アパートの前でルーパートを見かけたのが事実なら、ほぼおなじ時刻に、車で十五分もかかる事務所のほうで、おじさんを殺していられたわけがない――そうだろう？」

「もしルーパートを見かけたのが事実ならね」と、ジャイルズは言った。「警察もその点は考慮しましたよ。ご心配なく！　彼らはこう考えました――ぼくがあらかじめルーパートの車の停めてある場所を見ておいて、彼ならそこまであわてて走っていくにちがいないと見当をつけた、とね。なにしろルーパートってのは、しょっちゅうあたふたしてる男ですから。ですが、レインコートの件がその議論に決着をつけました」

「つまり、そういう荒れ模様の日だから、レインコートを着ずに出かけた、とはあてずっぽうでは考えにくいというわけだ。いかにも、それならおまえは、たしかに除外されるだろうて」

「それと、ルーパートもね。だって、ぼくがアパートの前で彼を見かけたのが事実なら、彼だって車で十五分も離れた事務所で、ジェムおじを殺していられたわけがありませんから」

「おじさんが死んだのは、ルーパートが事務所に着いたはずの時刻よりも、あとのことだよ」

「たしかに。しかし、一連の出来事はすでに始まっていた。おじ自身がルーパートにそう言ってます」

「と、ルーパートが言ってるだけじゃないか」老人は言いかえした。それから、ふいに攻撃の角度を変えた。「で、そのあいだ――ヘレンは？」

「ヘレンはいっさい関係ありません」ジャイルズは急いで言った。「郊外の荒れ地を散歩してたんです――現場からは十五マイルも離れたところですよ」

「散歩？　そんな悪天候の日に？」

「フィットネスのためにやってるんです。映画の仕事をしてるもんですから——正確に言うと、曲技専門の代役俳優、いわゆるスタンドインです。乗馬、ダイヴィング、スキー、射撃、その他、なんでもこなしますよ。さっき言ったでしょう——ぼくら男性のあいだでしごかれて育ったんで、荒っぽいことはお手のものだって」

「彼女がその荒れ地とやらにいるところ、それには大勢の目撃者がいるんだろうね？」

「たったいま、自分で言ったでしょう——そんな日に、だれがいったいそんなところへ出かけたりしますか」

「だったら、だれが言ってるんだね、彼女がそこにいたと？」

「ぼくです、ぼくが言ってるんですよ。そこで彼女と会う約束をしてたんです」

「で、会ったのか？」

「いや。ですが、会えなかったのはぼくのせいなんです。言いかたがまずかったんですよ。その荒れ地は広いんです。そこで落ちあおうとぼくは言った。あとで——つまり、ジェムおじとの話がすんだら、そこへ駆けつけるつもりでしたから。しかし、そのことは彼女には言えない。おじと会うことになってるのを、彼女は知らないからです。で、ただ四時半ごろ、〈ベル〉で会おうとだけ言った。〈ベル〉というのはパブですが、あいにく彼女、それをデルと聞きまちがえた。デルは前にも何度かピクニックに行った場所ですが、小声で言うと、どっちもおなじように聞こえますからね」

「で、小声で言ったのかね、おまえは？」

「ええ、ルーパートに聞かれたくなかったんで。じつをいうと、ジェムおじに会ったあと、彼より先にそこへ駆けつけるつもりだったんです。これではっきりしましたか？」ジャイルズはわずかに弁解がましい調子で言った。

「よしわかった。四時十五分前だったな。ヘレンはひとりきりで荒れ地にいて、アリバイはない。おまえとルーパートは、たがいにアパートの前にいたというアリバイがある。で、そのあとはどうなるのかね、おまえの物語は？」

「ぼくの物語――と言っていただくのは、まことに恐縮ですが――ともあれ、話はこうです。アパートに帰ると、ぼくは部屋にはいり、お茶を一杯飲んだ。いまも言ったように、ヘレンとの約束の時間は四時半でしたから。それから家を出て、〈ベル〉へ車を走らせた。ついでにルーパートのほうの話も紹介しておくと、彼はジェムおじの事務所に着いたものの、部屋にはいれず、ドアをどんどんたたいてるところへ、警官隊が駆けつけてきた。いっしょにドアをたたきこわして、なかへなだれこんでみると、デスクの上に例のメモがある。おじが殺されてるうえに、さらにそのメモで、すっかり動転してしまった彼は、後先かまわず現場をとびだし、ヘレンを探しに出かけたものの、彼女は家にいなかった。そこで、あわてて二、三の友人に電話をかけ、行く先の心あたりをたずねた。けれどもあいにくなんの成果も得られず、そこでふたたび車にとびのり、やみくもに彼女の行きそうな先を探して駆けずりまわったあげく――」

「駆けずりまわったという場所のなかで、警官殺しの現場に近いところはないのか？」

「どっちかというと、狭い町のなかですから」ジャイルズは手みじかに答えた。「まあ一マイルか二マイルの範囲内でしょう。ただしむろん、実際にヘレンのいた荒れ地はべつで――そこはどこからでも車で三十分はかかります。ルーパートも最後にはそこへ行きました。週末にヘレンがよくそこを散歩してるのを思いだしたからです。しかし、さっきも言ったとおり、広い場所ですし、結局、三人とも行きちがいになってしまったわけです」

「すると、警官殺しのあった時刻――五時だったかな？――その時刻には、ヘレンとルーパートには事実上アリバイはなかったわけだ。おなじくおまえもだが」

「これもまた、きわめて〝好都合〟だったとおっしゃるでしょうが、それがじつはあるんです」ジャイルズは言った。「今回もまた、ぼくにはアリバイがあるんですよ。パブで三十分ほどヘレンを待ったあげく、この悪天候だから、結局こないことにしたのかな、そう思いましてね。家に電話してみたんです。家政婦がそれを証明してくれるはずです」

「そんな電話ぐらい、どこからだってかけられるだろうが」

「がっかりさせて悪いんですが、それをかけたのは、〈ベル〉のすぐ外の公衆電話からでしてね。小銭がなくて、店のものを呼びだして両替してもらいましたから、それは証明できます。事実、その前にまずたずねてみたんですよ、ヘレンを見かけなかったかって――店の連中とは、みんな顔なじみですから。そのあとで小銭の両替を頼むと、連中は急いでそれをすませて、すぐまたテレビのワールドカップにもどっていきましたよ」

「なるほど。それならかなり決定的だと言わざるを得んな」

「警察もそう考えました」今度はジャイルズがそっけない調子になって、言った。

「すると、残るところはルーパートとヘレンか」

「それと、あなたのいわゆる匿名氏です。ところで、ひとつ説明してくれませんか——だれがジェムおじを殺したかということより、むしろ、どうすれば殺せたのかってことを。ドアには錠がおりていた——ついでですが、キーは焼けただれたデスクの残骸のなかにころがってました。おまけに、内側からかんぬきがかってあり、窓は地上五十フィート、ガラスにあいた穴は、子供だってくぐりぬけるのはむずかしい。にもかかわらず、ガラスはたったいま破られたばかりだったし、ジェムおじもたったいま刺されたばかりだった。ですからね、なんらかの告発を行なうなら、まずその前に、その点の説明があってしかるべきだと考えますが」

　老人は、頑丈な肩先が分厚い耳たぶにつくほどに、大きく肩をすくめてみせた。「なんだ、そんなことなら、おそらく五、六通りもの説明が考えられるさ。いますぐにでも、三つは思いつける——おまえたち三人にひとつずつな。ルーパートにひとつ、ヘレンにひとつ、そしてもうひとつ、わが親愛なる友、おまえのいわゆる匿名氏にも……」

　ジャイルズは即座に反発した。「どうしてヘレンがそんなことをしなきゃならないんです？この犯罪が彼女のためになされたものだということ、その点はあなたも認められるはずだ」

「もしそうなら、当の彼女以上に、それに深い関心を持つものがいるかね？」老人はジャイルズの反論を一蹴した。「トマス・ジェミニーは、彼の大事な末娘、掌中の珠の結婚について論じようとしておった。子供たちみんなの過去、来歴、その血に流れる遺伝、それをジェミニー老は知りつくしている。彼がひとこと言えば、ヘレンと、その――だれかとの結婚話は、永久につぶされてしまうだろう。そこで、そのだれかは彼の口を封じることにした。物騒な書類がしまってあるかもしれないデスクにも、火をつけた」

「なるほど――じゃあその点はお説のとおりだとしましょう。しかしぼくは、それでもやはり訊きたい――『いかにして？』と」

老人はしばし無言で考えにふけった。まだ葉の伸びそろわない桑の木を通して、木漏《こも》れ日が落ちてき、大きな禿げた頭に光と影のまだら模様を描いた。とうとうジャイルズが先を促そうとして、いまの問いとは無関係な名を持ちだした。

「たとえばルーパートの場合ですが――」

老人はふいに夢からさめた面持ちになった。「ああ、そうだったな。たとえばルーパートの場合だ。彼はジェミニー老から電話があったようなふりをする。急いで家を出て、早めに事務所に到着する口実をつくるためだ。でなくば、実際に電話があったのかもしれん。おまえがもう帰ったから、そろそろ出かけるようにという電話が――そしてその電話のおかげで、おまえという邪魔者がいなくなったこともわかる。事務所に着いた彼は、老人を絞殺し、椅子に縛りつけて、ナイフを隠し持ち、外に出て、ドアに錠をおろす。警察がやってきたときには、外からドアをたたいている。内側からかんぬきがかってあると称して、ドアの羽目板が破られると、真っ先に手をつっこんで、かんぬきを抜くふりをする――むろん、かんぬきなどもともとかかってなんかおりゃせんのさ。錠前がこわれて、一同が室内になだれこむと、いっしょにとびこんで、ドアのキーをデスクの周辺で燃えている火のなかにほうりこむ。これで細工は流々というわけだ」いったん口をつぐんだあと、老人は《指ぬき探し》のゲームをやっている子供の口《くち》真似《まね》で問いかけた——「どうだ、熱くなってきたかね？」（隠れん坊やクイズなどで、もうすこしであたりそう、見つかりそうというときに「熱い」と言う）

「まだまだ、たいしたことはありませんよ」ジャイルズは答えた。「たとえば、ナイフの傷のことはどうなんです？」

「犯罪スリラーに出てくる、いちばん古くさい手さ。あわてて抱きおこすふりをして、死体の上にかがみこみ、ナイフを突きたてる。絶命していくらもたっていない死体ならば、まだ多少は血がにじみでるはずだ」

「五、六人もの警官の目の前で？」

「煙の充満した室内だよ。おまけにみんな気が転倒して、右往左往しておった……」

ジャイルズは最後の頼みの綱にすがりついた。「でも、窓のことはどうなんです？　みんながいままさに部屋に押しいろうとしていた、そのときに、窓ガラスの割れる音が聞こえたんですよ」

「ガラスの割れる音がしただけだ。それとこれとはいささか意味がちがう」

「割れた窓ガラスのふちが、いまだにかすかに揺れてたんです」

老人はまた肩をすくめた。「ルーパートが羽目板の穴から手をさしこんだついでに、なにかを投げつけたのさ——おそらくは、破られた羽目板の破片そのもの。あとになれば、火事で焼けてしまうはずだ。でなければ、あらかじめガラスを割っておいて、かけらをひとつ、まさしくこの目的のためにとっておいたのかもしれん――窓の内側で、少量の破片が見つかったんだろう？　運よくそれが、すでに割れている窓にあたって、ふたたびガラスがふるえはじめた。とはいえ、実際に必要だったのは、ガラスの割れる音だけだったんだ」

「おそれいりました！」ジャイルズは言った。しぶしぶながら、賛辞を呈さずにはいられなかった。「あなたのお説どおりなら、たしかに謎はすっかり解明されますよ」

「あんなことができるはずがない、さっきおまえはそう言った。わしはたんに、それが可能だという幾通りもの説明のうちから、ひとつを披露しただけさ。このようにすれば、ルーパートにも犯行が可能だったという、ひとつの例証だよ」

「なるほど。では――ルーパートだったとしましょう。でもそうすると、例のメモのことはどうなります？」

「むろんメモなんてものはなかったのさ。現場から抜けだすための口実だよ」

「なぜ抜けだすんです？」

「なぜ抜けだすのか、だと？　警官を始末するためじゃないのかね？　その警官が巡回ちゅうになにかを目撃してたとしたら？」

ジャイルズの懐疑主義が、またいくらか頭をもたげてきた。「なにを目撃したっていうんです？　なにも目撃するようなことはなかったはずだ。ルーパートがいくらか早めに事務所に到着したのは事実ですが、だからどうってことはないでしょう。彼はそれを隠しちゃいないし、どっちみち、ジェムおじから電話があったと申したてることで、ちゃんと説明はついてる。巡査を殺す理由なんか、あるはずがありません」

「同感だね」老人は穏やかに言った。「そして、彼が巡査を殺していないとすれば、おなじくジェミニー老をも殺してはいないということになる」

「ではルーパートは除外される、と。そして、もし彼が除外されるとしたら——それならその、ヘレンが危険に陥ってるというメモも、やっぱり実在したことになりますよ」

「おそらくそうだろうな」老人は言った。

「だったら——だれがそんな、ヘレンが危険だなどというメモなんか残したんでしょう？」

「ヘレン自身かもしれん」老人は言った。「タフな娘だ。乗馬や木登り、射撃、投擲《とうてき》、そういった訓練を受けている娘だ。男の子の遊びに加わって、男の子を負かせる娘だ。後見人の許さぬ恋をしていた娘だ。後見人はそのロマンスを認めぬばかりか、それを永遠につぶせるだけの力を持っていた——過去の多くの秘密を知りつくしていた。彼女には、犯行のためにじゅうぶんな、三十分という時間があった。ひとつの会見と、つぎの会見とのあいだに……さあどうだ、熱くなってるかね？」

「とんでもない、まだまだですよ」ジャイルズは答えた。「そんな話はまったくのナンセンスです。どうしてヘレンにそんなことができます？ ドアが押し破られたときには、その近くにはいもしなかったんですよ。それに、もしそうなら、ドアのかんぬきだって、ほんとうに内側からかってあったということになる」

「なに、こういう手もあるさ。紐を結びつけて、ドアの下からそれを外に出す——知ってるだろう？　古くさいトリックだよ。ドアは火事で焼けてしまう。紐もいっしょに燃えてしまう。そもそも、現場に火がつけられた、それもひとつのれっきとした理由になるだろうな」

「しかし、ナイフの傷は？　割れた窓ガラスは？」

「むろんガラスは前もって割ってあったのさ——直径二フィートの大きさの穴があけられた。そして瀕死の、もしくはすでに死んでいる被害者は、椅子にくくりつけられ、背中をそのガラスの穴に向けていた。あとは——向かいの倉庫の屋根、狭い庭。彼女は投擲が巧みだった。ものをまっすぐに投げることができた。むろん、そのものがナイフだったとしても、おなじさ。さらに、窓について言えば、ガラスの割れる音をみんなが聞いたその瞬間に、それが内部から割られた、と断定する理由がどこにある？　なんてったって、さっきも言ったように、窓框の内側にも破片は落ちてたんだから。彼女はおそらくパチンコも上手だったはずだ。おまえたちもそれはじゅうぶん見せつけられておっただろうが」

「しかし、なぜ？　なぜなんです？」

「みんなを煙に巻くためさ。すべては彼女が現場付近にはいたはずのない時間帯に起きた、そう見せかけるためさ」老人は青年の蒼白な顔を好奇の目でのぞきこんだ。「いいかね、これはみんな、ただのゲームなんだよ。われわれはゲームをしてるだけなんだ。なのにおまえときたら、たとえゲームででも、そんなことは聞きたくもない、ってな顔をしておる」

「おなじことを、すでに何度も聞かされてますからね——ゲームでないときに」ジャイルズは言った。「ご承知のとおり、警察だってばかじゃなかった。ただ――ばかではない証拠に、さらにふたつの疑問をいだいたわけです。なぜあんなメモを残したのか」

「ルーパートに、まさに彼のやったとおりのことをさせるためさ。部屋をとびだして、彼女を探しにいったおかげで、警官の殺された時刻のアリバイがなくなった」

「だったら、ここでまた問題は出発点にもどってくる。どっちにしろ、なぜ警官は殺されねばならなかったのか」

「その警官も、やはり事務所の真向かいにある署に所属していた。実際、そんな小さな町のことだから、警察署はそこだけしかなかったんじゃないのかね？　ともあれ、自転車で巡回に出かけようとした彼は、たまたま上を見、あるものを認める――パチンコを手にして、倉庫の屋根にうずくまっているだれかをだ。そして後刻、殺人事件のことを耳にして、二と二を足しはじめたとしたら？　だから彼女はその口をふさがねばならなかった。その警官が何者なのかを知ってたのかって？　おまえたち同様、彼女も署員のみんなとは知り合いだったんじゃないのかね？　すくなくとも、顔なじみではあったはずだ」

「まあね、その男のことはみんな知ってましたよ」ジャイルズは言った。「それで思いだしましたが、彼は背も高いし、がっしりした体格でした。すると、どうやって――？」

「きみが自分で言ったはずだ、ヘレンはタフな娘だったと」

「それにしても、それほどタフだったでしょうか――すでに死んでるか死にかけてるかはともかくとして、その大柄な男をひきずって、電話ボックスから百ヤードも離れた工場跡まで行き、水槽にほうりこめるほど……?」

「ああ、その点はなんらかの説明が必要だろうな」老人は認めた。

「まだナイフのこともありますよ。もしもヘレンがそれを投げたんだったら、警察が部屋にとびこんだときには、まだそれが傷口に突き刺さってたはずだ。彼女は部屋にいなかったんですから、それを持って逃げられたわけがない。それとも、まさか――」と、陰気な皮肉をまじえて、「――ナイフに紐をつけておいて、あとでたぐり寄せた、なんて言うんじゃないでしょうね? でなきゃ、なにかブーメラン式のナイフを使ったとでも……?」言いさして、ふいに理屈に合わない安堵の念を覚えたジャイルズは、ほっと肩の力を抜くと、かたいベンチの背にもたれかかった。「ちぇっ、あなたも人が悪いな! 実際はヘレンがジェムおじを殺したなんて、これっぽっちも信じちゃいないんでしょう?」

明るい目が冷やかすようにきらめいた。「そうさな。まあそんなところだ」

「だったら――結局、問題はまた例の匿名氏にもどってくるわけですね?」

「それと、ブーメランにな」

「ブーメラン?――なんのブーメランです? いまぼくの言った――ブーメラン式ナイフのことですか? あれはほんの冗談ですよ」

「なんのブーメランだっていい。問題はナイフじゃないんだ。ただのブーメランさ」それきり老人は黙りこんで、長いあいだ思案にふけった。「さてと、どうやらこれで、警察が捜査にかかったときとおなじだけの情報が得られたようだ。真実か虚偽かはべつとしてな。そこでと……まずわしとしては、自分を警察の立場に置いてみたうえで、どの問題がいちばん重要かと自問する。そしてこう自答する――それはつぎの順序だと。第一、なぜ警官は殺されたのか。第二、なぜそのような方法で殺されたのか。なぜ被害者はふたりとも、そのような方法で――つまり、首を絞められ、縛りあげられたうえ、すでに死んでるか、死にかけているところを、さらに背中から一突きされるという方法で、殺されねばならなかったのか。そして第三に、なぜふたりともそんな、なにかが〝どこへともなく消えてゆく〟といった奇怪な電話をかけてきたのか。〝長い腕〟うんぬんという例のうわごとめいた悲鳴は、いったいなにを意味しているのか。さらに四番め、わしはこう自問する――ルーパートが問題のメモをだれかに見せたと主張するのにたいし、なぜだれもがそれを見たことを否定するのか。つづく五番めと六番め、まあ順序はどうあれ、最終的には、すべての疑問のうちでもなにより重要な疑問。その午後、その部屋のなかで――密室内の死体、いまなお出血している刺し傷、たったいま割れたばかりの窓、燃えているデスク、そういったもろもろの状況のなかで――だれかが消防隊を呼びにいくと叫んだのはなぜなのか」そして七番めと八番めと九番め――これはわしが胸のうちで自問自答するだけの問題だが――と、老人は笑って言い、そのうえであらためて問いかけた。「どうだ、熱くなってきたかね？」

「熱いですよ。おそろしく熱くなってきています」ジャイルズは答えた。

「警察への通報では、すでに部屋が火事であることは知らされておった。だったら当然、通りを横切って救助に駆けつけた警官隊にも、残りの署員が所定の手続きにしたがい、消防署に連絡をとっておることぐらいはわかっておったはずだ。そうじゃないかね？」

「火事うんぬんはともかくとして」ジャイルズは言った。「非常に熱くなってきたのは確かですよ」

「そしてクロス巡査は、昼食を終えて巡回に出たきり、一度も姿を見られておらん。そうなんだな？」

「いまにも火がつきそうです」と、ジャイルズ。

「ということは、結局またブーメランにもどってくるということだ」

「ブーメラン、ブーメランって、いったいなんのことだかさっぱりわかりませんね」

「べつに意味はないさ、それがオーストラリアの言葉だという以外に。さっきおまえがその言葉を使ったとき、ふと思いあたったんだ。なぜって、〝正直《ディンカム》〟というのもオーストラリアの俗語だからね。それは殺された警官の渾名だった――ディンカム・クロス、そうだろう？」

ぼくらはいつも、おじから海外移住をすすめられる〝こおろぎ〟たちこそ、いちばん厄介な過去を背負っている子にちがいないと思ってたものです。

かんばしからぬ環境に育ったひとりの子供が、その子自身の安全と心の平安のために、遠い土地へ送られる。長《ちょう》じてのち、老いた後見人の温かな庇護のもとにもどってきた青年は、老人の援助と励ましとを受けて、警官となる。かつては他のみんなとおなじに《ジェミニー・クリケット》のひとりだった彼も、いまは、過去の影響が及ばぬようにとの配慮から、その名では呼ばれていない。職務を通じて、兄妹こおろぎたちと接触を持つようになった彼は、やがて妹こおろぎたるヘレンと知りあい、恋に落ちる。けれども、彼の血に流れる遺伝のことを考えると、後見人はふたりの結婚をけっして認めないだろう。

「いうまでもなく、その午後の取り決めのことは、ヘレンの口から残らず彼に伝わっておっただろう。おまえたち男性は、彼女がなにも知らないと、そろって無邪気に信じこんでおったようだが、本人はそうした動きに無関心ではなかったはずだ。なんてったって、話しあわれようとしておったのは、彼女自身の問題なんだから。話を聞いたクロス巡査は、倉庫の庭の隅から、おまえが事務所にき、やがて帰っていくのを見張っておった。ジェミニー老は窓からその姿を見かけて、ルーパートに電話すると、急いでくるようにと伝えた。窓の下で、いささかおかしなことが起こっているから、早くくるように、と。そして、そう話しているおりもおり、殺人者が部屋に闖入《ちんにゅう》してきたわけだ」老人は言葉を切った。「どうだ、まだ熱いかね?」

「非常に熱いです——と同時に、非常に冷たくもあります」ジャイルズは答えた。

「いずれにせよ、いまやルーパートがいつあらわれるかわからんから、彼は——わが殺人者氏は——迅速に行動せねばならん。彼は老人を絞殺し、とどめに背中を刺すと、デスクに放火したうえ、窓をこわす。風を入れて、火勢を強めるためだ。これで問題はかたづいた。過去の秘密は燃えて灰になってしまうはずだし、そういうものがかりにも存在することを知る唯一の人間も、もはやこの世にはない。殺人者の正体を知るものは、だれひとり存在しない。ヘレンでさえ、まさか彼をトマス・ジェミニー殺しの犯人と結びつけて考えたりはしないはずだ。というわけで、殺人者はドアをしめ、急いで階段を降りかける。そのとき……」

「そのとき、ルーパートがやってきた気配がする」ジャイルズがつづけた。「もはや階段からは逃げられないし、ほかに逃げ道もない」

「そこで殺人者はどうするだろう？」そう言って老人は、急ぐようすもなく、じっくりその問題を考えめぐらした。「わしならば、最寄《もよ》りの部屋に逃げこむだろうね。最寄りの部屋というと――おまえのオフィスか？　ほう、ルーパートのか。殺人者はそこに逃げこんで、ルーパートが煙の充満する事務所に駆けこむまで、待つことにする。ルーパートの姿が見えなくなったら、隙を見てそこを抜けだし、階段づたいに逃げようという算段だ。ところが……」

「ところが？」

「うっかり事務所のドアに錠をおろしてしまっていた。本能的な行為だよ。象徴的な態度というべきか――ドアをとざすことで、おそるべき過去、おのれのしでかしたおそるべき行為を隠そうとする。まったく無意識のうちに、彼は殺人現場の部屋に錠をおろし、キーも自分のポケットに入れてしまっていた。そのためルーパートは、部屋にはいれなくなったというわけだ」

「そして犯人は、ほんの数フィート離れたルーパート本人の部屋にいて――出るに出られずうろうろしていた」

「いつまでだろう？」

「自分とおなじ青い制服の一団が駆けつけて、錠のおりたドアをたたきはじめるまで、ですよ。踊り場のスペースは限られてるし、すでにドアの下からは煙が噴きだしている。そんななかで、もうひとりおなじ制服の男が加わって、みんなといっしょに一、二の三でドアに体当たりを食わせはじめても、いったいだれが気がつくでしょう。しかもそのうち、だれかがかんぬきのことを言いだす。それがきっかけになって、ドアの羽目板が破られ、彼がそこから腕をつっこんで、かんぬきを抜くふりをする口実もできる。しかしそれにしても、はたしてほんとうに最後まで見破られずにすんだでしょうかね？」

「部屋は火事だった。濃い煙が充満しておったんだ。だれもがハンカチかなにかで口もとをおおっていたことだろう。声はくぐもって聞こえるし、だれの声かも聞きわけられん。そういう声が入りみだれる――消火器はないのか、とか、消防隊を呼んでくる、とか……」

「部屋を抜けだす口実ってわけですね？」

「そのとおりだよ、坊や。それにしても、うまいやりくちじゃないか！　容疑者が逃げだすわけじゃない。同僚のひとりが出ていくだけなんだ。階段の上で見張ってる同僚には、命令を受けて消防を呼びにいく、とかなんとか叫びながらな。実際には、もうひとつ上手をいこうとしとったんだ。べつの部屋に隠れとるあいだに、ヘレンが危険だというメモをでっちあげ、ルーパートが思惑どおり、それを見つけてとびだしていくと、追いかけましょうかと申しでた。だが、その提案が通らなかったんで、やむなく消防うんぬんの線まで後退した。とっさに思いついたにしちゃ、悪くはない計略だよ」老人はふんと鼻を鳴らし、それからにんまりした。「どうだ、熱いかね？」

「部分的にはね」ジャイルズは認めた。「ただしひとつだけ、些細な点ですが、少々ひんやりしてるところもないじゃない。ジェムおじから警察にかかった電話のことです。あの奇妙な通報――〝どこへともなく消えてゆく〟とか、〝長い腕〟とかいった、あれは……」

「ジェムおじからの電話？　おやおや、坊や、驚いたね！　それじゃぜんぜん要点がつかめておらんじゃないか。まだわからんのかね……」老人は言葉をとぎらせ、厚ぼったい手をこすりあわせながら、満足げにくっくと笑った。「自分がその場にいると想像してみたまえ！　ルーパートはドアをどんどんたたいている。殺人者は数フィートと離れていない部屋にひそんでいる。しかもそこはルーパート自身の部屋だ。さて、そうすると、そのうちルーパートはどうするだろう？　やみくもにパニックにかられるのはやめて、頭を使いはじめる――自分の部屋にきて、そこの電話で向かいの警察に連絡しようとするはずだ。そうさせないためには、方策はたったひとつ。ルーパートが警察を呼ぶよりも先に、警官隊を現場に到着させることだ。そこで……部屋の窓からは、署内の食堂のようすが見てとれる――五、六人の同僚がそこにたむろしている。緊急連絡を受ければ、おっとりがたなで駆けつけてくるのは百も承知。というわけで、わざと息を切らせたり、詰まらせたりして声を変え、〝長い腕〟だの、〝どこへともなく消えてゆく〟だの、わけのわからぬことを並べたて、相手を煙に巻く。やがて、まさしく目論見《もくろみ》どおりに同僚たちが駆けつけてき、これまた目論見どおりに、犯人は脱出する！」

「脱出して、とある電話ボックスまで行き、そこで自分自身を縛りあげて、猿轡《さるぐつわ》をはめ、本署に電話して、さっきの電話とほとんどおなじ伝言を並べたて、あげくに、やおら適当な隠れ場まで出かけていって、ひそかに自分自身を殺害する？」

「殺害だと？　おまえはそれを殺害と呼ぶのかね？」そう言って老人は、がっしりした体ごとジャイルズのほうへ向きなおると、青年のこわばった蒼白な顔を正面からのぞきこんだ。「おまえならそれを、むしろ——そう、処刑とでも呼ぶだろうと思っておったがね」

ジャイルズは棒をのんだようにすわりなおした。「まさかあなたは、このぼくが——?」

「おまえはずっと離れた荒れ地にいたはずじゃないか。おまえにはアリバイがある。そして、パブの連中とそこで言葉をかわしたのが事実なら、そのアリバイには兎《う》の毛で突いたほどの隙もないはずさ」

「すると、ルーパートですか?」

「しかしルーパートには、その警官がきみの後見人を殺した、なんてことがわかっただろうかね?」

「わかったはずはありませんよ。その段階では、だれにもわかったはずはありません。それどころか、ジェムおじが殺されたという事実、それさえだれも知らなかった、警察を除いては——そしてむろん犯人自身と?」

「だとすると、殺人者自身がだれかにしゃべったにちがいない。ちがうかね?」

「だれにしゃべるんです? そいつはルーパートのところへも、ぼくのところへもきませんでしたよ——」

「いかにも。ではいったい、だれにしゃべった可能性なら、あるだろう?」

「よしてください!——まさかヘレンにしゃべったとでも言うんじゃないでしょうね?」

「実際に面とむかってしゃべる必要があったかどうか。しかしまあ、それはともかくとして、犯人がその午後、ヘレンと会う約束をしておったとしたら？——ふたりの共通の未来が論議されるはずの、重大な午後なんだ。ヘレンはおまえとも約束がある。しかしそっちのほうは、落ちあう場所を聞きちがえたふりをして、すっぽかしてしまえばいい。そして……とにかく犯人は約束の場所へやってくる。たぶん、表情やそぶりから、不審なものがうかがえたのだろう。たしか、制服には血もついていたはずだ——水につかっておったにもかかわらず、血痕が発見されたそうだからね」

「その血はナイフについてた血ですよ。なぜそいつはナイフを持ち去らなきゃいけなかったんです？」

「指紋のせいじゃないのか？　いざとなって、あわてたんだよ——あてにしていたのより、時間が切迫しておったろうからな。もしもナイフから指紋が発見されでもしたら、それで一巻の終わりだ。そこでとりあえず傷口から引き抜いたナイフをなにかにつつみ、制服の下に隠し持つ……」

「じゃあヘレンは？」

「それを見つけたのさ——ことによると、犯人がそれをとりおとしたのかもしれん……だいぶそわそわしておったはずだからな。とにかく、それを見た彼女は、なにが起きたかをさとり、彼の犯行にたいする怒りと悲しみとから、ナイフを奪いとるなり、相手を一突きする——」

「警官は絞殺されてたんですよ」ジャイルズは反論した。くちびるが真っ青だった。

「死体は水につかってたんだ。刺すのと、首を絞めるのと、どっちが先だったか判定するのは容易じゃあるまい。だれだって背後から人を刺すことぐらいはできるし、健康な若い女性なら、たやすいことだろう。ましてや、その傷のために弱っている相手なら、息の根を止める程度のことは、造作もあるまいさ。そう考えれば、どうやって彼女が最後の工場跡まで彼を連れていったか、それも説明できるかもしれん。苦痛と出血による衰弱のため、まだ息はあっても、ぐったりしてるやつをひきずっていくと、そこで縛りあげたうえ、完全に無抵抗になったのを見すまして……」

「よしてください！」またもジャイルズはさえぎった。そんな場面を思い描くだけで、体がふるえ、胸がむかついた。「それなら、あの電話は……」

「ナイフをつきつけられて、言わされたんじゃないのか？　彼は贋電話で警察に一杯食わせたことをヘレンに話したのかもしれん。でなくば、いっさいを告白したのか――自由意志でか、いまも言ったように、ナイフで脅されてかはべつとして。そこで彼女は、おなじことを彼にやらせた。おなじ表現を使い、あくまでもその謎めいた奇怪さを強調し、なにか忌まわしい魔術の存在をにおわせるように仕向けたわけだ――犯人がジェミニー老の口真似をしたときから、すでに動きだしておったその忌まわしい魔術、それをさらに一歩進めさせたんだ」

そこで老人はふいに鋭い目になって、相手の蒼白な、吐き気をこらえているような顔をのぞきこんだ。

「おやおや、どうしたんだ、坊や。これは依然としてただのゲームにすぎんのだよ。そうだろう？　また万一、これが真実だとしても、そのときはおまえの彼女への熱も、すこしは冷めるんじゃないのか？　なのにおまえときたら、彼女の名が引き合いに出されるのさえ、我慢がならんらしい」

「あたりまえでしょう」ジャイルズは言った。「ぼくは生涯をかけて彼女を愛してきたんだ。そのぼくに、たとえゲームにせよ、そんなことを信じさせようとしたって……彼女が復讐心に狂って、怒りにわれを忘れて、そんなことをするなんて――」

「といっても、平然とすべてをやってのけたというのよりは、ましだろうが。悲しみや怒りに逆上してじゃなく、計画的に、冷然とやってのけたというのよりは？」それから老人は問いかけた。「どっちにしろ、その日ほんとうに問題だったのは、おまえはその娘について、なにを知っていたというんだ？　ひょっとしたら、その男かして、その日ほんとうに問題だったのは、ジェミニー老が彼女の恋人についてヘレンに話すに話すかもしれないことじゃなく、彼女についてその男に話すかもしれないことだったとしたら？」

　日が沈みかけ、あたりがしだいにひんやりしてきた。

「あと一往復だけ、さっきのところまで歩こう。それからもどって、お茶だ」老人は立ちあがって、ジャイルズの腕をとると、ふたたび砂利まじりの小道を歩きはじめた。「その若い警官だが――結局のところ、彼の過去には、どんな汚点があったというのかね？　なにしろ、故国に呼びもどされて、警官になることを許されておるんだから。とすれば、結婚の相手かたにも、やはりなんらかの障害があるというのでもないかぎり、いくら頑固な老人でも、彼の結婚について、それほど強く反対することはないだろう。ことによると、悪い遺伝が伝わっておるのは、もっぱらヘレンの側だけだったとも考えられる」

「彼女は純金のようにりっぱですよ」ジャイルズは言った。

「しかし、ここで問題にしておるのは、彼女自身の罪業ではなく、父祖の罪業なんだ」ジャイルズはつかまれた腕をふりほどこうとしたが、老人はそれをひきもどし、しっかり握りなおした。「とどのつまり、ヘレンが愛しておった相手が、その警官ではなかったとしたら、どうだろう？　おまえたちふたりのうちの、どちらかだったとしたら？　彼女は、おまえたちをからかっていただけなのかもしれん。容易に陥落しないふりをして、たがいに嫉妬させて楽しんでいただけなのかもしれん。だがジェミニー老は、そうとは知らない。彼はごく真剣にその青年と話しあう。ヘレンのためだけではなく、青年自身のためにも、双方の遺伝をまじりあわせてはいけないと諭《さと》して聞かせる。もし必要なら、自分はそれを阻むだろうということも。そう聞いて、青年は老人を殺す。それから、いまなお老人の血で手を汚したまま――ヘレンの愛する後見人の血で手を汚したまま、彼女のところへやってくるなり、彼女の秘密を知ってしまったとぶちまける。そしてもしも彼女が、自分を受けいれるのを拒むなら、ほかの男との結婚を妨げるため、その秘密をばらしてやると脅す。たとえばおまえだ――おまえはそういう事情を知っても、なおヘレンと結婚する気になっただろうかね？　ルーパートは？　ふたりとも、たびたび過去をふりかえって、自分の子供はいったいどんな遺伝形質を持って生まれてくるやら、そう自問自答したことはなかったかね？」老人はちょっと口をつぐんで、目をそらした。「思うにそれは、たんなる処刑ではなかったかもしれん。犯人ならそれを、自分自身への口実にしてもおかしくはないがね。いってみれば、デスクに放火するのと同質の行動――つまり、安全措置だよ」それから、きらきらした老獪《ろうかい》なまなこが、ふたたびジャイルズのこわばった面に向けられた。「どうだ、ひどく熱くなってきて、いまにも火がつきそうなんじゃないかね？」「氷のように冷たくなりかけてますよ」自らもまたことのほか冷ややかに、ジャイルズはそう言った。「いままで、指が焦げるほど熱くなってたのに、いまはまた、その指が遠のいて、冷えてきています」それから指摘した。「ジェムおじが結婚のことでぼくらと話しあおうとしたのは、ひとえに問題を〝家族のなかだけにとどめて〟おこうとしたからなんです——つまりヘレンには、ルーパートかぼくか、どちらかを結婚相手に選んでもらいたいと望んでいた。もしもヘレンの血に流れる遺伝が、それを隠しておくためには彼女が殺人さえ辞さないというほど悪性のものであるなら、そもそもおじがそんなことを望むはずはないでしょう」

ふたりは小道のはずれまできていた。いまそこで方向を変えると、ふたたびあの、大きく枝を張りひろげた桑の木と、その下のベンチにむかってひきかえしていった。どこか遠くで銅鑼《どら》の音が鳴った。ふたりのくだってゆくゆるやかな斜面の下では、園丁たちが立ちあがって、背を伸ばし、道具をまとめはじめていた。

「よしわかった。そんならヘレンは除外するとしよう。いいね？」老人は言った。

「当然でしょう。そもそもヘレンにそんな恐ろしいことができるなんて……」ジャイルズは言いかけた。すると、頭のなかに、ヘレンが非難されていると感じると、きまってあらわれる熱い、真っ白なもやが、瘴気《しょうき》のようにひろがりはじめた。ようやくそれから抜けだしてみると、老人はふたたびさいぜんの五つの疑問を話題にしていた。

「ただし、いくらか重要性の順位が変わってきたかもしれん。さっきわれわれは、こう自問した。なぜ警官たちはだれも、ヘレンが危険だというメモを見せられたことを認めなかったのか。消防隊はすでに出動する途上にあったのに、なぜだれかがわざわざそれを呼びにいく必要があったのか。そしてわれわれは、その両方にたいする答えを得た――つまり、殺人者が第一の手段によって部屋を抜けだすことに失敗し、べつの手段に頼らねばならなかったからだ。つぎにわれわれが考えたのは、例の奇怪な台詞――〝どこへともなく消えてゆく〟とか、〝長い腕〟とかが、なにを意味するかということだった。そしていまではそれが、もっぱら事態を紛糾させるための小細工にすぎなかったと判明した。さらにまた、おまえのおじさんは、なぜあのような方法で――つまり、縛られ、首を絞められ、おまけにナイフを突きたてられるという方法で殺されたのか、この点も考えてみた。そしてこれも、やはり混乱をひきおこすのが主目的だったとわかった。こういった細々した仕掛けのすべて――つまり、真新しい刺し傷や、割れたばかりの窓、ドアのかんぬきなど、いっさいは混乱をひきおこすための見せかけであり、被害者がまさしくその瞬間に、実際にはだれもいなかった密室のなかで、何者かによって殺害されたと思わせるためにほかならなかったわけだ。とはいえここに、まだひとつだけ、解明されていない疑問があり、しかもこれこそが、いまやもっとも重要なものとなってくる。なにゆえに警官は殺されたのかという疑問だ。なぜこれが重要かというと、ルーパートを有罪とする水も漏らさぬ論理を築きあげたとたんに、この疑問が出てきて、ルーパートは無罪放免となっちまったからさ。ルーパートには、警官を殺さねばならん理由なんか、これっぽっちもなかったんだから」

なだらかな斜面をおぼつかない足どりでくだってゆく老人を支えて、ジャイルズはそのかたわらをゆっくりと歩んでいた。「すごく熱くなりましたよ。火がつきそうです。おっしゃるとおり、それは決定的な疑問ですからね。なにゆえに警官は殺されたのか？」

「ジェムおじ殺害にたいする復讐のためさ」老人は言った。「そして、もしそうだとすれば、犯人はおまえたち三人のうちのひとり――おまえか、ヘレンか、ルーパートだということになる。ところが、すでに判明しているとおり、おまえは圏外だし、ヘレンもやはり圏外だということに、わしも賛成だ。さっきは少々いやがらせを言ったが、あれはおまえに挑発されたからだよ。ヘレンには犯行など不可能だった、そうおまえがばかに確信ありげに言うからさ。というわけで、問題はまたもルーパートにもどってくる」

「しかしそうなると、これまた前の疑問にもどってくるわけです。なぜルーパートは警官を殺さねばならなかったか？　復讐のため、そうあなたは言われる。しかし、そもそもその警官がおじを殺した犯人だと、どうしてルーパートは知ることができたんです？」

「なぜなら、ヘレンを探していて、当然やるだろうことをやったからさ。つまり、途中である警官に出あって、ヘレンを見かけなかったかとたずねた。そしてその警官こそ、さいぜん殺害現場となった部屋で、例のメモを見せたはずの警官だと気づいたわけだ」そして老人はジャイルズの腕を離し、彼のほうに向きなおると、大きな、皺の寄った顔を勝ち誇ったように輝かせて、相手の顔をのぞきこんだ。「どうだ、熱いかね？」

またもやあのめくるめくような白いもやがあらわれて、苦痛とともに脳髄を刺しつらぬいた。そしてそのもやのかなたから、ジャイルズは自分の声が答えるのを聞いた。「熱いですよ。ええ。白熱してます」

ルーパート——ずっと彼女が愛していた男。温和で、明朗で、いくらなでつけても癖の直らない、家鴨の尻尾然とした金褐色の髪をしたルーパート。ヘレンだけでなく、彼らの後見人もまた、恩寵に浴するものとして、彼を選んだ。いまやジャイルズの頭のなかには、あの真っ白な光が輝きわたっていた。そのおそるべき光輝で、そのおそるべき苦痛で、このところますます頻繁に心をおおうようになってきている、あの白いもやが。

「熱いかね?」と、老人が言った。いまだにあのゲームをつづけているのだ。いまとつぜん、ただ忌まわしく、おぞましいものでしかなくなってしまった《犯人探し》のゲームを——いまさら隠蔽したい、忘れてしまいたいと願うには、あまりにもおぞましいゲームを。ここでなにか決定的なこと、断固としてこれにけりをつけるようなことを言わないかぎり、それはけっして隠蔽されないだろうし、忘れ去られることもないだろう……

そこで——「白熱してますよ」そうジャイルズは答えて、おのれの敗北を認めた。そして、老いてはいてもがっしりした手がジャイルズの腕のなかにすべりこんできて、ふたりはともに熱いお茶の待っている家のなかへはいっていった。

園丁たちは道具をまとめおえ、いまは適度の間隔をおいて、ふたりのあとをついてゆきながら、おなじように前方の鉄格子のある建物にはいってゆく他のふたり連れ、他の小グループにも、控え目な視線――ここで彼らに屈辱感を与え、反感をいだかせても、なんの得にもならないのだ――をそそいでいた。園丁のひとりが同僚に話しかけた。「妙なものだな、あのふたりが親しくなるなんて。まあ考えてもみろよ――」

だがそれは無理だった。話しかけられた同僚は、ここではまだ新参で、事情を知らなかったからだ。

「あの若いほうのは、例の後見人を殺したやつさ。ジェミニー・クリケット事件――むろん聞いているだろう？　それに警官もひとり殺した」そう言いながら園丁は、じょうぶな金網入りのガラスのはまったドアまでくると、ポケットの鍵をさぐりさぐり、思案げにつづけた。「およそ警官殺しの理由としては、あれほど奇妙な理由もないだろうね」

「どんな理由なんだ？」同僚がたずねた。

「どんな理由かって？　つまりこうさ」そして、帽子から兎でもとりだすように、園丁はずばりと言った。「その警官の制服を借用したかったからだとよ」

ジェムおじがなにを言おうとしているかは、聞く前からわかっていた。人間はだれしも体のなかに、先祖代々伝わってきた遺伝という種子を持っている……いまや、遠い幼年時代のあの忌まわしい夜以来、ときおり襲ってくるあのめくるめく光、あの熱く白い光が、完全にジャイルズの頭のなかを占拠していた。輝かしく、まばゆく、頭を混乱させるのと同時に、明晰にもしてくれるその光。あらゆる感情を圧殺し、妄想を強めるいっぽうのその光……

計画はおのずと頭をもたげてきつつあった。まず警官を殺して——いや、すぐには殺すまい。制服が使用され、ぶじに返却されたそのあとで、死んだように見せかけなくてはいけない。そその場では、縛りあげるだけにしておこう。おまえをよく知っている警官を選ぶ。そこで怪しい出来事が起きているとおまえが話せば、疑いもせずあの工場跡までついてくるだろう男。疑いもせず、こちらに背を向けるだろう男……

そいつの制服を着こんで、事務所へおもむく。ワールドカップの日だから、だれにも出くわす気づかいはない。かりに出くわしたとしても、通常のパトロール任務に従事している制服警官になど、いったいだれが注意を払うだろう。ジェムおじを殺し、永久にその口をふさぐ——この世でただひとり、おまえがけっして結婚してはならぬこと、子供をもうけてはならぬことを知っている男だ……

おじを椅子に縛りつける。いくつかのれっきとした理由から、警官も同様に縛りあげ、ナイフで刺さなければいけない——ふたつの殺人のあいだの〝無気味な〟類似によって、事態をいっそう紛糾させるために。さらに、二カ所に電話をかけるときにも、いくつか奇怪な文言をまじえて、この世のものならぬ怪しげな雰囲気を投げかけるようにする……

ルーパートに電話し、急いでくるように伝える。ジェムおじのしゃべりかたの癖やなにかは、百も承知しているし、おびえているふりをして、声も偽装する。窓をこわし、ガラスの破片を一枚とっておく。デスクに火をつける。ルーパートの到着する直前を見はからって、警察に電話、謎の襲撃について支離滅裂なことをわめきたてる。警官隊があわてて駆けつけてくるように、いかにも切迫した調子で。彼らの習慣はよくのみこんでいる。自室の窓から何度となくながめてきたことだから。ヘルメットをつかむまももどかしげに。しかもその時間帯なら、数人以上がそこにたむろしていることもわかっている。そこがこの筋書の肝心なところだ……

さて、デスクは火につつまれている。室内には煙が充満し、ドアにはかんぬきがかってある。駆けつけたルーパートがドアをたたきはじめたら、おじを刺し、血が流れだすのを確かめる。戸口にもどり、いっぽうの壁ぎわに身を寄せて待つ。外の連中はようやくドアの羽目板を破り、最後の体当たりを食わせる前に、いったんさがって体勢をととのえる。その瞬間を狙って、とっておいたガラスの破片を投げつける。ドアがこわれて男たちがなだれこんできたら、すかさずいっしょになって突進する。煙のうずまく室内に、右往左往する青い制服の一団。その青い制服のひとつが、ドアの外からではなく、戸のかげからあらわれたなどと、いったいだれが気づくだろう……

むろんルーパートもその一団にまじっているが、ここでおまえは、彼がアパートを出るのを見たという贋のアリバイに加えて、もうひとつ計算外の幸運に恵まれる。もとよりルーパートの車がどこに停めてあったかは見ているし、彼が急いでとびだしてきただろうことも推測できる。おまえ自身が電話でそう仕向けたのだし、ルーパートの人柄も知りつくしているからだ。ところがここで、おまえが煙や熱を避けるふりをして、ハンカチを顔にあてて立っていると、ルーパートがやってきて、ヘレンについてのメモを見せる。おかげでおまえは、彼の薄手の上着の肩が、雨でぐっしょり濡れているのを見てとることができる。してみるとルーパートのやつ、レインコートを着るひまさえ惜しんで、家をとびだしてきたらしい（あとでアパートを調べて、彼がコートを持って出たかどうか、その点ははっきりつきとめておかねばなるまい）。いっぽう、そのメモを見たルーパートは、おまえの思惑どおりに行動する。おまえは彼を追うつもりでいるが、巡査部長がそれを許さない。そこで漠然と、消防隊を呼ぶとかいうようなことを叫んで、許可も待たずにとびだす。それからあとは――なにかの任務を帯びて急行する制服警官がひとり。ぶじに建物から出たところで、歩調をゆるめ、パトロールちゅうの巡査になりきる。無人の工場にもどったら、縛っておいた巡査に、もとどおり制服を着せる――生きているうちに着せるほうが、文字どおり死人のように重いやつに着せるのよりは楽だろう。それから、息の根を止め、水槽に押しこむ。発見されるのが遅ければ遅いほど好都合だし、死亡時刻を推定するのもむずかしくなる。かりに制服に血痕があったとしても、ナイフに残った老人の血が、目論見どおり、それを説明してくれるだろう。

二十分後、おまえは郊外の荒れ地にむかって、人気《ひとけ》のない道路を全速力で飛ばす。パブの戸をたたき、ヘレンがここで自分を待っているのを見かけなかったかとたずね、外の公衆電話を使いたいので、金をくずしてくれと頼む。実際に電話をかける。つづいて……

五時。〝警官の〟声が本署に電話してきて、なにかに襲われているとうわごとめいた台詞を口走り、恐怖の悲鳴とともにそれを中断する……クロス巡査。五時に――おまえが現場から十五マイルも離れたところにいたことが立証されているその時刻に、まだ生きていて、電話をかけていたという証拠……

容疑はルーパートにかかるはずだ、そう彼は計算していた。なのにヘレンが——ああ、思いだしてもぞっとする。あの真っ白な光がしだいしだいにおそるべき力を持ちはじめ、めくるめく混乱を伴って、日夜、頭のなかできらめきはじめたのだ。ちょうど、太陽を直視すると、目がくらんで、真っ黒なものしか見えなくなるように。けれどもこの場合は、真っ白なものだった。暗黒よりも、さらにおそろしい光輝——苦痛に満ち、恐怖に満ちた白熱光。それが、あとにつづく日々の苦痛、そして恐怖を除き、ほかのすべてをおおいかくしてしまったのだ。

みんなはとても親切だった。事件の性質を考えれば、もったいないくらい親切だったと言えるだろう。みんなは言った——刑務所へは行かなくてもよい、ただ、頭のなかのその光から、身を隠せるところへ送ってあげよう、と。彼はそれを恐れていた。もはやその光に目をくらまされなくなったとき、おのずと前に立ちふさがるだろう真実を恐れていた。けれどもみんなは、彼には責任能力がない、彼らのいわゆる〝理非を弁別しうる〟状態にはない、そう言った。ここにくれば、やがて彼にもわかってくるだろうと……

園丁たちは、鍵束をじゃらじゃら鳴らしながら重い扉を閉じ、患者たちを羊のように牧草地へと追いたてていった。

「しかし、そもそもの動機は？　たんにとつぜん狂暴性をきたしたというだけじゃあるまい？」

「殺された後見人は、彼のぞっこんだった娘との結婚を許さなかったんだ。遺伝のせいさ、わかるだろ。長い狂気の系譜だよ。彼の祖父が、ある日とつぜん狂いだして、孫の少年ひとりを除く家族全員を虐殺した——斧をふるってな。いまではそのことはすっかり忘れている——むずかしい言葉でいえば、昇華しちまってるんだ。だが孫の少年は……聞くところによると、事件のことをいくらか覚えているという。しかしどの程度、覚えているだろう？　祖父からそういう遺伝を受け継いでいるということ、それは知っているにちがいない。だが、はたして祖父を見覚えているかどうかとなると——？」

園丁たちは鍵束をじゃらじゃらもてあそびながら、ジャイルズが礼儀正しくパンとバターとをまわしているのを見まもっていた。

「さっきも言ったとおり、これだけ年月がたったあとで、あのふたりがここで出あい、親しくなるなんて、奇縁としか言いようがないよ。あの若いのと、その祖父とがさ」

（深町眞理子訳）

# ジェミニー・クリケット事件
〈イギリス版〉

クリスチアナ・ブランド

Murder Game　一九六八年

クリスチアナ・ブランド Christianna Brand（一九〇七―八八）イギリスの作家。プロフィールは「ジェミニー・クリケット事件〈アメリカ版〉」を参照のこと。本編は The Gemminy Crickets Case をブランドの個人短編集 *What Dread Hand*（一九六八）に収める際、大幅な改稿と改題がなされたバージョンで、日本では通称〈イギリス版〉と呼ばれている。翻訳のテキストには短編集『招かれざる客たちのビュッフェ』（一九八三）に収録されたものを使用した。

老人は、若者と知り合いになれるのを心から喜んだ。「これはこれは、お若いの、よくきたな。近ごろは、めったに珍しい顔にお目にかかることもない。いずれにしろ、気に入った顔には。おまけにきみは、いくらかわしの若いころを思いださせるところもあるしな。で、どうだね、しばらく滞在するんだろう?」周囲には、明るい春の日ざしを浴びて、ビロードのような緑の芝生がひろがり、かなたの色とりどりの花壇では、鍬や鋤《すき》を手にした男たちが立ち働いている。「ときに、なんでここへきたんだね?」

「ジェミニー殺人事件ですよ」ジャイルズは言った。

「ほう、なるほど。じつはな、殺人事件にはことのほか興味があるんだ。これまでに、ずいぶんたくさんの告白を聞いてきたよ」老人はしばし考えこんだ。「ジェミニーとね。弁護士だったかな? 名前には聞き覚えがあるが、このところ、とみに記憶力が減退してるんだ。いい男だった──たしかそう聞いた覚えがある」老いた頭脳が過去数カ月の出来事をさぐった。「思いだしたぞ。新聞に出てた。それで名前に聞き覚えがあるんだ。《謎の密室殺人》とか、たしかそんなふうに呼ばれてたんじゃないかね?」

「彼は自分の事務所で殺されてたんです。ドアには内側からかんぬきがかってあり、窓ガラスが割れていた。割れたガラスのふちが、いまだに小刻みにふるえていたほどで。ところが部屋は四階なんです。被害者は首を絞められ、そのうえ椅子に縛りつけられて、刺されていた。傷は真新しく、警察が部屋に駆けつけたときには、まだ傷口から血が流れでていた。なのに部屋にはだれもいなかった」

「なるほど、おもしろい！」老人はその頑丈な、静脈の浮きでた手を、青年の腕にすべりこませた。「ちょっとこの坂をのぼってって、あの桑の木の下のベンチにすわろうじゃないか――きょうび、人に自慢できるほどの桑の木のある庭なんて、そうたんとはあるまい？　あそこでその話をすっかり聞かせてくれ。新聞で読んだはずなんだが、忘れちまってね。このごろはなんでも忘れちまう。だから、最初から順を追って話してほしいんだ」明るい目が輝いた。「わしをテストするんだよ！　ふたりでちょっとしたゲームをやろう、《指ぬき探し》のたぐいを。なんなら、《犯人探し》のゲームと言ってもいい。事件のあらましを話してくれ――警察に聞かせるようなつもりで。手がかりも、証拠も――必ずしも真実でなくたっていいんだ。警察が実際に知ったときのとおりなら。わしに謎解きをさせてほしいんだよ。謎を解いて、ついでにやつらの鼻をあかしてやれるかどうか、ためしてみたいのさ……」

　そう言われると、ある種のむかつきがジャイルズの身内に頭をもたげてきた。あれをもう一度くりかえすと、あれらのおぞましい血と恐怖と疑惑をのりこえて、ふたたびヘレンの名をひっぱりだすと、そう考えると……とはいえみんなからは、できるだけそのことを話すように言われている。話すことで、できるだけそれを発散させ、忘れるように努めるのだと。わたしのことは忘れてちょうだい、そうヘレンも言った。忘れるように努力するのよ、と……そんなわけで……

そんなわけで、ふたりはベンチまで歩き、ジャイルズ・カーベリーは老人とともにそこにすわって、ジェミニー・クリケット事件の顚末を物語った。

ジェミニー老の事務所。質素な正方形の部屋で、さほど広くはない。頑丈な、どっしりしたドア。正面に、ただひとつの窓──大きな一枚ガラスの。そのガラスが割れて、直径約二フィートの、ぎざぎざの穴。窓框《まどがまち》の下の床に、こわれたガラスのかけらが少々。窓の下の閉鎖された倉庫の庭には、それよりも多量の破片。さいぜんジャイルズも言ったように、その窓は四階の高さにある。

窓とドアとの中間のデスクに、おもに刑事事件を扱う事務弁護士、本年七十歳のトマス・ジェミニーの遺体。窓のブラインドからむしりとった紐で椅子にくくりつけられ、横ざまに傾いて、書類の散乱したデスクになかばのしかかり、紫色に変色した顔をドアのほうに向けている。本人の絹ハンカチが首に巻きつけられ、おまけに、肩甲骨のあいだに、ナイフによる刺し傷。出血は少量だが、傷口からはいまだに血がにじみでている。いつもデスクに置いてあるペーパーナイフが紛失している。

そして、警官隊が階段を駆けあがってきたとき、ドアの外にはルーパート・チェスターが立っていて、両のこぶしでドアをたたきながら、煙がドアの下から流れでてくるのに、いくら呼んでも、ジェムおじの答えがないと叫んでいる……

「ルーパート・チェスターというと？」

「ジェムおじの被後見人のひとりですよ。ぼくらはみんな、おじの被後見人なんです。おじは行く先々で、いろんな――その、不幸な生いたちをした子供に出くわすと、後見人を買って出てました。覚えてるでしょう？　いずれにしても、そのことはあとで話します。とにかくルーパートはそのひとりだったんです」

「なるほど。ふむ……」しばし老人はいま聞いたことを考えめぐらし、その情景を心に思い描いた。「で、全体的な状況は？　向かい側の建物とか？」

ジャイルズ・カーベリーは、砂利を敷きつめた小道に略図を描いた。「これが事務所のあるビル――実際には、大きな古い住宅でして、ぼくらはその最上階を使用しています。ここが階段で、エレベーターはありません。土曜の午後でしたから、だれもそこで仕事をしているものはいなかった――おまけに、ワールドカップの決勝戦の日でしたしね。道路はここ。ここところがルーパートとぼくの部屋。通りをへだてて、向かいの警察署を見おろすかたちになっています。ジェムおじの部屋は、このつきあたり。角部屋で、ひとつきりの窓は、通りとは直角の位置にあって、この倉庫の庭に面しています」

「狭い庭かね？」

「ええ。ですが、向かいの屋根からロープと滑車を使って、空中綱渡りをした、なんて考えないでください。あるいは、壁面の出っぱりとか、ペンキ屋の使う吊りかご式の足場とか――そういう仕掛けもぜんぶ考慮されたうえ、可能性なしとして除外されたんです」

「それは言うな、それは言うな」老人はゲームに熱中している子供のような調子で言った。

「いいですよ。しかしこれはあくまでも事実でして、関係者の証言とはちがうんです――真実かどうかわからない証言とは。実際、あの窓のぎざぎざの穴から、抜けだせるものなんていないでしょう。しかも地上五十フィートですからね」

「わかったよ。で？」老人はふしくれだった親指を嚙んだ。「そのルーパート・チェスターとやらは？　ジェミニー老の被後見人のひとりだと言ったな？」

「被後見人、養子、なんとでも好きなように呼んでください。ジェムおじの〝こおろぎ《クリケット》〟ですよ、ルーパートも、ヘレンも、ぼくも。ほかのみんなもね、むろん……」

いい男だった、そう老人は言った。そのとおり、まさしく善人だった、故トマス・ジェミニーは。善良で、親切で、情けぶかくて。犯罪者相手の仕事のために多くのものをなげうち、罪なき犯罪者の家族を、冷酷な世間の目から護《まも》るために心血をそそいだ。経済的援助を与え、新たな働き口や、新たな住まいを見つけるのに手を貸し、ときにはイギリスを遠く離れた土地、過去につきまとわれない土地で、新生活を始められるようにお膳だてをしてやった。

「ぼくらはいつも、おじから海外移住をすすめられる〝こおろぎ〟たちこそ、いちばん厄介な過去を背負っている子にちがいないと思ってたものです」と、ジャイルズは言った。「ですがむろん、確証はありません。一度だって、仲間の過去について教えられたことなんてありませんから。それはフェアではない、というのがおじの持論でした」

ジェミニー夫人の在世ちゅうは、夫妻の私宅さえもがかわいそうな子供たちのために開放されていた。往々にして、自《みずか》らの素姓すら知らないほど幼い子供たち。その子供たちは、《ジェミニー・クリケット》と名づけられた――ジェミニー老一流のやんわりした、ばかげたジョーク。《ジェミニー・クリケット信託事業団》が組織され、彼のもとを巣だった子供たちはみな、なにか助けを必要とする事態が起きると、すぐさま助勢に駆けつけるたてまえになっていた。彼の遺産もまた、遺言により、全額がこの事業団に遺贈されることになっている。

「ですから、そこに手がかりはありません。金銭問題は動機から除外してかまわない、と」

ジェミニー老は、非常な苦心を重ねて、子供たちの過去の痕跡を消し去ろうとした。当の子供たちにたいしてすらも。もっとも、ジャイルズの場合は、そうはいかなかった。当時すでにある程度の年齢に達していたから、いまもその夜のことは記憶に残っている――両親が狂った男のため、斧でめった打ちにされて死んだ夜……要するに、トマス・ジェミニーが援助の手をさしのべるのは、犯罪者の遺児にたいして、だけではなかったのだ。被害者の遺児もその恩恵に浴した。彼の〝こおろぎ〟たちはみな、ジェミニーというミドルネームと、Cで始まる新たな姓を与えられた。ジャイルズ・ジェミニー・カーベリー、ルーパート・ジェミニー・チェスター、ヘレン・ジェミニー・クレーン……

それら多くの〝こおろぎ〟たちのうち、三人だけがジェミニー老の晩年までその身辺にとどまった――ジャイルズ、ルーパート、ヘレン。ジャイルズとルーパートは、弁護士の資格をとり、老人の事務所のパートナーになっていたし、老人のお気に入り、掌中の珠《たま》のヘレンは、ジェミニー夫人の生前、最後に養女として迎えられた、いわば末娘だったからだ。ふんわりとやわらかな、濃い色の髪の下に、はっとするほど大胆な、大きな目をのぞかせたヘレン……「〝わたしのもの言う蘭〟と、おじは彼女を呼んでいました。ですけど実際は彼女、すごくタフなんです。ずっとぼくたち男性といっしょに育ったんで、男のやることならなんでもやれるし、たいがいは男より上手なくらいでした……」ジャイルズの目から微笑が消えた。「まあこういったことは、みんな裁判で明らかになったことですが」

「それを言うな。言うなったら！」老人はまたくりかえした。「わしに謎解きをさせてほしいんだよ」抜け目のない目が青年をうかがった。「きみは彼女を愛してたんだろう？」

またもあのむかむかする感じが襲ってきた。ヘレンのことを思いつめると、きまってぐさりと胸を刺す苦痛と吐き気。それでも、どうにかさりげない声音を保って、答えた。「もしそうなら、どうだっていうんです？」

「ルーパートも、かね？」

「ルーパートも、です」

「どっちを彼女は好いておった？」

ルーパート——温和で、明朗な気質と、ほほえんでいる青い目と、いくらなでつけても、すぐまた巻き毛にもどってしまう、濃い鳶色《とびいろ》の髪をしたルーパート……いっぽうジャイルズ自身は、黒っぽい髪に、ほっそりした体軀、直情的できまじめだが、その下にはジョークと笑いとがあふれている……「ある日どっちかに好意を持ってるかと思うと、翌日には、べつのひとりが好きなふりをする。ただぼくらの気持ちをもてあそんでいただけなんだ。しかもそこへ第三の男があらわれると――」

「ほう、すると、第三の男がいたわけだ。きみたち三人だけじゃなかったんだな?――いや、むろん、殺人のことさ、わしの言っているのは。容疑者一号、二号、三号、おなじく四号。きみとルーパートとヘレン、そしてもうひとり――匿名氏だ」老人は、頑丈な腕と肩を大きく動かして立ちあがった。「すこし歩こう。すわってると寒い。ところで、もうひとつ、警官殺しというのもあったんじゃないかね? ジェミニー老が警察に電話してきて、ある伝言を残した。そのあと、警官がやはり本署に電話をかけてきた。そうだろう?」

トマス・ジェミニーは、〝密室〟のなかで死に瀕《ひん》していた――そのジェミニー老が、通りの向かいの警察署に電話をかけてき、聞くからに狂気じみた、支離滅裂な、切迫した調子で、出動を要請したのだ――なにかが、またはだれかが、〝どこへともなく消えてゆく〟とか、あるいは〝窓〟がどうとかしたとか、そして最後に、恐怖にうわずった悲鳴のような声で、〝長い腕が……〟うんぬんという訴え。

ところがその一時間後、二マイルほど離れた受け持ち区域を、いつものとおりのんびり巡回していたはずのクロス巡査が、おなじく本署に電話をかけてきて、おなじうわごとめいた言葉を口走ったのだ。〝首を絞められた……〟さらに、〝窓〟のこと、〝どこへともなく消えてゆく〟ということ、それから、とつぜん恐怖の声をはりあげて、〝長い腕が……〟うんぬん。しばらくして、ようやくその電話をかけてきた公衆電話のボックスがつきとめられた。ガラスが割れていて、さらにそこから百ヤードほど離れた、倒壊しかけた古い工場跡からは、水槽に沈められた巡査の遺体が発見された。縛られ、首を絞められ、おまけに、ジェミニー老の事務所から紛失した、ペーパーナイフで背中を一突きされて……

「その巡査もおなじ署の所属だったんだね？」

おなじ署もなにも、こんな小さな田舎町のこと、警察署はそこしかない。ジェミニー老の事務所の真向かいにあり、関係者はみんな顔なじみである。トマス・ジェミニーも、ふたりの若いパートナーも、三日にあげず、おなじ建物のなかの下級裁判所に出入りしては、依頼人のために申しひらきをし、議論し、審議し、闘っているのだから。最初の通報があったとき、署では五、六人の警官がお茶を飲んでいた――彼らのいた地階の食堂からは、五階上のジェミニー事務所の窓がじかに見てとれる。その全員が、ジェミニーの名を聞くやいなや、命令どころか許可さえ待たず、おっとりがたなでヘルメットをひっつかみ、通りへと駆けだしていった。

「ですから、みんなが駆けつけたのは、電話があってから二分とたたないうちで――」

「正確にはなんと言ったのかね、ジェミニー老は？」

「さっきも言ったでしょう。死にかけてるということですよ。だれかに、またはなにかに、首を絞められたということ――電話を受けた係は、その意味がぜんぜんのみこめなかった。それから、デスクが燃えてるということ、早く助けにきてくれということ。そのあと問題の、〝窓を抜けて〟うんぬんと、〝どこへともなく消えてゆく〟がつづいた。そのあいだずっと係の警官は、話をさえぎろうとしてたんです。さえぎって、相手の名前と住所を訊きだそうとしていた。それからようやく電話の主は、かすれた声でジェミニーの名を名乗ると、悲鳴のような声をふりしぼって、〝長い腕〟がどうとかしたと叫んだ。それからあとは、いまも言ったとおり、二分とたたないうちに、巡査部長に率《ひき》いられたすくなくとも五人の警官が駆けつけて、ドアを押し破ろうとしてたわけです」

けれどもそこには、すでにルーパートがいた。かためたこぶしでドアを乱打し、肩で何度もドアに体当たりしながら、「おじさん！　ジェムおじさん！」と叫んでいる。巡査部長は、部下のひとりを階段の上に立たせ、逃げだそうとするものを見張るように命じると、自分も残りの部下とともに、ドアに体当たりしはじめた。そのうちようやくルーパートが叫んだ。「きっとかんぬきがかってあるんだ！　ドアの上と下にかんぬきがついてるんですよ」というわけで、ドアの羽目板の一枚が破られて、そこから腕が上へさしこまれ、下の羽目板の一枚が蹴破られて、そこから腕が下へさしこまれた。そのあと一同が、依然として持ちこたえている頑丈な錠前に立ち向かおうと、いったん後ろにさがり、呼吸をととのえているそのさなか――そのつかのまの静寂のなかに、部屋のうちから、かぼそく、だが明瞭に、無気味な反響を伴って、ちゃりんとガラスの割れる音が聞こえてきたのだった。

それからやっとドアがこわれ、勢いよく内側にひらくと、とたんにその煙の充満する部屋のなかは、あたふたと動きまわる青い制服の腕や脚でいっぱいになった。ところが室内にはだれもいなかった。ひとりの人間《リヴィング・ソウル》も。

文字どおり、生きた人間《リヴィング・ソウル》はだれも。いたのは死人だけ。絞殺され、燃えるデスクごしに一同を見つめている死人。そして背中の傷からは、いまだに血がにじみだし、破れた窓ガラスのぎざぎざの先端は、まるでたったいまだれかがそれを突き破り、外へ身を躍《おど》らせたかのように、小刻みにぶるぶるふるえている。

だがその穴は、直径わずかに二フィート、地面からの高さは五十フィートもあるのだ。

ルーパート・チェスターと、警官のうちふたりばかりが遺体に駆け寄り、巡査部長と残りの部下が窓に駆け寄った。なにひとつ動くものはない。下の倉庫の庭にも、まったく動くものの気配はない。かつて荷物の積みおろしに使われていたその庭は、きれいに掃き清められ、どこまでもつづく高い塀と門にかこまれて、しろじろとした空間をさらしている。

「見張ってろ。一瞬たりとも目を離すんじゃないぞ」巡査部長は部下のひとりに命じた。だがじつのところ、なにも見張るべきものなどないのはわかっていたし、すでにして胸のうちには、ある種の恐れが湧きあがってきつつあった——恐れと、そして混乱とが。

部屋の中央では、てんやわんやの騒ぎがくりひろげられていた。燃えるデスクからもくもくと煙が立ちのぼり、その煙に巻かれて、男たちがむせたり、咳きこんだりしながら、散乱した書類の火を踏み消している。そしてその混乱のなかから、けたたましく、かんだかいルーパート・チェスターの叫び声。「ああ、たいへんだ！——見ろ、これを！　ヘレンだ！　ヘレンが危険にさらされてる。助けにいかなくちゃ！」

そのまま彼はとびだしてゆく。「追いかけますか？」と、部下のひとりが叫ぶが、巡査部長は、「いや、かまわん！　ほうっておけ。それよりもこっちを手伝え！」とどなりかえす。なにしろ、やるべきことはたくさんあるし、よそに人手を割《さ》くわけにはいかない。どっちみち、ルーパート・チェスターの顔なら、だれでも知っているのだ。正体不明の容疑者が姿をくらますのとは、わけがちがう。だいいち、警官隊が駆けつけたとき、ルーパートは、錠がおろされ、かんぬきがかけられたドアの外にいて、なかにはいろうと苦心していたのである。おまけに、そうこうするうちにも、煙はどんどん濃くなってくるわ、このままじゃ死体が燃えちまう、とだれかがわめきたてるわ、べつの声が、「えいくそ、ここには消火器ってものはないのか？」とどなるわ、かと思うと、またべつの声が、「おれが消防隊を呼んでくる……」と叫ぶわ。いったいどうしたらいいだろう？　遺体を運びだして、ありうべき手がかりをめちゃめちゃにしてしまうか、それともいっさいを灰燼《かいじん》に帰する危険を冒すか。巡査部長は、やっとのことで燃えているデスクにたどりつくと、ちょっとのあいだ老人の遺体をながめて、その場の情景と印象とを記憶にとどめようとした。それから命令した。「よし、運びだせ。椅子ごとそっくり外へ出すんだ」いまはルーパート・チェスターのことを気に病んでいるひまはない。もしもほんとうにヘレン・クレーンの身になんらかの危険が迫っているのなら、すくなくともだれかひとりは、その処理にあたっているということになる。それにどっちみち——やれありがたや！やっと消防がきてくれたぞ！

「室内はひどく焼けたのかね？」

「木造部はあらかた焼けました」ジャイルズは答えた。「家具とか、ドアとか、そういった部分はほとんどです。それからむろん書類も。部屋には山ほどの書類があったんですが、消防の放水でぜんぶ水びたしになって、手がかりという意味では、なにも残りませんでした。もちろんそのメモとやらも」

「なんのメモだね？」

「ルーパートが見つけて、ヘレンを探しにとびだした、そのメモですよ。ルーパートに言わせると、メモ用紙の綴りに書いてあったとか。大きな走り書きの字で、〝ヘレン――危険――〟とかなんとか、そんなことが」

「だれかほかにそれを見たものはいるのか？」

「ルーパートは警官のひとりに見せたそうです。ですが全員、それを否定しました」

「おおかたそんなことだろうと思った」老人はそっけなく言った。

ジャイルズは、はじめそれを聞き流し、ついで、はっとした。「あの場にいたとでもおっしゃるんですか？」

「〝あの場〟とはどこかね？　考えるだけであれば、どこにだって行けるさ。またもしきみの言うのが、どうやってそれが行なわれたか、このわしにわかるのかという意味なら――」

「まだ警官殺しの詳細すら聞いていないじゃないですか」

「それで事態がややこしくなるとは思えんね。すでに容疑者はぜんぶそろってる。そのぜんぶが――」と、意味ありげに片目をつむってみせながら、「――鍵のかかった部屋の外にいて、警官を殺しにいこうがなにをしようが、まったく自由な立場にいた。だがまあせっかくだから、いちおう話だけは聞いておこうか」

「殺害されたのは五時前後です。ジェムおじから署に通報があったのが、だいたい四時三分前で、死んだ警官が連絡してきたのは、約一時間後の五時。そしてほとんどおなじことを言った。気味が悪いのはその点ですよ。〝長い腕〟がどうしたとか、〝どこへともなく消えてゆく〟とか。まず、『ジョージか?』と訊いてきました——これは交換台の警官の名です。それから、『こちらはディンカム』——〝正直《ディンカム》〟というのは、署内でのその巡査の渾名《あだな》でして、そのあと、自分の認識番号を告げて、どこからかけてるかを言おうとしたとき、邪魔がはいった気配がして、例のおびえた叫び声が聞こえた。ジェムおじの場合とまったくおなじに、だれかに首を絞められてるということ、それから、〝窓〟と、〝どこへともなく消えてゆく〟という台詞。そのあと、喉がごぼごぼ鳴るような、異様な悲鳴が聞こえて、〝長い腕……〟うんぬんがかろうじて聞きとれた。あとは、さっきも言ったように、警察がようやくガラスの割れた電話ボックスをつきとめ、付近を捜索した結果、百ヤードほど離れた立ち腐れの工場跡で、彼の死体を発見したというわけです」

ふたりは砂利を敷きつめた小道のはずれまできて、そこで踵《きびす》を返した。「どうやらその殺人者は、人目をひかずに企みを実行するのには、またとない幸運に恵まれてたようだな」

「まあね。ですが、これが計画された犯行だってことは、否定されないでしょう? しかも、なんとまあ巧妙な計画じゃありませんか! 土曜の午後で、おまけにワールドカップの決勝戦ときてる。だれだってテレビにかじりついてるでしょう。なおそのうえに、当日は土砂降りで、風も強かった。国じゅうの大半はすばらしい好天だったのに、ぼくらの町だけが、吹き降りの大あらしだったんです」

ふたりはベンチにひきかえし、ふたたびそこに腰をおろした。老人は疲れやすい。坂の下のほうからは、芝刈り機の低いうなりが聞こえてくる。機械の通過につれて芝草がなぎたおされ、濃淡両様の緑の縞《しま》ができてゆく。けれども老人は密室に思いを馳せていた。鍵がかかり、かんぬきがさしこまれ、窓が割れた部屋、そのなかで瀕死の男が、さらに背中を一突きされている——にもかかわらず、そこにはだれひとりいたはずがない。さらに、とある田舎町の電話ボックス——そこではひとりの巡査が首を絞められ、あらぬことを口走り、そしておそらく数秒のうちに、おなじく死んでいったのだ。

「ふたつの殺人のあいだには、なにか事実上の関係はなかったのかね？」

「おなじ言葉が口にされたということだけです。〝どこへともなく消えてゆく〟とか、例のぞっとするような、〝長い腕〟うんぬんの言葉。それからもうひとつ、警官を刺したのは、事務所から持ちだされたペーパーナイフだった。おかげで、おじの血痕と警官のそれとがまじりあって、血液型がはっきりしなくなっていた。どっちにしろ、水ですっかり薄められてはいたんですが。死体が押しこまれてたのは、半分こわれた、ひっくりかえった水槽のなかでしたから。どこかそこらで拾ったらしい、ワイヤーロープで縛りあげられてね」

「なるほど。よしわかった。事実はだいたいそんなところだな」老人は手をこすりあわせながら言った。「じゃあ、つぎはアリバイだ」

「ループートと、ヘレンと、ぼくの——？」

「それともうひとり、例の匿名氏の、だよ。ヘレンの三人めの求婚者を忘れちゃいかん。思うに、金銭問題が動機にならんとすると、当然、ヘレンにからんだなにかが動機になってくるんじゃないのかね？」

ではまたしてもヘレンにもどってくるわけか。しかし、ここまできたからには、いやでもこれをのりこえねばなるまい。ジャイルズは言った。「その段階では、警察もおなじ結論に達しましたよ」

「だろうとも。とにかくわしらはすべての点で、これを警察の立場から論じねばならん。だがまず最初に、ジェミニー老がヘレンにたいしてどんな力を持っていたのか、それを聞かせてもらおうか。つまり、彼女の結婚問題について、という意味だ。ジェミニー老にはそれを阻止できる力があったのかね？」

「ないでしょう、法律的には——あなたのおっしゃるのがそういう意味なら。しかし、助言することならできた。そしてその助言は、過去の事実にのっとり、それに即したものでもあった。おじは彼女の結婚を阻止することができた——つまり、その、警告することによって。彼女に、ぼくらに、ほかのみんなに。おじはぼくらの生いたちを知っていた。ぼくらの血に流れている遺伝を……」

「たしかにじゅうぶんな動機だな、彼の口を封じるのには。事実、その助言の影響力は、非常に強い——実際に彼の持つ権威より以上に」

「だれかもそう考えたようですね」ジャイルズはにこりともせずに言った。

「よかろう。じゃあいよいよ、実際にあったこと、そのとき起きたことを順序だてて話してくれ」冒険に熱中して、わくわくしている子供のように、老人はベンチの上で腰をもぞもぞさせ、すわり心地のいい姿勢をとった。「虚偽であれ、真実であれ、とにかく警察の聞いたとおりにだ。それを整理するのはわしにまかせろ。警察だってそうしたはずだ」

ある意味で、事の始まりはクロス巡査だった。署の食堂で昼食を終え、自転車で担当地域の巡回に出かけたきり、五時に電話をかけてくるまで、だれからも忘れられていた巡査――その遺体は、それから一時間かそこらたって、放棄された工場跡から発見された。

「つぎに正確な時刻が判明しているのは、ぼくがジェムおじに会いに事務所へ行ったときでしょう……」

ジェミニー老が事務所に居残っていたのは、彼らふたり――ジャイルズとルーパート――と個別に話し合いをするためだった。

「ぼくは二時半に行くことになってました。ルーパートは四時です。おじが自宅で話をすることを避けたのは、ヘレンに聞かせたくなかったため――彼女はまだおじと同居してましたからね。ルーパートとぼくは、事務所から車で十五分ばかりのところに、共同でアパートを借りてました。とにかく、問題は、その第三の男があらわれて、おじはそれが気に入らなかったってことです。その男がだれか、ぼくらはまだ知りませんでしたが、おじはすでに察しをつけていて、あまりそれを喜んでいなかった。ヘレンがすっかりのぼせあがってて、自分の心を見きわめられないんだ、そう思ってたみたいですね。いずれにしろ、口にこそ出しませんでしたが、ヘレンの結婚相手は、ルーパートかぼくか、どっちかであってほしいと考えてたでしょうし。

それを〝家族のなかだけにとどめて〟もおきたかった。ともあれ、それについてなにか積極的な手を打つ前に、ぼくらふたりの彼女にたいする気持ちを聞いておきたい、それがおじの考えでした。といっても、なにもしちめんどくさいことじゃなく、ただの内輪の話し合いというだけです」

「なるほど。で、きみは二時半に出かけていった？」

「ええ。ルーパートはアパートに残ってました。おじとぼくは、きわめて友好的な話し合いをしましたよ。ぼくは、それについての自分の立場を説明し――」

「ジェミニー老から、三人めの男がだれかは聞かされなかったんだね？」

「ええ、聞いてません」

「ふうむ。まあよかろう。それは簡単に見当がつくはずだ。で、それから――？」

「で、ぼくは三時半に事務所を出ましたが、そのときはまだ、おじは元気で、普段と変わったようすはなかった。嘘だなんて思わないでください――実際にそうだったんですから。ぼくが出たあと、おじはルーパートに電話した。警察に通報があったのは、四時近くになってからです」

「ふむ。それで？」

「ぼくはアパートにもどりました。車を駐車して、ちょうど家の角を曲がって玄関のほうへ行きかけたとき、ルーパートが上がり口の階段を駆けおりてきたんです。雨が降ってるのに、帽子もかぶらず、レインコートをかかえただけで、とりあえず出がけにそれをひっつかんできたというふぜい――で、ころがるように車に乗りこむと、あわただしく走り去りました」

「なぜそんなに急いでたのかね？　約束の時間は四時だったんだろう？」

「彼が言うには、なんでも、直前にジェムおじから電話があって――」

「すまんが、正確に言葉どおりに言ってくれ」

「ええ。まずおじは、『まだ出かけていなかったのか？』と訊きました。『いま出るところです。ジャイルズはまだそっちにいるんですか？』そうルーパートが言うと、ジェムおじは、『いや、三時半に帰った』と答えた。ところがそのあと、ぼくと〝非常に有益な話し合いを〟したというようなことを言いかけたきり、ふいにそれを中断して、『おや、またあの音だ。どうも気に入らんな、ルーパート。窓の外でなにかおかしな気配がする』そう言ったとか」

「地上五十フィートの窓の、かね？」

「とにかく、それがおじの言ったことです。それから、『すぐきてくれ、ルーパート。どうもいやな予感がする』――というわけで、むろんのことルーパートは、レインコートを着るひまさえ惜しんで、脱兎のごとく家をとびだした」

「あるいは、まず警察に通報する手間さえ惜しんで？　おじさんの事務所からは、道路ひとつへだてた真向かいにあるんだろう？」

「ですが、あの場合、すぐに警察に通報しようなんて、だれだって考えないんじゃありませんか？　ルーパート自身は、そんなこと思いつきもしなかった、そう言ってますよ」

老人はしばしそれについて思案した。それから、そっけなく言った。「つまり、きみにとっては、万事がすこぶる好都合だったってわけだ。なぜなら、アパートの前でルーパートを見かけたのが事実なら、ほぼおなじ時刻に、車で十五分もかかる事務所のほうで、おじさんを殺していられたわけがない——そうだろう？」

「もしルーパートを見かけたのが事実ならね」と、ジャイルズは言った。「警察もその点は考慮しましたよ。ご心配なく！　彼らはこう考えました——ぼくがあらかじめルーパートの車の停めてある場所を見ておいて、彼ならそこまで走っていくにちがいないと見当をつけた、とね。なにしろルーパートってのは、しょっちゅうあたふたしてる男ですから。そうやってぼくがアリバイをでっちあげたというわけです。しかし、レインコートの件があるので、それには決着がつきました」

「つまり、そういう荒れ模様の日だから、レインコートを着ずに出かけた、とはだれも考えまいというわけだ。いかにも、それならきみは、たしかに除外されるだろうて」

「それと、ルーパートもね。だって、ぼくがアパートの前で彼を見かけたのが事実なら、彼だって車で十五分も離れた事務所で、ジェムおじを殺していられたわけがありませんから」

「おじさんが死んだのは、ルーパートが事務所に着いたはずの時刻よりもあとのことだよ」

「たしかに。しかし、一連の出来事はすでに始まっていた。おじ自身がルーパートにそう言ってます」

「と、ルーパートが言ってるだけじゃないか」老人は言いかえした。それから、ふいに攻撃の角度を変えた。「で、そのあいだ——ヘレンは？」

「ヘレンはいっさい関係ありません」ジャイルズは急いで言った。「郊外の荒れ地を散歩してたんです――現場からは十五マイルも離れたところですよ」

「散歩？　午後じゅうずっとかね？　しかもそんな悪天候の日に？」

「フィットネスのためにやってるんです。映画の仕事をしてるもんですからね――はっきり言えば、曲技専門の代役俳優、いわゆるスタンドインです。乗馬、ダイヴィング、スキー、射撃、その他、なんでもこなしますよ。さっき言ったでしょう――ぼくら男性にしごかれて育ったんで、荒っぽいことはお手のものだって」

「その荒れ地とやらに彼女がいる現場、それは大勢の人に目撃されているんだろうね？」

「たったいま、自分で言ったでしょう――そんな日に、だれがいったいそんなところへ出かけたりしますか」

「だったら、だれが言ってるんだね、彼女がそこにいたと？」

「ぼくです、ぼくが言ってるんですよ。そこで彼女と会う約束をしてたんです」

「で、会ったのか？」

「いや。ですが、会えなかったのはぼくのせいなんです。言いかたがまずかったんですよ。その荒れ地は広いんです。そこで落ちあおうとぼくは言った。あとで――つまり、ジェムおじとの話がすんだら、そこへ駆けつけるつもりでしたから。しかし、そのことは彼女には言えない。おじと会うことになってるのを、彼女は知らないからです。で、ただ四時半ごろ、〈ベル〉で会おうとだけ言った。〈ベル〉というのは、荒れ地にあるパブですが、あいにく彼女、それをデルと聞きちがえた。デルもやはり荒れ地のなかの、前にも何度かピクニックに行った場所ですが、小声で言うと、どっちもおなじように聞こえますからね」

「で、小声で言ったのかね、きみは?」

「ええ、ルーパートに聞かれたくなかったんで。じつをいうと、ジェムおじに会ったあと、真っ先にそこへ駆けつけるつもりだったんです。これではっきりしましたか?」ジャイルズはいくらかへりくだった調子で言った。

「よしわかった。ところで時間は――そう、四時十五分前だったな。ヘレンはひとりきりで荒れ地にいて、アリバイはない。きみとルーパートは、たがいにアパートの前にいたというアリバイがある。で、つぎにどうなるのかね、きみの物語は?」

「ぼくの物語――と言ってくださるのは、まことに恐縮ですが――ともあれ、話はこうです。アパートにもどると、ぼくは部屋にはいって、お茶を一杯飲んだ。さっきも言ったように、ヘレンとの約束の時間は四時半だったし、ジェムおじのところを出たのは、予定よりもちょっと早めでしたからね。それから家を出て、〈ベル〉へ車を走らせた。ついでにルーパートの話のほうも紹介しておくと、彼はジェムおじの事務所に着いたものの、部屋にははいれず、ドアをどんどんたたいてるところへ、警官隊が駆けつけてきた。いっしょにドアをたたきこわして、なかへとびこんでみると、デスクの上に例のメモがある。おじが殺されてるうえに、さらにそのメモで、すっかり動転してしまった。そこで、後先かまわず現場をとびだし、ヘレンを探しに出かけたが、彼女は家にいなかったので、あわてて二、三の友人に電話をかけ、行く先の心あたりをたずねた。けれどもあいにくなんの成果も得られず、そこでふたたび車にとびのり、やみくもに彼女の行きそうな先を探して駆けずりまわったあげく――」

「駆けずりまわったというその場所のなかで、警官殺しの現場に近いところはないのかね？」

「どっちかというと、狭い町のなかですから」ジャイルズは手みじかに答えた。「まあ一マイルか二マイルの範囲内でしょう。ただしむろん、実際にヘレンのいた荒れ地はべつで――そこはどこからでも車で三十分はかかります。ルーパートも最後にはそこへ行きました。週末によくヘレンがそこを散歩してるのを思いだしたからです。しかし、さっきも言ったとおり、広い場所ですし、結局、三人とも行きちがいになってしまったわけです」

「すると、警官殺しのあった時刻――五時ごろだったな？――その時刻には、ヘレンとルーパートには事実上アリバイはなかったわけだ。おなじくきみもだが」

「これもまた、きわめて好都合だったとおっしゃるでしょうが、それがじつはあるんです」ジャイルズは言った。「今回もぼくにはアリバイがあるんですよ。二十分ほどヘレンを待ったあげくに、この悪天候だから、結局こないことにしたのかな、そう思いましてね。家に電話してみたんです。家政婦がそれを証明してくれるでしょう」

「そんな電話なら、どこからだってかけられるだろうが」

「がっかりさせて悪いんですが、それをかけたのは、〈ベル〉のすぐ外の公衆電話からで、そのことは証明できます。なぜかというと、店のなかで、みんながテレビのまわりに集まってるのが見えましたから。パブは午後の中休みの時間でしたが、その店にはちょくちょく出かけてますし、みんなとは顔なじみです。そこで、窓をたたいて、いまどんなスコアになってるか、身ぶりでたずねました。すると、向こうからも身ぶりで、いま延長戦になってるとの答え。で、同点だってことがわかって、そのあと双方ともガラスごしに、勝利を祈ってるというしぐさをして……」

「なるほど。それならかなり決定的だと言わざるを得んな」

「警察もそう考えましたよ」今度はジャイルズがそっけない調子で言った。

「すると、残るところはルーパートとヘレンか」

「それと、あなたのいわゆる匿名氏です。ところで、ひとつ説明してくれませんか――だれがジェムおじを殺したかということより、むしろ、どうやって殺せたのかってことを。ドアには錠がおりていた――ついでですが、キーは焼けただれたデスクの残骸のなかにころがってました。おまけに、内側からかんぬきがかかってあり、窓は地上五十フィート、ガラスにあいた穴は、子供だってくぐりぬけるのはむずかしい。にもかかわらず、ガラスはたったいま割られたばかりだったし、ジェムおじもたったいま刺されたばかりだった。ですからね、なんらかの告発を行なう前に、まずその点の説明があってしかるべきだと考えますが」

老人は、頑丈な肩先が分厚い耳たぶにつくほどに、大きく肩をすくめてみせた。「なんだ、そんなことなら、おそらく五、六通りもの説明が考えられるさ。いますぐにでも、三つは思いつけるぞ――関係者みんなにひとつずつな。ルーパートにひとつ、ヘレンにひとつ、そしてもうひとつ、わが親愛なる友、きみのいわゆる匿名氏にも……」

ジャイルズは即座に反発した。「なぜヘレンがそんなことをしなきゃならないんです？　この犯罪が彼女のために行なわれたものだということ、それはあなたも認められるはずだ」

「もしそうなら、当の彼女以上に、それに深いかかわりを持つものがいるかね？」老人はジャイルズの反論を一蹴した。「トマス・ジェミニーは、彼の大事な末娘、掌中の珠の結婚問題について話しあおうとしていた。子供たちみんなの来歴、その血に流れる遺伝、それをジェミニー老は知りつくしている。彼がひとこと言えば、ヘレンと、その――だれかとの結婚話は、永久につぶされてしまうだろう。そこで、そのだれかは彼の口を封じることにした。物騒な書類がしまってあるかもしれぬデスクに火をつけ、そのうえで彼を殺害したわけだ」

「なるほど――じゃあその点はお説のとおりだとしましょう。しかしぼくが聞きたいのは、いかにしてそれをやってのけたのかということなんです」

老人はしばし無言で考えにふけった。まだ葉の伸びそろわない桑の木を通して、木漏《こも》れ日が落ちてき、大きな禿げた頭に光と影のまだら模様を描いた。ややあって、ジャイルズはヘレンの名から話題をそらそうと、べつの名を持ちだし、先を促した。

「たとえばルーパートの場合ですが――」

老人はふいに夢からさめた面持ちになった。「ああ、そうだったな。そう、たとえばルーパートの場合をとってみよう。彼はジェミニー老から電話があったようなふりをする。急いで家を出て、早めに事務所に到着する口実をつくるためだ。あるいはほんとうに電話があったのかもしれん。きみがもう帰ったから、これからすぐにきてもよいという電話が。だがいずれにせよ、きみという邪魔者がいないことはわかっている。事務所に着くと、老人を絞殺し、椅子に縛りつけて、ナイフを隠し持ち、外に出て、ドアに鍵をかける。警察がやってきたときには、外からドアをたたいている。内側からかんぬきがかってあると称して、ドアの羽目板が破られると、真っ先に手をつっこんで、かんぬきを抜くふりをする。実際には、むろん、はじめからさしこんでなかったわけだ。そのあと、錠前がこわれて、一同が部屋になだれこむと、いっしょにとびこんで、ドアのキーをデスクの周辺で燃えている火のなかにほうりこむ。これで細工は流々というわけだ」いったん口をつぐんだあと、老人は《指ぬき探し》をやっている子供のような調子で問いかけた。「どうだ、熱くなってきたかね?」

「まだまだ、たいしたことはありませんよ」ジャイルズは答えた。「たとえば、ナイフの傷のことはどうなんです?」

「犯罪スリラーに出てくる、いちばん古くさい手さ。あわてて抱きおこすふりをして、死体の上にかがみこみ、ナイフを突きたてる。絶命していくらもたっていなければ、まだ多少は血がにじみでるはずだ」

「五、六人もの警官の目の前で?」

「煙の充満した室内だよ。そのうえだれもが動転して、右往左往していた……」

ジャイルズは苦しまぎれに逆襲した。「しかし、窓のことはどうなんです? みんながまさに部屋に押しいろうとしてるときに、窓の割れる音が聞こえたんですよ」

「ガラスの割れる音が聞こえただけだ。それとこれとでは、いささか意味がちがう」

「割れた窓ガラスが、いまだにかすかに揺れてたんです」

老人はまた肩をすくめた。「ルーパートが羽目板の穴から手をさしこんだときに、なにかを投げたんだろう――おそらくは、破られた羽目板の破片そのもの。あとになれば、火事で焼けてしまうはずだ。でなければ、あらかじめガラスを割っておいて、かけらをひとつ、まさしくこの目的のためにとっておいたのかもしれん――たしか、窓の内側で、少量のかけらが見つかったはずだな？　羽目板から手をさしいれ、室外からは手先が見えないのを利用して、そいつを投げたのさ。運よくそれが、すでに割れている窓にあたって、ふたたびガラスが振動しはじめた。とはいえ、実際に必要だったのは、ガラスの割れる音だけだったんだ」

「おそれいりました！」ジャイルズは言った。しぶしぶながら、賛辞を呈さずにはいられなかった。「あなたのお説によれば、たしかに謎はすっかり解明されますよ」

「そんなことができるはずがない、そうきみは言った。わしはたんに、それが可能だという幾通りもの説明のうちから、ひとつを披露しただけさ。このようにすれば、ルーパートにも犯行が可能だったという例証だよ」

「なるほど。では――ルーパートだったとしましょう。でもそうすると、例のメモのことはどうなります？」

「むろんメモなんてものはなかったのさ。現場から抜けだすための口実だよ」

「しかし、なぜ？」

「ほう、なぜだと？　警官を始末するためじゃないのかね？　その警官が巡回ちゅうになにかを目撃してたとしたら?」

いまの説にたいするジャイルズの懐疑が、またいくらか頭をもたげてきた。「なにを目撃したんです? なにも目撃するようなことはなかったはずだ。ルーパートがいくらか早めに事務所に到着したのは事実ですが、だからってどうということはないでしょう。彼はそれを隠しちゃいないし、どっちみち、ジェムおじから電話があったと申したてることで、ちゃんと説明はついてる。巡査を殺す理由なんか、あるはずがありません」

「同感だね」老人は穏やかに言った。「そして、彼が巡査を殺していないとすれば、おなじくジェミニー老をも殺してはいないということになる」

「あなたは自分でもルーパート犯人説なんか、ぜんぜん信じちゃいないんでしょう?」

「言っただろう——それはひとつの可能性にすぎん、って。そうすればルーパートにもそれができたかもしれんと、それだけのことだよ」

「しかし、もしそれでルーパートが除外されるとしたら——それならその、ヘレンが危険に陥ってるというメモも、やっぱり実在したことになりますよ」

「おそらくそうだろうな」老人は言った。

「しかしヘレンは、危険に陥ってはいなかった」

「おそらくそうだろうな」老人はくりかえした。

「だったら——だれがそんな、ヘレンについてのメモなんか残したんでしょう?」

「ヘレンが残したのさ」老人は言った。

タフな女性。乗馬や木登り、射撃、投擲《とうてき》、そういった訓練を受けた女性——男の子の遊びに加わって、男どもを負かしていた女性。後見人の許さぬ恋をしていた女性。後見人はそのロマンスを認めぬばかりか、それを永遠につぶせる力を持っていた——多くの過去の秘密を知りつくしていた。彼女には、犯行のために三十分という時間があった。ひとつの会見とつぎの会見とのあいだに……

「さあどうだ、熱くなってきたかね？」

またしてもあの冷たいおののき、あの悪心《おしん》——ヘレンの名が醜い光のもとにひきずりだされると、きまって襲ってくるあのむかつき。「とんでもない、まだまだですよ」ジャイルズは答えた。「そんな話はまるきりナンセンスです。どうしてヘレンにそんなことができます？ ドアが押し破られたときには、その近くにはいもしなかったんですよ。それに、その場合は、ドアのかんぬきだって、ほんとに内側からかってあったということになる」

「なに、簡単さ。紐を結びつけて、ドアの下からそれを外に出す——知ってるだろう？ 古くさいトリックだよ。ドアは火事で焼けてしまう。紐もいっしょに燃えてしまう。そもそも、現場に放火する理由があったとすれば、これもひとつのりっぱな理由だろうな」

「しかし、ナイフの傷は？ 割れたガラスは？」

「むろんガラスは前もって割ってあったのさ。直径二フィートの大きさの穴があいていた。そして瀕死の、もしくはすでに死んでいる被害者は、椅子にくくりつけられ、背中をそのガラスの穴に向けていた。あとは——向かいの倉庫の屋根、狭い庭。彼女は投擲が巧みだった。ものをまっすぐに投げることができた。むろん、そのものがナイフだったとしても、おなじさ。さらに、窓について言えば——みんながガラスの割れる音を聞いたその瞬間に、それが内部から割られた、と断定する理由がどこにある？　なんてったって、さっきも言ったように、窓框の内側にも破片は落ちてたんだから。彼女はおそらくパチンコも上手だったはずだ。きみたちもそれはじゅうぶん見せつけられていただろうが」

「しかし、なぜ彼女がそんなことをするんです？　なぜそんなことをしなきゃならなかったんです？　なぜわざわざそんな——みんなを煙に巻くようなことを？」

「みんなを煙に巻くためさ。すべては彼女が現場付近にはいたはずのない時間に起きた、そう見せかけるためさ」老人は青年の蒼白な顔を好奇の目でのぞきこんだ。「いいかね、これはみんな、ただのゲームなんだよ。われわれはゲームをしてるだけなんだ。なのにきみときたら、頭からそんな話は聞きたくもない、ってな顔をしている」

「おなじことを、すでに何度も聞かされてますからね——ゲームでないときに」ジャイルズは言った。「ご承知のとおり、警察だってばかじゃありません。ただ——ばかではない証拠に、さらにふたつの疑問をいだいた。ひとつは、なぜあんなメモを残したのか——？」

「ルーパートに、まさに彼のやったとおりのことをさせるためさ。部屋をとびだして、彼女を探しにいったおかげで、警官の殺された時刻のアリバイがなくなった」

「——ではそこで、問題はふたたびもうひとつの疑問にもどってくる。なんであれ、なぜ警官は殺されねばならなかったのか」

「その警官も、やはり事務所の真向かいにある警察に所属していた。自転車で巡回に出かけようとして、たまたま上を見、あるものを認める――パチンコを手にして、倉庫の屋根にうずくまっているだれかをだ。やがて、殺人事件のニュースが伝わる。当然、二と二を足してみるだろう。だから彼女はその口をふさがねばならなかった。その警官がだれなのかを知ってたのかって？　きみたち同様、彼女も署員のみんなとは知り合いだったんじゃないのかね？　すくなくとも顔なじみでは？」

「まあね、その警官のことはみんな知ってましたよ」ジャイルズは言った。「それで思いだしましたが、彼は背も高いし、がっしりした体格でした。すると、どうやって――？」

「きみが自分で言ったはずだ、ヘレンはタフな女性だったと」

「それにしても、それほどタフだったでしょうかね？　すでに死んでるか死にかけてるかはべつとして、その大柄な男をひきずって、電話ボックスから百ヤードも離れた工場跡まで行き、水槽にほうりこめるほど……？」

「そう、その点は説明が必要だろうな」奇妙な目つきでちらりと相手を見やりながら、老人は認めた。

「まだナイフのこともありますよ。もしもヘレンがそれを投げたんだったら、警察が部屋にとびこんだときには、まだそれが傷口に突き刺さってたはずだ。彼女は部屋にいなかったんですから、それを持って逃げられたわけがない。それとも、まさか――」と、陰気な皮肉をまじえて、「――ナイフに紐をつけておいて、あとでたぐり寄せた、なんて言うんじゃないでしょうね？　でなければ、ある種のブーメラン式のナイフを使ったとでも……？」言いさして、ふいに理屈に合わない安堵の念を覚えたジャイルズは、ほっと肩の力を抜き、かたいベンチの背にもたれかかった。「ちぇっ、あなたも人が悪いな！　実際はヘレンがジェムおじを殺したなんて、ぜんぜん信じちゃいないんでしょう？」

明るい目が冷やかすようにきらめいた。必ずしも好意的な冷やかしの色ではない。「そうさな。そう言われればそうかもしれん」

「だったら――結局、問題はまた例の匿名氏にもどってくる？」

「それと、ブーメランにな」

「ブーメラン？　なんのブーメランです？　いまぼくの言った――ブーメラン式ナイフのことですか？　あれはほんの冗談ですよ」

「ブーメラン式ナイフじゃない。ただのブーメランさ」それきり老人は黙りこんで、長いあいだ思案にふけった。「どうやらこれで、警察が捜査にかかったときとおなじ材料が出そろったようだ。真実か虚偽かはべつとしてな。そこでと……まずわしとしては、自分を警察の立場に置いてみる。その場合、真っ先にやるべきことは、どの問題がもっとも重要かと自問することだろう。そしてこう自答する。第一、なぜ警官は殺されたのか。第二、なぜそのような方法で殺されたのか。なぜ被害者はふたりとも、そのような方法で殺されたのか――首を絞められ、縛りあげられ、そのうえ、すでに死んでるか、死にかけてるところを、背中から一突きされるという方法で？　そして第三に、なぜふたりとも、なにかが〝どこへともなく消えてゆく〟というような、奇妙きてれつな電話をかけてきたのか。そしてまた、〝長い腕〟うんぬんという、うわごとめいた悲鳴は、いったいなにを意味しているのか。さらに四番め、ルーパートが問題のメモをだれかに見せたと主張するのにたいし、なぜだれもがそれを見たことを否定するのか。そして五番めと六番めと、あとはまあ、いくら言ってもきりがないが、とにかくなによりも重要な疑問。その午後、その部屋のなかで――密室内の死体、いまなお出血している傷、たったいま割れたばかりの窓、燃えているデスク、そういったもろもろの状況のなかで――だれかが消防隊を呼びにいくと叫んだのはなぜなのか」いったん言葉を切ってから、老人はまたしても、ゲームに熱中している子供のように問いかけた。「どうだ、熱くなってきたかね?」

「熱いですよ。非常に熱くなってきています」ジャイルズは答えた。

「警察への通報では、すでに部屋が火事であることは知らされていた。したがって当然、通りを横切って救助に駆けつけた警官隊にも、残りの署員が所定の手続きにしたがい、消防署に連絡をとっているということはわかっていたはずだ。そうじゃないかね?」

「あと一歩です。これ以上接近すると、それこそ火事で火傷しそうですよ」ジャイルズは言った。

「そしてクロス巡査は、昼食を終えて巡回に出たきり、一度も姿を見られていない。そうなんだな?」

「焦げそうですよ」と、ジャイルズ。

「ということは、結局またブーメランにもどってくるということだ」

「ブーメラン、ブーメランって、いったいなんのことだかさっぱりわかりませんね」

「べつに意味はないさ、それがオーストラリアの言葉だという以外には。さっききみがその言葉を使ったとき、ふと思いあたったんだ。なぜって、〝正直《ディンカム》〟というのもオーストラリアの俗語だからね。それは殺された警官の渾名だった――ディンカム・クロス、そうだろう？」

ぼくらはいつも、おじから海外移住をすすめられる〝こおろぎ〟たちこそ、いちばん厄介な過去を背負っている子にちがいないと思ってたものです。

かんばしからぬ環境に育ったひとりの子供が、その子自身の安全と心の平安のために、遠い土地へ送られる。長《ちょう》じてのち、老いた後見人の温かな庇護のもとにもどってきた青年は、老人の援助と励ましによって、警官となる。かつては他のみんなとおなじに《ジェミニー・クリケット》だった彼も、いまは、過去の影響が及ばぬようにとの配慮から、その名では呼ばれていない。職務を通じて、兄妹こおろぎたちと接触を持つようになった彼は、やがて妹こおろぎたるヘレンと知りあい、彼女を愛するようになる。けれども、彼の血に流れる遺伝のことを考えると、後見人はけっしてふたりの結婚を認めないだろう。

「むろんヘレンは、その午後の取り決めのことを、すっかり彼に話していたはずだ。きみたち男性はみんな、彼女がなにも知らないと無邪気に信じこんでいたようだが、本人がそうした動きに無関心でいられたとは、けっして思えない。なんてったって、話しあわれようとしているのは、彼女自身の問題なんだから。クロス巡査は、倉庫の庭の隅から、きみが事務所にき、やがて帰ってゆくのを見張っていた。ジェミニー老は窓からそのようすを認めて、ルーパートに電話し、急いでくるようにと伝えた。窓の下で、いささかおかしなことが起こっているから、すぐにくるように、と——」

「それならいっそ、すぐ向かいの警察に通報すればよかったでしょうに」

「しかし、その若い巡査の秘密も考えてやらねばならんからな」

「なるほどね。いかにもおじらしい」ジャイルズは認めた。「それで？」

「それでルーパートに電話したわけだ。そして話しているさいちゅうに、殺人者が部屋に闖入《ちんにゅう》してくる」老人は言葉を切った。「まだ熱いかね？」

「非常に熱いです——と同時に、非常に冷たくもあります」ジャイルズは答えた。

「ともあれ、この線で話をつづけよう。彼は——わが殺人者氏は——迅速に行動せねばならん。というのも、思っていたほど時間に余裕がなく、老人から電話を受けたルーパートが、いつやってくるかしれんからだ。殺人者は老人を絞殺し、とどめに背中を突き刺すと、デスクに放火したうえ、窓を割る。風を入れて、火勢を強めるためだ。これで問題はかたづいた。過去の秘密は燃えて灰になってしまうし、そういうものがかりにも存在することを知っている唯一の人間は、もはやこの世にはいない。殺人者の正体を知るものは、だれひとりいないのだ。ヘレンでさえ、彼をトマス・ジェミニーと結びつけて考えはすまいし、ましてや殺人と結びつけたりはすまい。というわけで、殺人者はドアをしめ、急いで階段を降りかける。そのとき——」

「そのときルーパートがやってきた気配がする」ジャイルズは言った。「もはや階段からは逃げられないし、ほかに逃げ道もない」

「そこで殺人者はどうするだろう？」そう言って老人は、急ぐようすもなくじっくりその問題を考えめぐらした。「たぶん、最寄《もよ》りの部屋に逃げこむだろうな。最寄りの部屋というと——きみのオフィスかね？　ほう、ループパートのか。どっちでもかまわん。彼はそこに逃げこむと、ループパートが煙で充満した事務所にはいって、室内の状況につき、なにか処置を講じるまで待つことにする——それから、隙を見てそこを抜けだし、ループパートが警察を呼ぶ前に、階段づたいに逃げようと算段する。ところが——」

「ところが？」

「うっかり事務所のドアに錠をおろしてしまっていた。本能的な行為だよ。象徴的な態度というべきか——ドアをとざすことで、おそるべき過去、自らのしでかしたおそるべき行為を隠そうとする。まったく無意識のうちに、彼が殺人現場の部屋に錠をおろしてしまったため、ループパートはなかにはいれなくなったというわけだ」

「いっぽう犯人は、ほんの数フィート離れたループパート本人の部屋にいて——出るに出られずにいる？」

「いつまでだろう？」

「自分とおなじ青い制服の一団が駆けつけて、錠のおりたドアをたたきはじめるまで、ですよ。踊り場のスペースは限られてるし、すでにドアの下からは煙が噴きだしている。そんななかで、もうひとりおなじ制服の男が加わって、みんなといっしょに頭をさげ、一、二の三でドアに体当たりを食わせはじめても、いったいだれが気がつくでしょう。しかもそのうち、だれかがかんぬきのことを言いだす。彼は機敏に立ちまわって、ドアの羽目板を破り、腕をつっこんで、かんぬきを抜くふりをする。しかしそれにしても、ほんとに最後まで見破られずにすんだでしょうかね？」

「部屋は火事だった。濃い煙が充満してたんだ。だれにもわかりゃせんさ、ハンカチかなにかで口もとをおおっていれば。たぶん全員がそうしていただろう。声はくぐもって聞こえるし、だれの声かも聞きわけられん。そういう声が入りみだれる――消火器はないのか、とか、消防隊を呼んでくるとか……」

「部屋を抜けだす口実ってわけですね？」

「そのとおりだよ、きみ。それにしても、うまいやりくちじゃないか！　容疑者が逃げだすわけじゃない。同僚のひとりが出ていくだけだ。階段の上で見張ってる警官には、命令を受けて消防を呼びにいく、とかなんとか叫びながらな。実際には、もうひとつ上手をいこうとしたんだ。べつの部屋に隠れてるあいだに、ヘレンが危険だというメモをでっちあげ、思惑どおり、ルーパートがそれを見つけてとびだしていくと、追いかけましょうかと申しでたのさ。だが、その提案は通らなかったんで、やむなく消防うんぬんの線まで後退した。とっさに思いついたにしちゃ、悪くはない計略だよ」老人はふんと鼻を鳴らし、それからにんまりした。「どうだ、熱いかね？」

「部分的にはね」ジャイルズは認めた。「ただしひとつだけ、些細な点ですが、少々ひんやりしてるところもないじゃない。ジェムおじから警察にかかった電話のことです。あの奇妙な通報――〝どこへともなく消えてゆく〟とか、〝長い腕〟とかいった、あれは……」

「ジェムおじさんから、だって？ おやおや、きみ、驚いたね！ それじゃぜんぜん要点をつかんでいないじゃないか。まさかきみは……」老人は言葉をとぎらせ、厚ぼったい手をこすりあわせながら、満足げにくっくと笑った。「自分がその場にいると想像してみたまえ！ ルーパートはドアをどんどんたたいている。殺人者は数フィートと離れていない部屋にひそんでいる。しかもそこはルーパート自身の部屋だ。そのうちルーパートはどうするだろう？ やみくもにパニックにかられるのはやめて、頭を使いはじめる――自分の部屋にきて、そこの電話で向かいの警察に連絡しようとするはずだ。それを阻止する手段はたったひとつ。ルーパートが警察を呼ぶよりも先に、警官隊を現場に到着させることだ。そこで……部屋の窓からは、署内の食堂のようすが見てとれる――五、六人の同僚がそこにたむろしている。緊急連絡を受ければ、おっとりがたなで駆けつけてくることは、自分の経験からもよくわかってる――もしそれが、ほんとうに緊急事態だと判断すればだ。というわけで、わざと息を切らせたり、詰まらせたりして声を変え、〝長い腕〟だの、〝どこへともなく消えてゆく〟だの、わけのわからぬことを並べたて、相手を煙に巻く。するとまさしく目論見《もくろみ》どおりに事は運び、これまた目論見どおりに、犯人は脱出する！」

「脱出して、とある電話ボックスまで行き、そこで自分自身を縛りあげて、猿轡《さるぐつわ》をはめ、本署に電話して、さっきの電話とほとんどおなじ伝言を並べたてたあげく、やおら適当な隠れ場まで出かけていって、ひそかに自分自身を殺害する？」

「殺害だと？　きみはそれを殺害と呼ぶのかね？」そう言って老人は、がっしりした体ごとジャイルズのほうへ向きなおると、青年のこわばった蒼白な顔を正面からのぞきこんだ。「きみならそれを、むしろ——そう、処刑とでも呼ぶだろうと思ってたがね」

ジャイルズは棒をのんだようにすわりなおした。「まさかあなたは、このぼくが——？」

「きみはずっと離れた荒れ地にいたはずじゃないか。きみにはアリバイがある。そして、パブの連中がそこできみを見たのが事実なら、そのアリバイには、兎《う》の毛で突いたほどの隙もないはずさ」

「すると、ルーパートですか？」

「しかしルーパートには、その警官がきみの後見人を殺した、なんてことがわかっただろうかね」

「わかったはずはありませんよ。その段階では、だれにもわかったはずはありません。それどころか、ジェムおじが殺されたことさえ、だれも知らなかった、警察以外は——そしてむろん犯人自身と。そもそも殺人があったことさえほかのだれも知らないのに、復讐のためであれなんであれ、どうしてその犯人をだれかが殺すなんてことがありうるんです？」

「ひょっとして、犯人が自分でだれかにしゃべったとしたら？」

「だれにしゃべるんです？　そいつはルーパートのところへも、ぼくのところへもきたはずがない——」

「いかにも。ではいったい、だれのところへなら行った可能性があるだろう？」

「よしてください！——まさかヘレンにしゃべったとでも言うんじゃないでしょうね？」

「実際に面とむかってしゃべる必要があったかどうか。しかしだ……いいかね、その午後、犯人はヘレンと会う約束をしていたとは考えられんかね？——ふたりの共通の未来が論議されるはずの、重大な午後なんだ。ヘレンはきみとも約束がある。しかしそっちのほうは、落ちあう場所を聞きちがえたふりをして、すっぽかしてしまえばいい。そして……とにかく彼女は、どこか問題の電話ボックスの近くで待っている。そこへ犯人がやってくるが、その表情やそぶりから、なにか不審なものがうかがえる。たしか、制服には血もついていたはずだ——水につかっていたにもかかわらず、血痕が発見されたそうだからね」

「その血はナイフについてた血ですよ。なぜそいつはナイフを持ち去らなきゃいけなかったんです？」

「自衛のため、じゃないかな？　ことによるとルーパートは、階段でそいつに追いつかれずにすんで、命拾いしたのかもしれんぞ。でなくば犯人は、指紋を残したくなかったのかもしれん。急いでたことはわかってるんだ。あてにしていたのより、短い時間しかなかっただろうからな。おそらくジェミニー老は、もうじきルーパートがやってくるぞ、と警告したはずだ。だが老人はすぐには死ななかった。そこで犯人はとっさにナイフを使った。二通りの殺害手段が用いられたことも、これなら説明できる。ところがそこで、ふと気がつく——ナイフを使ったとき、はたして指紋にまで注意しただろうか、とね。もしもナイフから自分の指紋が発見されでもしたら、それで万事休すだ。そこで、とりあえずナイフを傷口からひきぬくと、なにかにつつんで、制服の上着の下に隠し持つ……」

「じゃあヘレンは？」

「ヘレンは彼を抱擁《ほうよう》しようとして、そばに寄る――そしてかたいナイフの角が胸にぶつかるのを感じる……でなくば、彼がそれをとりおとしたのかもしれん――きっとそわそわしてたろうからな。とにかく、そのナイフから、彼女はなにが起きたかをさとり、彼の犯行にたいする怒りと悲しみとから、ナイフを奪いとるなり、相手を一突きする――」

「警官は絞殺されたんですよ」ジャイルズは言った。くちびるが真っ青だった。

「ナイフと絞殺と、どっちが先だったか、はっきり言いきれるのかね？　死体は水につかっていたはずだよ。あとからその点を判定するのは、容易なわざじゃあるまい。だれだって背後から人を刺すことぐらいはできるし、ましてやその傷のために弱っている相手なら、息の根を止める程度のことは、健康な若い女性なら、造作もあるまいさ。そう考えれば、どうやって彼女が最後の隠し場所まで彼を連れていったか、それも説明できるかもしれん。苦痛と出血による衰弱のため、まだ息はあっても、ぐったりしてるやつをひきずっていくと、そこで縛りあげたうえ、完全に無抵抗になったのを見すまして――」

「よしてください！」ジャイルズは言った。そんな場面を思い描くだけで、体がふるえ、胸がむかついた。「それなら、あの電話は――」

「ナイフをつきつけられて、言わされたんじゃないのか？　おそらく彼は、事務所のなかのルーパートの部屋から贋電話をかけて、警察をだましたことをヘレンに話したんだろう。でなくば、いっさいを告白したのかも——自由意志でか、いまも言ったように、ナイフで脅されてかはべつとしてな。というわけで彼女は、おなじことを彼にやらせた。おなじ表現を使い、あくまでもその謎めいた奇怪さを強調し、なにか忌まわしい魔術の存在をにおわせるように仕向けたわけだ——犯人がジェミニー老の口真似《くちまね》をしたときから、すでに始まっていた魔術の」唐突に老人は、相手の蒼白な、吐き気をこらえているような顔を、鋭い目でのぞきこんだ。「おやおや、きみ、これは依然としてただのゲームにすぎんのだよ。そうだろう？　また万一、これが真実だったら、そのときはきみの彼女にたいする熱も、すこしは冷めるんじゃないかね？ところがきみときたら、彼女の名が引き合いに出されるのさえ、我慢がならんらしい」

「あたりまえでしょう」ジャイルズは言った。「ぼくは生涯をかけて彼女を愛してきたんだ。そのぼくに、そんなことを信じさせようとしたって……」考えるだにおぞましくて、頭がぼうっとし、胸がむかついた。「たとえ復讐のためでも、たとえ怒りにわれを忘れてたとしても、あのヘレンがそんなことをするなんて——」

「といっても、平然とすべてをやってのけるのよりは、ましだろうが。悲しみや怒りに逆上してじゃなく、計画的に、冷然とやってのけるのよりは？」それから老人は問いかけた。「どっちにしろ、きみはその女性について、なにを知ってたと言える？　ひょっとしてあの日、ほんとうに問題だったのは、ジェミニー老がヘレンの恋人について彼女に打ち明けることじゃなく、彼女についてその男に打ち明けることだったとしたら？」

日が沈みかけ、あたりがしだいにひんやりしてきた。

「あと一往復だけ、さっきのところまで歩こう。それからもどって、お茶だ」老人は立ちあがって、ジャイルズの腕をとると、ふたたび砂利まじりの小道を歩きはじめた。「その若い警官だが――結局のところ、彼の過去には、さほどひどい汚点はなかったんじゃないのかね？　なにしろ、故国に呼びもどされて、警官になるようにすすめられたくらいだから。あるいはたんに、それを許されただけかもしれんが、いずれにしろ彼の過去については、ジェミニー老もすっかり承知してたはずだ。とすれば、結婚の相手かたにも、やはりなんらかの障害があるというのでもないかぎり、いくら頑固な老人でも、それほど強く反対することはないだろう。あるいはまた、悪い遺伝が伝わっているのは、もっぱらヘレンの側だけだったとしたら？　ひょっとして老人が、彼女はけっして結婚すべきじゃないと考えてたとしたら？」

「彼女にはなんの欠点もありませんよ。純金のようにりっぱです」ジャイルズは言った。

「しかし、ここで問題にしているのは、彼女自身の罪業ではなく、父祖の罪業なんだ」ジャイルズがつかまれた腕をふりほどくと、老人はそれをひきもどし、しっかり握りなおした。「とどのつまり、ヘレンが愛していた相手は、その警官ではなかったとしたら、どうだろう？　きみたちふたりのうちのどちらか――きみか、ルーパートだったとしたら？　あるいは彼女は、きみたちをからかってただけなのかもしれん。容易に陥落しないふりをして、たがいに嫉妬させて楽しんでいただけなのかもしれん。だがジェミニー老は、そうとは知らない。たんに青年が窓の下に立って、こちらを見あげているところを見ただけだ。その窓の奥で、青年自身とヘレンの身の上について、なにが話しあわれているのかと、気づかわしげに見まもっているようすを。そこで老人は彼を呼びあげ、ヘレンのためばかりでなく、青年自身のためにも、双方の遺伝をまじりあわせてはいけないと諭《さと》して聞かせる。そう聞いて、青年は老人を殺す――悪い遺伝のせいで、殺人者の素質ははじめから持っているわけだ。それから、いまなお老人の血で手を汚したまま――ヘレンの愛する後見人の血で手を汚したまま、彼女のところへやってくるなり、おまえの秘密を知ってしまったとぶちまける。それにたいしてヘレンが、その青年を受けいれるのを拒んだとしたら、いっそ彼は、彼女がほかの男と結婚するのを妨げるため、それらの秘密をばらしてやろうという気持ちにならんだろうかね？　たとえばきみだ――きみはそういう事情を知っても、なおヘレンと結婚する気になったろうか？　ルーパートは？　ふたりとも、たびたび過去をふりかえって、自分の子供はいったいどんな遺伝形質を持って生まれてくるやら、そう自問自答したことはないかね……？」老人はちょっと口をつぐんで目をそらし、それからつづけた。「思うに、警官殺しはたんなる処刑ではなかったかもしれん。犯人なら、処刑を自分自身への口実にしてもおかしくはないがね。いってみれば、デスクに放火するのと同質の行動――つまり、秘密保持のための安全措置だよ」それから、きらきらした老獪《ろうかい》なまなこが、ふたたびジャイルズのこわばった面に向けられた。「どうだ、すごく熱くなって、いまにも火がつきそうなんじゃないかね？」

「氷のように冷たくなりかけてますよ」自身、ひどく冷ややかに、ジャイルズは言った。「いまのいままで、指を焦がすほど熱くなってましたが、いまはまた、正解から手をひっこめて、冷えてきています」それから指摘した。「ジェムおじが結婚のことでいろいろ心を痛めたのは、ひとえに問題を〝家族のなかだけにとどめて〟おこうとしたからなんです――つまりヘレンには、ルーパートかぼくか、どちらかを結婚相手に選んでもらいたいと願っていた。もしも、ヘレンの血に流れる遺伝が、それを隠しておくためには彼女が殺人さえ辞さないというほど悪質なものなら、そもそもおじがそんなことを望むはずはないでしょう」

ふたりは小道のはずれまできていたが、いまそこで方向を変えると、ふたたびあの、大きく枝を張りひろげた桑の木と、その下のベンチにむかってひきかえしていった。遠くから、銅鑼《どら》の音が聞こえてきた。ふたりのくだってゆくゆるやかな斜面の下では、園丁たちが立ちあがって、腰に手をあて、伸びをしたり、周囲を見まわしたり、道具をまとめたりしはじめた。

「そんならヘレンは除外するとしよう。いいね？」老人は言った。

「もちろんですとも。だいたいね、ヘレンはけっして……」ジャイルズは言いかけた。すると、またしてもあの、ヘレンが非難されていると感じると、きまってあらわれる熱い、真っ白なもやが、瘴気《しょうき》のように頭のなかに湧いてきて、胸をむかつかせ、頭をぼうっとさせた。ようやくそれから抜けだしてみると、老人はふたたびさいぜんの五つの疑問を話題にしていた。

「ただし、いくらか重要性の順位が変わってきたかもしれん。さっきわれわれは、こう自問した。なぜ警官たちはだれも、ヘレンが危険だというメモを見せられたことを認めなかったのか。さらに、消防隊はすでに出動する途上にあったのに、なぜだれかがわざわざそれを呼びにいく必要があったのか。そしてわれわれは、その両方にたいする答えを得た――つまり、殺人者が第一の手段によって部屋を抜けだすことに失敗し、べつの手段に頼らねばならなかったということだ。つぎにわれわれが考えたのは、例の奇妙な言葉――〝どこへともなく消えてゆく〟とか、〝長い腕〟とかが、なにを意味するのかということだった。そしていまではこれが、もっぱら事態を紛糾させるための小細工だったと判明している。さらにまた、きみのおじさんは、なぜそのような方法で――つまり、縛られ、首を絞められ、おまけにナイフを突きたてられるという方法で殺されたのか、この点も考えてみた。そしてこれも、やはり混乱をひきおこすのが主目的だったとわかった。そういった細々した仕掛けのすべて――つまり、真新しい刺し傷、割れたばかりの窓、ドアのかんぬきなど、いっさいは混乱をひきおこすため、被害者がまさしくその瞬間に、実際には無人の室内で、何者かによって殺害されたと見せかけるためにほかならなかったわけだ。とはいえここに、まだひとつだけ、解明されていない疑問があり、しかもこれこそが、いまやきわめて重要なものとなってくる。なにゆえに警官は殺されたのかという疑問だ。なぜこれが重要かというと、ルーパートを有罪とする水も漏らさぬ論理を築きあげたそのとたんに、この疑問が出てきて、ルーパートは無罪放免となっちまったからさ。とにかくルーパートには、警官を殺さねばならん理由なんか、これっぽっちもなかったんだから」

ジャイルズは、なだらかな坂をおぼつかない足どりでくだってゆく老人を支えて、そのかたわらをゆっくりと歩んでいた。「すごく熱くなりましたよ。火がつきそうです。おっしゃるとおり、それは決定的な疑問ですからね。なにゆえに警官は殺されたのか？」

「ジェムおじ殺害にたいする復讐のためさ」老人は言った。「ほかにどんな理由がありうる？そして、もしそうだとすれば、犯人はきみたち三人のうちのひとり――きみか、ヘレンか、ルーパートだということになる。ところが、すでに判明しているとおり、きみは圏外だし、ヘレンもやはり圏外だということに、わしも賛成だ。さっきは少々いやがらせを言ったが、あれはきみに挑発されたためだよ。ヘレンには犯行が不可能だった、そうきみがばかに確信ありげに言うからさ。というわけで、問題はふたたびルーパートにもどってくる」

「ということは、また前の疑問にもどってくるわけです。なぜルーパートは警官を殺さねばならなかったか？　復讐のため、そうあなたは言われる。しかし、そもそもその警官がおじを殺した犯人だと、どうしてルーパートにわかったんです？」

「なぜなら、ヘレンを探していて、当然やるだろうことをやったからさ。つまり、途中で巡回の警官に出くわすたびに、ひきとめて、ヘレンを見かけなかったかとたずねた。そしてそのひとりを、さいぜん殺害現場となった部屋で、メモを見せたはずの警官だと認めたわけだ」

そして老人はジャイルズの腕を離し、彼のほうに向きなおると、大きな、皺の寄った顔を勝ち誇ったように輝かせて、相手の顔をのぞきこんだ。

「どうだ、熱いかね？」

またもあのめくるめくような白いもやがあらわれて、苦痛とともに脳髄を刺しつらぬいた。そしてそのもやのかなたから、ジャイルズは自分の声が答えるのを聞いた。「熱いですよ。ええ。白熱してます」

ルーパート——彼女のほうも彼を愛していた。とはいえ、この自分を愛してくれたほどではなかったはずだ。自分としては、ぜひともそう信じたい。いや、ぜひともその思いにしがみついていたい。ルーパート――彼らの後見人は、恩寵に浴するものとして彼を選んだ。いまやあの真っ白な光が、ジャイルズの頭のなかに輝きわたっていた。そのおそるべき光輝で、そのおそるべき苦痛で、このところますます頻繁に心をおおうようになってきている、あの白いもやが。

「熱いかね？」と、老人が言った。いまだにあのゲームをつづけているのだ。いまとつぜん、ただ忌まわしく、おぞましいものでしかなくなってしまった《犯人探し》のゲームを――いまさら隠蔽したい、忘れてしまいたいと願うには、あまりにもおぞましいゲームを。ここでなにか決定的なこと、断固としてこれにけりをつけるようなことを言わないかぎり、それはけっして隠蔽されないだろうし、忘れ去られることもないだろう。すくなくとも、このがっしりした老人――残酷で、嗜虐性《しぎゃくせい》があり、猫が鼠をもてあそぶように、過去の古傷を玩弄《がんろう》したがる老人からは、けっして忘れてもらえることなどあるまい。

そこで、「熱いかね？」という老人の問いにたいし、「白熱してますよ」そうジャイルズは答えて、相手の勝ちを認めた。「というところで、ゲームは終わりです」

「そうだな。ゲームは終わり。そして現実が始まる」そう言って老人は、ふるえているジャイルズの腕のなかに、静脈の浮きでた老いた手をすべりこませると、おいしく熱いお茶の待っている家へむかって、ゆっくりと歩きだした。「最初に言ったろう、殺人事件に関する告白をたくさん聞いてきた、と。いよいよきみのを聞かせてもらう番だよ」

答えはなかった。ただ激しいおののきが返ってきたばかり。老人のつかんでいるその腕と、とつぜん精気を失って、いまにも倒れかかりそうに見えるその体との、激しく、とめどもないおののき。老人はうながした。「まずは警官殺しからだ。およそ警官殺しの理由としては、これほど奇妙な理由もないだろう――その制服を借用したかっただけだというんだから。きみとしては、ジェムおじさんがなにを言おうとしてるか、あらかじめわかっていた。そこで――」

ジェムおじがなにを言おうとしているかは、あらかじめわかっていた。なぜなら、あの夜のことは、いまでも明確に記憶しているからだ。なにもかも知っている――遠いむかしのあの夜のことも、自らの体のなかに、先祖代々伝わってきた種子、悪い種子がひそんでいることも。いままたあの熱く白い光――幼年時代のあの忌まわしい夜以来、ときおり襲ってくるあのめくるめく光が、完全にジャイルズの心を占領していた。輝かしく、まばゆく、頭を混乱させるのと同時に、明晰にもしてくれるその光。あらゆる感情を圧殺し、妄想を強めるその光……その光のなかに、ひとつだけきわだった想念――ヘレンはもはやおまえのものではない。例によって、ルーパートが勝利者になろうとしている。ヘレンはおまえにそむこうとしている。おまえにそむいて、長らく愛してきたルーパートのもとへもどろうとしている……

計画はおのずとあらわれてきた。長いあいだ考え抜かれた、込みいったプラン、大事にはぐくんで、磨きあげてきたプラン。ひとつの願望、夢想、ゲーム――それがいつしか成長して、現実的な目的意識を持ち、いまこそ実行に移されようとしている。なぜなら、かりにも実行に移すとすれば、いまがそのときでなくてはならないから。きょうというこの日、いまこの瞬間でなくてはならないから。まず、警官を殺して――いや、すぐには殺すまい。制服を借用し、ぶじに返却したそのあとで、死んだように見えなくてはまずい。では、縛りあげるだけにしておこう。おまえをよく知っている警官を選ぶ（そうだ、おこがましくも近ごろヘレンに色目を使っている、あの若いやつがいい――ちょうどうってつけだし、だいいち、自業自得というものだ！）。こちらをよく知っているから、立ち腐れの工場で怪しい出来事が起こっていると話せば、疑いもせずついてくるだろうし、疑いもせず、こちらに背を向けるだろう。そいつの制服を着こんで、事務所へおもむく。ワールドカップの日だから、だれにも出くわす気づかいはない。それにどっちみち、通常のパトロール任務に従事している制服警官の姿に、だれが注意を向けるだろう。ジェムおじを殺して、永久にその口をふさぐ――この世でただひとり、おまえの体内に狂気の種子がひそんでいるのを知っている男。ただひとり、おまえがけっして結婚してはならぬこと、おなじ遺伝形質を持った子供をこの世に送りだしてはならぬこと、それを知っている男……そのおじを椅子に縛りつける。警官も同様に縛りあげて、ナイフで刺すことが必要だが、それにはれっきとした理由がある。つまり、ふたつの殺人のあいだの〝無気味な〟類似によって、事態をいっそう紛糾させるためだ。さらに、二カ所に電話をかけるときにも、いくつか奇怪な文言をまじえて、この世のものならぬおそろしげな雰囲気を投げかけるようにする。

ルーパートに電話し、急いでくるように伝える。ジェムおじのしゃべりかたの癖やなにかは、百も承知しているし、おびえているふりをして、声も偽装する。さて、ルーパートが急いで駆けつけるまでに、約十分の余裕がある。窓をこわし、ガラスの破片を一枚とっておく。デスクに火をつける。ルーパートが到着する直前を見はからって、警察に電話し、謎の襲撃について、支離滅裂なことをわめきたてる。警官隊が急いで駆けつけてくるように、いかにも切迫した調子で。彼らの習慣はよくのみこんでいる。自室の窓から何度となくながめてきたことだ。ヘルメットをつかむまももどかしく、たがいにぶつかりあいながら、どやどや駆けだしてくる。しかもその時間帯なら、人数も数人以上にはなるはずだ。そこがこの筋書の肝心なところである。さて、デスクは火につつまれている。室内には煙が充満し、ドアにはかんぬきがかってある。駆けつけたルーパートがドアをたたきはじめたら、ナイフでおじを刺し、血が流れでて、傷が新しいことを証明してくれるのを確かめる。それからナイフを抜きとり、かねて用意してきたビニールクロスにくるんで、しっかり制服の内ポケットにおさめる。かりにジェムおじの血が制服に付着したとしても、おなじナイフが警官殺しにも使われたという事実により、その点は説明される。ジェムおじが殺されたときにその制服が現場にあったとは、だれもこれっぽっちも感づきはしないだろう。

部屋の戸口にもどり、いっぽうの壁ぎわに身を寄せて待つ。外の連中はようやくドアの羽目板を破り、最後の体当たりを食わせる前に、ちょっとさがって体勢をととのえる。その一瞬の隙を狙って、残しておいたガラスの破片を投げつける。まさかの幸運に恵まれて、それがなんと割れ残ったガラスにぶつかり、ガラスが振動しはじめる。とはいえ、実際に必要だったのは、ガラスの割れる音——何者かがガラスに穴をあけ、〝どこへともなく〟とびだしてゆく音、それだけなのだ。

やがて羽目板が破られ、壁にへばりついているおまえにむかって、ドアが押しあけられる。男たちがなだれこんできたら、すかさずいっしょになって突進する。煙の充満した室内に、青い制服の一団が右往左往しているのだ。その青い制服のひとつが、ドアの外からではなく、戸のかげからあらわれたなどということに、いったいだれが気づくだろう……

むろんルーパートもその一団にまじっているが、ここでおまえは、彼がアパートを出るのを見たというアリバイに加えて、もうひとつ計算外の幸運に恵まれる。もとよりルーパートの車がどこに停めてあったかは見ているし、彼が急いでとびだしてきただろうことも推測できる。おまえ自身が電話でそう仕向けたのだし、ルーパートの人柄も知りつくしているからだ（どっちみち、彼を予定より早くこさせたところで、計画に支障が生じるわけではないのは言うまでもない――おまえにとって必要だったのは、自分のアリバイを偽装することであり、そのために、ルーパートが急いで出ていったと証言すること、それがほぼ正確にいつごろだったかを知ること、それですべてなのだから。おまけにそれは、彼が到着するまでの時間を見きわめるという、さらなる利点をもそなえている）。ところがいまおまえには、ルーパートがレインコートを着るひまさえ惜しんで、家をとびだしてきたという事実さえ見てとれる。おまえが煙や熱を避けるふりをして、顔にハンカチをあててうろうろしていると、ルーパートがやってきて、ヘレンについてのメモを見せるが、そのとき、彼の薄手の上着の肩を見ると、ぐっしょり雨水がしみとおっているからだ（あとでアパートを調べて、たとえレインコートを着るひまはなかったにせよ、それを持って出たことだけは、はっきりつきとめておかねばなるまい)。いっぽう、そのメモを見たルーパートは、おまえの思惑どおりに行動する——瞬時の躊躇《ちゅうちょ》もなく、ヘレンを探しにとびだしてゆくわけだ。おまえは彼を追うつもりでいるが、巡査部長がそれを許さない。そこで漠然と、消防隊を呼ぶとかいうようなことを叫んで、同意も拒絶も待たずにとびだし、階段の上にいる見張りには、同様の言葉を肩ごしに投げつけるなり、駆けおりてゆく。それからあとは——なにかの任務を帯びて急行する制服警官がひとり。ぶじに建物から出たところで、歩調をゆるめ、パトロールちゅうの巡査になりきる。放棄された工場にもどったら、縛っておいた巡査に、もとどおり制服を着せる——生きているうちに着せるほうが、文字どおり死人のように重いやつに着せるのよりも楽だろう。それから、息の根を止め、水槽に押しこむ。発見されるのが遅ければ遅いほど、死亡時刻を推定するのが困難になるし、おまけに、水につかっていたことが、それをさらに混乱させるのは言うまでもない。かりに制服に血痕があったとしても、ナイフに残った老人の血が、目論見どおり、それを説明してくれるだろう。

二十分後、おまえは郊外の荒れ地にむかって、人気《ひとけ》のない道路を全速力で飛ばす。はじめはパブの戸をたたき、外の公衆電話を使いたいので金をくずしてくれと頼むつもりだったが、いま見ると、全員がテレビの前に集まって、ワールドカップ決勝戦を観戦のさいちゅう。となれば、たんに窓をたたいて——店の連中とはみんな顔なじみだ——物問いたげな表情をつくり、ガラスに疑問符を描いてみせるほうが、どれだけ自然だろう。そして、〝同点で、延長戦〟というジェスチュアが返ってきたら、手を握りあわせて、勝利を祈っているふりをし、ふたたびみんなをテレビにもどらせる。

むろん、ヘレンは安全なところに遠ざけてある。彼女には、わざとデルで落ちあおうと言ってあるのだ。というわけで、安《やす》んじて電話ボックスにはいり、本来の自分の声で、彼女が家にいるかどうかという電話をかける。つづいて……

五時。警官が死んでからすでに半時間かそこらたっている。ところが、その警官の声で本署に電話がかかり、「ジョージか？」と呼びかけたうえ――もちろん、その日の交換台の係がジョージであることは、ぬかりなく確かめてあるのだ――自分の渾名を告げたり、いろいろと本物らしく思わせる小細工をする……それから、あいまいな警報を発して電話を中断し、つぎには恐怖の悲鳴とともに、襲撃を受けているというようなことを口走る……クロス巡査。五時にはまだ生きていて、電話をかけていたという証拠――おまえが現場から十五マイルも離れたところにいたことが立証されている時刻に。

容疑は必ずルーパートにかかるはずだ、そう彼は計算していた。なのにヘレンが――ああ、思いだしてもぞっとする……それ以来、あの真っ白な光がしだいしだいにおそるべき力を持ちはじめ、めくるめく混乱を伴って、日夜、頭のなかで輝きはじめたのだ。ちょうど、太陽を直視すると、目がくらんで、真っ黒なものしか見えなくなるように。けれどもこの場合は、真っ白なものだった。暗黒よりも、さらに限りなくおそろしい光輝――苦痛に満ち、恐怖に満ちた白熱光。それが、あとにつづく日々の苦痛と恐怖とを除き、それ以外のすべてをおおいかくしてしまったのだ。

　みんなはとても親切だった。事件の性質を考えれば、こよなく親切だったと言えるだろう。みんなは言った――死刑にはならないし、刑務所へすら行かなくてもよい、ただ、頭のなかのその光から、身を隠せるところへ送ってあげよう、と。彼はそれを恐れていた。もはやその光に目をくらまされなくなったとき、おのずと前に立ちふさがるだろう真実を恐れていた。けれどもみんなは、彼には責任能力がない、彼らのいわゆる〝理非を弁別しうる〟状態にはない、そう言った。なぜならそれは、彼の血に流れる遺伝のせいだったから。ジェムおじが話そうとしていた、まさにそのもののせいだったから。遠いむかしのあの日、幼いジャイルズが死の恐怖に打ちふるえつつ、祖父の手からのがれようと、悲鳴をあげて逃げまどったのも、まさにそのもののせいだったのだ。とつぜん戸口にあらわれた祖父――巨大な斧をひっさげ、胸もとにも、両手にも、一面に鮮血がとびちった、鬼気迫るその姿……

　園丁たちは花壇を離れ、いまは適度の間隔をおいて、ふたりのあとからついてきていた。と同時に、油断のない目を他の二人連れや、おなじく前方の大きな、鉄格子のある建物へむかって歩いてゆく、小人数のグループにもそそぎながら――彼らに屈辱感を与え、反感をいだかせても、なんの得にもならない、と近ごろの精神医学では教えている――重い鍵束をじゃらじゃら鳴らして、受け持ちの患者たちを羊のように駆り集め、牧草地へ、給餌の場へと追いたてていった。正面の頑丈なドアには、金網張りの、飛散防止ガラスがはまっているが、そこまでくると、老人は礼儀正しく脇にのいて、新来の青年をなかに通した。

「なるほど、わかった。おかげで楽しかったよ。今度はいつか、わしの話を聞かせてやろう。わい、わしの殺人の話をな。ある夜、斧をふるって、息子夫婦をはじめ、家族全員を片っ端から殺してまわったんだ。わしがやったんじゃない。血がそうさせただけなのさ。わしの親父が、やっぱり狂っていてな。完全にいかれてた。もうずいぶんむかしの話だよ。いやまったく、遠いむかしさ！　あれが起きたころは、きみなんざ、まだほんのチビだったに相違ないよ」

（深町眞理子訳）

# 短編ミステリの二百年

小森 収

本稿で言及されている短編のうち、**太字（ゴシック体）**のものは本書および『短編ミステリの二百年』既巻収録短編、右上に「*」がついたものは編者のおすすめ短編である。

（編集部）

# 第十五章　MWA賞の凋落とクライムストーリイの行方

## 1　七〇年代のMWA短編賞

一九七二年のエドガー賞受賞作は、ロバート・L・フィッシュの「月下の庭師」*でした。フィッシュの名は、六〇年代の日本において、すでにシュロック・ホームズの作家として有名で、私がミステリを本格的に読み始めた七〇年ごろには、ウィリアム・ブルテンの「読んだ男」シリーズと双璧をなす、パロディないしはパスティーシュ系列の代表者でした。長編では殺人同盟のシリーズの評価が高いようですが、処女作の『亡命者』も良い作品だった記憶があります。「月下の庭師」は、隣家の男が夜中に木の植え替えをしていて、おまけに細君の姿が見えないのは怪しいという、婦人の訴えを若い巡査部長が聞いています。消えた細君が交通機関を使った形跡はなく、ますます怪しいのですが、木の植え替えだけでは逮捕できない。死体も出て来ない。しかし、こういう話はすでにいくつも書かれていて、ありきたりなミステリであることに変わりはありません。実際、最後に細君が現われたところでは、ほぼ予想どおりの展開と思いきや、その後のもうひとひねりが、この作品にエドガーをもたらしたのでしょう。確かに、そのツイストは、作品全体の見え方を一変させる、単なる意外性以上のものがあります。しかしながら、若い巡査を描き、捜査側を描く（その描き方には目新しさがない）というそのこと自体が、当時のMWA賞受賞作の中にあっては、この作品を平凡な、ミステリの範囲内のクリシェで書かれたものに見せていることも事実です。

翌年の「紫色の屍衣」*は、EQMMに載った、ジョイス・ハリントンのデビュー作でした。七四年のハーラン・エリスン「カーテンが降りて」*（第五巻で読みました）に次いで、七五年にはルース・レンデルの初期の短編が受賞します。ハリントンとレンデルのふたりは、七〇年代後半のミステリマガジンのツートップといったところで、このふたりの作家が、短編のクライムストーリイを牽引していました。そこに、イーリイの旧作やハイスミスと、年一回のエリンの新作が挟まるという状態です。

「紫色の屍衣」は、終始一貫して静かな佇まいのうちに、夫殺しを遂行するヒロインの話です。毎夏訪れるアートコロニーのキャンプで、夫は毎年一夏の相手を見つけては夏の終わりに捨てていたのです。状況も人間関係も過不足なく描かれ（しかも、今年のお相手は妊娠してしまうというオマケつきでした）て、ただ、彼女の内面だけは慎重に描写が避けられています。「紫色の屍衣」は、端正に創り上げられたクライムストーリイです。しかし、ウールリッチの**「さらばニューヨーク」**まで遡れとは言いませんが、三年前に同じ賞を得たジョー・ゴアズ「さらば故郷」*の新鮮さや厚みはありません。もっとも、これは、きわめてレベルの高い、しかも、MWA賞受賞作の意味を考えるという、特殊な文脈での評価です。私に関していえば、「さらば故郷」も**「さらばニューヨーク」**も、「紫色の屍衣」より後に読んでいて、事態の推移を端然と描いていくだけのクライムストーリイの魅力を、私に教えてくれたのは、ジョイス・ハリントンとルース・レンデルだったのです。

ルース・レンデルの「カーテンが降りて」は、「ハエトリ草」（「はえとり草」）に続く、レンデルの本邦登場第二作です。これは、たいへん珍しいことですが、「カーテンが降りて」は、MWA賞を得るより先に、ミステリマガジンに邦訳されました（七五年三月号）。長じて青年となった主人公が、六歳のときにとても危険なめにあったという一画を訪れる。記憶は失われていて、過保護の気味のあったらしい母親の危機感だけが、当時何が起きたかを暗示している。そこで若者が当時の彼と同じくらいの男の子と出会うことで、ストーリイが動き始めます。四十年ぶりくらいに読んだ「カーテンが降りて」は、「自分自身の中に、もう一人の他人が存在し、どうしても拭いきれない汚物が付いているように感じた」といった描写に、レイプの暗示を見るといった発見はありましたが、過去へ向かう主人公の足取り、現実の事件になるのかならないのかというサスペンスが、意外に薄いのが驚きでした。ミステリマガジンでの初読時は、いたく感心して、数か月後にエドガー受賞の報に接したときは、やはりと思ったものでしたのに。

七六年の受賞作ジェシ・ヒル・フォードの「留置場」*は、日本初紹介がミステリマガジンではなく、エドワード・D・ホック（当時の東京創元社での表記はホウク）編の年刊傑作選『風味豊かな犯罪』でした。南部ならではの、異様なクライムストーリイと見せかけて、そして、その部分で二十代の私は感心していましたが、返す刀で、北部エスタブリッシュメントの若者が持つ、あるいは、ついさっきまで持っていた革新性や反逆性の正体を斬ってみせるところに、六十過ぎた私は舌をまきました。そして、この作品あたりまでの受賞作が、MWA賞の短編賞として輝かしかったという記憶が、私にはあります。作品に長短はあり、買えるもの買えないものはあっても、受賞作が最先端の趨勢を表わす、あるいは、その志向するものを示すという一点で、ここまでの作品は、短編ミステリの黄金時代を表象する、MWA賞の殿堂と言えたのです。

## 2　七〇年代クライムストーリイのエース1――ジョイス・ハリントン

ジョイス・ハリントンがエドガーを得た「紫色の屍衣」は、彼女の処女作でした。邦訳されたのはミステリマガジン七三年九月号ですから、受賞間もないころでした。すぐに第二作「プラスチック・ジャングル」（「プラスティック・ジャングル」）も翻訳され、以後「ああ、わが隣人！」「*すべて順調」「緑の陥し穴」「*夜這うもの」と、七四年から七六年にかけての二年ほどの間につるべうちです。

「プラスチック・ジャングル」は、ニューヨークに母親とふたりで暮らす娘の一人称です。友だちのアレクシスがシリア人なので、「いいこじゃないよ」という母親を「まだ六日戦争のまっただなかにいる」という屈託なさ。というより、口うるさい母親に閉口している。この母親、かつてプラスチックの造花のゼラニウムに近づいたところで心臓発作を起こしたため、以来、プラスチックは毒とすべて遠ざけている。パートタイムで売り子の仕事をしている娘にも、家庭用品売場には近づくなと厳命しているのです。遠く離れて所帯をもった兄と姉のエピソードなどを交え、犯罪のはの字も見えないままに、結末はやって来ます。

「ああ、わが隣人！」は、ビキニで日光浴をしている語り手の妻に、隣りの建物の最上階（五階です）から、嚙みタバコのかすが降ってくるところから始まります。警察に電話すると息巻く妻をおさえて、夫は隣りの建物の持ち主であるグティエレスに、やめさせるよう申し入れますが、戸口に出てきた子どもたちの愛想なさといい、グティエレスの対応（奥さんにとても別嬪だと伝えてください）といい、あまりコトが収まりそうにない。隣家同士のいやがらせが始まるのですが、それを語る筆致が、妙に深刻さを欠いている。そこのところ「プラスチック・ジャングル」とも共通していて「紫色の屍衣」の暗いタッチとは異なります。

「プラスチック・ジャングル」は、のちにロバート・L・フィッシュが編んだ『あの手この手の犯罪』に収録されましたが、犯罪なのかどうかは、きわめて曖昧です。プラスチック・アレルギーで人が死ぬというのも、聞きませんしね。それに対して「ああ、わが隣人！」は、事態が淡々と語られ、悲劇的ではあっても、曖昧なところはありません。しかし、ラストの通報の聞き違いの、唐突でありそうにない感じは、プラスチック恐怖症という飛躍したディテイルに共通するものがあります。

続く「すべて順調」は、これまた口うるさい母親を、今度は息子がうとましく思っている話です。つきあっている女性を「いやしい生まれの女工」と言い放つ、傲岸《ごうがん》な判事の未亡人（しかも、判事が生きてる時だって、これっぽっちも尊敬なんかしてなかったと自ら言う）なのです。このあたりの人間関係は、作り方もさることながら、それを伝えるのがまことに巧みです。そして、地獄のような暮らしから逃れるために、彼が母親を殺したのであろうことは、それと直接には書かれずに伝わり、そして、さらに、その結果が彼にもたらした、新しい地獄が、再び彼に凶器を取らせる。そのほのめかし方の巧妙さは、秀作の名に値し、同時に、ジョイス・ハリントンが、ダール、エリン以来のアメリカのクライムストーリイの正当な後継者であることを示していました。

「夜這うもの」はヤンウィレム・ヴァン・デ・ウェテリンクのアンソロジー『遠い国の犯罪』に採られました。ハリントン自身は『尋問・自供』で、アパラチア山脈の人々の話と言っています。車椅子生活の父親（原因となった事故の補償金で、家の経済的実権を握っている。ただし、ときどき夜中に歩いている）は口うるさく、その世話に、生活の大半をとられている娘のミラベルは六フィートを超える大女です。たったひとりだけいた求婚者は、父親のあからさまな罵倒を受け、村から逃げ出したのでした。ミラベルは釣り人のためにミミズを育てて売ってていますが、ミミズの世話は父親からの逃避でもあるのでした。黙々とミミズの世話をする大女（指にミミズを巻きつけたりする）、深夜徘徊する老人が行きつく洞窟、ヒロインが月光の下で佇む巨石と、ハリントン流の〈幻想と怪奇〉と思わせて、クライムストーリイになってからは一気の展開で、「紫色の屍衣」同様、ヒロインのひたむきさ一途さが出ていました。

「緑の陥し穴」は、語り手のわたしが、一緒に暮らすエメリン（正確な間柄は不明）の声がうるさく感じられ、いつのまにか聞きたくなくなっていたという述懐から始まります。エメリンの口うるささの一方で、彼女には補聴器が必要になっていたのでした。エメリンにつけさせられた補聴器のスイッチを、しかし、彼女は時として切ってしまう。エメリンの声を聞いていたくないのでした。レンデルも十八番にしていた憎しみ合う同居人殺しの顛末を、ハリントン流に料理したものですが、ふたりの間のコミュニケイションツールであると同時に諍いの種子である補聴器が、最後まで話の鍵になっていました。同居人とは少し異なりますが、「灰色の猫」（「老いた灰色猫」）は、どうやら孤児院にいるらしい主人公の女の子が、仲良しの娘に向かって、寮母らしきミス・スミスを殺してやりたいと、物騒です。ラジオはなくなるし、夜ごと窓辺に来ていた灰色の猫が、最近姿を見せない。きっと、ミス・スミスが捕まえて殺したに違いないというのです。この話のオチは、いささか作った感じがしますが、その発展型とも言えるのが**「終《つい》のすみか」**です。

ニューヨークでひとり暮らしをする主人公は、デパートに勤めに出る途中、毎日バッグレディを目撃しています。にらみつけるような視線を、主人公はつい避けますが、気になっている事実は疑いようがない。やがて、主人公は老齢で、ひとり娘は結婚して西部で家庭を持ち、汚い街から逃げ出せて（I♡NYのキャンペーンが始まる前後の、ニューヨークがどん底のころですね）せいせいしていることが、分かります。お母さんも一緒に住めばいいと誘ってくれていますが、娘が五歳のときに夫が亡くなり、初めて勤めに出たデパートでいまも勤務を続け、同じアパートで暮らし続けているばかりか、娘の部屋は手つかずに残しているのです。久しぶりの西部行きから帰ってきた主人公は、しかし、唐突に解雇と立ち退きに見舞われます。それまで、貧しくはあっても、懐かしくも美しかった主人公の周囲が、突然、古ぼけて色あせたものに一変するというのが、見事な展開で、以下、あれよあれよという間に、主人公が追い詰められていく。その変化は、ひとつの断層をいきなり越えたかのようで、ハイスミス的不条理に、彼女は呑み込まれていきました。

処女作でエドガーを獲り、クライムストーリイのエースとしていきなり登場したハリントンは、徐々に、その芸域を広げていきました。叙述に工夫をこらした短かいスケッチの「プリンセスの死」や、石油をあてた山師のひとり娘（天涯孤独）と結婚したとたん、彼女が極端な倹約家になってしまうという、朗らかというか冗談すれすれというかの展開をする「ブーツィーをあの世へ」、怪しげな霊能力者三人組が登場する「心霊探偵社」、それとは対極的にしっとりしたゴーストストーリイの「わが友カニンガム氏」、ミステリマガジンに書下ろした「タイピスト室に女王」は、陰湿なオフィスのお局さま（っていたんですね、アメリカにも）が破滅に到る一編でした。控えめなオチも、この程度ならとくに指摘するまでもないでしょう。

## 3　七〇年代クライムストーリイのエース2――ルース・レンデル

ルース・レンデルの本邦初紹介は、「ハエトリ草」で、ミステリマガジン一九七三年四月号でした。社会的な成功を唯一の価値と信じているであろう女と、男の妻であることに安心を見出す女という、対照的な二人組の心理的な上下関係を描いて、虫を食らう植物を象徴的なディテイルに用いた犯罪物語と見せかけて……というサスペンス小説でした。これはこれで、読ませる一編ではありましたが、レンデルの名を高めたのは、やはり、次の「カーテンが降りて」でしょう。七五年三月号のことでした。レンデルはイギリスの作家ですが、後述するウィンターズ・クライムの一員として登場したのではありませんでした。

しかも、レンデルが実力を発揮したと言えるのは、「カーテンが降りて」一作に留まらなかったところにありました。**「しがみつく女」**（初訳時の邦題は「ぶらさがる女」ですが、これははっきり「しがみつく女」でなければならないと思います）*「コインの落ちる時」と佳作が続きました。**「しがみつく女」**は、ある日、自分の住む高層アパートの十二階から、ぶらさがっている女を主人公が見つけ、警察に素早く通報することで、彼女を救います。ご近所の英雄となって面映ゆいところに、当人が礼に来る。勤め先が互いに近いことが分かって交際が始まり、結婚するに到ります。お互いに相手がいさえすれば、それで幸せという結婚生活は、やがて、彼女は彼の全生活全仕事をともにしなければ、気がすまない女であることが分かってきて、翳がさします。「コインの落ちる時」は、愛情の冷え切った中年夫婦（といっても三十代なのですが）の話です。妻は性行為に嫌悪感を持っていて、結婚当初から出来ればやらずにすませたい。夫は理解を示しますが、かといって性欲をなくすわけにもいかない。合理的な解決は外に女を作ることと、それを実行しますが、理由が理由だけに妻の理解を得られると思い込んだのが、失敗の元でした。そんな不潔なことは許さないと別れさせられた上に、絶対に離婚には応じない、私はあなたの未亡人になるのだと宣言される。夫は酒びたりとなってアル中に一直線。というのが、話が始まったときの状況です。夫の勤める会社のオウナーの娘の結婚式に招かれて、前日の一晩を過ごすホテルに到着したところから始まります。狭すぎるけど、ダブルベッドでないだけましというのが、部屋を見ての妻の感想です。夫は早くも呑み始め、すぐにベロベロになる。旧式のホテルはガスストーヴもコインを入れると一定時間ガスが出る方式です。しかも、操作のやり方が複雑で、機嫌が悪かった彼女は説明もろくに聞いていない。しかし、ふと、火をつけずにコインを入れれば、ガスが充満するのではないかと思いつきます。

離れたいのに離れられない夫婦（しかし愛がなかったわけではない）の間のすれ違いと、そこに与えられた相手を殺すチャンス、そして、それに飛びつく顚末をていねいに描く。そのていねいさ手厚さは、アメリカのクライムストーリイとは、また違った味わいがありました。レンデル作品におけるすれ違いは、このころ、旧弊で保守的な価値観と、自由で奔放なそれとの対立であることが多く、それを三人の人間に広げてみせたのが「誰がそんなことを」(「こんなことをするはずがない」)でした。題名はイプセンの台詞の引用ですが、語り手の妻を殺した罪で、リーヴという男が服役していることが、示されます。語り手夫婦は、家庭第一の保守的な夫婦ですが、会計士らしき夫が、仕事上で知り合った歴史小説家がリーヴなのでした。この男、女性関係が派手な上に、それを平気で吹聴する。女と別れたくなったら、外国に行ったふりをして自宅に籠りっきりになるという男です。家族ぐるみのつきあいのはずが、語り手の妻がリーヴと関係を持つようになったのに、読者が気づくのは、語り手よりも少し早いタイミングです。

これらの作品は、おもに七〇年代に翻訳されましたが、今回、改めて驚いたのは、およそ年に一作といったペースだったことです。しかし、当時のリアルタイムの感覚では、レンデルとジョイス・ハリントンのふたりで、このころのクライムストーリイは活況を呈していたという印象を持っていました。それほど、レンデルの存在感は大きく、八〇年代に入って、角川文庫の長編作品でブレイクしたのは、なんの不思議もありませんでした。

一連の長編のヒットのおかげでしょうが、これらのレンデルの短編が収録された短編集『カーテンが降りて』(原題も *The Fallen Curtain and Other Stories*)は、角川文庫で邦訳されています。同時期に書かれたとおぼしい、同書の他の短編も読んでおくことにしましょう。

「悪い心臓」は、自分が解雇した男の家に食事に招かれた経営者が、浮かない気持ちのままに招待を受けます。解雇の話題は避けたいのですが、黙り込みがちな男と、取り繕おうとする彼の妻を前に、それ以外の話題では会話が続かないというジレンマに陥ります。「用心の過ぎた女」は、過剰な警戒心と、それを気取られる事で変わった人と見られるのを恐れる女の話です。戸締まりにうるさい彼女の家の大家は、むしろありがたい存在ですが、家賃が高くて広い部屋は、もともと二人用です。彼女は慎重にシェアする相手を探し、同居しますが、慣れてくるうちに、そして恋人が出来ることで、同居人は門限や施錠をなおざりにする。おまけに近所で強盗事件が起こり、彼女はパン切りナイフをベッドに忍ばせるようになります。どちらも、起こるであろう事件が起こり、主人公の錯覚が判明して話が終わるというパターンで、スレッサー以降の短編に慣れた目には、平凡な話に見えました。このほか、「生きうつし」や「分裂は勝ち」のような、従来から書かれているパターンを、さして新味もなく描いた作品もありますが、そんな中で比較的新鮮な作品がふたつあります。

「酢*の母」は、十一歳の少女時代の思い出を、大人になって回想するというスタイルです。そんなに好きなわけではないけれど、仲良くしているという友だちというのが、女の子にはい（るんだそうです）て、その子の家が持っている別荘に、一夏招かれます。長じて建築家となる主人公は、四百年前の建物に魅了されて、そのそんなに好きでもない子と、一夏過ごすことにします。友だちの父親（週末にしか別荘に来ない）は、妙に子どもたちの事情に通じている（主人公のことを子ども同士の呼称で呼ぶ）のが、今様に言えば〈イタイ〉おじさんだったり、語り手の両親は、いるのが嫌になったら、知らせれば、にせの口実をでっちあげて呼び戻す段取りをつけてくれるとか、なかなか巧みな細部の作り込みです。友だちの母親は口うるさく、こわいのでした。そんなところに、飲み残しのワインから酢（ビネガーですな）を作るための種酢（酢酸菌の培養物）をもらってくる。飲み残しを作るために、ワインは子どもたちにもふるまわれるようになり、主人公は夜ぐっすり眠るようになる。一方、友だちの女の子は、種酢の生き物めいた気味の悪さに、夜もうなされます。そうした事態がゆっくりと語られ、最後に悲劇が起こることで、それまでの事態の真の姿がほのめかされます。それは、十一歳の当時は分からなかったけれど、大人になったいまは、何があったのか分かるという語り手による、巧みなほのめかしでもありました。

「人間に近いもの」*は殺し屋の話です。二匹の犬と暮らしているその男は、あらゆる人間が嫌いで女が嫌い。人間とつきあうくらいなら、犬と過ごす方がよほどましだと考えている。最初の一ページは、チーフもモンティも、犬ではなくて人間であるかのような書き方で、まあ、人間なみ（Almost Human 原題です）にあつかっている。夢はスコットランドの広い荒地に臨む農場を買い、そこで犬たちと暮らすことです。そのために犯罪を、とりわけ殺しを請け負っている。そんな主人公の今回の依頼人は女（主人公の嫌いな）で、見も知らぬ男を殺すことになっています。打ち合わせの電話で、決行の場所と時間を指定され、「他に知っておくことは」という問いに「しいて言えば、ひとつだけ――ううん、たいしたことじゃないわ」と歯切れが悪いのですが、殺し屋は気に留めません。しかし、その「たいしたことじゃない」はずのことが、標的が犬を連れていることだったために、事態はまったく予想外の方向へ進んでいきます。

両作とも少々明るくユーモラスな筆致で、前者は巧妙に結末を想像させる、上出来のサスペンスストーリイに、後者はちょっと類のないクライムストーリイに仕上がっていました。

レンデルの第二短編集『熱病の木』は原著刊行が八二年ですが、八八年に邦訳されました。八〇年代に入ると、個人短編集の邦訳はおおむね頭打ちになっていたので、『熱病の木』『女ともだち』と続けて出たレンデルの、人気の高さ、商業的な安定感が窺《うかが》えます。そのレンデルさえ、ウェクスフォードものの短編集は邦訳が出せていません。八〇年代の翻訳ミステリは、冒険小説の時代であると同時に、ルース・レンデルとメアリ・ヒギンズ・クラークの二枚看板による女流サスペンスミステリの時代（そして八〇年代後半にすれ違うようにして、サラ・パレツキー以下の女流私立探偵小説が隆盛します）でもありました。

では、その『熱病の木』を読んでみましょう。

表題作は、アフリカのリゾートキャンプにやって来たカップルの話ですが、男の方は、愛人を捨てて、妻を連れてきたことを、冒頭から後悔しています。男の庇護を上手に受けることで、愛らしさを演出する隣りの女は、車の外（に出てはいけないのですが）数メートルのところに野生の猛獣がいる土地には、確かに似合わず、防虫剤は失くす、車外には出るで、危険でさえありました。ふたりの間の行き違いは殺意を生み、さらに行き違いが生じてという展開は、いつものレンデルでした。こうした男女間の愛憎は「私からの贈り物」「悪魔の編み針」、長い期間の三角関係を背景にした「メイとジューン」といった作品に共通する、レンデルの得意パターンではあります。しかし、愛や憎しみに個性的な何か——その場合にしか起こりえないような状況や綾——がないのなら、それはひとつの記号のようなものにすぎません。そうくり返しに耐えられるものではない。「メイとジューン」は、出来のいい妹にフィアンセを奪われた姉の一生という、凝った設定で、しかも、腫物にさわるのを避けるかのように、誰も彼女に妹夫婦のことを話さない（当然でしょうな）。ここには、すでに、ストーリイテリングや、そこから来る意外性で勝負する姿勢が見られます。

「不幸な暗合」は、イギリスで死刑が廃止される前の一九五〇年代という設定です。無動機による連続殺人の被害者として妻を殺された男（高名な心臓外科医）が、責任能力のない犯人を死刑にするのは不当と、死刑反対の運動を展開していたという事実から語られます。妻は複数の男がいないと満足の出来ない性質で、公認同然の浮気をくり返している。その相手に逢いにいったところで殺されたのです。最近亡くなった高名な心臓外科医の過去の記録という語り口で、五〇年代の事件を淡々と語り、いまとなっては確かめようのない事実として、結末を記す。端正なクライムストーリイではありますが、外科医夫婦の間の関係に、深みはありません。

「絵具箱の館」は、年配の婦人は探偵役になることが珍しくないという記述から始まり、穿鑿好きな老婦人が、その気になってしまうという、コージーミステリの楽屋落ち版といった話。

「タイプがちがう」は叙述トリックを活かしたクライムストーリイ。墓地の作業員をあつかった陰惨な「最後の審判」とともに、レンデルの芸域の広さと見ることも出来るし、おずおずと慣れぬことをやっているという見方もあるでしょう。

第二短編集の佳作は、まず「女を脅した男」*に指を折ります。レンデルという人は、劣等感や優越感に敏感なところがあって、この話の主人公も、夜道で女を怖がらせてしまったことで、不思議な優越感をおぼえ、その行為が病みつきになってしまいます。声をかけるでも、もちろん襲うでもなく、怪しく立っているだけで、通りすがりの女性は恐怖に陥る。そのことで彼は不思議な自信を覚える。後半の展開は予想がつきますが、基本の発想が見事でした。もう一編「毒を愛した少年」*は、ストーリイテリングの生きた秀作です。理科の実験好きな主人公の少年は、毒草を見つけては煎じて隠し持っています。誰にも言えない大切な秘密ですが、数年経てば、自分でも何をやっていたんだろうと思うような、子どもの一過性の興味です。しかし、そんなふうに彼自身の気持ちにも変化が起きるころ、つまり、一生懸命秘密にしていること自体にも幼さを感じ始めたころ、彼の周囲には毒薬が手に入るなら使いたいという人間が生まれていたのでした。「毒を愛した少年」は、この短編集の中でもひとつだけ飛びぬけて長いもので、その長さを武器にゆっくりと展開していくのが、レンデルには合っていました。結末こそ少々慌ただしいですが、鍵となる人物の失言の仕方がひねってあるのも、巧妙でした。

レンデルとハリントンに共通し、また頻出するのが、同居する者への憎悪と殺意です。その殺意の在りようと実行の経緯を微細に語ることで、浮かび上がってくる綾を見せる。「**しがみつく女**」の犯人の悲しさ、「紫色の屍衣」「夜這うもの」の犯人の一途さ、「**終のすみか**」の一変する主人公の姿などは見事なものでした。それは「ハエトリ草」や「ああ、わが隣人！」のストーリイテリングとも異なるものでした。もっと正確には、秀れた作品においては、彼女たちの素晴らしいストーリイテリングをも超えた何かが、含まれ立ち現われる。このふたりの作家によって、六〇年代に開花した短編ミステリは、クライムストーリイというひとつの形式を極限まで広げていったのでした。

## 4 クライムストーリイの後継者たち

七〇年代の短編クライムストーリイは、レンデルとハリントンが牽引しましたが、このふたりだけでは、話になりません。本書第五巻で触れたロバート・トゥーイなどがいて、初めて層の厚さが出るというものです。そういう意味で、トゥーイ以上に、このころのクライムストーリイに活況をもたらしたひとりが、ウィリアム・バンキアです。一九七七年末に、光文社からEQが創刊されました（七八年一月号）。そのときのブックボーナス（中編）以外の短編のラインナップは、フィッシュのシュロック・ホームズ、ホックのレオポルド警部もの、新人のアリス・ルドスキ。あとは、リッチー、レンデル、そして、ウィリアム・バンキア、フローレンス・メイベリー、バーバラ・キャラハンでした。この顔ぶれを、十九歳の私は当然こんなふうになると考えていましたが、その主な理由は後ろの三人でした。

ウィリアム・バンキアは、もともとはカナダの人で、初期の作品も、カナダを舞台にしています。ＥＱＭＭ初登場の「憑きもの」は、ミステリマガジン七〇年六月号に訳されましたが、版権表示には一九六二年とあって、旧作再録だったのかもしれません。邦訳も、これが初紹介。第一幕《アクト・ワン》というバーを舞台に、そこにやって来る霊媒の男がいる。いつもではないけれど、しばしば酒を呑んでいるうちに、何者かの霊がついて、その場の誰も知らないような外国語を喋ったり、突然ピアノの名演奏を披露する。もっとも、話が収束に向かうと、たちまちその後が丸わかりで、冴えた登場ではありませんでした。続いて翻訳された「歌口」は七〇年の作品です。私が初めて読んだバンキアでした。あるトランペット吹きが、何者かに殺され、直前に地回りともめていたことから、その遺恨からの事件と処理されます。ところが、一年後にある舞台で語り手は、死んだトランペッターの出す音を再び耳にします。そこから一気に事件が解決する。そんなことで同じ音になるのかという疑問も残りますが、話そのものも綾のないものでした。前半の語り口が良かっただけに、惜しい気がします。これがミステリマガジン七一年十月号。そして翌々月の十二月号に載った**「交通違反」**が秀作でした。

夏の午後、カナダの地方警察に詰めるクリヤリーのところに、違反の左折をしたとひとりの男が連れて来られます。そのとき、クリヤリーは妻との電話中で、息子が熱を出していて、ポリオの疑いもあって、妻は早く帰ってほしそうだというのが、伏線になります。ふとしたはずみで、男が大金を持っていると分かると、二十ドルでうるさいことを言わずに放免にならないかと、買収を持ちかけられる。かえって、クリヤリーの態度が硬化するのと同時に、今度は二枚目の運転免許証が見つかって、いよいよ怪しい。自分のパートナーの免許証をたまたま持っているのだと抗弁しますが、クリヤリーは二枚目の免許証の名前に憶えがある。このあたりの冒頭の展開は巧みの一語で、クリヤリーはその名が詐欺で手配中の容疑者だと気づき、男を逮捕します。男の提示する額が、二十ドルから一気に二万ドルに跳ね上がる。クリヤリーはそれを無視して、トロントの警察署に連絡し、刑事が来るのを待ちます。以下、手を替え品を替え、男はクリヤリーに買収を試みる。仮にクリヤリーが良心を全うしても、その後のどこかで誰かを買収して、放免されるから同じことだと、男も詐欺師だけあって口が上手いのです。ふたりの攻防に終始して、短かい話は終わりますが、結末の余韻は、ありそうでない味わいでした。

さらに二か月後七二年二月号の「ポプラ荘の女主人」は、カナダの夏、遅い日暮れのころ、田舎のゲストハウス（民宿ですね）ポプラ荘に、主人公が宿を求めます。そこの女主人は彼のことを気に入って、他の客は泊めたくないと、後から来た客は近所の弟がやっているゲストハウスを紹介して、追い返してしまう。題名からも想像がつく、ダールの変奏ですが、半世紀前の中学生はそこそこ感心させられても、還暦すぎて再読すれば、さすがにダールとの差は歴然としています。それでも、半年足らずの間に訳された三編は、いずれも各月の作品の中では読ませるものがあり、バンキアの名は記憶するに値しました。

「弟を殺した男」は、主人公の殺し屋が、弟（警察刷新に動く郊外都市の市長）のところへ、同業者が差し向けられたことに気づいて……という話です。結末がいささか慌ただしく、こう終わるにしても、もう少し巧く書けなかったものかとは思います。「死にいたるまで」は、それまでのバンキアとは異なり、時代も場所も不分明な背景に、絞死刑（が復活したらしい）になった男が、なぜか死なずに生きていて、法的な処置に困るという話です。大島渚に、同様な(しかし日本固有な状況設定の)映画がありましたね。思考実験としてのスケールが小さいので、あまり買えません。

次に邦訳されたのが、EQ創刊号に掲載された「ドリーン・グレイの声」です。これが凡庸な作品だったことが、私にとって、EQに対する不信感の原因のひとつになったことは事実で、話そのものといい解決といい、下手なハードボイルドふうの運びといい、とてもバンキアとは思えなかったものです。次の「教授救出作戦」も、時代遅れの大学バリケード(とはいえ、掲載と同じころ私のいた大学もバリストを打ってましたけど)は、コミカルな話であることを差し引いてもヌルいもので、話が締まらない。この二作では、しばらく紹介が途絶えたのも仕方ないでしょう。しかし、五年ほどおいた「過去から来た子供」*は佳作でした。主人公はモントリオールで働く商業イラストレイター(愛娘も同業者ですが、彼より腕がいいらしい)です。会社のパーティでトロントから来た若い娘と知り合う。彼女は全国的に有名な富豪の養女で、コネでモントリオールの広告代理店に入ったのでした。なんとなく互いに魅かれるものがあって、呑みに出ると、店員から親子と間違われる。主人公の娘に対する態度は、異性へのそれとはちょっと違うと思っていると、生きていれば同じ年ごろの、死産だった二番目の娘がいたのでした。しかも、主人公が親友の元警官に相談に行ってうちあけたのは、医者が赤ん坊を死んだことにして、大金持ちに横流ししたのではないかという疑いでした。いまならDNAで鑑定するのでしょうが、当時のこととて、主人公は親友とふたり死産の娘の墓を暴き(こっちの方が鑑定よりドラマティックですね）ます。前半の展開は少々もたつき気味ですが、墓が空《から》と分かり、医者を拳銃片手に問いつめるあたりからは、快調です。どのような解決をつけようと、当事者全員が幸福になることはないというジレンマが巧妙で、元警官の親友が、先走って医者を脅しに行ったために、事件が後戻りのきかないものになるのも見事です。結末に意外性を求めるのは無理なタイプの作品ですが、最後のひとひねりで悲劇を完結させてみせました。

この間に、ミステリマガジンには「世紀のギャグ」という、売れっ子スタンダップコミックと、持ち込みギャグライターの、ミステリ味の薄い凡作が載りました。同様にミステリ味は薄くても、のちにアシモフのアンソロジー『いぬはミステリー』に採られた「ジャズの嫌いな犬」は、添え物の犯罪部分を上手に使って、ハートウォームな噺に仕組んでいました。

EQ創刊号にバンキアとともに名を連ねていたのが、バーバラ・キャラハンです。本邦初紹介はミステリマガジン七七年七月号の「言わないで、サリー・シャイ」でした。数種類の人形を操る人形遣いが、自分の言葉を人形に代弁させていながら、人形を自分とは別人格を持つ生き物のようにあつかっている。こういう心理的あるいは精神的な異常性を、その人自身の一人称で描くのは、この作家のよくするところですが、四〇年代から五〇年代にかけて書かれた心理サスペンスと異なるのは、端《はな》から読者に手の内を明かしてしまっていることでしょう。その上で、話を展開しようとする。EQ創刊号の巻頭を飾った「風車の夢」も同様で、主人公の五十代の女は、風車の夢に悩まされたあげく、他人の暴かれたくはないプライヴァシーを探ってはブラックメイルを送ることで、心の安定を得ます。

そうしたキャラハンの行き方は、この二作では、あまり成功していませんが、ミステリマガジン八一年七月号に載った「こんにちは、キャスリーン」*は見どころがあります。今回のヒロインは、かつて、アイルランド移民の祖父が、独立戦争のさなか故国でスパイを働いたと讒言《ざんげん》されたため、周囲から疑いの目で見られ、失意のうちに死んでいます。祖父の死から遡って、その原因をゆっくり描いていくというのが、落ち着いているとも言えるし、やや冗漫とも言える。まあ、七対三で前者でしょうか。アイルランドの風習（キャラハンはアイルランドの姓ですね）なのでしょうか、死者は足の親指を紐で結んで埋葬します。「紐の足枷をはめられた死者の霊は、現実の世界に戻って生きているものを苦しめることはできない」のです。讒言の元となった隣家の女とその姪に、少女時代の彼女は復讐を試み失敗します。ヒロインのこの復讐の失敗ぶりが、ある意味、アイリッシュふうに迷信がかっている。長じて美容師となった彼女は、女優となった隣家の姪のメイクアップをすることになります。最後のチャンスとばかりに、周到に試みる復讐に、これまた迷信がかったところがあって、それゆえ、不思議なクライムストーリイになっていました。

老人用の介護療養院にいる女主人公が、院を抜け出して、かつて自分が住んでいた教区の教会（ここでも、アイルランド系らしく、カトリックです）に、なにかを成就に行くらしいというのが「過去からの贈り物」です。異常とまでは言えないにしても、この一人称の主人公も、妄執の虜とは言えるでしょう。ここでも、若いころの悲劇がゆっくりと回想され、その原因となった近隣の女は「風車の夢」の主人公のような、密告屋でした。
七〇年代末にエドワード・D・ホック編の年刊傑作選に採られたのが「ノヴェンバー・ストーリー」と「ドラマの続き」です。前者はアメリカ大統領目前の上院議員の妻が、灰色の壁に取り囲まれているという幻想に支配されています。その壁は、夫が大統領に近づくために払った犠牲や悪徳の代償でした。後者の語り手は、自分のことを、安手のテレビドラマの主人公が、劇中で生き別れた娘だと、信じ込んでいます。例によって、幻想にからめとられた本人による一人称です。ともに、最初の着想から考えられる物語の域を出ない。そういう意味でアイデアの範囲内に終始した凡作ですが、長さのある分「ノヴェンバー・ストーリー」の方が、描き方は手厚くなっていました。

ドナルド・オルスンの「さけびと谺《こだま》」*を読んだとき、有望な新人が出たと思いました。ミステリマガジン七五年十月号掲載。前年発表されたものでした。人里離れた田舎の農場に娘とふたりで住んでいる寡夫のところに、彼の姉が訪れていて、一緒にニューヨークで暮らそうと誘います。彼女も夫を亡くし、淋しくもあり不便でもありなのでした。しかし、どんな他人が近所にいるか分からない都会は、自分も娘も怖くて住めない。安全第一というのです。彼はかつてジャーナリストだったころ、ナチ政権下のベルリンに派遣され「ベルリンで私は花婿になり、父親になり、ついで寡夫《やもめ》になり、そしてその間に、一生かかっても見きれないほどの暴力をこの眼で見た」のでした。彼の妻とその一族は、ナチの虐殺の被害者だったのです。ニューヨーク行きを断ったまま、十年ほど経ちます。オートバイに乗った若者の一団が、彼の土地を走り始めます。田舎のこととて、私有地だから通るなと言っても、保安官さえ味方になってくれません。むしろ、近所づきあいをしない変な親子と見られていたのでした。傍若無人（に主人公には見える）な若者は、娘に話しかけ、娘も相手をしているらしい。悪いことに、オートバイは、ナチ政権下ベルリンの暴力の記憶と密接に結びついていました。こうしたことが落ち着いた筆致で描かれ、ある日、敷地の境界にある吊り橋から若者のオートバイが転落します。橋には細工のあとがあり、主人公が疑われる。最後はそれまでと違った、たたみかける展開で、意外性を持ったオチがつけてありました。

再読した印象は、悪くなかったものの、結末の意外性に作った手つきが透けて、それは娘の造形が不充分なためでしょう。それと、いつの話なのかはっきりしないのが、この場合は作品を不安定にしています。一九三九年のベルリンに世の中が近づきつつあるという、主人公の述懐があるだけに、そこが不分明なのでは、年月が経ったいまでは、とりわけ、そう感じます。

次に紹介されたのはＥＱ八〇年九月号の「汝の隣人の夫」*です。初読時の印象は薄かったのですが、読み返すと、こちらの方が面白く読めました。ヒロインは夫婦仲のいい女性です。夫は仕事柄しばしば二週間ほど営業に出るのですが、そのことに不満もありません。その隣家に引っ越してきたのが、同年配の夫婦ですが、こちらは夫婦仲がよろしくない。夫は愛想がいいのですが、その夫を妻が悪しざまにののしるのです。仕事で家を空ける間の無聊《ぶりよう》をなぐさめるように、ヒロインの夫が日記帳をプレゼントしてくれたことで状況が動きます。愛想のいい隣家の夫との不倫の空想を楽しむうちに、ありもしない関係を書き綴るようになったのです。このプロセスが巧みな上に、無論、あるきっかけから、どうも夫が日記を読んでしまったらしいとなり、弁解に努めますが、聞いてはもらえない。そうこうするうちに隣家の妻が殺されてしまいます。結末の意外性よりも、そこも含めて浮き出てくる人間関係の綾で読ませる一編でした。

その後「感謝のしるし」「一歩お先に」「新米掃除婦」と夫婦間に生じた殺意を描いたクライムストーリイがありますが、どれも結末への持って行き方に強引さがあって、あまり買えません。「犯罪と勝利」は、死を待つばかりの老婦人と、その介護をするふたりの姪（遺産相続のことしか眼中にない）を見守る、老婦人と結婚してもおかしくはなかった主治医の語る、殺人罪には問えない殺人の話です。ゆったりと語られるクライムストーリイは、それなりに読ませますが、「さけびと谺」や「汝の隣人の夫」に比べれば、鋭さ酷《きび》しさに欠けました。

バーバラ・キャラハンやドナルド・オルスンといった作家は、書き継ぐうちに、易きに流れたところがあるように、私には見えます。もう十年、いや、もう五年早く出ていれば、より洗練されたクライムストーリイへ向かう作家となっていたかもしれないと考えるにつけ、残念に思います。

## 5　七〇年代クライムストーリイのもう一方の旗手――ローレンス・ブロック

ローレンス・ブロックはキャリアの長い作家です。それほど有名な作品ではありませんでしたが、長らくクレイグ・ライスのものと考えられていた「セールスメンの死」*が、ブロックの代作と判明したことは、本書第二巻に書きました。六〇年代くらいから、AHMMに短編が載り始め、ペイパーバックライターとなりますが、邦訳もほとんどありませんでした。七〇年代の末から短編がぽつぽつと訳され始め、八〇年代に入って、バーニイ・ローデンバーとマット・スカダーのシリーズが翻訳されるようになって、日本でも人に知られる存在となりました。アメリカで評価を得るようになったのも、このふたつのシリーズからのようで、下積みが長かったと言えるでしょう。

「あいつが死んだら」(「あいつが死ねば」)は六四年の作品ですが、ミステリマガジン七六年十二月号に掲載されました。いささか浪費家の主人公が、ある日差出人不明の手紙を受け取ります。見知らぬ名前が一行と、それに続けて「この男が死んだらあなたは五百ドル受け取ります」と書いてある。しばらくすると、同じ封筒に入った五百ドルが送られてきて、同封の手紙には「ありがとう」とだけ書いてある。新聞の死亡記事をチェックすると、手紙の名前の男が死んでいました。次は別の人間の名が記された手紙が来て、金額が七百五十ドルと上がっています。やがて、主人公は手紙が来るのを待つようになり、手紙に書かれた名前の人間の死亡記事を探すようになる。行動学に出てくるスキナーの条件づけを見るかのような展開で、行きつく先は予想がつきますが、その行き先に向かうのを止められないという怖さがありました。

現在のブロックの短編集『おかしなことを聞くね』では「泥棒の不運な夜」*という邦題になっている七七年の作品は、「紳士協定」の題名でミステリマガジン七七年六月号に載りました。空き巣に入った泥棒が、帰宅した家の主に拳銃を突きつけられている場面から始まります。少し軽薄でお喋りな泥棒は、口八丁手八丁で脱出を図りますが、男はどうやら拳銃を使いたがっている。という題名どおりの泥棒の不運な夜の話です。泥棒の名前は出て来ませんが、『おかしなことを聞くね』の著者のまえがきによると、この泥棒はバーニイ・ローデンバーだそうです。同じ年にシリーズ第一作の『泥棒は選べない』が出ていますが、日本の読者には分からない（邦訳が出たのは三年後）し、ＥＱＭＭに掲載されたものを読んだアメリカの読者でも分かったものかどうか。泥棒の不運は、クライムストーリイの結末として衝撃的なものでしたが、彼がバーニイならば、なおのこと意味深長というものです。

「紳士協定」はエドワード・Ｄ・ホック編の年刊ミステリ傑作選の七八年版『最後のチャンス』にも収められました。このアンソロジーは七六〜七八年の三冊が、創元推理文庫から邦訳が出ました。それぞれ『風味豊かな犯罪』（八〇年）『今月のペテン師』（八〇年）『最後のチャンス』（八二年）という書名です。カッコ内は邦訳の刊行年です。ローレンス・ブロックは『今月のペテン師』にも一編収録されました。「中古のジーンズ」のちに「おかしなことを聞く*

ね」という題名で知られることになる傑作の、本邦初訳でした。穿き心地のいい着慣れたジーンズをいったい誰が手放すものだろうか？　という疑問は、誰もが共通に感じるものらしく、話のタネに最適でした。その疑問を持ったヒッチハイク常習者の青年が、ある時、ついにそのジーンズの卸売り会社の人間の自動車に同乗する。積年の疑問がついに解決と思っていると……というブロックの短編の中でも短かいものですが、多角経営という言葉に持たせた含みの見事さと、結末のほのめかし方は、一級品でした。ホック編のアンソロジーには、この二編が収録されていました。ちなみに、この三冊に収められた、それぞれの年のエドガー受賞作は「留置場」「恐ろしい悲鳴のように」「最後のチャンス」でした。ブロックの二編に迫るのは「留置場」だけで、それとても「中古のジーンズ」には、とても及びません。

もう一編、このころのローレンス・ブロックが存在感を示したのが、ミステリマガジン八〇年三月号に載った七七年の作品「アッカーマン狩り」です。ふたりの刑事が、最近の殺人事件の被害者に、三人のアッカーマンがいることに気づきます。三件に関連はなく、ただ、苗字が同じなだけです。偶然かなにかの暗合か？　それとなく気にかけていると、アッカーマンという名の被害者がどんどん増えていく。ミッシングリンクなのか？　しかし、放っておいたら、関連に気づく人間がいるとは思えません。気づいた警官たちも半信半疑のまま、疑惑だけが大きくなる。このあたりのマスヒステリア一歩手前の感じが、巧みなところ、『九尾の猫』をコンパクトにしたとでも言いましょうか。警官たちの手詰まりをよそに、犯人らしき人物の登場で、解決はさらに遠のきます。「オッタ―モール氏の手」を現代版にチューンアップしたような逸品でした。
「食いついた魚」*はミステリマガジン八四年六月号に掲載されました。バス釣りで出会ったふたりの釣り人が交錯しますが、キャッチ・アンド・リリースとは無縁の趣味の世界を垣間見せました。この他に、国際的テロリストと、それを追い詰めるモサドらしきコンビを描いた「道端の野良犬のように」（ミステリマガジン八〇年十一月号）や、若くて有望な殺し屋が、同じく一流のヴェテランの殺し屋を訪ねる「クレイジー・ビジネス」（ミステリマガジン八一年八月号）といった作品もありました。しかし、ローレンス・ブロックのクライムストーリイの王道は、アメリカ人の日常の中に、落とし穴のように破滅の淵が待ち構えていることを、巧妙なプロットで描くことにありました。そういう意味では「食いついた魚」がブロックらしい一編と言えるでしょう。

こうしたローレンス・ブロックの作法は、スレッサー以来のAHMM流の行き方でもありました。「泥棒の不運な夜」「おかしなことを聞くね」「アッカーマン狩り」どれもそうです。しかし、五〇年代のそれよりも、陥穽は巧緻をきわめ、残虐であったり（「アッカーマン狩り」）企業化されていたり（「おかしなことを聞くね」）しました。レンデルやハリントンといった人物描写の手厚さが目立つ流儀の一方で、ローレンス・ブロックは、プロットの巧みさでクライムストーリイのもう一方の旗頭となったのでした。

## 6 凋落の始まり

一九七七年のMWA賞受賞作であるエタ・リーヴェスの「恐ろしい叫びのような」(「恐ろしい悲鳴のように」)を読んだときの感触は、いまでも忘れることが出来ません。これの一体どこが新しいのだろう? どこが良いのだろう?

少年院に入っているらしい、足の悪い少年の回想です。イタリア系の名前かと思っていると、ヒスパニックと分かります。ただし、初読時に、ヒスパニックという言葉を、大学生の私は知らなかったと思います。貧しい一家らしく、父親は働きながら夜学に通って、高卒の資格を取ろうとしている。足に装具をつけているらしい少年は、学校から拒否され、ひがな上手な絵を描いています。たくさんいる兄弟の中でも、姉のリタとりわけ仲がいい。

新人作家の処女作がエドガーを獲ったもので、最初の邦訳はE・D・ホック編の『今月のペテン師』でした。なんらかの罪を犯したであろうことは、冒頭から分かっていますが、それが姉殺しで、最後に「つまりそういうわけなのさ」と見得を切られても、最後まで書かなかっただけじゃないかと思ったものです。足が悪いがゆえに、一家の貧乏暮らしのあがきからも、主人公だけは免れていますが、早い話がみそっかすあつかいだし、それに甘んじている。姉殺しの動機も分かるようで分からない。というより幼さゆえの短慮丸出しでしょう。この犯人には恐ろしさもなければ悲しさもない。実は、邦訳は順番が前後していて、このあとの受賞作「最後のチャンス」「軒の下の雲」を、私は先に読んでいました。そして、失望が高まっていたのですが、この「恐ろしい悲鳴のように」を読んで、とどめを刺された気がしました。

翌七八年に「最後のチャンス」でトマス・ウォルシュがエドガーを獲ったときの驚き（この人は現役だったんだ）は、本書第二巻でも書きました。パブでパードレと呼ばれている、呑んだくれの破戒僧（ボストンの富裕な家の、あまやかされた末っ子の極道息子なのです）の話です。かつては本当に神父だったため、死を目前に告解を求めているギャングから奪った金の隠し場所を聞き出してほしいと頼まれます。予想どおりに展開し予想どおりに終わる、平凡なクライムストーリイというよりは人情噺で、毎月の雑誌を飾るには好短編かもしれませんが、これにMWA賞をやるのかねというのが、正直な気持ちでした。七九年はバーバラ・オウエンズ「軒の下の雲」で、精神的に不安定な女性が、新しい住まいと職につき、それを機につけ始めた日記という体裁です。彼女の不安定さが徐々に増していき、屋根裏部屋から見えていた雲が、いつのまにか彼女の周りを覆うほどになる。書き手の精神が少しおかしいですよと、はっきり分かるように、まともな人間が書いた手記です。作為があからさまというものでしょう。**「リガの森では、けものはひときわ荒々しい」**から十年経っていません。ここまで後退するものでしょうか？

これら三編は、いずれもEQMMが初出でした。エタ・リーヴェスとバーバラ・オウエンズは処女作でした。ジョイス・ハリントンも新人でしたが、その差は歴然としています。そして、その後の歩みを見ても、ジョイス・ハリントンとは比べ物にならないのも、また、歴然としていています。スリックマガジンに魅力的なミステリ短編が載らなくなり、EQMMは目を覆うような惨状を呈し始めていました。

一九八〇年のMWA賞受賞作、ジェフリイ・ノーマンの「**拳銃所持につき危険**」を、ミステリマガジンで読んだときは、ほっとしました。受賞作に値する佳品であったからです。

帰宅すると警察に来てくれというメモがあり、行ってみると、妻が「レイプされたの」と告げるショッキングな冒頭です。専業主婦で時間に余裕があったので、求人広告に応募すると、その広告主は、やってきた女性を餌食にする強姦常習犯だったのでした。奥さんは気丈な女性で、裁判で決着をつけようとします。この警察は好意的な部類でしょうが、それでも被害者には、自分の被害を疑っているかのように見える。夫が暴力も辞さない怒りを見せると「レイプされたのはわたしよ。わたしにまかせて。わたしのやりかたに」と妻が言います。以下、訴訟社会アメリカでの、性犯罪とその裁判が、リアルというには、あまりのやるせなさで描かれていきます。相手側の弁護士は、秘術をつくして、被害者が火遊びを求めて広告に応募してきたと、陪審員に信じ込ませようとします。そして、被告は無罪となる。その後の展開は、陰鬱なものから免れないと思いきや、妻が護身用に拳銃の練習をすると言い出し、さらに、予想外の方向へ逸れていき、少々破天荒な小事件を経て、彼女に心の平和が訪れたように見える結末を迎えます。もっとも、最後のこの一行があることで、この好短編がお気楽なものではないことが、明示されていました。

この短編は初出がエスクワイアでした。スリックマガジンに書かれた、短編ミステリを牽引するだけの力のある、同時代の先鋭的な作品に、MWAがエドガーを与えた最後の事例となりました。そして、これ以後、スリックマガジンから受賞作が出ることは、ますます少なくなっていくのです。

一九八一年の受賞作は、またEQMM初出に戻ります。クラーク・ハワードの「ホーン・マン」でした。ムショ帰りのホーン・マン（ジャズのトランペッター）が、ニューオリンズに戻ってきます。殺人罪で入った刑務所でしたが、実は真犯人は他にいるらしい。一方で、老練なトランペット奏者に老いが見られ、跡を継ぐプレイヤーにと、地元のクラブは破格の待遇＝純銀のトランペットを提示します。今日からでなければ、話はなかったことにという申し出に、ホーン・マンは、今夜はどうしても無理だと、女に会いに行く。なんの変哲もないかわりに、なんの綾もない、クライムストーリイにしなかったことが取り柄のような、これまた人情噺でした。

翌八二年の受賞者には驚きました。ジャック・リッチーだったのです。日本での再評価など影も形もない、知っている人の方が少なくなったころでした。その「エミリーがいない」は、冒頭から、語り手のわたしが、妻のエミリーからかかってきた電話を、人違いだと即座に切ってしまいます。目の前にはエミリーのいとこのミリセントがいます。明らかに怪しげな語り手です。エミリーはサンフランシスコに行っていると、ミリセントには言うものの、いかにも怪しい。エミリー名義の家をミリセントに買うよう持ちかけ、ますます怪しいのです。さらに、街でエミリーらしき人物を見かけ、エミリーからの手紙が来ると、ミリセントから隠します。ここまで怪しいと、そのままでは終わらないだろうと、読者が考えるのも、いたし方ないところ。終盤あれよあれよという展開にはなります。しかし、です。これでは、この小説は、主人公のアルバートが、読者を騙すために書いた文章にすぎないでしょう。ジャック・リッチーが読者を騙すのは構いませんが、アルバートが読者を騙すための文章を書くというのは、構造としておかしいし、しかも、意外性や、その他なにかの効果があるとも言えない(それくらい、端っから怪しいのです)。『アクロイド殺し』に、もしポアロが出てこなければ、あれは、誰に読ませるための文章になるのかということです。当然ながら、リッチーには他にいくらでも秀作があります。これもEQMMが初出でした。

八三年の受賞作も意外でした。フレデリック・フォーサイスが短編集『帝王』に書下ろした「アイルランドに蛇はいない」*だったのです。『悪魔の選択』以降のフォーサイスには興味が持てませんでしたし、短編は無視していたので、『新エドガー賞全集』に入ったときに初めて読んだのですが、我あやまてりと反省しました。『新エドガー賞全集』の中で、もっとも秀れた一編だったのです。貧乏なインド人の留学医大生ハーキシャン・ラム・ラルは、最終学年の学費を稼ぐために、北アイルランドのベルファスト近郊で、金になる日雇いの土方仕事に就きます。現金日払いの代わりに、税金や保険の控除もないという、厳密には違法の労働です。そこで、現場を仕切るアイリッシュ・プロテスタントの大男に目をつけられ(ヒンドゥー教徒なので異教徒ですしね）いじめを受け、抗議したところ殴り倒されます。いまでこそ貧乏ながら、カーストはクシャトリア、戦士階級（二千年前、おまえの先祖がまだ素裸で地面を這いまわっているころ、ぼくの先祖たちは戦士や王族、支配者や学者だったのだ）です。侮辱には復讐しなければと思いつめ、インドに戻って毒蛇を手に入れ、相手の上着のポケットに忍ばせます。ところが、ポケットに穴があいていたため、裏地との隙間に蛇が入り込み、そのまま男は家に帰ってしまいます。「アイルランドに蛇はいない」というのは、かの地の常識らしく、毒蛇を見ても、アイルランドに蛇はいないのだから、これは蛇ではないと皆が口をそろえるという、ユーモラスな展開のうちに、海の向こうから来た者への憎悪の種子は、海の向こうから来た、もともとその土地にはいなかった毒蛇によって根を張り生き続けるという、一編の寓話になっていました。

八四年はルース・レンデル二度目の受賞となる「女ともだち」でした。女装癖のある妻帯者の女装外出の相方という、ひねった状況設定をユーモラスに描いた、レンデルが時おり書く明るい一編でしたが、この結末にしたことで、かえって平凡な作品になったのではないでしょうか？　そして八五年がローレンス・ブロックの「夜明けの光の中に」*です。苦節三十年、一流作家の仲間入りを果たしたブロックの、人気キャラクターが登場する一編が、プレイボーイの誌面を飾ったものでした。もともと、ローレンス・ブロックという人は、巧みなプロットで読ませる作家です。その長所を活かし、気合の入った出来栄えは、エド・マクベインが『殺意の楔』で、八七分署ものを初めてハードカヴァーで出したときのことを思い出しました。「夜明

け の光の中に」はクライムストーリイの好短編と呼んでいいでしょう。しかしながら、のちに長編に改作された『聖なる酒場の挽歌』と比べた場合どうなのか？ そして、ブロックが短編で本領を発揮するのは、どういう場合なのか？ ローレンス・ブロックという作家については、のちにもう一度読み返すことにします。

フォーサイス、レンデル、ブロックと続く八〇年代前半のエドガーは、大家の短編に立て続けに与えられていて、ＥＱＭＭのファーストストーリイが目立った七〇年代とは一変しています。ですが、この段階で、この三人の受賞作は、三人の長編作品と比較すると、貧弱なものに私には見えます。そして、この傾向は八〇年代の終わりにエドガー賞に決定的な変質をもたらします。

八六年のジョン・ラッツ「稲妻に乗れ」は、前年のブロックに続いて、ネオハードボイルドのシリーズキャラクターものでした。死刑目前の強盗殺人犯が、実は無罪なのでそのことを立証してくれという無茶な依頼です。依頼人（死刑囚の恋人らしい）の確信の仕方が尋常ではなく、それを不自然にしないためには、この結末しかないという意味で、あからさまな結末を無理に引っ張った作品でした。後半に少し出てくる、彼女の真意の不可思議さに迫るなら、これはディテクションの小説にすべきではないでしょう。佐野洋の言うヒラメの鉄火巻ですね。八七年のロバート・サンプスン「ピントン郡の雨」、八八年のハーラン・エリスン「ソフト・モンキー」と、クライムストーリイが続きました。前者は禁酒法が生きているピントン郡（南部の架空の郡でしょう）を舞台に、密造酒で稼ぐギャング一派と大地主の禁酒法厳格化の一派が、それぞれ保安官事務所と癒着しているという、半世紀前のような話です。後者はニューヨークのバッグレディが殺人を目撃してという、これまたひと昔前なら、ヴィヴィッドだったかもといった内容でした。とくに前者は、雰囲気づくりなど、枝葉の部分が巧みに書かれていることは認めますが、マッギヴァーンが『緊急深夜版』あたりで書いたときは、もっと熱気をはらんだ問題意識で書いていて、それに比べると、趣味的な域を出ません。あるいは、この直後にLA三部作を書くエルロイは、こんなにのほほんとはしていません。

八九年のビル・クレンショウ「映画館」は、このころの受賞作の中では好意的に読むことが可能な作品でした。ホラー映画を上映中の映画館で、すりが仕事をしようとしたところ、相手は喉を掻き切られていて、血まみれになってしまうというショッキングな出だしで、捜査官のコーリーを主人公にした警察小説です。快楽殺人や通り魔にしては、人が密集した映画館での犯行というのが、珍しい。被害者はよそ者のセールスマンで、たまたまセールスマンの大会が開催されていて、参加していたのでした。警察小説としては新味がない上に展開がもたついていて、コーリーの事件へのこだわりも良く分からない。同じ映画館で、口紅で見知らぬ他人の喉に筋をつけるイタズラが起きたりして、捜査も行き詰まったところで、同じ手口の事件が起きる。そこからは一気に結末に到りますが、その異常性と、それに向き合うコーリーの人間像がぼやけているので、奇妙な一編というに留まっています。発表された八八年はトマス・ハリスの『羊たちの沈黙』が出た年で、サイコサスペンスの時代を反映した作品ではありますが、その傾向の何かを代表するものではありませんでした。

そして九〇年がドナルド・E・ウェストレイクの「悪党どもが多すぎる」でした。これがエドガー賞受賞作としてミステリマガジンに訳されたとき、読んであまりのつまらなさに愕然としました。ドートマンダーシリーズ自体が、昔日の面影はもはやなくなっていたのですが、シリーズのおまけのように軽く書かれた一編が、なにを間違ってエドガー賞を獲ったものやら、まったく理解不能でした。遡って、ローレンス・ブロック（すでに述べたとおり、ブロック自身は、シリーズキャラクターの出ないクライムストーリイの短編を、いくつも書いています）やジョン・ラッツ、そしてウェストレイクの受賞は、短編ミステリがシリーズキャラクターに頼るようになっているという事態の反映であったと、いまにして思います。

マージェリー・フィン・ブラウンの受賞から約二十年。MWA賞短編賞は、ついに短編ミステリを牽引していく力を失くしてしまったのでした。

# 第十六章　ウィンターズ・クライムとアンソロジーの時代

## 1　ふたつのアンソロジーの間に

今日、アメリカのMWA（アメリカ探偵作家クラブ Mystery Writers of America）に対置するイギリスの組織として、広く知られているCWA（英国推理作家協会 The Crime Writers' Association）は、第二次大戦後の一九五三年に、ジョン・クリーシー（J・J・マリック）の呼び掛けで設立されました。MWAの設立が一九四五年ですから、ずいぶん遅れた印象を与えるかもしれませんが、イギリスには第二次大戦前から、ディテクション・クラブという、黄金期のミステリ作家が作った組織がありました。ディテクション・クラブは、会員をフェアな謎解きミステリの作家に限り、冗談に近い儀式まであって、のどかな時代の親睦団体の趣きが強い。それだけに、世の中がせちがらくなると、業界団体としては頼りなかったかもしれません。戦後は活動が先細りになって、一九五七年に熱心な世話人だった第三代会長のセイヤーズが亡くなると、閉塞感が顕著になったようです（セイヤーズ会長時代にCWAが出来ています）。その後、謎解きミステリ以外の作家の入会も認められるようになり、現在に到っていますが、CWAには、MWA同様年間最優秀の作品を顕彰する賞（CWA賞）の存在もあって、そちらの方が、日本では知られる存在になっています。

このふたつの組織は、それぞれ、MWA同様に短編ミステリのアンソロジーを出しています。そして、その第一弾は、日本でも比較的すみやかに翻訳出版されました。CWAのアンソロジーは一九五六年に出版され、これは設立間もないCWAが、手始めにやったことと言ってもいいでしょう。邦訳は『15人の推理小説』と題して一九六〇年に東京創元社から出ました。ディテクション・クラブは、戦前のリレー小説『漂う提督』が有名ですが、謎解き作家以外にも門戸を開いたのち、一九七九年に『13の判決』を出しました。邦訳は二年後の一九八一年。講談社文庫でした。この訳書は英国推理作家協会編となっていますが、組織の混同もしくは訳語統一の不備が、そこには現われています。二冊それぞれに序文がついていて、前者はジョゼフィン（表記はジョジフィーン）・ベル、マイケル・ギルバート、ジュリアン・シモンズの連名で、後者は当時のディテクション・クラブ会長ジュリアン・シモンズが書いていました。どちらも、第二次大戦後のイギリスのミステリ事情を伝える貴重な文章と言えます。

『15人の推理小説』のまえがきで、とくに指摘しておきたいのは、次の二点です。ひとつは、アンソロジー選定にあたって、収録作を detective stories に限るべきか crime stories にまで範囲を拡大するかという議論がなされたということです。結果は拡大路線が採られました。しかし『13の判決』の序文で、ディテクション・クラブ会長のジュリアン・シモンズが「平和の時代の到来と共に、創始者たちが考えたような探偵小説は劇的な衰退をきたし」と書いた状況にあっても、なお、その議論はなされたのでした。海の向こうのアメリカでは、ＥＱＭＭコンテストの第一席に**「決断の時」**や「黒い小猫」*がすでに選ばれるようになっていたにもかかわらずです。もうひとつは、収録作品の長さについて触れたところで、イギリスの短編ミステリのマーケットの現状を「その展望はかんばしくない」と率直に語っているのです。ショートショートは根づいているが（イヴニング・スタンダード紙から好意に満ちた激励を受けたとあります。クリスピンがたくさん書いた新聞ですね）、五千語から一万語の作品については「マーケットの可能性はほとんどない」と書いているのです。ストランドがホームズをかつげば、対抗誌が別の名探偵をかつぐといった時代は、とっくに終わっていたのでした。

『13の判決』のシモンズの序は、戦後のディテクション・クラブの衰退を率直に語っています。先の文章は、こう続きます。「この衰退ぶりはクラブの浮沈に反映した。クラブは常々、一部会員の強い熱意によって支えられてきたのだが、今やこうした会員が物故したり、筆を折ったり、関心を失ったりするに及んで、会合に出席する者の数が次第に減っていった」と。閉塞感を打ち破るためには、ミステリの範囲を広く取ることは必須かつ急務だったのでした。

では、アメリカでの隆盛と対照的に、短編ミステリのマーケットが絶望的だったイギリスで編まれたアンソロジーとは、どんなものだったのでしょうか？

『15人の推理小説』はロイ・ヴィカーズの「二人前の夜食」（「二人分の夕食」「ふたりで夕食を」）から始まります。レイスンが登場する迷宮課の一編で、一読面白く読めますが、ヴィカーズにしては軽い作品でした。この作品について、本書第二巻で「いつの初出か分かりません」と書きましたが、おそらく、このアンソロジーでしょう。以下、マイケル・ギルバート「お金は蜂蜜」、モーリス・プロクター「百万ドルのダイヤモンド」（「百萬ドルのミステリ」）、ジャネット・グリーン「世界一背の高い人間」（「世界一のノッポ」）、マージャリー・アラン*「エリナーの肖像」、ジョゼフィン・ベル「シンプル川の謎」（「シンプル河殺人事件」）、メアリー・フィット「灯火管制中の死」と続きます。前半は謎解きミステリを集めていて、プロクターだけは、アメリカからやって来た財務省のGメンと協力して、国庫から盗んだ金で、非合法のダイヤ売買に渡英した男を追うという捜査小説ですが、ディテクションの小説の範疇とは言えるでしょう。また、フィットの作品は戯曲形式というか、テレビドラマのシナリオ（それにしては、台詞以外の部分が大ざっぱですが）のような書き方です。しかも、長い作品が多く、十五編中の七編で、この本の約三分の二のページを占めています。

しかし、出来は全体に芳しくありません。消極的ながら推奨したヴィカーズと同等に面白く読めるのはプロクターとアランくらい。あとは平凡な話ですがグリーンの語り口は巧みでした。アランの「エリナーの肖像」は、北村薫がアンソロジーに採ったので、比較的知られているかもしれません。悲劇的な死をとげた少女の肖像画を手がかりに、彼女の死が他殺であり、善人の仮面をつけた殺人者をつきとめる話でした。シャーロット・アームストロングの『サムシング・ブルー』とピーター・ワトスンの『まやかしの風景画』をブレンドしたような感じで、このアンソロジーでも一、二を争う作品です。ただし、以前ジェイムズ・ホールディングの「イタリア・タイル絵の謎」のところでも指摘しましたが、絵の解釈というのは文化的な背景が大きく作用するので、えてして強引さが目立ちがちです。『まやかしの風景画』はその点が手厚く説得的だったので、秀作となりました（創元推理文庫に入れればいいのに）が、「エリナーの肖像」は、その域には達していないように思います。

後半の短かい作品には、謎解きミステリ以外のものも入ってきます。謎解きミステリもあるのですが、人の知らないような、ないしは気づかないような知識を、解決の決め手にもってきて一丁あがりといった作品ばかりで、とても薦められません。数は少ないですが、クライムストーリイもあります。しかし、第五巻のジュリアン・シモンズのところで読んだ「餌食」が「かも」の題名で入っているのが目立つくらいです。

ひとつだけ異様な作品で目立つのが、セシル・M・ウィルスの「失われた村」です。中央ヨーロッパを旅しているふたり組が、道に迷い、がけ崩れで閉じ込められるように入り込んだ村には、人か化け物か分からない一群の生き物がいて、ふたりを幽閉します。ふたり組のひとりは、一度このあたりに来たことがあり、この怪物を指すかのような伝説を現地の人間から聞いたことがあるのですが、その話が本当だとして、普通の人間がたかだか何十年かで怪物化するものなのやら。ともあれ、ふたりは村からの脱出を図ります。といった、怪奇小説に傾斜した冒険小説でした。異郷を舞台に冒険小説を書くのはイギリスの伝統的なお家芸ですし、読ませる力はありますが、さすがに古めかしい。数年後にはライオネル・デヴィッドスンが出るのですから。

イギリスの短編ミステリの市場縮小から来たであろう質的衰退を、このアンソロジーからは見ることが出来るのかもしれません。同時代のEQMMと比べれば、その差は歴然としています。では『13の判決』はどうだったのでしょう?

『13の判決』の巻頭はパトリシア・ハイスミスの「猫の獲物」です。『黒い天使の目の前で』の巻頭を飾ったときの邦題は「猫が引きずりこんだもの」でした。ディテクションの小説を書きながら、他の人間では書かない方向へ逸脱してみせた、らしい作品でした。H・R・F・キーティングの「ゴシップ」はインドを舞台にしたイギリス人コミュニティにおける犯罪と、その内々での後始末の顛末ですが、全編をインド人の噂話で構成することで、下々は見ぬふりをする——紳士の間の評判だけが大事——ものと決めてかかっている、イギリスの上流階級のお気楽ぶりへのサタイアになっていました。ディック・フランシスの「ローパーと二十一人の仲間」は、絶対にはずれない馬券を買う組織犯罪の在りようを描いたクライムストーリイですが、抜け道のアイデア頼みのハウダニットと思わせて、最後にひとひねりするのが巧みでした。P・D・ジェイムズの「大叔母さんの蠅取り紙」は、ダルグリッシュが二十世紀初頭の事件を掘り返す謎解きミステリでしたが、殺人事件そのものよりも、それを逆手に取った老婆と、その相手の人間像が、ふてぶてしくも魅力的でした。シーリア・フレムリンの「コテージの幽霊」は『死ぬためのエチケット』中の「博士論文」と同じものです。マイケル・アンダーウッドの「学園殺人事件」は、一九二九年のイギリスの寄宿小学校を舞台にした、幼いクライムストーリイでしたし、ナイオ・マーシュの「ホッホウ」は、自国ニュージーランドを舞台にした、降りこめられたキャンプ地というクローズドサークル内での、ディテクションの小説でした。

中で推奨したいのは、次の二作です。マイケル・ギルバートの*「三人の評決」は、本書第五巻十一章で読んだギルバートの職人らしさが出た、機密文書漏洩に関する査問の話ですが、パブリック・スクールの寮生時代と二重映しになる（結構、巧みにそうなっています）ところが、七〇年代のスパイ小説らしさでしょう。ピーター・ディキンスンの*「猫殺しの下手人は？」も、宇宙船の中の雑多な異星人――カバとかトリとか、地球の動物になぞらえた名前で呼ばれていますが、実態は、山田風太郎の忍者なみに特殊能力の持ち主――の中で、ネコが惨殺され、ただひとりの地球人らしいデイヴィッドが、謎に立ち向かうという、これまた、らしい話です。パターンとしては、ロバート・シェクリイがふた昔ほど前に書いたものですが、イマジネーションの働き方のしつこさが、ディキンスン印で、それぞれの生物を通して、宇宙の辺境で生きる、様々なエイリアンのディテイルを描いて手一杯と思いきや、謎とその解明から、主人公の運命まで、一貫して奇想を貫いているのが、さすがでした。

異色なのは、クリスチアナ・ブランドの「至上の幸福《クラウド・ナイン》」です。題名にルビがふってあるように、原題のCloud Nineは、英語の成句ではあるのですが、一九七九年の作品で「クラウド・ナイン」といえば、二十世紀後半のイギリスを代表する劇作家キャリル・チャーチルの出世作です。日本でも何度も翻訳上演されていて、訳書もあります。ブランドは、舞台を観るなり、戯曲を読むなりしていたのでしょうか？　冒頭で十九世紀に殺人の疑いをかけられた三人の女性が紹介され、本編が始まってみると、その三人が天上の第九雲層《クラウド・ナイン》でお喋りに興じるうちに、各人が自分の無実を主張し、殺人を立証できないために不貞で裁かれたと不平をぶつける（現代ならなんてことないのに！）という、ファンタスティックな話です。時を超えて不貞を非難された女たちが集う、さながらボトムガールズと呼びたくなる設定ですが、キャリル・チャーチルが「トップガールズ」を書くのは、この三年後なのでした。フェミニスティックなアンチリアリズムという、キャリル・チャーチルとの類似点まであって、まったくの偶然の一致とはとても思えません。ただし、ブランドのクラウド・ナインは、二十世紀ならば当然という一点だけに収斂《しゅうれん》していて、イマジネーションのダイナミズムにおいて、キャリル・チャーチルに一歩譲ります。ブランドのレベルから言っても、高位に来る作品ではないでしょう。

　これらの収録作には、飛びぬけた傑作はないものの、一編一編の質といい、ヴァラエティといい、黄金時代のアメリカの短編ミステリと比べて、遜色があるようには思えません。ふたつのアンソロジーには、それほどの差がありました。

　この二冊のアンソロジーの間の、一九六五年のことです。ＥＱＭＭがＣＷＡに短編ミステリのコンテストを持ちかけ、翌年第一席が発表されました。クリスチアナ・ブランドの「婚姻飛翔」*でした。第二席にはシーリア・フレムリンの「揺籃」やコリン・ワトスン「基地ふたたび」など五編が選ばれました。気をよくした同誌はＭＷＡにもコンテストを持ちかけます。結果は第一席にパット・マガー「旅の終り」、第二席にジョー・ゴアズ「ペドレッチ事件」他が入りました。CWAコンテストはさらに続けて開催されました。六八年に発表された第二回コンテストは、第一席がP・D・ジェイムズ「処刑」、第二席がクリスチアナ・ブランド「**ジェミニー・クリケット事件**」でした。七〇年に発表された第三回は、第一席がH・R・F・キーティング「老貝殻蒐集家」、特別賞がブランドの「スケープゴート」で、第二席にP・D・ジェイムズ「殺人――一九八六年」など三編でした。

マガーとゴアズは、ともにこの連載で読んだものですが、セリーナ・ミードのなれそめの記と、DKAシリーズの一話です。CWAは、ブランドのひとり舞台と言えなくもありません。平凡なクライムストーリイの「処刑」（ディフォードの「**ひとり歩き**」の方が数段上手でしょう）が「**ジェミニー・クリケット事件**」を抑えたのは、二回連続でブランドに与えるのを避けたかっただけではなかったでしょうか？　英米どちらの短編を採るかは好みの問題かもしれませんが、私にはイギリス勢が圧倒しているように見えますし、少なくとも互角の勝負でしょう。

六〇年代も終わるころ。アメリカでも短編小説の市場としての雑誌は衰勢が始まります。それでも、エドガー賞の短編賞は、ミステリの幅を極限まで広げるかのようでした。短編の有力な発表媒体を持たなかったイギリスのミステリは、CWAコンテストで健在ぶりを示しました。ちょうどそのころ、雑誌の不在を埋める試みが始まり、やがて実を結びます。書下ろしの短編ミステリを中心とするアンソロジーを毎年出し続けるという、一九六九年に第一回が始まったその試みは、ウィンターズ・クライムと言いました。

## 2　ウィンターズ・クライム輸入前史

ジョージ・ハーディングを編者として始まった（のちにヒラリイ・ワトスンと交互に務めるようになります）ウィンターズ・クライムは、第一巻が一九六九年末の刊行で、以後、クリスマス・シーズンに毎年出版され、八九年の *Winter's Crimes 21* まで続きました。イギリスの第一線作家による書下ろし短編を集めるという趣旨です。少なくともイギリス国内では初めて活字になる（つまりアメリカの雑誌に売れたものでも可）作品で、一冊のアンソロジーを作ろうというものです。日本ではハヤカワ・ミステリ文庫で邦訳が出ていますが、七四年の *Winter's Crimes 6*『眼には眼を』から、八八年の *Winter's Crimes 20*『わが手で裁く』までの十五冊です。

参考のために、初期の未訳のものの収録作を掲げておきましょう。邦訳のあるものは訳題で表記します。

1. エドマンド・クリスピン「*君が執筆で忙しいのは分かってるけど、ちょっと立ち寄っても気を悪くするはずはないと思ったんだ」（「執筆中につき危険」）／シリア・デイル What's to Become of the Pussier?／ジョーン・フレミング Still Waters／マイケル・ギルバート

Basilio／メアリイ・ケリイ A Bit out of Place／エリス・ピーターズ Maiden Garland／ジーン・スタッブス Question of Honour／ジュリアン・シモンズ Somebody Else／マイルズ・トリップ A Remedy for Nevers／ジョン・ウェインライト「問いつめられた男」

2．エリック・アンブラー「血の協定」／クリスチアナ・ブランド「この家に祝福あれ」／アイヴァー・ドラモンド The Five-million-Dollar Baby／ジェイムズ・イーストウッド Dinner with Socrates／エリザベス・フェラーズ Scatter His Ashes／ヴァル・ギールグッド To Make a Holiday／ウィンストン・グレアム The Basket Chair／H・R・F・キーティング「したたかな女」／ローレンス・メイネル Advice to the Cobbler

3．ジョン・ビンガム「バルマー氏の金の鯉」／クリスチアナ・ブランド「旅人のお護り」／アガサ・クリスティ「クィン氏のティー・セット」／デイヴィッド・クレイグ Intruder／P・M・ハバード「メアリ」／セルウィン・ジェプスン The Peppermint Child／メアリイ・ケリー「選択の問題」／ビル・コリンズ Janiceps／ジーン・スタッブス「ファニー――望楼」／ジュリアン・シモンズ The Last Time／マイルズ・トリップ「病的執着」

4．ジョージ・バクスト「わたしに似た人」／グウェンドリン・バトラー「時限爆弾」／フランシス・クリフォード「逆転につぐ逆転」／エドマンド・クリスピン「おお、ダイヤモンド」／シリア・デイル Juno's Swans ／エリザベス・フェラーズ The Long Way Round ／ジョーン・フレミング「退屈な相手」／ウイリアム・ハガード The Hirelings ／マイケル・イネス「信頼の問題」／ジェフリイ・ローズ「死は大草原の中に」／マイケル・アンダーウッド Operation Cash ／ジョン・ウェインライト Incident in Troletta

5. ジョーン・エイキン The Story about Caruso ／ジョン・エイキン The Bitter Bite ／ジェイン・エイキン・ホッジ「自殺か殺人か?」／デイヴィッド・クレイグ Sunk ／シリア・デイル「南へ帰る」／オードリー・アースキン・リンドップ「誤解された微笑」／ディック・フランシス「特種」／レジナルド・ヒル The Thaw ／P・D・ジェイムズ「黄金色の飛沫」／ピーター・ラヴゼイ The Bathroom ／アントニー・プライス「グリーン・ボーイ」／ジャクリーン・ウィルソン Plagiarism

ついでに、未訳の八九年 *Winter's Crimes 21* の収録作も記しておきましょう。

21. ロバート・バーナード Post Mortem ／サイモン・ブレット The Battered Cherub ／コリン・デクスター「花婿は消えた?」／デイヴィッド・フレッチャー Tumbril Thighs ／アントニア・フレイザー The Moon was to Blame ／ジョナサン・ギャッシ The Cobras of Bloomsbury Square ／ポーラ・ゴズリング「殺し屋」／ナイジェル・グレイ The Siren ／ジ

エイムズ・ハミルトン＝パターソン Putting the Boot In／ティム・ヒールド「死亡記事担当御一行様」／ティモシー・ホーム Heavenly Rewards／H・R・F・キーティング The Evidence I Shall Give／アランナ・ナイト Faro and the Bogus Inspector／ピーター・ラヴゼイ「サマーハウスの客」／ヘイドン・ミドルトン Angela Rider／エリス・ピーターズ Let Nothing You Dismay!／ジュリアン・シモンズ Et In Arcadia Ego／マイケル・アンダーウッド Two's Company／ジョン・ウェインライト… Who Needs Enemies?／デイヴィッド・ウィリアムズ Freeze Everybody／マーガレット・ヨーク The Luck of the Draw

ウィンターズ・クライムの初期は、著者のアルファベット順の作品配列が守られています。邦訳のあるもののうち、いくつかは、後年、各巻からさらに精選作を集めた『ウィンターズ・クライム傑作選』全三巻が、イギリスで編まれ、それがポケミスに入ったときに訳されたものです。しかしながら、初期の未訳の巻の収録作が、完全に無視されていたわけではありません。エリック・アンブラーの「血の協定」（ウィンターズ・クライム2）やアガサ・クリスティの「クィン氏のティー・セット」（同3）など、訳されている例もあります。ミステリマガジンの区切りとなる記念号に、ビッグネイムの未訳短編（そう簡単には見つからないのです）が欲しいとき、重宝されたわけです。前者は二十周年記念号、後者は通巻二百号を飾りました。しかし、それはあくまでも例外（そもそも、ウィンターズ・クライムから訳したのかどうかも定かではありません）で、ウィンターズ・クライムが、アンソロジーとして、最初に注目されたのは、ミステリマガジン一九七九年一月号が「ウィンターズ・クライム」傑作選として、コリン・デクスター以下四編を掲載したときでした。このタイミングには、意味がないではありません。

この少し前から、P・D・ジェイムズとコリン・デクスター、当時はふたりに比べると、やや地味な存在だったピーター・ラヴゼイ、そして未訳作品の多かったパトリシア・モイーズといった、イギリスのパズルストーリイ作家を、ポケミスは主要ラインナップにしていました。その掩護という側面はあったでしょう。七八年一月号にはP・D・ジェイムズの「豪華美邸売ります」とデズモンド・バグリイ（！）の「ジェイスン・Dの秘密」*が載りましたが、どちらも七六年の*Winter's Crimes 8*の収録作。のちに『ある魔術師の物語』と題して訳書が出たものです。相前後して、アイヴァー・ドラモンドの「椅子」、アントニア・フレイザー「老いぼれ犬の死」（「老犬の死」）といったウィンターズ・クライム収録作品が、ミステリマガジンに紹介されます。

実は、その時期について、もうひとつ無視できない状況がありました。一九七七年七月号を最後に、ミステリマガジンから「ELLERY QUEEN'S MYSTERY MAGAZINE特約」の文字が消えたのです。そのとき、私がすぐに事態に気づいたかどうかは、覚えていませんが、直ちに事情は明らかになります。光文社からEQが隔月刊で創刊（七八年一月号）されたのです。以後EQMMの新作短編は、この雑誌でしか読めなくなります。当時はシャーロック・ホームズのライヴァルたちの影響もあって、旧作の発掘が支持されてはいましたが、新作の供給は必要なところです。ウィンターズ・クライムはその穴を埋めたひとつでした。

余談ですが、出版業界に身を置くようになってから、私は一度だけ早川書房を訪ねたことがあります。なんの目的だったのかは憶えていません（目的などなかったかもしれません）。対応してくださった長戸さんは親切な人でしたが、ことのついでにEQMMの特約がはずれた経緯はと、数年前のことを持ち出すと「それはちょっと……」と言葉を濁されました。私の差し出した名刺には「噂の眞相編集部」とありましたから、それも当然のことですが。

もっとも、年月が経ってふり返ってみると、七〇年代の終わりには、すでにEQMMの力は衰えていて、魅力的な短編ミステリを安定供給することは——少なくとも往年に比べては——出来なくなっていました。そして、EQMMから離れたミステリマガジンには、ジェイムズ・マクルーア**「パパの番だ」**、クリスチアナ・ブランド*「もう山査子《さんざし》摘みもおしまい」、パトリシア・ハイスミス**「またあの夜明けがくる」**といったウィンターズ・クライムの秀作群が顔を見せる。アンソロジーの時代は、静かに幕を開けていたのでした。

## 3　ブリティッシュ・クライムストーリイの活況

では、ウィンターズ・クライムの邦訳のあるものを、順に読んでいくことにしましょう。まず最初は一九七四年の*Winter's Crimes 6*『眼には眼を』です。読んで驚くのは、ディテクションの小説が少ないことです。ミステリマガジンに掲載されていたときも、クライムストーリイが多く、特約が切れる直前のミステリマガジンの主力だった、レンデル、ハリントン、イーリイといった作家を埋めていた印象があります。

巻頭のウインストン・グレアム「サーカス」は、生き別れていた兄弟が再会し、兄が子ども時代に目撃したサーカス一座での犯罪を語るというサスペンスストーリイです。それほど目新しいことをやっているわけではありませんが、描写と展開がしっかりしていて、巧みに読ませたところで、予想外の不気味さを匂わせる結末がつきます。こういう七〇年代にあってはすでにクリシェに近い話を、手厚さで読ませるのが、ウィンターズ・クライムの特徴のひとつで、それは以下の三編のクライムストーリイにもあてはまります。

コリン・ワトスンの「裏目」は、パブリックスクールを舞台に、いけすかない優等生に、少々悪質ないたずらを仕掛けてやろうという、語り手たちの試みが、無惨な返り討ちにあいます。相棒の破滅になかなか気づかない語り手は、いささかお気楽に見えますが、標的の優等生の不安を描いたのはさすがでした。メアリ・インゲイトの「アリバイ」は、窃盗常習犯が殺人を犯してしまうというクライムストーリイですが、さすがに、この窃盗の手口は作りものめいているでしょう。アイヴァー・ドラモンドの「椅子」は、老後の唯一の拠り所であるクラブ暮らし(いかにもイギリスの話です)に闖入してきた、傍若無人な新参者に、我慢できなくなったあげく、殺してしまおうとする老人の計画の一部始終を、コミカルに描いたものでした。

ケネス・ベントンの「漂流物」は、冒頭こそ計画犯罪の始まりを思わせますが、不用となった地図を下水に流したところで、舞台がヴェニスであるがために、地図が他人の目に触れてしまうことを示して、そこからは、地図を入手したジャーナリストが事件を嗅ぎつけるという、ディテクションの小説になっていました。もっとも、この冒頭があるがゆえに、謎が謎めかないうらみがあります。トリッキーなプロットという意味で、ミステリ味が強いのが、ジョン・ウェインライトの「あなたには何も話す義務はありません」です。深夜、顧客が殺人の容疑で逮捕されたと呼び出された弁護士を待っていたのは、彼とは相性の悪い下品な刑事でした。刑事の言動を腹立たしく思う一方、挑発には乗らないようにと注意しながらの対決は、意外な、しかし、不自然で無理気味な展開をします。

アントニイ・レジャーンの「失踪」やマイルズ・トリップの「息子の証明」といった、因果噺めいた奇譚もあれば、P・B・ユイル「てめえの運はてめえでひらけ」やヴァル・ギールグッドの「お巡り稼業」のように、ハードボイルドのイギリス版のような短編もあります。どれもディテクションの小説とは言えませんでした。

そうした中で、とりわけ注目に値するのは、クリスチアナ・ブランドの「もう山査子摘みもおしまい」、ジェニイ・メルヴィル「手袋」*、P・M・ハバード「赤鹿暴走譚」*の三編でしょう。ブランドは、ウェールズの田舎に住み着いたヒッピーたちが（村人たちからは好奇の眼で見られている）、地元の娘殺しの犯人にされてしまう経緯を描いて、冤罪の罠が避けようもなく閉じていく（疑いを逃れようとする小細工が裏目に出るのが秀逸）。「手袋」は第二次大戦前の地方の町を舞台に、同級生の夫と不倫関係にある語り手が、コネで栄達目前の不倫相手から、過去に送られてきた手紙を返すよう求められています。その男は人前でも室内でも手袋をはずさないという奇妙なディテイルが描かれ、手紙は誰にも見せないのだから、求めには応じないと突っぱねている。そうするうちに、彼の妻が死んでしまいます。「赤鹿暴走譚」はスコットランドのハイランドが舞台です。実直でおそらくは剛健なジェントルマンの語り手が「それが殺人かどうかわからない」事件の顛末を語るものです。紳士階級のいささかもったいぶった一人称で、鹿狩りの現場では彼らに頼らざるをえない庶民間の出来事を、控えめに語ってみせるクライムストーリイでした。

三作に共通するのは、イギリス以外ではありえない（しかし、ウェールズやハイランドといったイングランドとも言えない場所だったりします）舞台で起きた犯罪を、巧みなほのめかしによって描いていることです。それは、短編ミステリ黄金時代のアメリカのクライムストーリイの逆輸入と言って悪ければ、そこに触発されて、小説王国イギリスがその伝統を短編ミステリにおいて発揮したもののように、私には見えました。

一九七五年の *Winter's Crimes 7* の邦訳は『ポートワインを一杯』の題名で、一九八〇年に出版されました。ウィンターズ・クライムの最初の邦訳書でした。惹句には「現代英ミステリ界の趨勢を伝える傑作シリーズ」とあります。全十一編のうち、ディテクションの小説は、H・R・F・キーティングの「ゴーテ警部とイギリス人著名作家」、ジェイムズ・マクルーア

「噂の殺人」のふたつだけです。このふたつにしても、推理や推論の面白さとか、探偵が活躍するという面白さではなく、異国（インドと南アフリカ）での事件の、物珍しい面白さで読ませるものでした。それ以外の作品は、シーリア・フレムリンの「空室あります」*が、赤ちゃん誕生を目前に新居探しで追い詰められた若夫婦（口うるさい現在の大家に引っ越しを催促されている）の前に、好条件の物件が飛び込んできたところ、部屋には見知らぬ女の死体が隠されていて……というサスペンス小説だったのを除けば、すべてクライムストーリイでした。フレムリンの小説は、サスペンスストーリイではある――ヒロインが夫にまで不信感を抱くあたり、ウールリッチふうでもあります――ものの、筆致も結末も明るいもので、軽量級ながら楽しめる仕上がりでした。

さて、それ以外のクライムストーリイです。

デイヴィッド・フレッチャーの「コラベラ」は、アンファンテリブルものですが、継父殺しの残酷さが、短かい中にも粘っこく描かれていて、必ずしも新味があるとは言えない話をていねいに描くことで読ませてしまうという、このアンソロジーのひとつの典型的な行き方を示していました。表題作となった「ポートワインを一杯」*は、昔懐かしいアンドリュウ・ガーヴの珍しい短編です。金満家の叔父殺しを目論む、不動産仲買人の主人公が思いついた完全なアリバイは、自宅と同じ間取りの物件が叔父の家近くにあることを用いて、客を自宅に招いたと見せかけて、その家で会うというものでした。ディテクションの小説の種明かしとして使えば、単なるクイーンの二番煎じに終わるものです。しかし、犯行計画の周到さとそれを描く細かさは、さすがにガーヴです。たとえば、『メグストン計画』の前半を支えたのも、同種の巧みさでした。同様に、完全犯罪が綻びていく様を、一気に描いていく終盤力も、また健在でした。スレッサーふうに、一言、一文でキメるのではなく、些細な突発事から、計画の瑕が露になり、それをカヴァーしようとして、さらに傷口が広がる。その顚末を前半の手厚さとは対照的にスピーディに展開していく。このドライヴがかかっていく感覚が、ガーヴ流というものでしょう。

ルース・レンデルの「落し穴にご用心」*は、「まさかと思うだろうが、こないだの月曜日、女房を殺そうとしたんだ」と始まる、この作家には珍しい陽気な男の一人称でした。ベストセラー作家の妻に食わせてもらっている、冴えない園芸コラムニストが、妻の秘書のひとりとデキて、身の程知らずにも殺人の計画を立てたものの、男の性格どおりの冴えない結果に終わった顚末を、勧められる酒のままに面白おかしく喋っている……と見せかけてという話。この年「カーテンが降りて」でエドガーを獲ったレンデルが、年の瀬に軽く遊んでみせた、さながら新春スターかくし芸大会のような一編でした。

こうしたクライムストーリイの佳品の中でも、読み応えがあったのが、テッド・ウィリスの「白い山から来た男」*でした。クレタ島に生まれた主人公が幼いころに体験したのは、自分に親切にしてくれた男が、姦通を犯し、相手の女は石を投げられて追放され、男も去勢された上に殺される(寝取った相手が親戚だったため、なお罪が重いとされ、去勢だけでは済まなかった)というものでした。それが誇りを守るための唯一の方法であると。青年期に対独のパルチザンに身を投じて、戦士として鍛えられた彼は、戦いの中で知り合ったオーストラリア人兵士の勧めで、戦後オーストラリアに渡り、身を立てます。事業家として成功し、十七歳年下の弟を呼び寄せる。力こそが誇りを守り、金こそが力と信じて疑わない彼は、年若い美人の妻を得る一方、自分の脛をかじるしか能のない弟を作ってしまう。そして、齢の近いふたりが接近するのは当然のことのように読者には見えてくる。文明社会の中で、なお自らの誇りを守るため完全犯罪を企図する男の悲劇と破滅を、悠然と語って、イギリスの小説の最大の武器が、こうした物語性であることを無言で示した秀作でした。

一九七六年の *Winter's Crimes 8*『ある魔術師の物語』は、ヒラリイ・ワトスンが編者となって、十編を収録していました。

ここでも、ディテクションの小説は少数派です。しかも、ジョン・バクストン・ヒルトンの「ベラミーのバス」、デズモンド・バグリイの「ジェイスン・Dの秘密」といった、ディテクションの小説といっても、いささか破格のものが目立ちます。まっとうなディテクションの小説は、三毛猫ホームズの先行作といった風情の、エリス・ピーターズ「教会の猫」くらいではないでしょうか。

「ベラミーのバス」は、改造して動く語学教室に仕立てたバスが、村のまわりを走っているうちに溝に突っ込んでしまいます。バスの中は毒ガスが充満し、運転手でバスの主のベラミー以下全員が死んでいる。車内では、ドイツ語の教材テープが流れ（ここを左にまがると、どこに出ますか？　なんてドイツ語が流れるのです）、乗っている生徒もドイツ語で答える。時限装置で毒ガスを発生する仕組みが残されていて、犯行方法は分かります。さらに、車内をモニターしていた音声テープも残っていて、担当の刑事がそれを聞くことで、毒ガス発生の瞬間までの車内の音声が再現されていきます。凝ってはいますが、あまり驚きはなく、犯行動機もいささか説得力に欠けるように思います。むしろ、意外なことにデズモンド・バグリイが書いたディテクションの小説「ジェイスン・Dの秘密」が、ダイイングメッセイジをあつかった秀作でした。金に困った伯父が、危険な相場師である甥に金を借りているという、定石とは反対の設定で、しかし、大勝負に負けて破滅寸前の甥が、期限までまだ猶予があるはずの借金の返済を頼みにくるという始まりです。直後に伯父が死んで、甥の行動はあたかもアリバイ工作のために、わざと人目につこうとしているかのようでした。しかも、死の直前に被害者はジェイスンDと、甥の名を書き残している。このメッセイジの、容疑者による解釈の言葉遊びに淫したところ、エラリイ・クイーンのパロディの趣きさえあります。こんなふうに、謎解きミステリのクリシェを組み合わせながら、いかにも粘り強くカンと経験に頼る警部に、金融や投資に詳しい刑事を配するといったように、伯父甥の関係同様、巧みに定石をはずしてもみせる。警察小説にして変化球という珍品を、冒険小説の雄が書いてみせた、これまた、かくし芸のような一編でした。

もっとも、この短編集に関しては、クライムストーリイに、あまり収穫がありません。キリル・ボンフィグリオリの「風邪を引かないで」は、語り手のユーモアがわざとらしく、訳文もそれを助長するものでした。メアリイ・ケリイの「死の影なる生」は、逢引きのために、人目につかない場所を探している、ティーンエイジャーのカップル――出来れば、最後までいきたい――が、巻き込まれる犯罪の顚末です。カップル、とくに女の子の好奇心と自己正当化が巧みに描かれていて、ゆっくりした展開から、起きる事件も説得力充分です。ただし、クリスチアナ・ブランドの「もう山査子摘みもおしまい」と比べると、主人公たちをとりまく人々の人物像、描写が物足りないうらみがある。そうした、小説全体の持つ厚みが違っているのです。P・D・ジェイムズの「豪華美邸売ります」は、「たいして重要でもない検察側証人をつとめた」という男が語り手です。サディスティックな夫と従順な妻との間に起きた殺人が実は……という、ヒッチコックマガジン流が、イギリスの風土に植えられると、こうなるというようなアイデアストーリイでした。ウイリアム・ハガードは六〇年代の中堅スパイ小説家です。題名の「ティメオ・ダナオス」はラテン語で「ギリシャ人を恐れよ」で「贈り物を持ってきても」と続く成句です。どうやらクレタ島らしい、ギリシャ人とトルコ人がギリシャ人優位でせめぎ合っている島が舞台です。ヒロインはイギリス貴族を夫に持つオランダ人ですが、あからさまにトルコ人びいきで、ギリシャ人からはもちろん、イギリス人社会からも浮いている。ある日、警察から呼び出され、出頭途中を狙撃されます。しかも、スパイ容疑がかかっていて国外退去を命じられる。しかし、シリアスなタッチではありません。夫は事業に成功した貴族で金も地位も充分。おまけに、彼女の実家も太い（娘を妊娠させたイギリス貴族に「失墜させることはできないまでも何年間か出世を遅らせることならできた」ので、ショットガン結婚式を迫ったのです）ために、国外退去もそれほど怖くない。ハガードは、もともと異郷でコミュニティを作るイギリス人を描くことが多く、そのユーモラスな一編でした。楽しく読める作品ですが、グリーンやアンブラーがとうにやったことと言ってしまえば、それまでです。

そして、一九七七年の*Winter's Crimes 9*が『またあの夜明けがくる』です。編者がジョージ・ハーディングに戻りました。そして、この短編集が、ウィンターズ・クライムのひとつの画期となった——少なくとも、日本においては——と、私は考えます。邦訳書が出たのこそ一九八二年ですが、それ以前に紹介された作品群が、ウィンターズ・クライムというアンソロジーにミステリファンの目を引きつけたと思われるからです。

まず、初登場のコリン・デクスター「エヴァンズ、初級ドイツ語を試みる」です。なうての脱獄常習犯のエヴァンズが、刑務所でドイツ語の講座を取り、資格試験を受けるその日。刑務所長以下、誰もエヴァンズが本当にドイツ語に関心があるとは思っていません。どこかで脱獄のチャンスを窺っているに違いないのです。長編のデクスターとは異なり、脱獄するか否かのサスペンスと、脱獄(するのです)後の攻防で読ませるクライムストーリイでした。P・B・ユイルの「ヘイゼル、借金取立てをうけおう」は、金に困って借金取立ての仕事を紹介された、そんな仕事には不向きな主人公の話でした。この二編は、ユーモラスなクライムストーリイとして一読させますが、それほど驚くようなものではありません。

パトリシア・ハイスミスの「またあの夜明けがくる」は、ハイスミスの個人短編集でも読みましたが、幼児虐待の救いのなさと無力感をあますところなく描き出して、ヒロインの感覚が鈍磨していくところまで、読者に伝えてしまうのが、さすがでした。ハイスミスの最晩年については、のちの章で書くことにします。マーガレット・ヨークの「解放者」*は、語り手である主人公のオールドミスが、ツアー旅行でイタリアへ来ています。ツアー客の中に、他人にNOと言えない物静かな婦人がいて、傍若無人で自分の眼からでしかものを見ることの出来ない男に、つきまとわれている。男は親切心からかもしれないけれど、食事から何から件の婦人につきまとい、他人の迷惑を顧みない。ひとり旅同士なので、ホテルやレストランもいつのまにか、カップルのようにあつかい始めて、他のツアー客は、端《はな》から敬して遠ざけています。明らかに婦人は迷惑顔です。そんな些細な人間関係の綾に、急速に翳がさすのは、主人公が戦争中にフランスで対独レジスタンス活動をしていて、武器もあつかえれば、人も殺せる人間だと分かってからでした。主人公は秘かに男を殺し、その結果、箍《たが》がはずれたかのように、迷惑な人々を殺めていくようになります。ルース・レンデルの「運命の皮肉」*(「生まれついての犠牲者」)は、「解放者」と対照的に、あけすけなまでに自分の男出入りを自慢する女が登場します。郊外のコミュニティでは敬遠されるタイプですが、人のいい主人公とその妻は、なんとなく、彼女と近所づきあいを始めてしまう。おとなしい奥さんは、親しい人がいなかったのか、彼女とのつきあいにのめり込んでいきます。主人公はうんざりし、彼女の体験談ははったりではないかと疑い始め、それとなく、彼女に話の水を向ける。そして、彼女が男に縁がないと分かったところで、主人公は、彼の妻がつきあいにのめり込んでいたのではなく、女の方が妻を離さないのだと気づきます。妻をからめとられたと感じた主人公は、女を殺すことを決意します。

そして、この短編集のハイスミスと並ぶ白眉は、ジェイムズ・マクルーアの「パパの番だ」でしょう。離婚して三人の子どもとは別居している主人公には、再婚を考えている女性がいます。今日は、定期的にやってくる子どもたちと過ごす日です。ピクニックに連れていく予定ですが、主人公は彼女に一緒に来るよう頼みます。子どもたちも、会いたがっているからと。危ない場所には行かせないでと、母親が頼むという伏線があって、しかし、行く先には断崖があります。五人の関係はさしたるぎごちなさもありません。むしろ友好的な部類に見えます。それでも、彼も彼女も心に屈託が生じるのを抑えられない。そして、彼女の心には希望の持ちようがなくなっていき、それを避けることが出来ません。結末までは一気呵成。最後の一文は苦いものでした。

この短編集においても、主力はクライムストーリイでした。ディテクションの小説は、傲岸《ごうがん》でアクの強いタフコップが登場するジョン・ウェインライトの「ラッカーの大晦日」と、新聞記者が過去の未解決事件を取材するエリザベス・フェラーズの「一連の出来事」くらいです。マーティン・ウッドハウスの「楽園の午後」は冒険小説と言っていいかもしれません。

質・量ともに、相変わらず、ウィンターズ・クライムは、クライムストーリイ主体のアンソロジーであり、収められた短編は、人間関係のちょっとした綾や、生活する上での生きづらさから、巧妙にクライムストーリイを組み立ててみせてくれました。このうち、レンデルはＥＱＭＭに短編が載りますから、本邦初訳はＥＱでしたが、あとはミステリマガジンがウィンターズ・クライムに目をつけたことで、掲載したものでした。これらの秀作と、前章で読んだＥＱ

MMが主導した七〇年代のクライムストーリイ――レンデルやハリントンたち――を併せて読むとき、七〇年代の短編ミステリが、英米双方のクライムストーリイとして光を放っていたことが首肯されるでしょう。

## 4　パズルストーリイ作家たちのウィンターズ・クライム

前節で、ウィンターズ・クライムがクライムストーリイ主体のアンソロジーであることを、指摘しました。しかし、七〇年代から八〇年代にかけてのイギリスは、パズルストーリイの秀れたタレントが登場した時期でもありました。そうした作家は、ウィンターズ・クライムに、どのような作品を提供していたのでしょうか。

ピーター・ラヴゼイは七八年の「密室」（「煙草屋の密室」）以下、八二年の「肉屋」八三年の「ベリー・ダンス」*八五年の「秘密の恋人」*八七年の「ポメラニアン毒殺事件」八八年「死のひと刺しはいずこに」と作品を寄せていますが、厳密な意味でのパズルストーリイは、ひとつもありません。「密室」は不穏な下宿人の正体が焦点ですが、部屋に入れば簡単に分かることを、話術で引き延ばしたものでした。「肉屋」は巨大な冷蔵庫に人が閉じ込められたことが冒頭で明示され、翌朝の無責任な会話が、思わぬ事件を推測させていきますが、冒頭の描写があるだけに、単純な解決にはならないだろうと、読者に思わせ、案の定でした。それ以外はクライムストーリイです。「ベリー・ダンス」と「ポメラニアン毒殺事件」は、冗談すれすれと言える犯行計画のムシの良さ。旅行がちなセールスマンの現地妻という、ありきたりなパターンを、それを承知の上でのユニークな関係と思わせて、さらにそこからも逸れてみせる「秘密の恋人」と、クライム・コメディとしてサゲまで頬がゆるむ「ベリー・ダンス」が佳作でしょう。

P・D・ジェイムズは七三年の「黄金色の飛沫」七六年の「豪華美邸売ります」八三年の「墓地を愛した娘」です。主人公が過去の謎を追及していくのを、ゆったりとした筆致で描いていくP・D・ジェイムズらしい作品ですが、ディテクションの小説というよりは、サスペンスストーリイでした。

コリン・デクスターの二編「エヴァンズ、初級ドイツ語を試みる」「世間の奴らは騙されやすい」は、前者はハウダニットのヴァリエーション（つまり「*十三号独房の問題」です）にひとひねりを加えたクライムストーリイ、後者はカジノを舞台にした、あまり手際のよくないクライムストーリイでした。

ジェイムズ・マクルーアは、最初の「噂の殺人」こそ、ディテクションの小説でしたが、「パパの番だ」「*パパとママに殺される」と、クライムストーリイの秀作で登場しました。「あのジョークを憶えているか、ハリー」は、アメリカはサンディエゴを舞台にした警察小説と一応は言えますが、ジム・トンプスンとかジョー・R・ランズデールといった作家が時おり見せる語り口で読ませる一編で、訳文も往年のマンハントもかくやとばかりでした。

パズルストーリイの作家ではありませんが、やはりディテクションの小説である、ネオハードボイルドの私立探偵小説作家の中でも、本流中の本流と言えるマイクル・Z・リューイン（イギリス在住です）も二編を寄せています。八四年の「探偵をやってみたら」と八八年の「ファミリー・ビジネス」*です。前者は伯父さんが遺してくれた屋敷に住むために渡英したアメリカ人の主人公が、税金対策のために、経費だけ計上できて収入は不要の商売として探偵事務所を、つきあっている彼女に唆されるようにして開いたところ、本当に依頼人が来てしまう。ちょっと物部太郎ぽいですね。依頼人を装った税務署の査察の可能性もあって、無下に追い返せないので、依頼を引き受けて、探偵をやってみたら……という話。主人公の彼女の一族が、コミカルというか荒っぽいというか。「ファミリー・ビジネス」は題名どおりの、家族ぐるみで営業している探偵事務所の話です。イタリア系で家族の結束が強いところに目をつけた一編です。「探偵をやってみたら」がクライムストーリイすれすれにバケてしまうのに対して、後者は少々ハートウォームな探偵一家の話で、クレイグ・ライスの『スイート・ホーム殺人事件』がしろうと探偵でなく、職業探偵になった感じ（子どもが活躍しますしね）です。ネオハードボイルドの特徴のひとつが、賤業ではなく正業としての探偵たちを主人公にしたものだとしたら、これは家業としての探偵でした。外国人一家という、イギリス人作家が描きそうにない題材を、描きそうにない方法で描いてみせて、リューインが渡英した成果を発揮したと言えます。そして、ウィンターズ・クライムには珍しいディテクションの小説の佳作でした。

## 5 「バードウォッチング」の指し示すこと

このように、日本ではパズルストーリイの長編で知られた作家でさえ、ウィンターズ・クライムには、ディテクションの小説をほとんど寄せていません。ここでも、短編のパズルストーリイの命脈は尽きたかのように見えています。しかし、八〇年のウィンターズ・クライムの表題作となった一編、デイヴィッド・ウィリアムズの**「バードウォッチング」**は注目に値しました。

まず、主人公は小学校教師の女性に見えます。〝夏休みの秘密〟コンテストという絵のコンテストを生徒にやらせていて、他の誰も知らない、自分ひとりが知っている風景・場面を絵に描いてこさせて、優秀作を表彰するというのです。ところが、子どもが描いてきたのが、茂みの中で男女がからまっているポルノさながらの絵です。おまけにモデルが誰かも分かっている。これまた冗談すれすれかと頬がゆるんだところで、事情が一変します。生徒にはコンテストのルールだから他言は無用と沈黙を守らせ、彼女はふたりの男女を強請る(しかも恐喝は今回が初めてではないらしい。趣味の骨董品で店を開くための資金を貯めている)のです。さらに、彼女にはパートナーがいて、被害者側も黙っていそうにない不穏な気配がしたところで、場面が飛びます。銀行家のミスター・トレジャーが訪れた田舎の教会で、かつての部下の女性と出会います。このミスター・トレジャー、日本の我々は知る由もありませんが「デクスターやラヴゼイ、ブレット、ヒル、バーナードらと並ぶ人気作家ながら、なぜかただひとりだけ紹介のもれてしまったデイヴィッド・ウィリアムズ」（森英俊『世界ミステリ作家事典［本格派篇］』）のシリーズキャラクター、つまり名探偵の登場なのです。その女性は妹の葬儀と遺品の整理に来ていて、その妹というのは件の女教師なのでした。彼女は鉄橋から飛び降り自殺をしたのですが、そもそも高所恐怖症だったという矛盾があって、遺品の古机の隠し引き出しから問題の子どもの絵が見つかるに到って、俄然、他殺の様相を呈します。

「バードウォッチング」は、冒頭を犯人からではなく、被害者から描くことで、犯行動機と犯人を明示しながら、犯行場面を描かないことでハウダニットを成立させた、倒叙ものの変種とでも呼ぶべき形になっていました。しかも、問題の絵を早々に探偵が見つけることで、犯人がほとんど確定される。犯行方法そのものに意外性はありません——それに、純粋にハウダニットというよりは、それをいかにして証明するかという問題の立て方になっています——が、周到で巧みな伏線がいくつも張ってあるので、解決部分が退屈になることがありません。おまけに決め手が卓抜で、ひとつの短編として首尾調ったものとなっていました。

けれど、デイヴィッド・ウィリアムズがウィンターズ・クライムに書いたトレジャーものは、これ一編だけでした。八三年「伯父さんの女」八四年の「いじめ」八六年「三人では仲間割れ」八八年「ほかの女」いずれもクライムストーリイでした。このうち「いじめ」は、寄宿学校の同窓会への勧誘を頼まれた語り手が、かつての同窓生を訪ねるという話ですが、その学校では伝統的に寮生間にいじめがあって、被害者は傷を負い、加害者はそれを忘れ去っている。そして、一方は怯え、一方は自殺していたのでした。かつての同窓生を訪ねるうちに犯罪が浮かび上がっていく話と見せかけて……ですが、前章で読んだジャック・リッチーの「エミリーがいない」と同質の不満がありました。それ以外の三編は、いずれも夫婦間の不満と、そこに別の男がつけこんだり、巻き込まれたりという型の、クライムストーリイのよくあるパターンですが、一読させる面白さ以上のものはありません。

「バードウォッチング」は、初読時から面白いと思っていましたが、謎解きミステリとして読んでいたかは、実は分かりません。意外な足のつき方をするクライムストーリイとして、二十代の私は、楽しんでいたのかもしれません。ミスター・トレジャーがシリーズキャラクターだなんて知りませんしね。この一編だけでは、冴えた探偵とも思えない。犯人は最初から分かっている。再読して想起したのは、ロイ・ヴィカーズの迷宮課シリーズでした。その晩年です。偶然のまぐれ当たりが犯行を露見させるという点も同じです。倒叙のヴァリエーションを探るうちに、クライムストーリイへ接近していったヴィカーズと同質のものが、「バードウォッチング」には発見できます。

名探偵が名推理で解決するのか、意外な形で犯行が露見するのを、作家がオチとして仕組むのか。このふたつの形は、短編ミステリが洗練され、進歩するにつれて、その差が接近し違いが曖昧になっていきました。その中間に媒介として在ったのが、ロイ・ヴィカーズの迷宮課シリーズということになるのでしょう。一九八〇年代に入って、「バードウォッチング」は、その交錯するところを示した一編となりました。そして、この点をもっとも効果的に仕組んだ事例を、終章で詳細に読むことになる「ジェミニー・クリケット事件」に、私たちは見ることが出来ます。

雑誌メディアに頼ることが出来なかったイギリスの短編ミステリが、アンソロジーに活路を見出した経緯を、ここではたどってきました。一方で、アメリカの短編ミステリも、七〇年代に入ってその跡を追うことになります。スリックマガジンの小説からの撤退と、それにともなう雑誌市場の縮小です。

一例をMWA短編賞の候補作にとってみましょう。一九七四年のことです。そもそもハーラン・エリスンの受賞作が、トマス・M・ディッシュのアンソロジー初出でした。これは短編SFのアンソロジーからの受賞なので例外としても、候補作にチェルシー・クイン・ヤーブロの「The Ghosts at Iron River」とジョー・ゴアズの「オバノン・ブラーニーの事件簿」と、ふたつのアンソロジー初出作品が並びました。アンソロジー初出の作品が候補になることは、それまでになかったことでした。続いて七五年にも一編がアンソロジーから候補になります。また、七七年にはルース・レンデルの個人短編集初出作品が候補となりました。フォーサイスの「アイルランドに蛇はいない」と同じパターンです。これらの動きと並行して、スリックマガジンからの候補が減っていき、EQMMとAHMMの二大ミステリマガジンの作品が、多く候補に並ぶようになります。七九年にいたっては、候補作すべてがEQMM初出でした。デイヴィッド・イーリイがＥＱＭＭに短編を売るようになるのも、このころからです。そして八〇年代に入って、ほとんどの候補がこの二誌の掲載作で占められるようになります。一方、アンソロジー初出作品は、八〇年代後半にも数編見られますが、九〇年代に入って一気に増えていきます。アンソロジーへの書下ろしは、短編ミステリにとって、不可欠なものになっていったのです。

# 第十七章　シリーズキャラクターの功罪

## 1　七〇年代初頭の短編パズルストーリイ状況

本書第三巻第五章のヒュー・ペンティコーストを読んだところで、この作家が、六〇年代以降、シリーズキャラクターをいくつも持つことで、量産に耐えたことを指摘しました。それは先駆的なことでもあって、それに続く作家がいくたりも出ました。その中には、ハリイ・ケメルマンのニッキー・ウェルトもの（正確にはペンティコーストと同時代です）、ジェイムズ・ヤッフェのブロンクスのママ、ジョー・ゴアズのDKAファイルシリーズのように、量産のためではないものもありましたが、たいていは、結果的に、量産されることになりました。その代表が、エドワード・D・ホックです。ホックのEQMM連続登場という話題は、かつての藤山寛美の連続舞台出演みたいなもので、感心されはしても尊敬されないというのが、正直なところでしょう。

にもかかわらず、私がミステリマガジンを読み始めた一九七一年当時、エドワード・D・ホックは新しいパズルストーリイの期待の星でした。前年からニック・ヴェルヴェットのシリーズが訳され始め、これがパズルストーリイの新しい行き方ではないかと注目されたのでした。六〇年代にスパイ・ランドものを中心に、いくつか邦訳はありましたが、なにしろ七〇〜七二の三年間で十二編が訳されたのです。このシリーズの注目の高さが分かるでしょう。都筑道夫が「黄色い部屋はいかに改装されたか？」の連載で、当時未訳の「長方形の部屋」*を絶賛（七一年一月号）し、『大鴉殺人事件』は、ミステリとは無関係なキネマ旬報の連載で、未訳のうちからわざわざ褒め（『目と耳と舌の冒険』に収録されています）る。七一年の秋には『密室殺人傑作選』の翻訳が出て「長い墜落」*が集中随一と注目される。いやが上にも期待は高まろうというものです。

　私が初めて出会ったホックは「迷路殺人事件」（「陪審団を盗め」）でした。ミステリマガジン七一年九月号、原作はシリーズ第十三作で、ＥＱＭＭ同年六月号掲載です。期待のシリーズ最新作をお届けしますといったところでしょう。中身はまったく記憶に残っていませんから、あまり感心しなかったのだと思います。いま読むと、陪審員全員の誘拐というのが、必要なのかといった疑問（依頼そのものの不自然さです）や、そもそもの殺人の真相も、計画犯罪にしては上手くいきすぎている気がします。その翌々号に載ったのが「回転木馬盗難事件」（「青い回転木馬を盗め」）でした。依頼の中身に外連味（が命のシリーズでしょう）が乏しく、展開にも意外性がない、平凡な作品でした。

　ふり返ってみれば、シリーズものとしてマンネリズムに陥り始めたころに、私は読み始めたようです。プールの水や大リーグの一チームといった、盗む対象の意外性で、まず読者をつかみ、作戦ものの魅力で引っ張って、最後は、ホワイダニット（なんのために盗みを依頼したか）で締める。最後の解決まで上手くいっているのは「プールの水を盗め」（自殺まで計画できるかという疑問は残りますが）や「おもちゃのネズミを盗め」といった、限られた数編ではないでしょうか。

ニック・ヴェルヴェットは、六〇年代スパイアクションブームの落とし胤《だね》のようです。無価値なものを盗むのに二万ドル、場合によっては三万ドル払う人間がいるというのが、そもそもお伽噺のようなものですが、六〇年代のアメリカは、富を背景にした陰謀にリアリティを与えるだけの国力がありました。しかし、怪盗ニックの登場と入れ替わるかのように、七一年にドルショックが起こり、アメリカはもちろん世界経済が震えることになります。それでも、私にとって、怪盗ニックの活躍は、大人のお伽噺として、月々のミステリマガジンの主要なお楽しみアイテムでした。しかし、他のシリーズキャラクターの作品は、レオポルド警部を筆頭にして、どれも失望させられることが多く、ホックへの期待は次第に薄れていき、それが決定的になったのは『大鴉殺人事件』でした。

六〇年代後半から七〇年代初頭にかけて、ミステリマガジンで注目されたのが、ウィリアム・ブルテン（ブリテンの表記もあり）の「読んだ男」シリーズでした。一番有名で、また一番面白いのは「*ジョン・ディクスン・カーを読んだ男」でしょう。『37の短篇』にも採られ、私は読んでいませんが、ミステリ研のファンジンで「ジョン・ディクスン・カーを読んだ男を読んだ男」というのが書かれ、さらにエンエンと「読んだ男」が重ねられていくという事態が起きていました。ともあれ、「ジョン・ディクスン・カーを読んだ男」一編を抜くものはもちろん、並ぶものさえ、後続からは出ませんでした。この作家には、このころストラング先生のシリーズが多く邦訳され、はるか後年、邦訳短編集も出ましたが、失望が続いたものでした。

ひとつの転機は、七二年四月号のミステリマガジンでした。この号は本格探偵小説特集と銘打たれていて、以下の作品が並んでいました。E・D・ホック「殺人犯レオポルド警部」（「レオポルド警部の密室」）、ヘイゼル・ヒルズ「反密室殺人事件」、J・ホールディング「イタリア・タイル絵の謎」、ジョシュ・パッチャー「サム、シーザーを埋葬す」、スティーヴン・バー*「時はゆるやかに走る」、エラリイ・クイーン「オーストラリアのおじさん」。そして、巻末中編にR・ブレットナー「馬の弾道学」です。ついでに書いておけば、シャーリイ・ジャクスンの「少女失踪」とデイモン・ラニアンの「やくざなロマンス」が載っていて、アレン・スミスの「指の歴史」は、ユーモア・スケッチの実質的な第一回（無論、浅倉久志訳ですが、ユーモア・スケッチという言葉は、まだ使われていません）でした。しかし、もっともミステリらしく、ミステリの魅力を発揮し、ミステリ読みを満足させたのは、これらのどれでもありません。アイザック・アシモフの短編「忍び笑う筐」でした。後年*「会心の笑い」という題名で知られることになる一編です。

この一編は、黒後家蜘蛛の会という集まりに、ゲストがひとり招かれて、難題をメンバーに提示するという設定が、すでに与えられています。そして、最後に給仕のヘンリーが、居並ぶ会員はもちろん、読者も気づかなかった解決を示して終わります。にもかかわらず、そして最高に面白いミステリであったにもかかわらず、私は、これがシリーズものだとは、つゆ思いませんでした。この一編だけを虚心に読んでいただければ、あるいは理解いただけるかもしれませんが、これが、巧妙に企まれたクライムストーリイであったためです。そのため、この年の十月号に「いかさま博士」(「贋物(Phony)のPh」)が翻訳されて、シリーズになった時には、驚くとともに、嬉しく思ったものでした。もちろん、シリーズになってしまえば、第一作がイレギュラーな作品になることは当然で、しかも、それが気にならないくらい、第一作は優雅で上品な意外性だけが記憶に残る秀作でした。推理好きの集まりに問題が持ち込まれるというのは『毒入りチョコレート事件』のような前例はありますが、連作短編でそれをやるというのは珍しく、有力な前例を思いつきません。ヘンリーの解決の前に、他のメンバーの推理が討ち死にするのは、『明治開化 安吾捕物帖』の勝海舟を思い出させないでもありません。アームチェア・ディテクティヴのひとつの行き方として魅力的だったのも当然で、またたくまに、黒後家蜘蛛の会は、パズルストーリイ砂漠の中でオアシスのような存在になりました。

　黒後家蜘蛛の会は、その後も順調に書き継がれますが、七〇年代の作品に秀作が多いのは当然で、私は「会心の笑い」がベストで、パズルストーリイとしては「明白な要素」*を推して、この二編が代表作と考えています。「明白な要素」はエドマンド・クリスピンが書きそうな話ですが、クリスピンよりも題材が生きる場所を得ていると考えます。そういう意味でも、黒後家蜘蛛の会という設定が最高に活きているのではないでしょうか。

晩年のアシモフはミステリを書くことに精力的になりました。『鋼鉄都市』と『はだかの太陽』をミステリ史からオミットする人がいるとは思えませんが、それでも、黒後家蜘蛛の会は、短編ミステリ史上に燦然と輝く、二十世紀最後の短編ミステリのシリーズとなりました。

## 2　ネオハードボイルド邦訳の背景

六〇年代の後半は、パズルストーリイの行き詰まりがはっきりと見え、短編に関しては、シリーズものが増え始めた時期にあたります。そのころ、アメリカのミステリは、スパイアクション一辺倒からの脱却が見え始めます。新しい私立探偵を主人公とした小説が目立ち始めたのです。

ネオハードボイルドという呼称は、小鷹信光が「続パパイラスの舟」で、ロス・マクドナルド以降のハードボイルドを紹介したときに、用いたものです。主だった作家をシリーズ第一長編発表年順に整理してみましょう。末尾のカッコ内はシリーズキャラクターです。

一九六六　タッカー・コウ（D・E・ウェストレイク）『刑事くずれ』（ミッチ・トビン）
一九六七　マイクル・コリンズ『恐怖の掟』（ダン・フォーチュン）
一九七〇　ジョゼフ・ハンセン『闇に消える』（デイヴ・ブランドステッター）

一九七一　ビル・プロンジーニ『誘拐』（名無しの探偵）
一九七二　マイクル・Z・リューイン『A型の女』（アルバート・サムスン）
一九七二　ジョー・ゴアズ『死の蒸発』（ダン・カーニー探偵事務所）
一九七三　ロジャー・L・サイモン『大いなる賭け』（モウゼズ・ワイン）
　　　　　ロバート・B・パーカー『ゴッドウルフの行方』（スペンサー）
一九七四　アーサー・ライアンズ *The Dead are Discreet*（ジェイコブ・アッシュ）
一九七五　ジェイムズ・クラムリー『酔いどれの誇り』（ミロ）
一九七六　ローレンス・ブロック『過去からの弔鐘』（マット・スカダー）
一九七七　マーシャ・マラー『人形の夜』（シャロン・マコーン）
一九七九　スティーヴン・グリーンリーフ『致命傷』（ジョン・タナー）
一九八二　サラ・パレツキー『サマータイム・ブルース』（V・I・ウォーショースキー）
　　　　　スー・グラフトン『アリバイのA』（キンジー・ミルホーン）
一九八五　アンドリュー・ヴァクス『フラッド』（バーク）
一九八七　ジェイムズ・リー・バーク『ネオン・レイン』（デイヴ・ロビショー）
一九九四　S・J・ローザン『チャイナタウン』（リディア・チン／ビル・スミス）

注釈が必要なのは、まず、ジョー・ゴアズのDKAファイルシリーズでしょう。長編第一作こそ一九七二年ですが、短編のシリーズとして六七年に始まったことは、第五巻で触れました。

『死の蒸発』以前に六編以上が書かれた、注目のシリーズでした。マイクル・コリンズには、マーク・サドラーほかいくつかの別名と、ダン・フォーチュン以外のシリーズキャラクターもあって、それらもネオハードボイルドの範疇でしょうが、コリンズのダン・フォーチュンで代表させました。ただし、六〇年代後半にスタートした、ダン・フォーチュンとミッチ・トビンの両シリーズおよびDKAのシリーズは、そもそもネオハードボイルドと呼ぶかどうかは微妙なところかもしれません。小鷹信光が「続パパイラスの舟」で紹介したときには、邦訳もあり、日本の読者にもファンがいました。DKAは探偵事務所ではありますが、八七分署ふうの群像劇ですしね。次に必要な注釈は、ジェイムズ・クラムリーでしょう。もうひとり、重要なシリーズキャラクターのC・W・シュグルーがいるのです。というより、寡作家のクラムリーには、ふたりの出る長編が三編ずつと、共演作が一本あるきりです。

　のちに私立探偵小説という言葉も使われるようになりますが、前記リストのシリーズキャラクターは、いずれも私立探偵です。一九四〇年代にロス・マクドナルドとミッキー・スピレインが出て、そこではっきりしたのは、ブラック・マスク流の私立探偵は、リアリズムでは私立探偵として描けないという事実でした。ハメットが私立探偵を描くにあたって基調とした、大手探偵事務所のオプは、スト破りに駆り出され、殺人さえ依頼される存在でした。チャンドラーがやったのは、そうした賤業であるはずの私立探偵が、もしも気高い男であったならばという、思考実験でもありました。マイク・ハマーが実在すれば、私立探偵というよりは犯罪者でしょう。ロス・マクドナルドのリュウ・アーチャーは、作品を重ねるに連れて、個性を表に出さないことで、かろうじて私立探偵として存在し、しかも、ほとんど必ず失踪人捜しを依頼される形で関与したところに、殺人が起きるという手順を踏むことになっていきます。スタンリイ・エリンは、一九五八年の長編『第八の地獄』で、私立探偵の武器はファイルキャビネットだと喝破しました。「*ブレッシントン計画」などに代表される、人間の暗黒面を含めて、組織化企業化されていくという、アメリカ社会に対するエリンの観察眼は、私立探偵事務所の在りようにも、向けられていたのです。それは、同時に、私立探偵というものが、賤業から正業へと変わっていった結果でもありました。ロス・マクドナルド以降の私立探偵は、企業化され正業となった探偵事務所（DKAはもちろんそうですし、ダン・カーニーが自分の事務所を起こす以前に勤めていた探偵事務所もそうでしょう）に対して、そこだけはブラック・マスク流に個人事務所で細々と、しかし正業に就いた人間として、探偵稼業を営むことになります。もちろん、五〇年代のカート・キャノンのように、無免許であることもあるでしょう。しかし、八〇年代のマット・スカダーが、カート・キャノンと似たような境遇から、更生の道を歩んだことは、ご承知のとおりです。

　これらの私立探偵小説は、七〇年代の末から邦訳が出始め、八〇年代に活況を呈するようになります。それには、日本の出版事情も関与しています。六〇年代を通じて、ミステリの翻訳は、早川書房と東京創元社の二社に、ほぼ絞られていました。しかし、七〇年代に入って、角川書店の若き二代目が、突然、いまで言うエンターテインメント路線を取り始めます。小説にエンターテインメントという言葉を使ったのは、グレアム・グリーンが、自著をノヴェルとエンターテインメントに分けたのが始まりですが、それが日本に定着したのは八〇年代で、エンタメという略語が出来たのは、さらにそののちです。映画化されたというかアメリカの大型メディア・ミックスだった、小説『ラブ・ストーリィ』の翻訳で当たりを取り、七一年からは、忘れられた作家だった横溝正史の角川文庫化を進めていきます。講談社文庫が始まる前です。ウェストレイクの『ホット・ロック』やリチャード・スタークの『汚れた7人』は、このころの角川文庫のアイテムだったわけです。七一年にはマイ・シューヴァルとペール・ヴァールーのマルティン・ベックものが出始めます（第一弾は『バルコニーの男』で『サボイ・ホテルの殺人』からハードカヴァーで出るようになりました）。

私の印象では、一九七三年がひとつの転機でした。この年、フレデリック・フォーサイスの『ジャッカルの日』が角川書店からハードカヴァーで出ました。七二年のMWA賞受賞作です（ちなみに、七一年から七三年のMWA賞の長編賞は、すべて角川書店から邦訳が出ました）。この年アメリカで映画化され九月に日本でも公開されました。この『ジャッカルの日』と並んで、この年ミステリファンが注目した新人の長編がピーター・ブラッティの『エクソシスト』でした。『ジャッカルの日』と同じ七一年の作品で、七三年に映画が公開されたことも同じです。そして、この邦訳は新潮社から出ました。映画化に後押しされたものの、大型新人の評判作の翻訳が、早川・創元ではなく、老舗の出版社から出版されたのです。

ふり返ると、この一九七三年という年は大きな節目でした。『37の短篇』が出て、短編ミステリの総括の動きがあった年でもあり、また、オイルショックの年でもありました。当時中学生の私は知る由もありませんが、オイルショックによる物価の高騰のうち、紙代の値上がりが、書籍出版に打撃を与えた（重版がそれ以前ほど容易でなくなった）と、のちに井家上隆幸に教えられました。角川、新潮がミステリ翻訳に参戦し、それが決定的になったのが、一九七七年。ルシアン・ネイハムの『シャドー81』が新潮文庫から出たのです。この年、ジェフリー・アーチャーも新潮文庫から出ました。大手出版社だけではありません。その後、ポケミスで出ていたトマス・チャステインやロバート・B・パーカーが他の版元（サンリオや立風書房）から出るようになり、ブライアン・フリーマントルを最初に出したのは二見書房でした。冒険小説はパシフィカが参戦します。こうして八〇年代に入った日本は、翻訳ミステリ出版の最盛期を迎えることになりました。

こうした動きの中で、冒険小説やスパイ小説、サスペンス小説とともに、ネオハードボイルドは翻訳されていくことになります。そして、それらはすべて、長編が主流であり、短編をほとんど書かない作家や、書いても翻訳されない作家が大半でした。しかし、冒険小説やこのころの（つまり六〇年代ではない）スパイ小説、サスペンス小説の大部分と、ネオハードボイルドを分かつ大きな違いがひとつありました。私立探偵小説はシリーズキャラクターを持っていたのです。

## 3　ダン・フォーチュン――ハードボイルド最後のサムライ

先のリストから、めぼしい短編小説の翻訳があるものを、実際に読んでみましょう。

マイクル・コリンズは、六七年の『恐怖の掟』こそ六九年にポケミスから出ましたが、その後、翻訳が途絶え、七九年に入って紹介が再開します。したがって、ネオハードボイルドと同時期に読まれることになりましたが、肌合いは少々異なる気がします。コリンズはゴーストライティングや別名が多く、下積みがあった方でしょう。しかも、八〇年代に入ってからの長編作品は、一作を除いて未訳のままです。短編の数も多く、隻腕の私立探偵ダン・フォーチュンものだけで、二冊の短編集が本国では出ています。では、そのダン・フォーチュンものから読むことにします。

**「最期の叫び」**は邦訳こそ九一年でしたが、六九年のAHMMに載ったもので、初期作品となります。今回のダンが依頼されたのは、ある敷物会社で払うボーナスの現金を五日間警護する仕事です。依頼に来たのは、その会社の弁護士でした。つい最近、未遂に終わったものの賊が忍び込み、保険会社がそのことを重視したのでした。ワンマン社長が安くあげるために、夜間だけの仕事のかわりにギャラも安い。それでも相棒とふたり引き受けます。依頼そのものに怪しさがあって、ダンは昼間弁護士を尾行します。その夜、賊が侵入し、社長が負傷し、弁護士が墜落死する。事件のからくりは予想がつくでしょうが、解決までダンがじっと待ち続けるというのが面白く、ダンが真相に到ったのは、彼の経験則と矛盾するあることが起きたからでした。その経験則の在りようというのが、ダンの個性（しかも、それが結末で揺れている！）でもあって、この短編を佳品と呼ぶに恥じないものにしました。

「白雪と黒犬」は八八年の作品。シンプルな原題 Black in the Snow の苦心の訳題です。ダン・フォーチュンが、犯行現場である郊外の屋敷を背後にした雪景色の中に、ひとつだけ目立つ黒いもの――うち捨てられた黒犬の死骸を見つけるという、視覚的な魅力充分の冒頭です。屋敷では婦人が死んでいて、黒犬は彼女の愛犬でした。どちらも鋭利な刃物での凶行です。雪の上には足跡がなく、帰宅して死体の発見者となった夫には不充分なアリバイしかない。おまけに隣人に夫婦間の口論を聞かれています。ダン・フォーチュンが解明した事件の真相そのものよりも、それをもたらした人間関係の綾が明らかになる方に魅力が大きいところ、ロス・マクドナルドに近いものがあります。

EQに載った「モンテシートの死」は、さらにのちの九五年の一編ですが、凝った書き方で、ダンの狙いが読者にはなかなか分かりません。問題になっているのは、「年を食いすぎたヒッピー」と娘に言われる東部出身の男が、南カリフォルニアに家族のために買った家です。娘のひとりは二十代にして二度の離婚を経験した映画スターで、もうひとりは堅く看護師をしている。その家で母親が殺されたのですが、盗まれたものもない。ただ、家具が動かされている。ここでも、誰が殺したかよりも、家族間に生じたある亀裂を回復するための試みであったことネオハードボイルドの一人称による小説は、ネオハードボイルドよりも、古式ゆかしいハードボイルドを思わせます。それは、ひとえにダンの抑制の効いた語り口のためでしょう。ネオハードボイルドは、失敗・成功の別なく、主人公の探偵の私生活や信条が直接的に読者に向けて描かれ、理解を求めるところが共通していました。本書第四巻のロス・マクドナルドのところで、『運命』で同じ方向に進みかけたリュウ・アーチャーが、それを回避することで、のちの長編群に到ったのではないかと推測しました。ネオハードボイルドは、主人公のライフスタイルなり成長なり変化なりを描くことを特徴とし、それは、シリーズキャラクターの存在なしには考えられません。ダン・フォーチュンを読んでいると、ネオハードボイルドのような個性の押し売りをしない私立探偵の存在に、ハードボイルド派の最後のサムライの姿を、私は見る思いがします。

4　ローレンス・ブロックのシリーズキャラクター

第十五章で見たとおり、ローレンス・ブロックは七〇年代の終わりから八〇年代にかけて、まず短編のクライムストーリイの優秀な書き手として登場しました。しかし、それらは六〇〜七〇年代の作品でしたし、ミステリマガジンやEQに掲載されただけで、短編集が出たわけでもなかったので、注目する人は多くありませんでした。むしろ、八〇年にバーニイ・ローデンバーものの第一作『泥棒は選べない』が出ていて、コミカルなクライムストーリイとして、一部にファンを持つことになりました。私もそのひとりでした。ウェストレイクのドートマンダーものに続く、ユーモラスなケイパー小説というわけです。長編作品は順調に翻訳されていき、シリーズキャラクターでありながら、毎回偶発的に事件に巻き込まれるという、一見矛盾した行き方を成立させてみせました。事件に巻き込まれるという印象を読者に与えるのに必要な、バーニイが最初に行う泥棒は事件ではないという前提を、彼のキャラクターが無言のうちに示していたのです。そういう意味では、バーニイ・ローデンバーは、ドートマンダーよりも、もうひとつ小市民に近い。ニック・ヴェルヴェットも、泥棒が職業なだけの小市民でしたが、お伽噺のニックに比べれば、各段にリアリティが（もっと言えば年収が）違います。また、ごく普通の市民が、生活の一部として犯罪を抱え込むという、七〇年代にエリンやブロックが到達した認識と、それは表裏を成していました。

バーニイ・ローデンバーは、ローレンス・ブロックの名を日本の読者に知らしめましたが、広く日本人に受け入れられたのは、八四年に邦訳が出始めたマット・スカダーの長編シリーズにおいてでした。原著としては、バーニイものよりも、先に始まっています。かつてカート・キャノンがそうであったように、世を拗ねた酔っ払いというのは、日本人にウケるのかもしれません（石上三登志『男たちのための寓話』第十三章参照のこと）。ここでも、長編が作家の歩みをリードしています。ブロックの場合、アメリカでも、作家として一枚看板になったのは七〇年代のことでしたから、どうしてもキャリアは長編主体に築かれます。ただし、苦労人で商売上手のブロックは、人気シリーズを短編にも転用します。そもそも、七〇年代に短編のクライムストーリイを多く書いていた時期にも、ブロックはシリーズキャラクターを持っていました。EQMMに掲載され、フレデリック・ダネイがポーストのランドルフ・メイスンの直系と評した、怪しい弁護士マーティン・エレイングラフが、それでした。

エレイングラフものの初の邦訳は「成功報酬」で、EQ七八年五月号でした。シリーズとしても一作目ではないかと思います。私の依頼人は絶対に無罪だ、なぜなら私の依頼人だからだと言うエレイングラフは、それだけで怪しげですが、依頼人が自由の身になったときだけ、成功報酬七万五千ドルを受け取るのです。そのかわり、その経過はどんなに不可解でも、いっさい無関係、エレイングラフが何かしたように見えなくても、七万五千ドルはいただくというのです。実際、事件は裁判にさえならず、幸運にも容疑者は釈放されます。ですが、それで七万五千ドルは不当と（別の弁護士に相談したらしい）、経費だけはお支払いしますと依頼人が言うと、不満顔のエレイングラフが、かかった経費の使途をひとつひとつ説明し始めて……。軽く書かれてはいますが、ミッシングリンクテーマの巧みなヴァリエーションで、これといい「アッカーマン狩り」といい、ブロックはミッシングリンクテーマが好き（クレイグ・ライスの代作からしてそうでした）なんですね。それと同時に「おかしなことを聞くね」にも共通する、無関係な別人の利害のために人が死ぬという荒廃が、アメリカ社会には当たり前のこととして存在しているという怖さが、ブロックの小説には刻み込まれています。以下、この奇妙な弁護士は、ブロックの短編で活躍することになります。

マット・スカダーものの短編は、『おかしなことを聞くね』に「窓から外へ」が入っています。AHMM七七年九月号初出といいますから、前年にシリーズを始めたばかりのころです。「窓から外へ」は読ませはするものの、とくに魅力もない平凡な作品ですが、機会があれば、スカダーものの短編を書く気があることを示していました。このあたりが、苦労人の職人作家ブロックを、他のネオハードボイルドの作家と分かつところで、それが*「バッグレディの死」という、破格というかディテクション小説崩れというか、そういう怪作を経て、八四年の「夜明けの光の中に」に結びつきます。この作品はエドガー賞をブロックにもたらしますが、初出はプレイボーイでした。その前年には「夜の泥棒のように」がコスモポリタンに売れています。『暗闇にひと突き』『八百万の死にざま』でペイパーバックライターから脱したブロックが、プレイボーイに書いたこのスカダーものは、次の長編『聖なる酒場の挽歌』に書き改められます。同時に、MWA賞短編賞がシリーズキャラクターの作品に与えられるようになった、すなわち、ミステリのシリーズキャラクター化が長編短編両方において促進されたことを示す、大きな事例となりました。

　そして、そのことが決定的となる事態が、九〇年代に起きます。一九九四年と九八年の二回、ローレンス・ブロックはMWA賞の短編賞を獲得します。それは両方とも殺し屋ケラーのシリーズでした。

## 5　ネオハードボイルドを超える可能性――V・I・ウォーショースキー

先行例はありますが、サラ・パレツキーのV・I・ウォーショースキーが、女性私立探偵のパイオニアであることは、間違いのないところでしょう。男社会にあって、ここぞというときに、誰に対してもNOと言える女性。そんな理想の私立探偵として登場し、活躍したのがウォーショースキーでした。もっとも、そのためには、弁護士資格を持ち、実直な警察官を全うした父親のおかげで、警察に顔が利くという条件が必要でしたが。

短編集『ヴィク・ストーリーズ』は、八〇年代にアンソロジーに書かれた作品を中心にしています。雑誌発表はAHMMに書いた二編だけです。当初は日本オリジナルの短編集でしたが、その後、ほぼ同じ内容（一編増補あり）でアメリカでもまとめられました。この短編集を読むと、ウォーショースキーの人となりが分かります。短編で手際の良さが求められるせいか、依頼人ではなく、友人や知人のために、事件に介入するというパターンが圧倒的です。それらの人々は、ほとんど例外なく、社会的に成功した人たちで、経済的にも豊かです。ウォーショースキーの経済的成功がどの程度のものかは分かりません（のちの「売名作戦」には「わたしはほとんどいつも財政破綻の手前ぎりぎりのところで暮らしている。主な依頼人を三人か四人失ったらもうおしまいだ」とあります）。それでも、ひとりで暮らしていけているし、そうしたるまりとり方だしく夫人も、社会的な成功者とつきあってもらえてはいるわけです。弁護士として荒稼ぎして大金を手にすることが、アメリカ人の成功かもしれませんが、進歩的な政治思想の持ち主が、オータナティヴとして私立探偵として生きていく。それも、アメリカ人に広く認められた、ひとつの成功の在りようなのでしょう。彼女も、ネオハードボイルド以降の、成功した正業者としての私立探偵であることに、間違いはありません。ウォーショースキーがお気楽に見えないのは、ひとえに、アメリカ社会が（とりわけ警察が）男社会であり、そんな中、不利なジェンダーでつかんだ成功であるからでした。しかも「高目定石《タカモクジョウセキ》」のように、階下に住むマイノリティ（収容所出身の日系アメリカ人）への眼差しも公平なものです。

この短編集の初めの方に収められている数編は、ディテクションの小説として平凡なものでした。一変するのは、ウォーショースキーが登場しながら、彼女の一人称ではないというイレギュラーな一編「ピエトロのアンドロマケ像」です。ある大病院の医師たちという成功者の集まりの中で、かつて、ヨーロッパの戦争中に、ある女医の一族が持っていた美術品が、まわりまわって、その病院の院長（経営的なテコ入れのために外部から招聘《しょうへい》され、他の医師たちからの評判が悪く、とりわけその女医は嫌っている）の個人所蔵になっている。無軌道で口さがない彼の子どもたちは、平気で、おじいちゃんがヨーロッパで盗んだものを、おじいちゃんからお父さんが盗んだと、外聞もはばからず叫びます。その集まりの夜、問題の院長が殺されたのでした。犯人の意外性が目立つ作品ですが、ありていに言えば過去のある名作の二番煎じ（チャンドラーの短編にもありました）です。問題は、解決や事件の後始末をするウォーショースキーにあります。ここで、友人たち（互いにかばいあっていて、ウォーショースキーにまったく協力的ではない）を助けるそのやり方は、どう考えても、かなりあこぎな真似をしているか、もしかしたら違法行為のあげくのことです。鍵を勝手に開けて不法侵入するといった程度ではありません。訳者の山本やよいは「できれば一人称で書いてほしかった」と記していますが、一人称で書いてしまえば、成功した正業者ではなくなるでしょう。

ウォーショースキーの成功というのは、そういう違法すれすれなのでしょうか？　彼女の一人称で描かれる場合は、そうではありませんね。不正や手抜きがまかり通る社会でNOを主張する——正しく主張する——から、彼女はヒロインなのでした。もっとも、それだけなら、社会的に認められることが最優先となるかぎり、アメリカ社会での成功者としての域を出ない退屈な存在でしかないでしょう。退屈どころか、のちのローリー・リン・ドラモンドの『あなたに不利な証拠として』のように、南部の（警察という組織とも微妙に異なる）警察官たちの社会を無批判に受け入れることで、女性警官は悲劇のヒロインになるという発想にたどり着きかねない危険性を、それははらんでいます。

そんなウォーショースキーものの短編集で注目すべきは、必ずしも成功者とは言えないふたりの登場人物と、ウォーショースキーが出会う話でした。ひとつは「マルタの猫」*で、もうひとつは「ゲームの後に」*です。

「マルタの猫」は、信頼できない依頼人という、ハードボイルドのクリシェを巧みに用いて、前半の錯綜したプロットが、パレツキーらしからぬ一編です。もっとも、短編なので、整理が出来てみると、案外単純で肩透かしなのは、痛しかゆしですか。長編に仕立て上げられれば良かったのかもしれません。ここに登場する、乱暴者の元フットボール選手は、タフであることでしか生きていけない不器用さゆえに、かつてのハードボイルドの脇役に一脈通じるところがあります。ただしです。終わってみると、彼が実は意外と現実的でありクレヴァーであることが分かって、小説前半の死のギリギリまで追い詰められた麻薬中毒患者とは、とても同一人物だとは思えません。このギャップにつけ込まれると、この落差に説得力が与えられていれば、傑作となったでしょうが、このままでは、ハッピーエンドのため——そして、確かに気持ちのいい終わり方ですが——の、単なるご都合主義に見えてしまっています。

作品としての仕上がりがいいのは——この短編集でもベストでしょう——「ゲームの後に」です。ここに登場するのは、ウォーショースキーがハイスクールのころ、バスケットボールのチームメイト（ともにオフェンスプレイヤーだったというのがいい）だったモニカです。彼女は妊娠したため、ハイスクールを即退学（当時はそうだったらしい）となり、相手のフットボールの花形と結婚します。ウォーショースキーたちは「小さなバンガローに住む子だくさんの一家がまたひとつふえると思っただけだった」のでした。しかし、ふたりは、苦労し子育てをしながら、学歴を取り、夫は大会社の経理の仕事に、妻は教職に就けるようになっていました。そして、そんなふたりの二番目に生まれた娘には、ふたりのスポーツの才能が大きく開花したのでした。十代にしてプロ転向を果たしたテニスプレイヤーとなった彼女は、ウィンブルドンの準々決勝で、モニカ・セレシュと対戦し、世界ランキングは一桁でした。製薬会社の支社長となっていた父親は、会社にスポンサーになるよう説得したのみならず、自身長期休暇を取って、娘のテニスのコーチにあたり、それは彼女が一流選手になり、プロのコーチがついたのちも続きました。母親も教師をやめ、娘のサポートをします。その選手がシカゴでの大会に参加する。ウォーショースキーはかつてのバスケットボールのコーチであるメアリ・アン（本職はテニスで、シカゴの大会では審判を務める）から、観戦を誘われたのでした。

　競技会での殺人は「むかし泳いだ場所で」の水泳の例もあって、スポーツ好きなウォーショースキーらしいとも言えます。しかし、面白さは「ゲームの後に」の方がはるかに上です。スパルタで娘を壊さんばかりの父親が、殺されてしまったのです。「ゲームの後に」は、事件そのものと解決は平凡ですし、ラストに陥るウォーショースキーの危機にいたっては、かなり甘いものですが、心に残るのは、かつてのウォーショースキーのチームメイトのモニカの姿です。十代で妊娠、結婚し、周囲の予想を裏切って、夫婦そろってホワイトカラーとして生活を送っていた。そんな彼女でさえ、サウス・シカゴを抜け出す（彼女が心の底から願ったことでした）ためには、娘の才能に賭けるしかなかったのでした。この点「マルタの猫」とも共通しますが、成功への特殊なキャリア・パスとして、スポーツが存在するのは、アメリカ社会の特徴です。パレツキーがそこに注目しているのは評価したいと思います。

　かつての同級生でチームメイトは、ウォーショースキーとは異なった人生を送り、異なった成功を願っていたのでした。この一編で、ウォーショースキーは、事件を通して、社会一般とも主人公自身とも異なった価値観——自分のそれとはまったく相いれない——と出会うという、ネオハードボイルド以前のハードボイルドディックの位置に立ったのでした。

『ヴィク・ストーリーズ』が *Windy City Blues* の題名でアメリカで出版されたとき、増補されたのが「追憶の譜面」でした。邦訳は『アンサンブル』に入っています。ウォーショースキーが新聞を読んでいると、自分の母親の名前を尋ね人の広告に見つけます。巻き込まれ型のミステリならともかく、私立探偵小説としては破格の始まり方です。イタリアからやって来た遠い親戚（ウォーショースキーの母親は、ユダヤ人の男と結婚したイタリア人の娘で、彼女自身は渡米後ポーランド移民のウォーショースキーと結婚したのでした）は、陽気な男ですが、彼が探しているのは一族にいた作曲家の楽譜なのでした。事件は、シリーズにしばしば登場する楽器修理人のフォルティエーリ（フォーティエリと訳されることもあって、重要な脇役なので、表記は統一するのが望ましいでしょう）が襲われます。

この作品と、同じく『アンサンブル』に入っている「V・I・ウォーショースキー最初の事件」[*]で、パレツキーは、ウォーショースキーをヨーロッパからの移民の末裔として描きました。とくに「V・I・ウォーショースキー最初の事件」は、六〇年代後半のシカゴの騒然とした雰囲気（ロックバンドのシカゴの「1968年8月29日シカゴ、民主党大会」に録音されている「The Whole World's Watching」のシュプレヒコールを思い出しました）を描いて——その描き方も含めて——貴重です。ただし、「追憶の譜面」がイレギュラーな冒頭であったように、また「V・I・ウォーショースキー最初の事件」が、三人称で書かれたように、ウォーショースキーものとしては、例外的にならざるをえないかもしれません。
『アンサンブル』には、もう二編「売名作戦」と「フォト・フィニッシュ」*のウォーショースキーものが収録されています。「売名作戦」は反進歩主義が一定の勢力を持った上で、アメリカ社会で脅威となっていることを、ウォーショースキー自身がそのターゲットにされてしまうことで描いた、現実との接点を忘れない作品です。ネオハードボイルドが生まれて半世紀、優雅な成功者でなくても、安閑としていられない社会に、アメリカはなっていたのでした。「フォト・フィニッシュ」は、自分の父親を捜しているという男の依頼（まるでロス・マクですね）で、どうも、金には不自由しない依頼人らしいが、父親というのはかつて報道カメラマンだった無名人です。捜査は快調にすすみますが、「V・I・ウォーショースキー、超一流の探偵。超一流の大バカ者」と自らに毒づくに到ります。ウォーショースキーのルーツに目を向け始めたパレツキーが、行方不明の父親を捜してほしいという依頼をウォーショースキーに受けさせて、まるでネオハードボイルド以前に遡行するかのようでした。そして、その一編が、ウォーショースキーものの短編の中で、ミステリとしての仕上がりがもっとも良い作品となったのです。

　正直なところ、パレツキーの長編を、一群のネオハードボイルドの中ではまともな方だと考えたものの、さして面白いと思わなかった私は、初期の何作かを読んだだけで済ませています。今回、初めて短編作品を読むことで、改めて見直して、不明を恥じるといった体たらく。単なるフェミニズム私立探偵といったレッテルを超える可能性が、ウォーショースキーにはあるのかもしれません。

## 6　シリーズキャラクターの時代のMWA賞
## ――ローレンス・ブロックと殺し屋ケラー

一九九〇年代以降のMWA賞受賞作を読んでおきましょう。

九〇年の作品で九一年受賞のリン・バレット「エルヴィスは生きている」の主人公は、プレスリーのそっくりさんです。プレスリーの半生を、三世代のそっくりさんが演じることで、ショウに仕組んだ一座のひとり（晩年担当）として、ラスヴェガスに乗り込むところです。主人公は超有名人に外見が似ているだけの生き方に鬱屈を感じている（他のふたりは、若くて自身の野心を持っていたり、プレスリーの真似を自分の芸と心得ているプロだったりして、主人公とはスタンスが違うのです）ようです。もっとも、その鬱屈は、分かるようでよく分からない。プレスリーに似ているという側面以外の彼が描かれないのだから、それも当然ですが、もっと分からないのは、ショウから逃げ出すために、彼がやったであろう犯行の顚末です。ヴェガスのステージのコンピュータ制御による大規模なシステムと書いて、事足れり（しかも、主人公がそれに何をしたのか、具体的には不明）というのでは、構図だけがあってディテイルがないわけで、それでは、何かを描く意志などないに等しいと言わざるをえません。掲載誌はスリックマガジンではなく、ＥＱＭＭでした。翌年のウェンディ・ホーンズビー「九人の息子たち」は、連邦政府判事を全うした男の少年時代を、彼の教師がふり返る形で、彼が抜け出した、移民一世の貧乏で無知な家族（というより、彼の母親）を描いたものです。医者を一度も呼ぶことなく九人の男の子を、彼の母親は出産していますが、その背後で起きたことは……という話です。彼女の行為が、単に恐ろしいこととしか捉えられていないことも不満ですが、鍵となるエプロンが「地面に広げられていた」のでは、マズいのではないでしょうか。

続く二年は、シリーズキャラクター作品に授賞されました。「メアリー、メアリー、ドアを閉めて」（「メアリー、ドアを閉めて」）は、ベンジャミン・Ｍ・シュッツの私立探偵レオ・ハガティものです。唯一の親類である叔父に逆らうことなど思いもよらなかった超箱入り娘が、ただ一度勝手に家を飛び出したのは、悪い男（らしい）にひっかかって結婚するためでした。車椅子の叔父に代わって、一泊するだけで簡単に結婚証明書を出してくれるカリブのリゾート地である島（架空の島のようですが、よく分かりません）に、ハガティは飛びます。ハガティはスタッフも下請けも抱える探偵事務所長、つまり、成功しパワーをもった側だということです。それが、してやられた上に、力にまかせて仕返しを企むというのだから、応援する気にはならないでしょう。

九四年の受賞作はローレンス・ブロックの「ケラーの治療法」（「ケラーの療法」）でした。これは、ニューヨークに住む殺し屋ケラーものの一編で、九〇年の「名前はソルジャー」から始まりました。なかなかユニークなシリーズで、短編集三冊にまとまっていて、長編も書かれています。ケラーは奇妙な殺し屋で、どういう経緯でこの仕事に就くようになったのか、自分でうまく説明できません。気がついたら殺し屋になっていたという、無造作もきわまった感があります。ケラーは呼び出されると事務所らしきところへ飛んでいき、ほとんどその足で、アメリカじゅうのいかなるところへも直行して、現地で仕事をするのです。

　しかし、ケラーは殺し屋らしからぬ行動に出る。「名前はソルジャー」を例にとると、証人保護プログラムでFBIから与えられた、新しい名前と職業で縁もゆかりもない土地に暮らしている男を、殺しに行くのですが、印刷屋を営んでいる標的に接触する（！）だけでなく、自分の正体まで明かしてしまう。相手は相手で、すでに気づいていて、しかし通報するでもなく逃げるでもない。そこで印刷屋として生きることが気に入っているというのです。「ケラー、馬に乗る」（「馬に乗ったケラー」）では「彼の仕事に気まぐれは無用だった」という文章を裏切るかのように、わけの分からない理由から、身銭をきってターゲットを助けようとします。*「犬の散歩と鉢植えの世話、引き受けます」（「犬と殺し屋」）*「ケラーのカルマ」では、ケラーは犬を飼い始め、仕事の留守中に散歩と世話をしてくれる女性を雇いますが、留守中、彼女が部屋で寝泊まりすることを許すばかりか、おかげで仕事の正体がバレてしまいます。続く作品群では、殺しの仕事を請け負い、ケラーにまわしてくる雇い主が、どうやら精神病（うつ病でしょうか）にかかったらしく、次から次へと、危険な仕事（請け負った仕事の直後に、その仕事のターゲットからも、逆に依頼主を殺すよう依頼され、それを請けてしまうとか）を請けてみたり、反対に仕事を断りつづけだします。仕事が殺し屋だということを除けば、ケラーの在りようは、効率的な収入を約束されているフリーランサー――その憂鬱や漠然とした疎外感を含めて――のそれです。逆に言えば、殺し屋という犯罪さえも、市民社会はこうした形で、そのうちに抱え込んでいる。ここでも、エリンやブロックといった、アメリカのクライムストーリイの作家が、七〇年代に到達した認識が顔を出しています。

エドガーを受賞した「ケラーの治療法」は、シリーズの三作目でした。ケラーはどういうわけか精神分析医にかかって（その理由は、相変わらずよく分からない）います。殺し屋が精神分析を受けているという（不条理なと形容してもいい）状況設定ひとつで、奇妙な話を紡ぎ出してみせたところ、それはそれで、さすがの技です。中盤までの面白さはちょっと類がありません。しかし、この結末は、すべてを壊すものでした。これでは、精神科医は考えなしなまでに無防備です。プロットを仕組むブロック流が、ここでは裏目に出ています。

そして、驚いたことに、四年後の九八年に「ケラーの責任」（「ケラー、窮地に陥る」）で、ブロックは三度目の短編賞受賞を果たします。短編作品での二回受賞は、エリン、レンデル、エリスン（その後ダグ・アリンも）といますが、三度の受賞は他にいません。その「ケラーの責任」では、ケラーはターゲットの顔を確認できればと、彼の開いたパーティに潜入します。大きなパーティでホスト側も客をチェックできないのです。ところが、歓談の賑わいをよそに、プールで泳いでいた少年が溺れてしまい、ケラー以外には気づく人がいない。救命の心得のあった（殺し屋が！）ケラーは、衣服を脱ぎ捨てるとプールに飛び込みます。助けたのはターゲットの孫でした。以後、とんとん拍子に殺すはずの相手に気に入られ、何をやっているか知らないが、いまの仕事より高い給料を払うから、自分のところで働いてくれと申し出られます。溺れた少年をつい助けるというケラーの行為は、他のシリーズ作品に比べると、ありうることのように思えます。殺し屋として有能なだけに、その有能さがにじみ出て、ターゲットに気に入られるという展開も、意外性はないにしても説得力はあります。結末も予想がつく人はいるかもしれませんが、そこに到るまでがしっかりと描かれている。私はこの結末を買いませんが、それは趣味の問題です。一編の短編ミステリとして佳作ではあります。しかし、これで三度目のエドガーと言われると、他に作品がなかったのだろうかと思わざるをえません。しかも、エドガーを得た二編に共通するのは、作品の結末で首尾を整えるために、序中盤における、殺し屋ケラーの不可解さの持つ魅力を壊したり（「治療法」）、抑えたり（「責任」）したものでした。つまり、ケラーの新しさユニークネスよりも、ミステリらしい結末を求めたものに、与えられているのです。

さらに、ケラーのシリーズをある程度まとめて読み返すと、結局、この殺し屋の行動の奇妙さ不可解さは、本当に彼の不可解さゆえなのかという疑問が、頭に浮かびます。それは奇妙な話を作るための、作家の都合ではないのかと。彼の奇妙さには脈絡がなく、しかも、毎回彼は巧みにそれを乗り超える。作家か誰かがあつらえたかのように。

ローレンス・ブロックは、二〇一七年に「オートマットの秋」で四たびエドガーを射止めます。九〇年代からこっち、アンソロジーにスリックマガジンにと短編を発表し、エドガーの最多受賞を果たしと、こと短編ミステリに関しては、ローレンス・ブロックのひとり勝ちと言っていいのでしょう。しかし、それはブロックが他の作家を圧倒しているのではなく、ほかが低迷しているだけのように、私には見えます。考えてみれば、ブロックの下積み時代は、アメリカの短編ミステリの黄金時代であり、現役の作家で、その水準が身に染みている唯一の存在だということなのかもしれません。

## 7　二十一世紀に入ったエドガー

ブロックの三度目の受賞の翌年、九九年はトム・フランクリンの「密猟者たち」でした。日本でまとめられたアンソロジー『エドガー賞全集〔1990~2007〕』から、ひとつ選ぶことになれば、私はこれを採るでしょう。同名の個人短編集の邦訳もあります。同書が創元推理文庫ではなく、創元コンテンポラリから出版されたことからも分かるように、フランクリンは、ミステリ作家というよりも、アメリカにひとつの流れとして存在する南部作家の、現代における有力なひとりと見られています。冒頭から不気味な密猟者の三兄弟が登場します。密猟者の子として生まれ、密猟者として森の中で生きていくしかない――言葉が喋れるのかどうかも怪しい――若者たちです。周囲の人々は、彼らに恐怖を感じていて、彼らの行いを見て見ぬふりをしている。それは密猟を取り締まる狩猟監視官も同じでした。そこへ新任の監視官がやって来て、取り締まろうとするところを、兄弟はあっさり殺してしまう。ところが、この監視官は、密猟者あがりの伝説的な狩猟監視官フランク・デイヴィッドの秘蔵っ子で、後任としてデイヴィッド自身が乗り込んで来ることになる。しかし、彼の着任を前にして、三兄弟はひとりまたひとりと殺されていきます。誰もが、正式な着任以前に忍び込んだ――公式には休暇で旅行中となっているのです――デイヴィッドの仕業と疑いません。ディープサウスというのは、アメリカでマジックリアリズムを成立させるには、恰好の舞台でしょう。そうした行き方でクライムストーリイを書いて見せた一編ですが、今回再読して、中編といっていい長さの割りに、もっとも描きがいのある三兄弟とデイヴィッドに筆が費やされていないのが、少々不満でした。

二〇〇〇年と二〇〇一年は、アン・ペリーの「英雄たち」、ピーター・ロビンスン「ミッシング・イン・アクション」とイギリスの作家が続きました。前者は第一次大戦、後者は第二次大戦を舞台にした、凡庸なミステリでした。ウィンターズ・クライムの中に入っていれば、目立つことはなかったでしょう。

その翌年がS・J・ローザンの「ペテン師ディランシー」でした。ローザンは変わった形のシリーズキャラクターを持っています。ニューヨークのチャイナタウンで生まれ育った（いまも親元にいる）中国人移民二世（兄弟の末っ子）のリディア・チンと、白人のヴェテラン私立探偵ビル・スミスです。それは、ふたつのシリーズでもなければ、コンビのシリーズでもありません。ともに独立した一人称の語り手として、作品の主役を務める一方で、もうひとりが主役の場合は脇役を務めることもある。シリーズの長編は、おおむね交互に主役を務めていました。「ペテン師ディランシー」は、ビルの出ないリディアの単独出演の一編です。ローザンは日本でも安定した人気があるのか、本国ではまとめられていない短編集が二冊あります。リディアが語り手となる短編は、私立探偵小説というよりは、クライムストーリイとは言わないまでも、ターゲットに罠を仕掛ける、作戦ものの話に近い。詐欺師ディランシーの逆手を取る本編にしてもそうですし、ビルと組んだ「夜の試写会」（「十一時のフィルム」）「虎の尾を踏む者」いずれもそうです。小柄で子どもと間違われかねないアジア系の女性ということで、侮られることも多いリディアですが、そんなところ、ロイ・ヴィカーズのフィデリティ・ダヴを連想させます。あるいは「千客万来の店」のように、向こうみずな冒険に出ることもある。

ただし、リディアものの短編で読ませるのは「人でなし」*でしょう。衆人環視の地下鉄駅から連れ去られてのレイプ事件で、リディアはたまたま被害者を助けることになります。警察（リディアに好意的な、イタリア系の新米婦人警官が出てくる）には、犯人の見当がついているものの、証拠も証人もなく、おまけに担当の刑事は「被害者の女にも責任があると考えるタイプ」で、まともに捜査する気がないらしい。リディアは犯人のいとこに接近しますが、そのころ、地下鉄駅で事件を目撃した人間が殺されていきます。錯覚を用いた上手い論理のアクロバットがあって、しかも、それが、一編の核心と不可分でした。

ビルの単独作の短編にも面白いものがあって、「ただ一度のチャンス」*（「一度だけのチャンス」）は、黒人高校生の心中事件です。死んだのはバスケットボールチームのひとりで、結婚するはずの女の子を撃ったのちに自らにも銃口を向けたのですが、チームメイトのひとりはそれが信じられない。伝手を頼ってビルに話を持ち込んだのでした。貧しい黒人高校生のグループ内での事件など、リディアでは接点の持ちようがありません（逆にチャイナタウンの事件に、リディア抜きでビルが関わることも出来ないでしょう）。マクドナルドの揚げ物係くらいしか未来がないという、黒人青年の閉塞感が生々しい一編でした。しかし、ビルものでひとつ、ローザンの短編でひとつとなると「*熱き想い」にとどめを刺すでしょう。ブレイク寸前の女性ヴォーカルのマリッサは薬漬けでわがまま放題です。あまりのわがままぶりに辟易したビルは、ボディガードの仕事を降りて、知人のロレンツォにその仕事をまわしたのでした。そのロレンツォから助けを求める電話が来るのが冒頭で、休暇をもらえる予定が、彼女の気まぐれで、急にボディガードが必要になったので、その間だけビルに代わってほしいということです。つきあっている女性と過ごす約束をしていたのでした。マリッサのところへは脅迫状が何通も送られてきていて、ナーヴァスになっている彼女は、ビルのことが気に入っている。人柄は最低ながらやり手のマネージャー、足に障碍があって装具をつけている有能な事務所スタッフ（ロレンツォの彼女でもある）と、てきぱきと紹介され、それでもビルは話を断ります。ところが、しぶしぶボディガードを続けたロレンツォの仕事中、何者かが襲撃し、ロレンツォは銃弾を受けて重傷を負います。ビルは事件に乗り出さざるをえなくなる。スピーディな展開のうちに伏線が張りめぐらされ（魅力的な脇役＝後任の黒人ボディガードを描く場面でさえ巧妙な伏線になっている）て、あっという間に解決へ向かって一直線。これこそ懐かしの短編ハードボイルドのお手本（チャンドラーの「*赤い風」みたいな）と思っていると、みごとな論理のアクロバットまで用意されていました。

「ペテン師ディランシー」はローザンの短編の中で、とくに飛びぬけているわけではありません。シリーズもすでに軌道に乗ったあとの一編で、ミステリにチャイナタウンを持ち込んだものの珍しさを買われたわけでもないでしょう（そうだとすると遅すぎます）。にもかかわらず、二十一世紀に入ってからの受賞作では読める部類です。このあたりにもエドガーの低迷が現われているように思います。

これ以後のエドガーには見るべきものがありませんが、ひとつだけ言及しておかねばならない作品があります。二〇〇五年の受賞作ローリー・リン・ドラモンドの「傷痕」です。連作短編集『あなたに不利な証拠として』の中の一編で、この短編集は日本でも評判になりましたから、読んだ人も多いでしょう。『エドガー賞全集〔1990～2007〕』には、「一篇だけを切り取っての収録は版権上できなかった」ために、入っていません。一編だけを切り取って受賞するのは良くて、受賞作としての収録が不可というのは、いかがなものかと思いますが、それは不問にしましょう。「傷痕」そのものは、ぎごちない短編です。『あなたに不利な証拠として』は複数の女性警官の一人称で書かれるのが基本パターンで、「傷痕」もその例に漏れません。警官になるのを目前にひかえたキャシーは、犯罪被害者を支援する新米のヴォランティアです。その夜呼び出された事件は、レイプの未遂ですが、被害者女性の胸には深々とナイフが刺さっていて、生きているのが奇跡のような状態です。現場にいる担当の警官は有能で鳴る男ですが、キャシーには不愉快な感じを与える上に、被害者にも同様でした。しかも、その警官が出した結論は、被害者の狂言というものでした。時が経ち、キャシーは警官となりキャリアを重ね、市民から来た審査請求の案件を、再捜査するかどうかを答申する部署に抜擢されます。そして、そこに冒頭の事件が審査請求されてくる。一方で、事件を自殺未遂で処理した警官は、彼女の夫になっていたのでした。

「傷痕」をぎごちないと書いたのは、描かれていることが圧倒的に不均衡だからです。夫となった警官は、言動だけが描かれますが、これが一貫したひとりの人間には見えない。これでは、ステロタイプを都合よく切り貼りしただけでしょう。この事件を自殺未遂と処理できるというのが、ちょっと考えづらいのですが、それがなぜか通ってしまう。アメリカの警察の現実なのかもしれませんが。キャシーは自身のことや被害者には熱心に筆を割きますが、夫となる警官には通りいっぺんのことしか書かない。しかも、自殺未遂と判断するに到る捜査の過程は、本来、彼女のあずかり知らないことのはずなのに、彼女は平然と尋問の様子まで書いてしまう。なまくら一人称なのですが、その無造作な使用は、書き手の信頼性を損ねているだけです。この小説は、本来三人称で書くときの書き方で、一人称で書いている。それゆえのぎごちなさではないでしょうか。

『あなたに不利な証拠として』は、女性警官が遭遇する事件現場の生々しさで、評判となりました。しかし、それはヒロインたち自身の側へ偏った、小説の作り（描写にしろ構成にしろ）によるものでした。彼女たちは何かに苦しめられているようですが、彼女たちが苦しいということ以外に、この作家は書くことがないかのようです。この短編集を、私が買えない理由は、その一点につきます。

## 幕間　個人短編集翻訳の盛衰

欧米の短編ミステリの翻訳について、おさらいをしておきましょう。『37の短篇』が出版され、小鷹信光の「新パパイラスの舟」が始まったのが一九七三年。それを契機として、五〇年代以降の短編ミステリの再検討をかねた翻訳が始まります。それの一区切りとなったのが一九八三年。原著よりも充実した内容の『エドガー賞全集』全二巻の刊行です。この間、創元推理文庫では、シャーロック・ホームズのライヴァルたちが、順調に巻を重ねます。テーマ別アンソロジーの出版も盛んになり、ウィンターズ・クライムも翻訳されていく。にもかかわらず、八〇年代を通じて、個人短編集の翻訳は減っていきます。アンソロジーは作家のショウケースの働きをしますが、目についたその作家の、ジャンル全体の中や歴史の中での位置といったことは、捨象されます。これまでに、何度か触れましたが、そういう出版状況に抗して、短編ミステリの受容の歴史を考えるうえで無視できない、個人短編集を出版したふたつの動きがありました。クリスチアナ・ブランド『招かれざる客たちのビュッフェ』、シャーロット・アームストロング『あなたならどうしますか?』を中心に、個人短編集を粘り強く出した九〇年代の創元推理文庫。今世紀に入って晶文社ミステリや河出書房新社から出た、ジェラルド・カーシュ、デイヴィッド・イーリイ、ジャック・リッチーなどの個人短編集の編集を担当した藤原編集室。このふたつです。そこで、これらの企画を直接担当したおふたり、元東京創元社編集部の松浦正人さんと、藤原編集室こと藤原義也さんに、当時のお話を直にうかがうことにしました。

**小森**　九〇年代から今世紀に入ったあたりの、翻訳ミステリ短編集出版の現場の状況を、教えてほしいのですが、まず創元推理文庫からブランドの『招かれざる客たちのビュッフェ』が出るのが九〇年のことです。八〇年代を通じて、アンソロジーはともかく、個人短編集の翻訳は難しいというイメージが読者の側にもあったと思いますが、現場ではどうだったんでしょう。

**松浦**　『ビュッフェ』そのものが企画会議で反対されたということはなかったですが、少なくともミステリに関しては、短編集よりも長編の方が勝負になると見られていた気がしないではないですね。ぼくが入社する以前、七〇年代の後半から八〇年代の初めにかけて創元推理文庫から出たシャーロック・ホームズのライヴァルたちは、非常に好評で成績もよかったはずなんですけど……シリーズの二期目になると、セールスの芳しくないものが出てきたということだったのかもしれません。鮮明に憶えているのが、セイヤーズの『ピーター卿の事件簿』を復刊すべきだと、製作のトップの人にかけあってみたら、「駄目だ」のひとことで斥けられたことです。

**小森**　それは長編を出し始めてから?

**松浦**　いや、出す前です。生誕百年をひかえてセイヤーズへの興味が高まりつつあった時期で、こちらとしては、かなり自信をもって、いけるという手ごたえがあって言ったんですが、どうにもならなかった。だから、長編の紹介が軌道に乗ってからですね、『ピーター卿』が復刊できたのは。

**小森**　長編で何冊か当たると出せるというのは、八〇年代の角川文庫のルース・レンデルもそうですね。

**松浦**　それから、個人短編集ということで言うと、『ビュッフェ』の前に、パトリシア・ハイスミスの『動物好きに捧げる殺人読本』がありました。ぼくが入社するのと同時くらいに出た本です。編集長の戸川安宣さんが当時ハイスミスの再評価をめざしていて、推測するにまずは手に取りやすい一冊をと、あの本を出したのではないかと思います。カバーイラストを楽しいものにして、巻末の鼎談も力が入っていたんですよ。つづいて本命の『殺人者の烙印』(『慈悲の猶予』を改題)をやり、女性作家の連続企画の括りに『殺意の迷宮』を入れたものの、思うように耳目を集められずに終わりました。ハイスミスに火がつくのは、河出文庫さんが『ふくろうの叫び』で当たりをとってからです。

**小森**　ミステリアス・プレス文庫の『11の物語』も単発では評判にならなかったですね。ブランドの『ビュッフェ』に話を戻すと、あれはセールスは良かったんでしょう?

**松浦**　本の中身にはもちろん手ごたえを感じていたんですが、誰もが知る作家とは判断していなかったので、売れ行きのことは心配してました。でも、ありがたいことに、評判の出方が早かったし強かった。思いもよらないところ、ミステリを読むとは存じあげなかった方も、褒めてくださったりしたんです。

**藤原**　本としてまとまったときの強さって、ありますよね。マニアは「これはもう読んだ（もっと珍しい作を）」って言いがちですけど、普通の読者は短編集にまとまって初めて知るというところがある。で、まとまったところで読んでみると、レベルがすごく高いんでびっくりしちゃったということだと思う。一読者としてぼくはそうでした。ご馳走ばかり並べられて、あのヴォリュームですから。

**松浦**　いろいろ入っているのが良かったのかも。ずーっと「ジェミニー・クリケット事件」や「婚姻飛翔」だったら、それはそれで大変ですもん（笑）。

**小森**　次に松浦さんが手がけた短編集が、シャーロット・アームストロングの『あなたならどうしますか？』ですが、これは『始まりはギフトショップ』に続く、二冊目のアームストロングです。二冊目に短編集を持ってきたのには、理由があったのでしょうか。

**松浦**　確かに二冊目なんですが、『ギフトショップ』から四年以上経ってるんです。編集者としては、長編でなにか良いものがないか、まず探しました。アームストロングは初期に本格ものの長編を書いているという情報を得ていたので、いくつかあたってみたけれど、これというものが見つからない。サスペンス系統でもうまくいかない。そのあとですね、短編集という選択肢が浮かんだのは。『あなたならどうしますか？』は昔、『悪の仮面』という題名で東京創元社が出していましたが、完訳ではなかった。あれを完訳すれば、かなりのヴォリュームがある、読みごたえ充分な本になりそうだと気がついたんです。『ビュッフェ』という成功例も頭にあって、あれと並べられるといいなと思いました。積極的に短編集を出していこうと考えていたわけではありませんが、『ビュッフェ』以後、長編が良く売れていたシャーロット・マクラウドの『お楽しみが一杯!』とか、ジューン・トムスンの贋作ホームズものとか、これなら短編集でも出せるという判断はつくようになってました。ただ、きちんと言っておかないといけないことがひとつあって、それは、ぼくが出していたのは、本国で短編集としてまとめられた原書の翻訳だったということです。ここが藤原さんとは根本的に違うところで、いろんな場所から面白い短編を集めてきて本を作るという発想は、九〇年代当時、ほとんど持ちあわせていませんでした。そういう仕事のやり方というか、文化が、ぼくにはなかった。精神的な余裕を欠いていた面もあったかもしれないですけど。

**小森**　藤原さんは、ずっと国書刊行会にいらして、その後フリーになるわけですが、最初に手がけたミステリ短編集はジェラルド・カーシュになるんでしょうか。

**藤原**　国書刊行会時代に魔法の本棚という怪奇幻想文学系のシリーズを出して、その流れでミステリーの本棚という短編集中心のシリーズを作ってます。これが最初ですね。E・C・ベントリー、パーシヴァル・ワイルド、ヒュー・ウォルポールなどを出しました。二〇〇〇年から翌年にかけてのことです。このときはもう国書を辞めていたので、フリーの編集者としてですが。そのころ、翔泳社でもミステリ叢書を進めていて、そこで短編集をやろうとした矢先に、翔泳社が文芸書から撤退したので、版元を変えて二〇〇二年から始めたのが晶文社ミステリです。カーシュとA・H・Z・カーはもともと翔泳社で企画していたものですね。カーシュの

『壜の中の手記』が好評だったので、この路線、いわゆる異色作家短篇集系のイーリイとかスタージョンを並べました。あとはヘレン・マクロイ、P・ワイルド、ジャック・リッチー。

**小森**　カーシュはどこでお知りになったんですか。

**藤原**　ミステリマガジンで*「壜の中の手記」を読んだのが最初じゃないかな。ぼくは七〇年代の半ばくらいからミステリマガジンを読み始めたんですが、この雑誌は当時、ミステリだけでなくいろんなものが載ってましたから、そこでぐっと世界が広がりましたね。短編好きの原点のひとつかも。あとはアンソロジーで「骨のない人間」とか。カーシュは意外に翻訳されていて、朝日ソノラマで短編集があったし、その前に大陸書房から怪しげな短編集が出てたり。奇想天外でも特集を組んでました。

**小森**　さっき松浦さんが言ったように、カーシュにしてもA・H・Z・カーにしても、原書の短編集を翻訳するという形ではなく、オリジナル短編集ですね。

**藤原**　カーシュはたいへんな多作家ですが、駄作も多い人なんですね。まるごと一冊訳すと玉石混淆《こんこう》どころか七割ぐらい石になってしまう。A・H・Z・カーはそれとは対照的に寡作家で、作品は粒ぞろいですが、アメリカでも短編集が出ていません。アンソロジーで「黒い小猫」、*「誰でもない男の裁判」はミステリマガジンの四百号記念に再録されたのを読んで、集めれば一冊になるかなと。

**松浦**　A・H・Z・カーは、山口雅也さんがミステリマガジンに連載していた「プレイバック」で書いてましたね。

**藤原**　その影響もあります。

**小森**　おふたりだけの話ではないと思いますが、あの連載が、企画のもとになったり、あれで知った本に影響を受けたという例は多いんじゃないですか。

**藤原**　短編集にかぎりませんが、企画というのは、自分ひとりの頭の中からだけ出来るものではないので。山口さんの連載はぼくが学生のころですが、その後『ミステリー倶楽部へ行こう』でまとめさせていただいて。A・H・Z・カーの回のタイトルは「編まれなかった短篇集」というんですが、それから二十年以上経っても編まれる気配がない。誰もやらないなら……という感じですかね。

**小森**　イーリイは、やはり「ヨットクラブ」*を最初に読まれたんですか。

**藤原**　だと思います。『37の短篇』ですね。あるいはミステリマガジンで先に何か読んでいるかもしれません。イーリイの場合は、アメリカで出た第一短編集をそのまま訳しています。さきほどの話で言えば、原書の短編集で良いものがあれば、それをそのまま出すのが一番です。翻訳権を取るのも楽ですし。いろいろな本から集めてくると、権利の関係などでうまく取れない場合も出てきます。

**小森**　短編集に入ってない短編もあるでしょう。

**藤原**　向こうの作家は、それが多いですね。短編集なかなか出せませんから。ジャック・リッチーもあんなにたくさん書いているのに、生前は短編集が一冊だけ。

**小森**　藤原さんの場合は、短編集を作るという上で、障害となったことはありますか。

**藤原**　短編集だから営業的に出しにくいということはとくになかったです。国書刊行会や晶文社のシリーズはある程度コアな読者を想定していましたから、もともとマイナーな企画なので、そのレベルだと長編なら売りやすいが短編集はだめ、ということはあまり。ミステリ版元ではないので「短編集は売れない」という会社的な経験則もありませんでしたし。それから、文庫とは違ってハードカバーの場合は部数が少ない。採算部数も低くなります。創元推理文庫はそのころ初版部数は?

**松浦**　あのころは一万五千くらいですね。

**藤原**　ですよね。それくらいは刷らないといけない。ぼくらは、そのころ初版が三千から四千。そのかわり、定価が二千円から三千円です。全体の収益はそんなに変わらないと思いますが。部数が少ないということは読者層が見えていればいい。フリーになって、文庫も手がけるようになると、考え方を変えなきゃならないところもありました。一方、この二十年で文庫出版の状況もすごく変わりましたよね。ちょっと前なら部数的に文庫では難しそうな企画が通ってしまう。自分にとってはありがたい話なんですが。

**松浦**　初版数千部という文庫が珍しくなくなってる。

**藤原**　それがいいことなのかは分からないですけど。単行本と文庫には差があった方が健全な気はします。

**松浦**　さらに昔に戻ったとも言えて、創元推理文庫が創刊されたころは初刷り八千とかなんですよ。ぼくが東京創元社に入った八〇年代の半ばは、初版一万八千部が基本で、以後、辞めるまでの間に、一貫して下がり続けました（笑）。それから、東京創元社が短編集との親和性がなかったのは、雑誌を持ってなかったせいじゃないかと思います。早川書房さんはもちろんのこと、光文社さんが『クイーンの定員』を出したり、作家別のベスト短編集を出したりできたのは、やはりEQを持ってたのが大きいと思います。ああいうのを雑誌を持たないところで一から作るというのは、戸川さんみたいな、地力があって手間暇を惜しまない、ある意味ちょっと変な人（笑）がいないと難しい気がします。

# 第十八章　残りの二十年に向けて

## 1　晩年のパトリシア・ハイスミス

一九七〇年代以降、晩年のパトリシア・ハイスミスは、ますますミステリからは離れていきました。そのことは、第五巻第十二章でハイスミスを読んだところでも指摘しました。そのハイスミスが行きついた地平の、短編における代表が、『世界の終わりの物語』の一冊です。しかし、この短編集を読む前に、クライムストーリイにおける、ハイスミスの到達点を確認しておきましょう。すなわち、ウィンターズ・クライムに提供された、ふたつの短編。**「またあの夜明けがくる」**と「家族決定」*です。

**「またあの夜明けがくる」**は、七七年の *Winter's Crimes 9* の訳書の表題作であるのみならず、訳書が出る前にミステリマガジン八一年六月号に掲載されました。同書は、既訳の数編以外は中村能三の訳し下ろしでしたが、クリスティの『カーテン』訳了を目前に、中村能三が亡くなったその翌日、編集部に届いた *Winter's Crimes 9* の訳稿から、追悼（このときの大久保康雄と永井淳の追悼文は、中村の劇的な死もあって、たいへん興味深い）の一編として選ばれたのが、この作品でした。また、ジョージ・ハーディングが選んだウィンターズ・クライムの傑作選にも、採られました。

この作品については、幼児虐待をあつかった秀れたクライムストーリイだということは触れてきました。しかし、冒頭一ページあまりで、四人の幼子の育児に追われ、夫の理解は得られず、子どもに手を出すに到ったばかりか、すでに身体の動きさえ鈍くなっている（末の子が血を流しているのに、髭剃り中の無頓着なはずの夫の方が、その子のもとへ行くのが早い）ことまで、描写の力だけで示してしまう。小説家ハイスミスの実力全開です。リーガンというアイリッシュ系の苗字が示すように、夫婦はカトリックで、そのことを言うと、ソーシャルワーカーも避妊を奨めなくなる（ヒロイン自身は避妊したいのですが、夫が許さない。「自分ひとりならピルを使いたい気もするが」を受けて「自分ひとりならピルは必要ない」というのが、とてつもなくおかしく、とてつもなく苦い）とか、夫は熟練工で結構な収入もあるけれど、幼子四人を抱えては無理なはずのローン（の払いも滞りがち）の買い物が多いといったエピソードもリアルです。ヒロインはさらに五人目を妊娠し、コントロールの効かない子どもたちに苛立ち、夫が呑みに出ると、子どもを放置して、彼女も酒場へ行ってしまう。留守の間にまたも危機が訪れ、病院に電話するために近くの店の公衆電話へ行きます。小銭がないので店主が貸してくれ、それがために店主の視線が気になって……というくだりは、この一編のハイライトでしょう。人間の弱さ残酷さをハイスミスは絶対に逃さない。ある意味で予想されるとおりに展開する物語の中に、これほどまでの現実に観察されうる厚みを盛り込むことが出来るうえに、ヒロインの感覚が正常でなくなる、幻想的な領域に到るところまでも描ききる。ハイスミスの傑作でした。

「家族決定」は、その十年後、八七年の『ポメラニアン毒殺事件』に収められました。主人公はパーキンソン氏病にかかって、日に日に身体の動きが不自由になっている画家です。生きることそのものに苦痛を感じるようになっている主人公は、同時に妻をも嫌っている。がさつで無神経で、おそらくは彼の芸術を理解しない。大切なものは娘とその家族に残したいのでした。かくして、動きのままならない病人が殺人を企図するという、ありそうでないユニークなクライムストーリイでした。もっとも、それだけなら、危なっかしい犯罪遂行場面のサスペンス（少々ユーモラス）頼みの佳作に終わったでしょう。結末のひとひねりに、単なるアイデアや技巧といったものを超えた恐ろしさがあって、それゆえ、この作品をハイスミスが書いた短編クライムストーリイの最後の秀作にしました。

『世界の終わりの物語』は原著刊行が著者の亡くなる八年前の一九八七年。「家族決定」が発表された年です。邦訳は二〇〇一年に出て、若島正が解説を書きました。「小説はどんなことを題材にしてもいいし、それをどう書いてもいい。それはそうなのだが、やはり「書いてはいけないこと」は歴然としてある」として、その領域にハイスミスも踏み込んだというのです。「これを評してブラック・ユーモアと呼ぶのは、事態をごまかすことにしかならない（中略）こうした作品群は書いてはいけない小説であり、読んで笑ってはいけない小説である」と。もちろん、ユーモアがあることは百も承知です。若島正自身、おそらく何度か笑ったんだろうなと、私などは考えています。ま、邪推ですが。私はもちろん、幾度も大笑いです。とくに「ホ*ウセンカ作戦　あるいは〝触れるべからず〟」や「〈翡翠の塔〉始末記」なんかですね。もっとも、初読時は「そう（ブラック・ユーモアと）呼んで、事態をごまかされてしまうなら、ごまかされてしまう方が悪い」などと書いています（『本の窓から』）が、そこは少々反省しています。平気でごまかされて恥じないどころか、真面目に正論だと思い込む人が、多いと知ったからです。

巻頭の「奇妙な墓地」を読むだけで、この短編集の基調は了解できます。病院の裏手にある墓地には、研究用の検体や堕胎もしくは流産で世に出た胎児が、埋葬のために送られてきます。ところが、検体の中にはがん細胞に、抗がん剤はむろんのこと、発がん物質を投与したものも含まれていて、日本と違って土葬ですから、そのまま廃棄されている。ある日、墓地の管理人が、そこでマッシュルーム様の奇妙な植物を発見します。気味悪いままに放置していると、それがみるみる繁殖していく。がんと戦うための科学研究が、「ありそうか、なさそうかはともかくカタストロフ」（短編集の原題の意訳です）を招く。その狂騒的な戯画でした。オーストリアの小さな町という設定ですが、リアルなというよりは、ファンタスティックな状況設定になっていました。

これが「ホウセンカ作戦　あるいは〝触れるべからず〟」になると、さらにナチュラルです。スリーマイル島事故の直後のアメリカ。廃棄物の処理法に困った政府が発案したのは、地方の大学に陸上競技兼用のアメリカンフットボールの競技場を寄贈することでした。ただし、その地下には巨大な倉庫があって、秘密のうちに保管しようというもの。つまり、そこに貯め込んで頬かむりです。ところが予定に反して、すぐに倉庫は満杯目前で、おまけに原子力規制委員会のメンバーのひとりが視察途中で閉じ込められてしまう。そこから、すったもんだの騒ぎが始まります。

「ナブチ、国連委員会を歓迎す」は、若島正も指摘するとおり（というか、誰でも分かるでしょうが）に、イーヴリン・ウォーの『黒いいたずら』の「線に近い」のですが、今回読み返して、さすがに、これは古くさいと思いました。『黒いいたずら』はもうじき書かれて百年経ちますからね。そこから一歩も出ていなければ、そうなるのは必然。初読時にそう感じなかったのは、アフリカと西洋との関係について、こちらの認識がアップデイトされていなかったのでしょう。これと「自由万歳！　ホワイトハウスでピクニック」が、いかにもブラック・ユーモアという作品でしょうが、こちらは初読時から指摘していたとおり、精神病に関する無知や理解のなさが露骨で、ハイスミスの弱点がもろに出た作品でした。にもかかわらず、ミス・ティラーとバートのコンビは、この短編集中唯一といっていい魅力のある登場人物で、彼らの部分は、むしろ、まっとうなユーモアに満ちていました。

「白鯨Ⅱ　あるいはミサイル・ホエール」は、巨大な鯨が人間に追われ、死ぬまでの顚末ですが、本書よりも『動物好きに捧げる殺人読本』に、鯨編として収まるのがふさわしい一編です。超高級高層マンションを大量のゴキブリが占拠する「〈翡翠の塔〉始末記」も、ゴキブリ編として同書に入る資格があるかもしれません。むしろ『動物好きに捧げる殺人読本』のところで、ひとつだけ取り除けておいた*「ハムスター対ウェブスター」が、『世界の終わりの物語』に入るべきでしょう。

「ハムスター対ウェブスター」は、きわめて単純な話です。有能なセールスマンのウェブスター氏は働きすぎから健康を損ね、仕事の量を減らし、ストレスのない生活を求めて、妻と息子を連れて郊外住まいを始めました。プールも作れる広い庭。ペットも飼おうという話になり、息子はハムスターの番《つがい》を手に入れます。ところが、ハムスターは繁殖力が強く、あっという間に数が増えるうえに、息子は息子で、持て余した友だちのハムスターを内緒で引き受けたりして、とんでもないことになる。怒られて庭に放したものだから、芝生の穴はハムスターだらけになってしまう。ここから、業者も匙を投げるハムスターとの闘いが始まり、スラップスティックコメディそこのけの混乱のうちに、ウェブスター氏がハムスターの大群に嚙み殺されてしまうという話。人間対動物の対決という点では、他の『動物好きに捧げる殺人読本』の諸編と同じですが、異なるのは、ハムスターが愛玩動物であり、人がペットとして飼い始めたという一点です。父の死を目前にして、なお「ハムスターは土地と、家庭と、子供を守る権利を持っている」とハムスターに声援を送ったウェブスター氏の息子が、一件落着したのち「自分がやっと一人前の男になったのを感じ」る結末の閉塞的な苦さは、この一編がブラック・ユーモアであることを示していました。

『女嫌いのための小品集』に連なる発想なのが「〈子宮貸します《レンタ・ウーム》〉対〈強い正義《マイティ・ライト》〉」です。代理母（人工授精した卵子を、妻に代わって自分の子宮で育てて出産させる）や堕胎を、宗教的な理由から非難する〈強い正義《マイティ・ライト》〉の、社会的キャンペーンに対抗するため、自ら〈子宮貸しま《レンタ・ウー》す《ム》〉というキャッチーな名称の団体を立ち上げるという話です。教会（そこは、どうも〈強い《マイテ》正義《イ・ライト》〉派らしい）の教えのままに、代理母に嫌悪感をおぼえる、老いた両親を持つヒロインは、自身が看護師で夫が医師、勤務する病院では代理出産を実施しています。おまけに親友は代理母として妊娠中で、〈子宮貸します《レンタ・ウーム》〉の主要メンバーなのでした。

　これらの作品は、狂ったようなユーモアの果てに、無力感しか残らないという意味で、ブラック・ユーモアと呼ぶべき作品群でしょう。成功したもの（「ハムスター対ウェブスター」や「〈子宮貸します《レンタ・ウーム》〉対〈強い正義《マイティ・ライト》〉」。後者の読後感はほのぼのとしていますが）もあれば、失敗作（「ナブチ、国連委員会を歓迎す」「自由万歳！　ホワイトハウスでピクニック」）もある。しかし『世界の終わりの物語』の最後の三編は、さらに異なった貌《かお》を見せています。「見えない最期」は二百歳を超えて、養護施設で寝たきりで生きながらえている老婆の話です。すでに死んでいる息子はもちろん、周囲の生を吸い取るかのようにして、ただ生きながらえているだけの「思考も理性も経済力も、とっくの昔に失ってしまった」存在。陰々滅々とした、ユーモアのないブラック・ユーモアでした。最後の二編「ローマ教皇シクストゥス六世の赤い靴」と「バック・ジョーンズ大統領の愛国心」は、ハイスミスにしては意外な感を与える政治小説でした。前者はローマ教皇が、訪問先のメキシコで、突然「解放の神学」派の神父を認めるかのような発言をしてしまう。そのあげくの騒動を描いたもので、読み応えはあります。

「解放の神学」が何かくらいは、知ってから読む方がいいでしょうが。後者はソ連が存在するころのアメリカ大統領の戯画化で、核戦争による破滅SFでもありますが、その破滅に到る道筋が杜撰にすぎて買えません。それにソ連相手（とロシア相手とでは、話が違ってきますからね）というのは、もはや、失われた過去ですね。

パトリシア・ハイスミスは、アメリカの作家の範疇からはみ出した独特の個性で、日本にも多くの読者を得ました。一九七〇年代から本格的に顕らかになった、クライムストーリイの優秀な書き手としての姿は、『11の物語』を代表とする短編集で知ることが出来ます。『女嫌いのための小品集』を経て、最後の短編集『世界の終わりの物語』で、余人の到達しえない地点に達したことを、ハイスミスは示しました。しかし、同じ年の暮れに、ウィンターズ・クライムに「家族決定」を提供することで、クライムストーリイにおいても、同様にユニークな存在であったことを、私たちミステリファンの心に刻んだのでした。

## 2　屹立する作家の肖像ACT3

一九六八年から七〇年にかけて、スタンリイ・エリンは、毎年、フランスを舞台にした作品を一編ずつ発表しました。「最後の一壜」*「贋金づくり」*「画商の女」*です。ちなみに、それぞれの年のMWA賞短編賞の受賞作は「世界を騙った男」「さらば故郷」**「リガの森では、けもの**

はひときわ荒々しい」でした。エリンは六〇年代に、イタリアを舞台にした作品を二編発表していますが、このフランス三部作は、イタリアの場合とは異なり、パリのアメリカ人がそれぞれ重要な役割を果たし、現代のアメリカ人を見つめ続けたエリンが、世界の中でのアメリカとアメリカ人を描いてみせたものでした。

「最後の一壜」の語り手は、フランス人の共同経営者を亡くしたばかりの、パリ在住のアメリカ人ワイン商でした。死者が持っていた幻のワインの一壜を、彼は誰にも売らず、開けようともしません。壜を開けてワインがダメになっているのを恐れてのことです。そこに大富豪のワイン通が現われて……という話。自信家の大富豪が唯一失敗したと感じているのは、まるで子どものような、あどけない女性（大事にされることが価値のギリシア人です）を妻にしたことでした。フランス人の生命とも言えるワインの、最後の一壜を握ったのは、アメリカ人で、そんな値をつければ、買おうという人は誰もいないはずの法外な価格を、しかし、フランス人が払うと言い出したのでした。「最後の一壜」は、端正な短編小説ですが、人目を引く復讐の方法そのものよりも、冒頭と最後に配されたシーンに、微笑ましさとともに、アメリカ人の主人公の驚きが込められていました。

「贋金づくり」の主人公は、まさにパリのアメリカ人そのものでした。つまり「正真正銘いなかっぺのアメリカ人観光客」です。戦争中の武勲はあるものの、うだつのあがらない主人公は、たったひとつの取り柄を買われて、印刷会社に所を得たのでした。その取り柄というのは……。フランス三部作の中では、唯一ハッキリしたクライムストーリイです。それは第二次大戦で決定的にヨーロッパに対して優位に立ったアメリカが、戦争後も、同じことを今度は民間でやることで、ヨーロッパの非合法なギャングどもを、アメリカの合法的なカンパニーが食い物にし、場合によっては葬ってしまっているのでした。

「画商の女」は、前二作ではヨーロッパを金で牛耳っていたアメリカが、逆に食い物になっている現実を踏まえていました。表向きの主人公はパリの因業な女画商です。目端の利いた彼女は、戦後、アメリカに絵の需要があると読むや、いちはやく安価な風景画をさらに買いたたくシステムを築いて、アメリカからの大量受注に備えたのでした。そして、そこでもっとも理想的な絵画の供給源は、アメリカから流れてきた貧乏画家だったのです。持ち込まれる絵は、即決の現金払い。ただし、売り値を言うチャンスは一度だけで、それが画商の女の買い値より高ければ、商談は不成立なのです。彼女が買わなければ、売れるかどうか分からない（たいがいは売れない）画廊への委託販売です。アメリカ人の画家は、唯々諾々と安い値で自分の絵を売るのでした。弱者が弱者を毟《むし》る。ヨーロッパ的ないじましさが、たまりません。その画家にくっついたのが「小柄で肌の浅黒いアルジェリア人の娘」でした。「ご面相はいたってお粗末ながら」「官能的な姿態を持っていた」のです。なにしろ、ジダンがまだ生まれてさえいないころの話です。画商の女には、アルジェリア娘を軽んじる気持ちがある。ふたりの間の子どもを身ごもった娘は一計を案じ、ただ一度のチャンスで、故郷アルジェリアへの渡航費用を賄う算段をします。

三部作の中では「最後の一壜」の世評が高いようですが、私は「画商の女」を推します。もちろん「贋金づくり」も平凡な作品ではありません。むしろ、七〇年代に入ってからのエリンの発想は、この「贋金づくり」から始まったと考えています。しかし、「画商の女」は、シンプルな構成の中に、登場人物の性格の襞《ひだ》に到るまでを描いたうえで、毛ほどもゆるみのない短編に仕上げた見事な作品です。後期エリンを代表するのは、この一編であり、単純に出来栄えだけで決めるなら、本巻収録作品は、この「画商の女」でしょう。最後までこちらを収録すべきかどうか迷いました。もっとも、この作品、最後にアルジェリア娘が書いた値を明かさない終わり方もあったはずで、そうなっていたら**「決断の時」**に続く、リドルストーリイとなっていたかもしれません。

久しぶりに舞台をアメリカに移したのが、第三巻の幕間で詳細に読んだ、七一年の「清算*」です。フランス三部作でエリンが描いた、国際社会の中でのアメリカ人の姿は、国内にあっても描けること、そういう視野を持つことで、より、現代のアメリカ人を描きうることを示した傑作でした。

七二年の「壁の向こう側」は、冒頭と結末の部分を除いて、ほとんど会話だけで終始する、心理療法士と患者の話ですが、エリンには珍しい失敗作でしょう。手の内は早い段階であらかた分かるうえに、手法としても目新しくはない。むしろ手垢がついている方です。ミステリマガジンの二百号記念号に掲載されましたが、その時も、いたく失望したのを憶えています。この年、エリンは長編『鏡よ、鏡』を書いています。そういう作法に傾いていたのかもしれません。

七三年の「*警官アヴァカディアンの不正」は、唯一、小鷹信光がその名で訳したエリンです。EQMM七三年十二月号掲載を、ミステリマガジン七四年二月号（七三年内の発売です）で翻訳という異例の速さなのは、一九七三年が短編ミステリ評価の鍵となる年だったことの、ひとつの現われでしょう。この「警官アヴァカディアンの不正」は、最晩年のエリンのアメリカ観を示す、ひとつの典型となる作品でした。実直で不正を嫌う、職務規定に忠実な警官アヴァカディアン（セルピコみたいな感じですね）が組んだのは、ヴェテラン中のヴェテラン、すなわち、便宜もワイロもお構いなしの、退職を目前にしたシュルツでした。そのアヴァカディアンが、医者の誘拐事件に出くわすことをきっかけに、「警察官の腐敗とか不正といった問題に関して、あまり固苦しく考えるべきではない」と認識するに到る話です。同じ七〇年代に、パトリシア・ハイスミスが書いた「*ネットワーク」を想起させる、個人的なコネクションが効果を発揮するニューヨークの姿が、そこにはありました。そして、日常を上手くまわすためには、犯罪すら、そこに組み込んでしまう。「清算」ののちに、エリンが見たアメリカは、そんな社会でした。

翌年の「*天国の片隅で」は、住みにくさが加速していく七〇年代前半のニューヨーク——ジョイス・ハリントンの「**終《つい》のすみか**」と同じころですね——を舞台にした、クライムストーリイでした。マンハッタンの一画で、鉢植えのコリウスに話しかけるのを唯一の生きがいにしている主人公が、殺人者になるまでの話ですが、『特別料理』に登場する殺人者たちと異なり、「天国の片隅で」のホッチキス氏は、一度だけの殺人を巧妙にやり終えたのち、犯罪とは無縁で平穏な、しかし住みづらいであろうニューヨーク暮らしに戻っていきます。*「特別料理」や「ブレッシントン計画」といった、エリンの代表作に顕著なように、殺人が計画的に社会に組み込まれているという発想は、そのキャリアの最初期から、エリンにしばしば見られるものでした。*「倅の質問」のように、それが合法な場合さえありました。しかし、フランス三部作（とりわけ「贋金づくり」）と「清算」を経て、「警官アヴァカディアンの不正」以降、犯罪は時として、平凡な個人の生活にも不可欠なものとして組み込まれるという発想に達したようです。ホッチキス氏の殺人を「一度だけ」と先に書きましたが、火の粉が降りかかれば、二度目があるのは、言わずもがなです。

七六年の*「世代の断絶」は、そんな犯罪が平凡なものとなった社会に生きる被害者の話でした。すなわち、危険なヒッチハイクを、周囲が止めるにもかかわらず（わずかな金を浮かせるために）続けているティーンエイジャーの娘です。いくらでも陰惨になりうる話を、そうはせずに、ヒヤリとしただけの話に留めながら、そうした社会が個人――被害者にまわる側であっても――の内側に何をもたらしたかを、巧みに描いていました。そして、それは戦後アメリカが時間をかけて招いたものだと、題名が示しています。続く七七年の**「家族の輪」**（「内輪」）と七八年の「不可解な理由」（「ゆえ知らぬ暴発」）の根本にあるのも、同種の発想です。「不可解な理由」は、一流企業の高収入が、高収入であるがゆえに不安定であるという、資本主義の論理の残酷さに、ある日突然、主人公が直面します。このある日突然（つまり事前に知らされない）なのがキモで、高収入に慣れた生活設計は一朝一夕に変えられません。終身雇用が一般的であった、当時の日本では、実感しづらいクライムストーリイでしたが、四十年経って再読すると、実感は出来るものの、日本では異なった展開（よりタチが悪い気がしないでもありません）になるだろうなと思わせました。「**家族の輪**」は、反対に、これほど平和な（？）クライムストーリイもないという話です。しかし、人のいい善良な主人公が、この結末を選んでしまう。犯罪が常態として組み込まれていなければ成立しない話でした。

七〇年代の終わりから八〇年代にかけては、レンデルやハリントンが手厚いクライムストーリイを書く一方で、ローレンス・ブロックが、アメリカ社会が持つ、一歩間違えば誰でも遭遇しそうな陥穽を、巧みなプロットで描くクライムストーリイを書いていました。それらに比べて、「天国の片隅で」以降のエリンの短編は、鋭さに欠けるように初読時の私は感じていました。しかし、エリンの手厚さというものは、レンデルやハリントンとは別種の、屈折した手厚さでした。しかも、平然と日常に組み込まれた犯罪を描くブロックの筆は、読者にショックを与えることを基調としていましたが、エリンはそうしたショックのないままに日常に組み込まれていることを描き出したのでした。そもそもローレンス・ブロックふうの行き方は、六〇年代までにエリンがやりつくした方法でもありました。本書でエリンの二作目の収録作を選ぶにあたって、七〇年代後半の短編クライムストーリイの最盛期に、なおユニークな方向性を目指した作品群から、犯罪のないクライムストーリイである「**家族の輪**」を選ぶことにしました。

どういう理由かは分かりませんが、「不可解な理由」よりものちの作品は、『最後の一壜』がポケミスで出る際に、収録されませんでした。なにか不可解な理由でもあったのでしょうか？

七九年の「思わぬ買い手」、八〇年の「デザートの報い」、八三年は「落書き」と「ミセス・マウス」そして八五年の最後の短編「秘薬」です。この年には、最後の長編 *Very Old Money* も発表しています。亡くなったのが、その翌年の一九八六年ですから、生涯現役という言葉があてはまると言っていいでしょう。その後EQ九三年三月号には、「ファンレター」というコスモポリタン五四年三月号に掲載された作品が、発掘されていました。

「思わぬ買い手」は、地方の役場を舞台にして、地元有力者にささやかな便宜を図っているうちに、そこに勤める女性を有力者が見初めるという、お定まりの話なのですが、主人公の文書課主幹インス氏が、「魔がさし」て口をついたことから、一気に話が脱線していきます。エリンにしては軽く書かれた部類ですが、七〇年代のエリンの発想はやはり持ち込まれていました。翌年の「デザートの報い」は、「最後の一壜」の二番煎じとしか言い様がなく、さすがにエリンも衰えたかと思わせますが、次の「落書き」が、また奇妙な一編でした。ハンガリーからの亡命物理学者が、ニューヨーク名物の落書きの洗礼を、自分の自動車に受けます。ハンガリー時代からの学友でもある、もうひとりの科学者（世界的な言語学者なのでした）に愚痴ったところ、落書きに対する寛容さの違いや、学者としての格（どちらも優秀ではあるのですが）の違い、被害者がケチだったことなどが重なって、言い争いとなり、愚痴られた言語学者は、いささか不愉快な気分のままに食事をおごらされてしまう。翌日、その言語学者は、軽い復讐を思いつきます。食事時を狙って、昨日同様同席すると、さらに良いことに、ウィーン出身の冗談の分かる同僚が居合わせています。その席で、街じゅうに溢れる落書きのうち、ある種のものだけは言語学的に意味のある文章を構成したものだと、まことしやかに言ったのです。地球外から侵入した諜略工作員の相互連絡なのだと。「例えば、君は有能な物理学者だ。目の前に数式を突きつけられて、そこに見たこともないような記号が使われていたとしてもだよ、それが数式であることは一目でわかるだろう」なんて言われるので、つい信じるわけです。同席したオーストリア人が吹きだすまでは。第三者がいたために、復讐は予想以上の効果をあげ、物理学者が席を蹴ったあとも、残ったふたりは、本当にそうだったら怖いよなと大笑いです。しかし、翌日、事態は一変します。言語学者の家は落書きされ、しかも、昨日同席したふたりが事故に遭っている。言語学者の結末での描き方が、ばかばかしいだけのオチになることを救っていました。

「ミセス・マウス」は、コンピュータ・テクノロジーの最先端を行く技術者を、決定できない二者択一が襲いますが、**「決断の時」**の緊張感は、かけらもありませんでした。「秘薬」は、ニューイングランドの田舎で、クビ寸前の警察署長が、街の有力者を前にした会議で、入念に行った調査報告をするという話です。いかにも怪しげで胡散臭い医療関係の会社を、莫大な経費を使って追跡調査したものでした。そんなムダ遣いばかりしてと、難色を示していた一同が、最後に警察署長の首をつなげてしまうばかりか、新規パトカーの購入まで認めさせられてしまいます（購入に関するサゲが愉快）。スタンリイ・エリンという作家が、最後の最後まで、アメリカ社会の素描を描き続けたことを示した一編でした。

エリンの死後発掘された「ファンレター」という一編は、忘れられたサイレント映画の剣劇スター（台詞でつまずいてトーキーでは活躍できなかった）が、いまも復帰の声がかからないかと往時の肉体を保持しています。そこに現代（五〇年代です）の若い女性からファンレターが来て、喜びのあまり食事に誘った結果が……という話でした。ミステリではありませんが、短編小説としての綾にはさすがなものがあります。しかし、ＥＱＭＭに書く時には、結末をこんな明示的な書き方にはしないだろうと思わせました。

「特別料理」がフレデリック・ダネイの眼にとまったのが、一九四六年十一月でした。最後の短編「秘薬」はＥＱＭＭ一九八五年十二月号に発表されました。約四十年の間に、発掘された「ファンレター」を含めて五十に満たない数（コスモポリタン掲載作で未訳のものがいくつかあるようです）の短編を、エリンは残したことになります。そのキャリアを通じて、アメリカ人の手になるアメリカ人とアメリカの社会を描いたクライムストーリイを、一貫して書き続けました。しかも、その着想も技法も、常に一編一編が一から組み立てられていて、わずかな例外を除いて、自身の過去の手法やパターンの再生産再利用といったことには、見向きもしませんでした。そうした、ひとつことを成す頑固さや信念と、それが支持される環境は、たとえば、劇評家のブルックス・アトキンスンや、イラストレイターのアル・ハーシュフェルドといった、ニューヨークで長きにわたって第一人者であった人々――アメリカ文化のもっとも洗練され力強い部分――を、私に連想させます。ニューヨーカーという人種の地力を、ミステリの世界で体現した作家。それが二十世紀最高の短編ミステリ作家スタンリイ・エリンへの、私の評価となります。

## 3　クリスチアナ・ブランドの軌跡

クリスチアナ・ブランドのデビューは一九四一年の『ハイヒールの死』ですから、キャリアとしては、エドマンド・クリスピンあたりと近いことになります。第二次大戦中から戦後にかけて、パズルストーリイ（だけを書いたわけではありませんが）の有力な作家として存在感を示し、『ジェゼベルの死』『疑惑の霧』『はなれわざ』といった作品が代表作でしょう。一九五七年の『ゆがんだ光輪』を最後に、一時期、ミステリから離れていたようです。また、四〇～五〇年代の短編ミステリには、見るべきものはないようでした。イギリスのパズルストーリイ作家は、第二次大戦以後は停滞している例が多く、最後のコックリルものの長編『はなれわざ』が一九五五年ですから、のちのちまで活躍した方です。しかも、多くのイギリス作家が新聞に書いた、短かい謎解き作品が、ブランドにはあまりありません。

十年近くかそれ以上、第一線からは退いたと思われていたであろうブランドが、颯爽と姿を現わしたのが、EQMMによるCWAとの共催コンテストの第一回でした。「婚姻飛翔」が第一席を射止めたのです。続く第二回では「ジェミニー・クリケット事件」が第二席、第三回では「スケープゴート」（「ミステリオーソ」）が特別賞です。

この三編は、いずれも、かなりのヴォリュームをもっていて、凝った短編になっています。共通するのは、事件の関係者が事件をふり返りながら推理していくという構成になっていることです。ブランドの言う〈蛇のようにねじくれた書き方〉で、記述は三人称ながら、登場人物の内的独白が多用されていて、両者の受け渡しのところで生じる曖昧さを巧みに使っていたりするので、油断がなりません。「婚姻飛翔」は再婚を目前にした暴君の富豪が、再婚相手の看護婦（先妻の看護婦として雇い、彼女の死後、自分の世話係から妻に昇格させようとしています）との披露宴の席で毒殺されるというもの。居合わせたコックリルが、有力容疑者四人を交えて、犯行が可能だったのは誰かという議論に持ち込みます。短かく描かれる生前の被害者の横暴ぶりが、その性格を示すという意味ではもちろん、解決の手がかりとしての伏線になっている（全般的に伏線の巧さの目立つ短編です）のが見事で、第一席も当然の出来栄えです。しかし、ブランドは、次の第二回コンテストで、それを上回る作品を書いてきました。それが**「ジェミニー・クリケット事件」**です。これについては終章で詳細に読みますが、二十世紀に書かれた最高の短編ミステリだと、私は考えています。「スケープゴート」は、十二年前に起きた狙撃事件（足に障碍のある著名な奇術師が、挨拶の壇上で狙撃され、杖がわりの友人が殺されてしまう）が、未解決のまま、警備にあたった警官が責任をとらされて職を解かれ、失意のうちに死んでいる。その息子が父の名誉回復をはかっていて、関係者が一堂に会して、事件を再度論じることで、少年の長年の不満に決着をつけようというのです。犯行方法のリアリティや人間関係の解きほぐし方に難があって、前二作よりは落ちる出来でした。

このCWAコンテスト三回連続入賞は、クリスチアナ・ブランドの存在感を示しました。もっとも、「婚姻飛翔」と「スケープゴート」は、『招かれざる客たちのビュッフェ』が出るまでは、ミステリマガジンに訳されたきり（「スケープゴート」は訳されたのも遅かった）だったので、日本の読者の多くが記憶したのは『ビュッフェ』が出た際も、コンテストからは二十年経っていたうえに、今度は「ジェミニー・クリケット事件」においてでしょう。ジェミニー問題に耳目が集まり、やはり、この再登場の華々しさは、認識されなかったと思います。

『招かれざる客たちのビュッフェ』の巻頭作「事件のあとに」は、珍しい五〇年代の短編で、コックリルが老刑事の過去の手柄話を聞きつつ、同時に事件の真相を看破してしまうというものです。日本語版EQMMに「帽子から飛び出したうさぎ」（EQMM掲載時の原題の直訳です）の題で載ったことがあります。劇団内の事件で、「オセロ」上演後に主演女優が殺されます。警察を待ち受ける劇団員は、時間がたっぷりあったにもかかわらず、衣装もメイクも本番のままの姿でした。大胆な仕掛けで、意外性は充分。それを成立させるために、老刑事に過去の事件を語らせるという形をとったものですが、落ち着いて考えると、肝心要の殺人の動機を、捜査側が知る術はなかったのではないでしょうか？

「カップの中の毒」*（「ブラックコーヒー」）は、コックリルが登場する倒叙ものという解釈が一般的ですが、むしろ、クライムストーリイに近い。犯人が刻々変化する状況に、過剰に反応して、口から出まかせに近い対応を続けるのは、読者の哄笑を誘うもので、私はにやにやしっぱなしでした。コックリルを描くのも最小限にとどめ、それも常に犯人から見てのコックリルで、そのことも、倒叙からクライムストーリイに近づけた原因でしょう。同じようなことは「血兄弟」「最後の短篇」といったコックリルものにも、あてはまります。ともに、犯人の一人称による小説で、倒叙というよりもクライムストーリイと呼びたい作品でした。

「もう山査子《さんざし》摘みもおしまい」はウィンターズ・クライムのところで触れました。『招かれざる客たちのビュッフェ』は料理のコース仕立ての目次になっています。メインディッシュに相当するアントレは「**ジェミニー・クリケット事件**」「スケープゴート」と並んで、この「もう山査子摘みもおしまい」でした。ブランドのクライムストーリイの代表作ということでしょう。

また、森英俊が『世界ミステリ作家事典［本格派篇］』のブランドの項で、短編クライムストーリイから名前をあげたのが「スコットランドの姪」でした。

かつて親類たちをペテンにかけて、財産を独り占めしたらしい婦人の真珠の首飾りを、スコットランドの姪が狙っているという、単純な設定ひとつを、スピーディかつユーモラスに次から次へとツイストしながら展開していく。ブランドが時おり見せる疾走感重視の一編ですが、その中ではピカイチです。ただし、一箇所だけ。入院しているのは弟の娘にしたいところです。

後半の第四部第五部は、「目撃」（「影」）を除いて、クライムストーリイが並びます。この中で出色の出来なのは「メリーゴーラウンド」でしょう。ふたつの家庭の間に隠された憎悪と策謀が、両家の子どもたちには筒抜けになっているのみならず、なわとび遊びの替え歌の歌詞になっている。乱歩の言う「奇妙な味」ど真ん中の作品です。幾度かのツイストの果てに、その策謀が子どもたちの代にも引き継がれているというところが、ブランドならではです。EQMM掲載時には、フレデリック・ダネイによって、題名が変えられ（ミステリマガジンには、その直訳「なわとび遊び」という題名で載りました）、子どもたちの詩を改悪されたと、ブランドが不満をもらした作品ですが、韻律の問題のようなので、邦訳では目立つことはありませんでした。

「目撃」はブランドには珍しく、自動車からの人物消失という不可能興味が前面に出ています。ブランドの場合、いろいろな趣向や仕掛けが複合するので、なにかひとつ（たとえば密室とか）が前面に出ることは、意外と少ないのです。もっとも、この解決は、うまく、そんなふうになるものだろうかと、思わせないでもありません。

「ジャケット」（「ここに横たわるのは……」）「ごくふつうの男」（「偏執狂」）「神の御業」は、巧みに書かれたクライムストーリイとサスペンスストーリイで、いずれも、男の造形に工夫がこらされていました。とくに「神の御業」は、オチや展開の意外性を排したところが、ブランドには珍しい一編となっていました。「バルコニーからの眺め」「囁き」（「囁く声」）は、ともに、ヒロインの妄執を描いたものでしたが、冒頭で、その妄執をはっきり明示し、遡って、アンファンテリブルのクライムストーリイを描いた後者の方が、深みもあれば読者を引っ張る力も上というものでした。同じ妄執でも「この家に祝福あれ」は、少し手がこんでいます。主人公の老女は、身重の妻とその夫が家の追い立てをくって、途方にくれているのを見かねて、陣痛が起きたことをきっかけに、その見知らぬふたりに納屋を貸して出産させます。マリリンとジョーというふたりの名前（マリアとヨゼフですね）や、その他の些細な符合から、キリストの生誕の再来ではないかと、彼女は考え始めるという話。

六〇年代の終わりに編まれたブランドの第一短編集 *What Dread Hand* 収録作のうち、『ビュッフェ』に入らなかったものを読んでおきましょう。

六〇年代のブランド短編で、比較的早く翻訳されたのが「誰がための涙」と「大空の王者」です。フランスの上流階級を舞台に、複数の愛人と手切れをしようとするドンファンが殺されて、手切れに渡されたダイヤをめぐって恐喝事件が起きる前者よりも、ミステリとは言えないであろう、自分の領地内に住むトビに対する老嬢の崇拝と自負の念を鮮やかに描いた後者の方が、圧倒的に読ませる出来栄えでした。

「薔薇」はロバート・E・ブライニーの書誌によると一九三九年の作品（のちEQMMで発掘されミステリマガジンにも邦訳が載りました）ということで、夫婦間の殺意を描いたクライムストーリイに、後年ロバート・トゥーイあたりが得意としたオチをつけたものでした。巧みに読ませますが、若書きの部類でしょう。同じくクライムストーリイの「さすが警察」も、過去の犯罪からヒントを得た完全犯罪狙いが、その作為ゆえに瓦解するという平凡なもので、「拝啓、編集長様」はブランド宛の短編依頼の手紙が他人のところへ届き、そのあげくに起きた殺人の手記という体裁で、精神病患者としても箍《たが》のはずれた女が、どうやら彼女を介護しているらしい女を殺そうとする話。初出はJ・D・マクドナルド編のアンソロジーで、そのときの題名はDear Mr. MacDonaldだったといいますから、アンソロジーに書下ろすこと自体を趣向に仕組んだ一編だったのでしょう。このころのブランドのクライムストーリイは、組み立ても単純で平凡なものです。

「愛に似て……」はさして魅力のないゴーストストーリイでした。同じ幽霊話でも、「幽霊伯爵」は、ユーモラスな筆致で、三人の老婆が語る幽霊伯爵にかこつけたクライムストーリイと見せかけてという話が、イギリスの貴族の質の悪さを裏側から描いて、頰をゆるませます。

ミステリの範疇かどうか怪しいながら、ブランドらしい凄みをたたえているのが「父の罪」です。冒頭の但し書きからは、つい百年ほど前までウェールズで実在した風習のようですが、まったくの空想かもしれません。死んだばかりの人間の身体の上に盛られた豪華な食べ物を食べることで、その死者の罪を自分のものとし（おかげで、死者は生前犯した罪を押しつけてしまえる）、金をもらって去ることで、他人の罪を背負って生きる、罪食い人という一種の被差別民の話です。貧困のあげく病気で弱り切った罪食い人のもとへ、葬儀を明日にひかえた家から男が使わされる。さんざん探した果てのことでした。罪食い人の妻は、病気で動けない夫のかわりに、息子を差し出します。息子には死体の上にあるものを食べなければ罪食いにはならない、だから、ひとりにしてもらって食べ物をこっそり隠して持ってくればいいと知恵をつけて。そう簡単にいくものかと読者は思うし、それでなくても少年は怯えています。サスペンスと残酷な空想力いっぱいに短かい物語は終始し、さらなる残酷さをもって小説は終わります。

こうした作品に比べれば「ダブル・クロス」は、いかにもなブランド印です。トーマス・クロス卿の豪壮な屋敷に住む三人のいとこは、互いにあまり仲良くないうえに女をめぐってライヴァル関係だったりしますが、クロス卿が殺されてみると（当然、三人は有力容疑者です）、屋敷に住まないかぎりは屋敷（が遺産の大部分です）についての権利を失うという遺言が残っていました。三分の一の財産では他所に家を持ちながら屋敷を維持できないし、おとなしく屋敷を三分の一に区切って暮らすか、他のふたりの分け前を自分のものとしてしまうかという、ヴァン・ダインの『グリーン家殺人事件』をゲーム的にしたような設定です。いとこのひとりは大きな赤い顎鬚が目立つ画家ですが、この男、常日ごろから、自分によく似たドッペルゲンガーがいて、いもしないところで目撃されると、まことに怪しげな話（ヴィカーズの**「二重像」**ですね）をしています。容疑者同士が事件を議論しながら話がすすむという、晩年のブランドに特徴的な展開の、これは走りということになるのでしょう。謎の落とし所は、あっさりしたものでした。

別の意味でブランドらしいのが、第二短編集に入った「回転はすばやく」です。売れない俳優とその妻、俳優の愛人のお手伝いの少女、俳優に横恋慕している隣人の女という人間関係のところに、ある時、夫婦喧嘩のあげく妻が転倒して頭を打って死んでしまいます。凶器の火掻き棒、目撃証言の偽証、一事不再理といったものは、すでにおなじみのミステリのクリシェとして無造作に用い、その上で、登場人物各人の思考の Quick and Clever（原題です）ぶりを描く。「スコットランドの姪」「メリーゴーラウンド」系列の、スピーディなツイストにあふれた一編でした。なお、この作品はブランドの短編集とEQMM掲載版に、テキストの相異が指摘されていますが、邦訳はEQMMからのものしかありません。

このほかに、クライムストーリイと見せかけて、ホラータッチのサゲが決まる「わが屍を踏み越えて」や、飼い犬を求める作家のハートウォーミングな話と、これまた見せかけた「人間の最良の友」。コックリルとホークスメア公爵夫人が推理を競う「屋根の上の男」などがあります。

『招かれざる客たちのビュッフェ』一冊を読んでも分かることですが、ブランドの短編には、クライムストーリイが多く、コックリルが登場するものにしても(「婚姻飛翔」に顕らかですが)、犯人側からの記述が含まれていたりする上に、謎解きの部分で三人称での描写が入るなど、パズルストーリイらしからぬ描き方が出てきます。「メリーゴーラウンド」は、クライムストーリイとはいえ、実際には犯行を行った人間ではなく、それに気がついた(つまり謎を見破った)子どもたちの描写だけから成っていました。「回転はすばやく」「スコットランドの姪」のようなツイストの連続や、「回転はすばやく」「ダブル・クロス」といった作品に見られる、従来のミステリにさんざん使われたクリシェを平然と使い、その上で、なお読者に意外性を与えようとすることもありました。

ブランドにおいて明らかなのは、読者に意外性を与えることが第一義であり、名探偵による解明(つまりディテクションの小説であること)は、それほど重要ではないという態度です。

従って、クライムストーリイになることを恐れませんし、ディテクションの小説であっても、クライムストーリイに接近した印象を与えます。しかも、読者への対決姿勢を持ちながら、日本流の犯人当てトリック小説とは一線を画している。

そうしたクリスチアナ・ブランドのユニークな在りようが、最高の果実をもたらしたのが**「ジェミニー・クリケット事件」**であると、私は考えます。終章において、この二十世紀最高の短編ミステリを精読することで、『短編ミステリの二百年』全六巻を閉じることにします。

# 終章　誰が謎を解いたのか

## 1　「ジェミニー・クリケット事件」のふたつのヴァージョン

**「ジェミニー・クリケット事件」**は、まず、「ジェミニイ・クリケット事件」の題名で、ミステリマガジン一九六八年十一月号に掲載されました。ＥＱＭＭ六八年八月号掲載の The Gemminy Crickets Case の翻訳です。第二回ＣＷＡコンテスト第二席作品でした。その後一九七三年に『37の短篇』のラストを飾る作品として収録されました。当時から評価は高く、『37の短篇』の巻末座談会でも、石川喬司、稲葉明雄、小鷹信光の三人の選考委員が、収録作のベスト5を選んだ際に、唯一全員が選んだ作品となりました。

この短編の複雑な経歴と在り方が、日本の読者に知られたのは、一九九〇年にブランドの短編集『招かれざる客たちのビュッフェ』が創元推理文庫から出たときでした。原書は八三年にアメリカで出たものです。そこに序文と書誌を寄せたロバート・Ｅ・ブライニーが、「英米の両国で発表された短編は、テキストに時としてかなりの異同が見受けられる。それが最も極端なのは、「ジェミニー・クリケット事件」の結末だろう」と書き「著者が選択したほうの原文を採用した」として、六八年にイギリスでのみ発行された個人短編集*What Dread Hand*に*Murder Game*の題名で収録されたテキストを、その題名で収めました。ただし、邦題は「**ジェミニー・クリケット事件**」は、俗にいうアメリカ版（EQMM～HMM～『37の短篇』の版）とイギリス版（*What Dread Hand*～『ビュッフェ』の版）のふたつと、それぞれの邦訳が存在することになりました。訳者はいずれも深町眞理子です。先のブライニーが「結末」と書き、『ビュッフェ』の解説では北村薫が「結末の部分がかなり違う」と書いた上で「私はあちら（米版のこと・引用者註）の方がいいと思う」と、こちらは小さな活字で書いたために、ふたつのテキストは結末（だけ）が異なると勘違いしている人が、しばしば見受けられます。その上で、米版、英版どちらが好きかという点にだけ話題が集中した感は否めません。

その後『ビュッフェ』は順調に版を重ねたため、英版はいつでも読める状態でしたし、米版は二〇〇一年に北村薫が『北村薫の本格ミステリ・ライブラリー』（角川文庫）に収め、二〇一〇年には『37の短篇』のポケミス再編集版『51番目の密室』に収録されました。両者とも読むのが難しいという状態ではありません。にもかかわらず、では、どこがどう異なるのか？　そして異なった結果、あるいは異ならなかった結果、何が生じたのか？　その点は、なおざりにされているように思えてなりません。短かいミステリの長い歴史を記述するその締めくくりとして、二十世紀最高の短編ミステリのふたつのヴァージョンを、慎重に読み進めていくことにしましょう。詳細に論じることになります。必ず、収録したふたつの「**ジェミニー・クリケ**

ット事件」を読んでから、この先をお読みください。

## 2　ふたつの「ジェミニー・クリケット事件」1――その結末

この小説は、事件の関係者である青年が、殺人事件に興味を持つ老人に、その事件の顛末を語って聞かせるという、一種の安楽椅子探偵ものの形で成り立っています。人々が野蛮だったころの記憶を、民族単位で肉体的に取り戻すサッカーのワールドカップという催しの、それも決勝戦の日に、ふたつの殺人事件が起きます。一見互いに関連ありそうにはないのですが、被害者が死に際に、同じ内容の意味不明で奇妙な言葉を電話で伝えてきたために、連続殺人と目されることになります。事件の一方の弁護士殺害は、密室殺人なのですが、その解明よりも、もう一方の警官殺しのホワイダニットの面白さと、なにより、結末の不気味さで、この短編は名を残すことになりました。

落ち着いて考えると、「ジェミニー・クリケット事件」の犯罪計画には、合理性に欠けるところがいくつもあります。なぜ密室にしなければならないのか分からないし、まして、その密室殺人の遂行に必要だからというだけの理由で、それ以外には殺す動機のない警官を殺す。ふたつの事件を、被害者の死に際の言葉を偽装することで、関連づけなければならない理由も見当たりません。犯人はルーパートに疑いがかかるように、計画しているのですが、密室にしたこと、そのために警官を殺したこと、その警官殺しを弁護士殺しと関連づけたこと、これらの作為のおかげで、逆にルーパートは疑いを免れているのです。その一方で、犯人がもっとも安全圏にいてほしかったはずのヘレンは、犯人が犯行現場から彼女を遠ざけようとした策略のために、かえってアリバイを失うことになってしまいます。

これらのことは、一見、謎解き小説としては、大きく価値を減ずるものに、読者の目に映るかもしれません。しかし、重要な点なので、記憶に留めておいてほしいと思います。

ジャイルズ青年が老人を訪ねてやって来るという点は、両ヴァージョンで共通しています。老人は殺人事件の謎解きを趣味にしていて、ジャイルズが事件の詳細を話し、それを老人が推理するという、安楽椅子探偵もののパターンに則って話が進行するかのように見えますが、そこに詐術がある。すなわち、ふたりが話している場所が精神病院であり、ふたりともそこの患者なのでした。したがって、老人が「ときに、なんでここへきたんだね」と訊ね、ジャイルズが「ジェミニー殺人事件ですよ」と答えるくだりが、事実は、ジャイルズがジェミニー事件の犯人であり、事件を契機に精神の病が認められたために、そこへ（送られて）来たにもかかわらず、ジャイルズが老人の知恵を借りて、ジェミニー事件を解決するために、自らの意志でそこへ来たかのように、読者を錯覚させるような書き方になっている。それらのことが、結末に到るまで、読者には分からないようになっているのです。

その結末の提示の仕方。それが、俗にいう、英米版の結末の違いということになります。

米版では、彼らふたりを見守る園丁たちの会話の形で、それは読者に知らされます。ジャイルズが事件の模様を老人に語り、老人は犯人あてのゲームに興じ、そのゲームにジャイルズが耐えられなくなったところで、ふたりを見ている園丁の会話になります。そこでジャイルズが犯人であることと、警官殺しの理由が述べられる。続いて、ジャイルズの犯行の模様が描写されます。そして、最後にもう一度、園丁たちの会話になって、最後のオチ、老人がジャイルズの祖父であったという事実が示されます。しかし、老人は自らの犯行である一家惨殺を憶えていません。

これが英版では、園丁たちは、そこが精神病院であることを示すために、ふたりの周囲の点景として描かれるだけで、彼らの会話はありません。代わりに、ジャイルズがゲームに耐えられなくなったところで、老人がジャイルズに告白を迫ります。「最初に言ったろう、殺人事件に関する告白をたくさん聞いてきた、と。いよいよきみのを聞かせてもらう番だよ」と。その後、老人は「まずは警官殺しからだ」と、ジャイルズをうながし、なぜ警官を殺す必要があったのかを自ら指摘する。続いて、ジャイルズの犯行の模様が描写されます。最後に「なるほど、わかった」で始まる老人の台詞がきて、そこで、老人がかつて自分の息子夫婦を始め、家族を片っ端から斧で殺したことを告白し、ジャイルズがその生き残りの孫であることを暗示して終わります。

ここで問題となるのは、米版英版ともに、ジャイルズの犯行の模様が、地の文で描写されていることです。この部分は、三人称二人称が混用されていて、犯人であるジャイルズは「おまえ」で示されることもあれば「彼」で示されることもある。原文でも〝you〟と〝he〟が混用されています。

米版においては、一行アキの後で、その部分は、こんなふうに始まります。

「ジェムおじがなにを言おうとしているかは、聞く前からわかっていた。人間はだれしも体のなかに、先祖代々伝わってきた遺伝という種子を持っている……いまや、遠い幼年時代のあの忌まわしい夜以来、ときおり襲ってくるあのめくるめく光、あの熱く白い光が、完全にジャイルズの頭のなかを占拠していた」

このふたつの文章は、三人称ですが、最初の文章ではどういう主語が省略されているのか、そこだけでは分かりません。原文はKnowingで始まる分詞節です。しかし、ジャイルズのことがhimやhisで表わされています。ところが、パラグラフが変わると、次のような文章が登場します。

「計画はおのずと頭をもたげてきつつあった。まず警官を殺して——いや、すぐには殺すまい。制服が使用され、ぶじに返却されたそのあとで、死んだように見せかけなくてはいけない。その場では、縛りあげるだけにしておこう。おまえをよく知っている警官を選ぶ。そこで怪しい出来事が起きているとおまえが話せば、疑いもせずあの工場跡までついてくるだろう男」（傍点引用者）

以下、しばらくはジャイルズの犯行が「おまえ」を主語にした文章で描かれます。そして、犯行の全貌が明らかになったところで、「容疑はルーパートにかかるはずだ、そう彼は計算していた」と、三人称に戻るのです。

一方、英版では Knowing で始まる分詞節に続いて、すぐに二人称の you が現われますが、三人称との混用が続きます。そして、犯行の模様はおおむね二人称で描かれ、一行アキののちに三人称に戻ります。

こうした部分が、単純に三人称で書かれていたならば、米版では、園丁同士の会話の延長として、犯行部分を地の文で書いたと考えるのが自然でしょうし、英版では、警官殺しの理由を老人に指摘され、自分の犯行であることを知られていると察知したジャイルズが、老人に告白した内容を、地の文で書いたと考えるのが自然でしょう。しかし、二人称と三人称の混用ということは、犯行過程にあるジャイルズを、ある時は「おまえ」と呼び、ある時は「彼」と呼ぶことです。ジャイルズのことを「おまえ」と呼んでいるのは誰なのかは判然としません。そこだけに問題を限れば、そう呼ぶのは老人と考えるのが、もっとも自然です。それまでもそう呼んできていますから。しかし、ジャイルズ自身が心の中で自分のことを呼んでいるとも考えられます。その点は曖昧なままなのです。

そうなると、米版については、疑問がひとつ生じます。誰がこの殺人事件の謎を解いたのだろうか？　もちろん、園丁が解いたとは考えにくい。安楽椅子探偵のはずの老人が、実は精神異常者の家族惨殺犯で、その事件の生き残りの孫と、彼自身も殺人者となったために精神病院で再会する。そのアイロニーとショックは、ミステリの結末としてこれほどふさわしいものはありません。ハンニバル・レクターなど、影も形もないころの話なのです。だが、ブランドは米版において、正確には、老人を探偵役には描きませんでした。きわめて曖昧な形の描写と園丁の会話とで、読者に真相を伝えました。結果的に、パズルストーリイではなく、クライムストーリイとなったのです。短編小説の構成美から言っても、とってつけたような園丁の会話は、不恰好というものでしょう。出来ればこの会話は入れたくないとブランドが考えたとしても、不思議ではありません。

では、右の点が不満で、ブランドは米版を改稿し、英版を確定テキストとしたのでしょうか？　ところが、落ち着いて考えてみると、同じ疑問は、英版においても残っているのです。誰が謎を解いたのか？——密室の謎、警官殺しの理由といった謎を、いったい誰が解いたのか？

しかし、その点を考える前に、私たちは、ふたつの版のさらに重要な相違点に目を向けておく必要があります。

## 3　ふたつの「ジェミニー・クリケット事件」2——その冒頭

非常に明白であるにもかかわらず、これまで見逃されてきた英米両版の相違点が、実は冒頭部分で示されています。両者を並べてみましょう。

老人は、つい歓声をあげずにはいられなかった。「これはこれは、坊や、よくきたな。おまえと会えるなんて、なんてうれしいんだろう！　で、どうだね、しばらく滞在するんだろう？」周囲には、明るい春の日ざしを浴びて、ビロードのような緑の芝生がひろがり、かなたの色とりどりの花壇では、鍬や鋤《すき》を手にした男たちが立ち働いている。「あれからたしか——驚いたな！——もう二十年以上にもなるぞ。道で出あっても、おまえとは気づかなかったろうよ」そしてくっくと喉を鳴らして笑った。「ときに、なんでここへきたんだね？」

「ジェミニー殺人事件ですよ」ジャイルズは言った。（米版）

老人は、若者と知り合いになれるのを心から喜んだ。「これはこれは、お若いの、よくきたな。近ごろは、めったに珍しい顔にお目にかかることもない。いずれにしろ、気に入った顔には。おまけにきみは、いくらかわしの若いころを思いださせるところもあるしな。で、どうだね、しばらく滞在するんだろう？」周囲には、明るい春の日ざしを浴びて、ビロードのような緑の芝生がひろがり、かなたの色とりどりの花壇では、鍬や鋤を手にした男たちが立ち働いている。「ときに、なんでここへきたんだね？」

「ジェミニー殺人事件ですよ」ジャイルズは言った。（英版）

前者では、ふたりの知り合い同士が再会し、後者では、ふたりは冒頭で知り合っています。

少なくとも、老人は若者のことを知り合いだと思っていません。この点について、深町眞理子の訳は意識的で、老人がジャイルズ相手に使うyouを、米版では「おまえ」と訳し、英版では「きみ」と訳しています（そうでない部分については後述します）。

それでは、この違いは、小説にどのような影響をもたらしたでしょうか？

米版では、ジャイルズは旧知の老人に会いに来たように、読者には見えていて、安楽椅子探偵もののストーリイ進行に、ごく自然に入っていきます。老人も「殺人事件にはことのほか興味があるんだ」と言っています。犯人あてゲームが始まり、結末では、ゲームに熱中する老人に、「ここでなにか決定的なこと、断固としてこれにけりをつけるようなことを言わないかぎり、それはけっして隠蔽されないだろうし、忘れ去られることもないだろう……」というところまで、ジャイルズは追い詰められます。しかし、老人が事件の真相をつきとめたかどうかは明示されませんし、ジャイルズは「なにか決定的なこと」を言わなければならないところに追い込まれている（と思い込んでいる）ようですが、なにかを言ったとは書かれていません。

一方、英版では「ことのほか興味があるんだ」に続く部分が「これまでに、ずいぶんたくさんの告白を聞いてきたよ」となっています。ただし、老人が青年を知らないからといって、事件の謎解きゲームを始めるのが不自然だというわけではありません。そして、結末では、老人は警官殺しの真の目的を指摘し、その後、ジャイルズがすべてを告白したものと思われます。続く老人の台詞は「なるほど、わかった。おかげで楽しかったよ」と始まり、それはジャイルズの告白を受けたもののように見えるからです。

ただし、英版において、犯行の描写の部分の二人称は、それまで老人がジャイルズのことを呼んでいた「きみ」ではなく、「おまえ」と訳されています。英語ではyouなので、それまでと区別されることはありません。この訳し分けは、深町眞理子の解釈の結果生まれたものでしょう。「おまえ」としたのは、ジャイルズの告白なので、自分のことを二人称で呼ぶ内的独白ととったのか、老人がジャイルズのことを言っているのではないから、それまでの二人称と区別したのか、はたまた、ここも老人のジャイルズに対する二人称ととりながら、態度が一変したものという解釈なのか。様々に考えることが出来ます。ただ、いずれにせよ、原文が幾通りにもとれる曖昧さをもった記述であることは確かでしょう。

この違いに伴って、結末における両者の関係も、異なったものになっています。

米版では、ゲームの終わりで、ジャイルズが「おのれの敗北を認め」て、そこで「老いてはいてもがっしりした手がジャイルズの腕のなかにすべりこんでき、ふたりはともに熱いお茶の待っている家のなかへはいって」行きます。園丁たちの目には「あのふたりがここで出あい、親しくなるなんて、奇縁としか言いようがないよ」（傍点引用者）というふうに見えている。

英版では、そうはいきません。

まず確認しておきたいことがあります。冒頭のやりとりから、ふたりは互いに知り合っている間柄ではないと分かるものの、老人はジャイルズが自分の孫だと知らないが、ジャイルズの方は、老人が自分の祖父であることを知っているらしいということです。事件の経緯をジャイルズが話し始めたばかりのころに、次のような会話が出て来ます。

「ルーパート・チェスターというと？」

「ジェムおじの被後見人のひとりですよ。ぼくらはみんな、おじの被後見人なんです。おじは行く先々で、いろんな――その、不幸な生いたちをした子供に出くわすと、後見人を買って出ました。覚えてるでしょう？　いずれにしても、そのことはあとで話します」

　後者のジャイルズの台詞は、米版ではあっさりとこうなっています。

「ジェムおじの被後見人のひとりですよ。そのことはあとで詳しく話します。ルーパートとぼくは、どっちも弁護士の資格をとっていて、ジェムおじの事務所で働いていたんです」

　英版の台詞「覚えてるでしょう？」に注目しましょう。ジェミニーが殺人事件の遺児を養子にしていたことを、老人が知っていると、ジャイルズは考えているのです。実際には、この会話に続く老人の反応からは、そういう事情を承知しているようには見えません。けれど、ジャイルズは"You must remember that?"と言っているのです。殺人事件の遺児を養子にするというジェミニーの行いは、第三者はもちろん、当の子どもたちに対してすら、慎重に秘密が守られていました。老人がそれを「覚えてる」はずだとジャイルズが考えているのなら、それは老人が第三者ではなく、当事者であると考えていたのでしょう。

　そして、ジャイルズにとって、ゲームが「ただ忌まわしく、おぞましいものでしかなくなってしまった」（両版共通）ところで、英版には次のような一文が加えられています。

「すくなくとも、このがっしりした老人――残酷で、嗜虐性《しぎやくせい》があり、猫が鼠をもてあそぶように、過去の古傷を玩弄《がんろう》したがる老人からは、けっして忘れてもらえることなどあるまい」

無邪気に犯人当てゲームに興じたあげく、孫を追い詰めたものの、彼の破局を知らぬまま、そして自分の過去の凶行も忘れたまま、お茶に向かう老人と、それに従う青年という、一見のどかな風景を背後に、園丁たちによって悲惨な真相が語られるのが米版で、自分の孫とは知らないままに、青年を自分の嗜虐性の獲物にしてしまう老人の残酷さが強調されているのが英版である。と、一応は言えるかもしれません。そして、そのことは、クライムストーリイになっていた米版と、少なくとも警官殺しの理由を老人が指摘し、パズルストーリイの形をとっていた英版という、前節で示したこととも照応しています。

ですが、本当に、そういうことなのでしょうか?

## 4　ふたつの「ジェミニー・クリケット事件」3――ヘレンに触れられること

第一節で触れたように、米英両版とも一九六八年に活字になっています。米版はコンテスト応募作なので、こちらが最初の稿だと考えるのが、常識的でしょう。しかし、絶対とは言えません。ブランドは回想録のフレデリック・ダネイの死に寄せた回で、ダネイがＥＱＭＭ掲載時に、彼女の原稿に勝手に手を入れたことを、かなり不適切で不満なこと（非難してはいませんが）として書き記しています。ディクスン・カーの「第三の銃弾*」のときも、ダネイは大鉈をふるっていました。しかし、いくらなんでもMurder GameをThe Gemminy Crickets Case

にしてしまうとは（題名だけならともかく）考えづらい。それでも、書き直しを求めた可能性は排除できませんし、すべてではないにしても、ある部分の直しがダネイだった可能性は、なおさら否定できません。

細かなことですが、両版ともに、事件の解決部分で辻褄が合わなくなっているところがあります。つまり、どちらが改稿テキストであっても、手を入れてかえっておかしくしてしまっているのです。

米版では「おまえは彼（引用者註・ヘレンが危険というメモを見て部屋を出たルーパート）を追うつもりでいるが、巡査部長がそれを許さない。そこで漠然と、消防隊を呼ぶとかいうようなことを叫んで、許可も待たずにとびだす」とありますが、「消防隊を呼んでくる」という台詞の後で、ルーパートを追いかけようかという警官が出て来ます。この順序の前後は、英版では正されています。

逆の例もあります。英版のジャイルズは「黒っぽい髪に、ほっそりした体軀」なのに、殺された巡査は「背も高いし、がっしりした体格」とあります。同じ制服を使いまわすために殺す相手としては、適当ではありません。この部分、米版では、ジャイルズも「黒っぽい髪に、ややがっちりした体格」となっていて、こちらの方が適切です。

ただし、こうしたことは些事であり、上手の手から水が漏れただけの話です。ただ、そんな些細なことを掘り返してさえ、どちらの稿が先に書かれたかという疑問に答えられないのです。

そんなことよりも重大な、英米両テキスト間にブランドが加えた推敲のあとが明瞭な点があります。ヘレンに対する、あるいはヘレンが話題にされたことに対する、ジャイルズの反応です。それは、小説の後半で「ヘレンが非難されていると感じると、きまってあらわれる熱い、まっ白なもや」と表現される、ジャイルズの頭の中に生じる、強い不快感、不安感です。ふたつのテキストを比較すると、英版の方が、この不快感が、よりはっきりとくり返し描写されていることが分かります。

英版では、まず

1　老人が犯人あてゲームをやろうと提案した時に

「ある種のむかつきがジャイルズの身内に頭をもたげてきた。あれをもう一度くりかえすと、あれらのおぞましい血と恐怖と疑惑をのりこえて、ふたたびヘレンの名をひっぱりだすと、そう考えると……」

と描かれています。さらに、それ以降も

2　老人に「きみは彼女を愛してたんだろう?」と言われた時

3　老人がヘレンが犯人だと匂わせた時

4　老人が警官殺しをさもヘレンがやったかのように語った時

5　老人がルーパートの警官殺しの動機を推理したことをきっかけに、彼女が愛したのが、自分ではなくてルーパートだったことを想起した時

と、何度も強い不快感が、ジャイルズを襲っています。1に到っては、老人はヘレンのことを何も言っていないのに、事件の話をすることでヘレンに話題が及ぶことが予想されるだけで、

のです。

これに対して米版では、前半部分で、ジャイルズの強い不快感が、直接的に描写されることはありません。1、2、3の部分はそっくり抜けていて、ようやく4の部分で、それは現われますが、英版よりもあっさりしている。そして、5の部分において、初めて英版と同じ文章になるのです。

これらはジャイルズに訪れる不安感の描写についてです。そうではない、もう少し細かな描写が、英米両版に共通したものとして存在します。

1　ジェミニー殺害の時間のルーパートとジャイルズのアリバイが問題になっているところです。そこで、突然老人が「で、そのあいだ——ヘレンは?」と訊ねます。すると「「ヘレンはいっさい関係ありません」ジャイルズは急いで言った」(傍点引用者)という描写があります。

2　ジャイルズがジェミニー殺しの密室での犯行方法に注意を向けたところ、老人がジャイルズ、ルーパート、ヘレン、匿名の容疑者それぞれに説明が考えられるとうそぶきます。すると「ジャイルズは即座に反発した。「どうしてヘレンがそんなことをしなきゃならないんです?(以下略)」」(傍点引用者)という反応を示します。

これらの発言は速さを表わす副詞で形容され、その反応は反射的です。続いて、老人が本格的にヘレン犯人説を唱え始めると、その狼狽ぶりに「「いいかね、これはみんな、ただのゲームなんだよ。われわれはゲームをしてるだけなんだ。なのにおまえときたら、たとえゲームででも、そんなことは聞きたくもない、ってな顔をしておる」と不審がられます（英米版ともに、ほぼ同じ文章）。さらに、老人がヘレンにも犯罪者の血が流れていた可能性をほのめかすと、ジャイルズは「つかまれた腕をふりほどこうと」します（英版では「ふりほどく」）。

慎重な読者であれば、これらの描写から、ヘレンに対して、あるいはヘレンについて触れられることに対して、ジャイルズが持つわだかまり、過敏さを読み取り、それがエスカレートしたものとして、前記4、5の不快感の描写が来ていると理解するでしょう。したがって、ジャイルズのヘレンに対する屈折した感情は、米版においても描かれている。米版の方がデリケイトとも言えるし、英版の方が、よりジャイルズの主観に立ち入って、生な描き方をしているとも言えます。

## 5　そして誰も解かなかった

ここで、冒頭の疑問に戻ります。誰が謎を解いたのか？

この短編におけるもっとも意外な真相の暴露のひとつに、警官殺しの真の理由があります。米版では、それは園丁の会話で読者に知らされ、英版では安楽椅子探偵として登場した老人が解明する形で読者に知らされました。前者はクライムストーリイ、後者はパズルストーリイに見えたかもしれません。しかし、園丁がその理由を知っていたのはなぜでしょうか。園丁が抜群の推理能力を持っていたからでしょうか。そうではありませんね。裁判でそのことが明らかになったからでしょう。事実、英米版共通して、小説が始まって早々に、ジャイルズの台詞として「まあこういったことは、みんな裁判で明らかになったことですが」と伏線が張ってあります。そう。小説が始まった段階で、すでに事件の真相は裁判で明らかになっています。そうでなければ、ジャイルズがここにいるはずがありません。知らぬは読者ばかりなりなのです。そして、そのことは英版においても、なんら変わるところはないのです。

では、裁判で明らかになった事実を、老人は知っていたのでしょうか?

事件が新聞で報じられていることは明らかです。小説の冒頭で、事件が新聞に出ていたと老人がはっきり言っている。つまり、老人は事件の報道を読んでいます。ただし、裁判のどこまでが新聞で報じられ、そのどこまでを老人が読んでいたかは分かりません。しかし、裁判は開かれ、そこでジャイルズは責任能力がないと判定されたと考えてよいでしょう。そして、おそらく一連の裁判の経過は、新聞で報道されている。病院にいる老人が、新聞をどこまで読めるのかは分かりませんが、嬉々として犯人あてのゲームに興じるこの老人は、読めるものなら、つぶさに記事を読んだはずだと推測するのは、無理なことではないはずです。老人は「新聞で読んだはずなんだが、忘れちまってね」と言い、ジャイルズに事件の話をさせます。しかし、そう言わなければ、ジャイルズに話をさせることは出来ないのですから、その言葉を鵜呑みにするわけにはいきません。老人はジャイルズに事件の話をさせたい。それは確かですが、それが、事件の謎というパズルを解きたいがためなのかどうかは、実は分かりません。

老人がすべて承知の上で、なおジャイルズに話をさせたとしたらこのゲームの目的はパズルを解くことではなくなります。ジャイルズに対するサディスティックな喜びを感じるためということになります。そして、その可能性は排除できません。そうなると、米版における、お茶に向かうふたりの描写も、まったく異なった意味を持ちます。「老いてはいてもがっしりした手がジャイルズの腕の中にすべりこんでき」たのは、仲のいい祖父と孫の姿ではなく、獲物を逃がさないよう捕まえているのかもしれないのです。英版はまぎれもなくジャイルズは老人の獲物であり、そして、老人があらかじめすべてを知った上でのことだったのか、あるいはそうでないのかは、私たちには確定できません。

くり返しますが、この点に関しては米版も英版も違いはありません。また、仮に英版において、老人が本当に「新聞で読んだはずなんだが、忘れちまって」いてジャイルズの話から推理したとしても、その前に事件の真相は裁判で明らかになり、周知の事実となっているのです。

誰が謎を解いたのか？　スコットランドヤードでしょうか。登場することはなかったけれど、舞台裏でコックリル警部が名推理を働かせていたのでしょうか。その答えは**「ジェミニー・クリケット事件」**には、直接書かれてはいません。しかし、以下のようなことは描かれています。

老人がヘレンが犯人である可能性を匂わせると、ジャイルズは顔を蒼白にさせ、そのことを老人に見とがめられると「おなじことを、すでに何度も聞かされてますからね――ゲームでないときに」と答えています。つまり、警察はジャイルズの前で、ヘレンへの疑いを見せた。そして、犯行の経緯が二人称で描かれたのち、三人称になったところで、こう書かれています。「容疑はルーパートにかかるはずだ、そう彼は計算していた。なのにヘレンが――ああ、思いだしてもぞっとする」警察はヘレンに容疑をかけた。少なくとも、ジャイルズはそう思っています。

ここで、第二節の冒頭で指摘しておいた、ジャイルズの犯行の合理性に欠ける部分について、思い出してください。彼の犯行は、確かに奇妙な不可能犯罪を可能にしてみせるものでした。その点では周到に考えぬかれています。だが、同時に、彼の望んだ結果をもたらすかと考えた場合、無意味な周到さでもありました。

ここに観察されるのは、自分の思いつきや考えに対するある種の我慢のなさです。ジャイルズは、混乱した殺人現場で、警官のふりをして逃げ去ろうという瞬間に、ルーパートの洋服が濡れていることに気づき、瞬時にそれを自分のアリバイ工作に利用するだけの頭の良さを持っています。人をひとり殺した直後、のみならず、その場を巧く逃れて、もうひとりを殺そうという計画のただ中の話です。にもかかわらず、自分の思いついた計画の効果について、慎重に検討するという、じっくりした考慮に欠けている。彼は発想するときの閃きに秀れ、実行するときの思慮に関して自分勝手で、ある部分（とっさのアリバイ工作のように）衝動的です。この点についてのみ、私には彼が病的に見えます。

彼は殺人を犯しました。しかし、彼の思惑ははずれます。ルーパート犯人説は、老人に退けられたのと同様に、警察からも退けられたのでしょう。そればかりか、ヘレンが疑われるという、彼がもっとも望まない展開になりました。ヘレンのアリバイは、自分の策略のために、立たなくなっているのです。ヘレンについて彼が不愉快に感じる状態での彼の言動は、第四節で指摘したとおり、過敏で反射的です。そんな状況で、ヘレンを救うという一点だけを目的にしたジャイルズが思いつき、その思いつきに飛びついたのは、犯行を自白するということではなかったでしょうか。

## 6　Get over

ジャイルズと老人が、なぜ殺人を犯したにもかかわらず、罪を問われなかったのか。その点については明確にされていません。ふたりには、何らかの病名が診断で与えられたはずですが、その病名は明らかにされていません。精神病と遺伝の関係は、いまだ解明途上のようですが、どの精神病をとっても、単純に遺伝病であるという説は、否定されています。ジャイルズがどのように病んでいたかは、つまびらかではないし、彼の病気について推測することは、しろうとのなすべきことではないでしょう。しかし、彼がさらされた状況と心理については、いくつか推測できることがあります。

まず、ジェミニーはジャイルズとヘレンの結婚に反対し、ルーパートとの結婚を望みました。その理由はジャイルズの血筋であったようです。ただし「ジェムおじがなにを言おうとしているかは、聞く前からわかっていた」（英米版ともほぼ同内容）としか書かれていないので、本当に、ジェミニーがジャイルズとヘレンの結婚に反対したのか、反対したとしても、その理由がジャイルズの血筋のためなのかは、実は分かりません。しかし、ジャイルズにとって、ジェミニーとは、そのように言うであろう人間なのでした。

「たびたび過去をふりかえって、自分の子供はいったいどんな遺伝形質を持って生まれてくるやら、そう自問自答したことはなかったかね」（英米版ともほぼ同内容）

老人はそう言って、ジャイルズを挑発しました。もちろん、彼はたびたび自問したことでしょう。自分のことのみならず、彼が純金にたとえるヘレンについても。考えたことがあるからこそ、老人がその可能性をほのめかすと、腕をふりほどこうとして拒否したのです。しかし、彼らには、正確な情報は与えられていませんでした。ジェミニーは、彼ら自身にも、彼らの家族に起きたことを知らせないようにしていました。ジャイルズは不安な状態のまま、宙づりにされたような状態だったでしょう。あるいは、何事につけ、じっくりした考慮というものを恐れていたかもしれません。彼の生活史を、この小説から窺《うかが》うことは、ほとんど不可能ですが、遺伝子のせいで殺人者になることはないと、遺伝子だけで精神病を発病することはないと、精神病は発病しても治癒しうると、彼に説得的に主張できた人間がいなかっただろうことは、想像がつきます。

米版冒頭は、ミステリマガジンの初掲載以来、訳文がなかなか一定せず、深町眞理子の苦心を見る思いがする一行です。原文は The old man simply couldn't get over it. です。私程度の語学力の人間にとって、簡単な単語ほど意味がとりづらいという好例です。実際、文脈なしに考えると、様々な意味にとりうる文章のようです。ただし get over に回復する、病気が治るの意があることも、また事実です。だからといって、この一行を「じいさんは病気が治らなかっただけなんだ」とか「老人はとても治ったとはいえなかった」などと訳せないことは明白です。ただ、ひとつだけ指摘しておきたいことがあります。老人は get over できなかったかもしれませんが、get over するためにそこにいて、それは、ジャイルズにしてもそうだということです。

## 7 結び

「ジェミニー・クリケット事件」は、英米ふたつの版が存在し、ミステリの翻訳が盛んであり、かつていねいな国であった日本において、両方の版がともに人の目に触れやすいという条件を満たしていました。同じプロット、同じ犯人、同じトリックでありながら、ここまで大きな違いを持つということが、そもそも珍しいことでしょう。米版は、ヘンリイ・スレッサーの「死刑執行の日」あたりを連想させる、事件とは無関係な人間のなにげない言葉によって、その結末が明かされました。それはクライムストーリイのオチのつけ方でもありました。しかし、一九六八年にあっては、少々古めかしい方法だったかもしれません。英版は、それに対して、安楽椅子探偵が事件の一端を解決した上で、実はその探偵そのものが怪物的な人物であったことが暴露されました。これで、形の上では、パズルストーリイになったかに見えました。しかし、本章で詳細に論じたように、そもそも、この話は謎を解き明かす人間がいないという構造になっていました。つまり、クライムストーリイでしか描けない話だったのです。

では、もし、ストレイトにジャイルズが自白する話として書いたと考えてみましょう。おそらく冗談のようなクライムストーリイになったことでしょう。事件に対する警察官がドーヴァー警部だったら、ユーモアミステリになったかもしれません。そして、おそらくは不自然な上に、不真面目な作品に、なにより、つまらない短編ミステリになったことでしょう。たとえ思いついたとしても、ブランドなら、真っ先に捨てた方法に違いありません。慎重なブランドは作品を仕上げ、それでも、ふたつの版が世に出ることになりました。異様で不可解な（ある意味不自然な）犯行が不可解さを持ったまま、異様な人物に犯人が問いつめられることで真相が読者に提示されるという、ユニークな作品に仕上がりました。本書第十六章と第十八章で論じたように、イギリスの短編ミステリは――とりわけクリスチアナ・ブランドは、パズルストーリイとクライムストーリイの垣根を取り払うことで、自在な書き方を手に入れようとしていました。「ジェミニー・クリケット事件」は、その果実の中でも、とりわけ見事なもののひとつでした。

しかし、そのためには、誰も謎を解かなかったという事実は、作品の奥の奥に仕舞い込まれることになったのです。同一プロット、同一犯人、同一トリックという共通点がありながら、いくつも微妙な差異を持つ英米ふたつのヴァージョンが成立し、しかも、詳細に比較すると、どのような差異も超えて、本質的にはこの小説がクライムストーリイから逃れられないことを示している。誰しもが謎解きミステリとして読むであろう一編がです。書きたいことと書きたくないことの総和が、伝えたいことだとするとして、「ジェミニー・クリケット事件」は、ふたつのヴァージョンが存在することで、それを微妙にズレたふたつの総和にし、結果、右のような奇跡を内包する二重星となりました。したがって、私は英米版のどちらが秀れているかという設問そのものを拒みたいと考えています。

短かいミステリに関する長い歴史は、これで終わります。クリスチアナ・ブランドの「ジェミニー・クリケット事件」で全六巻を締めくくったのには理由があります。その第一は、これが二十世紀最高の短編ミステリだからです。しかし、より大きな第二の理由は、これまでに様々な形で観察し発見してきた、短編ミステリの美点の多くを、この一編が含んでいるからです。全六巻を通じて、ディテクションの小説とクライムストーリイが、短編ミステリの歴史を貫く、拮抗する二色の糸でした。「ジェミニー・クリケット事件」は、作品の構造自体が、そのことを内に秘めていました。それは、ロイ・ヴィカーズ「二重像」やデイヴィッド・ウィリアムズ「バードウォッチング」が見せた、ディテクションの小説とクライムストーリイの融合の、もっとも成功した例でもありました。レイモンド・チャンドラーが「待っている」で見せた両義性もここにはあります。セイヤーズのところで目をとめた、ハウダニットのハウが、犯人の人間性を指し示すという可能性が、本編で大輪の花を咲かせています。ダシール・ハメット**「クッフィニャル島の略奪」**の周到な伏線の美しさ。スタンリイ・エリン**「決断の時」**の背後に隠し持つ厚み。ヒュー・ペンティコースト**「子供たちが消えた日」**の謎が深まっていくサスペンス。いずれも、この作品に見つけることが出来ます。いや、これらだけにとどまらないかもしれません。それは読者のみなさんが自分で見つけてください。

『37の短篇』には、収録作すべてに、ジャンル区分というか、作品を形容する一語がついていました。**「九マイルは遠すぎる」**には〈論理〉、「一滴の血」[*]には〈証拠〉、「長方形の部屋」には〈動機〉といった具合です。しかし**「ジェミニー・クリケット事件」**は〈?〉となっていたのです。

エドガー・アラン・ポオが「モルグ街の殺人」[*]を書いて、もうすぐ二百年です。短編ミステリに未来があるとするなら、それは**「ジェミニー・クリケット事件」**を目指すのではなく、?としか形容できないミステリを目指すところにあるのだと、私は思います。

## 訳者紹介

**猪俣美江子**（いのまた・みえこ）慶應義塾大学文学部卒。英米文学翻訳家。アリンガム《キャンピオン氏の事件簿》、セイヤーズ『大忙しの蜜月旅行』、ピーターズ『雪と毒杯』、ブランド『薔薇の輪』など訳書多数。

**門野集**（かどの・しゅう）一九六二年生まれ。一橋大学社会学部卒。英米文学翻訳家。訳書にウールリッチ『コーネル・ウールリッチ傑作短篇集』、クイーン『青の殺人』、ノックス『閘門の足跡』、ネヴィンズJr.『コーネル・ウールリッチの生涯』等がある。

**白須清美**（しらす・きよみ）一九六九年山梨県生まれ。早稲田大学第一文学部卒。英米文学翻訳家。訳書にディクスン『かくして殺人へ』、イネス『霧と雪』、クェンティン『俳優パズル』、イーリイ『タイムアウト』等がある。

**直良和美**（なおら・かずみ）東京生まれ。お茶の水女子大学理学部卒。英米文学翻訳家。訳書にローザン『チャイナタウン』、フレムリン『泣き声は聞こえない』、テイ『ロウソクのために一シリングを』、デ・ジョバンニ『P分署捜査班　集結』

等がある。

**深町眞理子**（ふかまち・まりこ）一九三一年生まれ。五一年、都立忍岡高校卒。英米文学翻訳家。ドイル『シャーロック・ホームズの冒険』、クリスティ『ABC殺人事件』、ブランド『招かれざる客たちのビュッフェ』など訳書多数。著書に『翻訳者の仕事部屋』がある。

**藤村裕美**（ふじむら・ひろみ）國學院大學文学部卒。英米文学翻訳家。訳書にアームストロング『始まりはギフトショップ』、ロラック『悪魔と警視庁』、リッチー『クライム・マシン』（共訳）等がある。

# 索　引

・小森収「短編ミステリの二百年」第15章から終章で言及されたもののうち、書籍は『　』、短編や章題は「　」で表した。**太字（ゴシック体）**のものは本書および『短編ミステリの二百年』既巻収録短編、末尾に「*」がついたものは編者のおすすめ短編である。
・人名は姓→名の順で、著作者に限り記載した。
・複数題名のある作品、複数表記のある人名は最も一般的と思われる表記のところにほかの表記で記載されたページもまとめて掲載した。

## あ



## い

## お



## か

## き



## く



## け

## こ



## さ

## せ



## そ



## た



## ち

## つ



## て



## と



## な



## に

## ね



## の



## は

## ひ



## ふ

## へ



## ほ



## ま

## わ



## 原題・未訳作品



## 映像・演劇作品

検印
廃止

編者紹介　1958年福岡県生まれ。大阪大学人間科学部卒業。編集者、評論家、作家。著書・編書に『はじめて話すけど…』『本の窓から』『ミステリよりおもしろいベスト・ミステリ論18』等がある。また自らも謎解きミステリの短編集『土曜日の子ども』を書いている。

短編ミステリの二百年6

2021年12月24日　初版

著　者　レンデル、ブランド他
編　者　小《こ》　森《もり》　　収《おさむ》

発行所　(株)　東京創元社
代表者　渋谷健太郎

162-0814/東京都新宿区新小川町1-5
電　話　03・3268・8231-営業部
03・3268・8204-編集部
URL　http://www.tsogen.co.jp
萩原印刷・本間製本



ISBN978-4-488-29907-1　C0197